BRASIL 500 ANOS

EXPERIÊNCIA E DESTINO

MINISTÉRIO DA CULTURA
Ministro Francisco Weffort

FUNDAÇÃO NACIONAL DE ARTE
Presidente Márcio Souza
Chefe de Gabinete Maria Regina S. Salles

DIVISÃO DE ESTUDOS E PESQUISAS
Coordenador Adauto Novaes
Assessores Alvaro Mendes e José Jacinto de Amaral
Secretário Ricardo Bello
Apoio João Carnavos

Assessores especiais do Ministério da Cultura
e representantes do MinC na Comissão para as
Comemorações do v Centenário do Descobrimento do Brasil

Embaixador Wladimir do Amaral Murtinho
Maria Cecília Londres

COMISSÃO V CENTENÁRIO

Presidente Lauro Barbosa da Silva Moreira
Secretário Executivo Tarcísio de Lima F. F. Costa
Assessora Maria Lúcia Verdi

AGRADECIMENTOS

Comissão Nacional para as Comemorações dos Descobrimentos Portugueses, Lisboa

Estes textos foram originalmente produzidos para o primeiro dos quatro ciclos de conferências Brasil 500 Anos — Experiência e Destino, organizado pelo Ministério da Cultura, através da Divisão de Estudos e Pesquisas da Fundação Nacional de Arte, em novembro de 1997, no Rio de Janeiro, e em 1998, em Belo Horizonte, através da Pró-Reitoria de Extensão Cultural da Universidade Federal de Minas Gerais, e em Salvador, através da Universidade de Salvador, Unifacs. Nos textos escritos por autores portugueses, foi mantida a grafia vigente em Portugal.

ADAUTO NOVAES GERD BORNHEIM VITORINO MAGALHÃES GODINHO BARTOLOMÉ BENNASSAR LUIS KRUS JORGE COLI MARIA HELENA DA CRUZ COELHO JOÃO MARINHO DOS SANTOS HUMBERTO BAQUERO MORENO JOSÉ V. DE PINA MARTINS LUIZ FELIPE DE ALENCASTRO FRANCISCO CONTENTE DOMINGUES PAULO MICELI ANTÓNIO BORGES COELHO LUÍS FILIPE BARRETO JEAN-FRANÇOIS COURTINE EDUARDO SUBIRATS JOÃO ADOLFO HANSEN NEWTON BIGNOTTO MARIA DAS GRAÇAS DO NASCIMENTO FRANK LESTRINGANT JEAN DELUMEAU MARILENA CHAUI

A DESCOBERTA DO HOMEM E DO MUNDO

Organização:

ADAUTO NOVAES

MINC - FUNARTE

COMPANHIA DAS LETRAS

Capa:
Moema Cavalcanti
sobre desenho de Salvio Daré

Preparação:
Beatriz de Freitas Moreira

Revisão:
Ana Maria Barbosa
Ana Paula Castellani

Dados Internacionais de Catalogação na Publicação (CIP)
(Câmara Brasileira do Livro, SP, Brasil)

A Descoberta do homem e do mundo / organizador Adauto Novaes. — São Paulo : Companhia das Letras, 1998.

Vários autores.
ISBN 85-7164-788-7

1. Descobrimentos geogreaficos portugueses 2. Portugal — História — Período dos descobrimentos, 1385-1580 I. Novaes, Adauto.

98-2259 CDD-946.902

Índices para catálogo sistemático:
1. Descobrimentos : Período : Portugal : História 946.902
2. Período de descobrimentos : Portugal : História 946.902

1998

EDITORA SCHWARCZ LTDA.
Rua Bandeira Paulista, 702, cj. 72
04532-002 — São Paulo — SP
Telefone: (011) 866-0801
Fax: (011) 866-0814
e-mail: coletras@mtecnetsp.com.br

ÍNDICE

EXPERIÊNCIA E DESTINO

Adauto Novaes

Este livro resultou do primeito ciclo de conferências que a Divisão de Estudos e Pesquisas da Fundação Nacional de Arte — Funarte — (Ministério da Cultura) organizou sobre os quinhentos anos do descobrimento do Brasil. Programados para se realizarem até o ano 2000, serão ao todo quatro ciclos.

A descoberta do homem e do mundo põe em evidência não só as condições econômicas e políticas da Europa e, em particular, de Portugal na época das grandes descobertas, mas também as formas de organização de vida dos homens. O estudo da história, pensamos, deve partir de uma análise imanente do real, ser a crítica da velha visão teleológica e teológica. É esta análise que nos permite revelar obstáculos e rupturas na filosofia, na política, nas ciências, nas artes, nas técnicas, nas formas de poder. Mas como a história nem sempre se faz de saltos e acontecimentos bruscos, procuramos ver as transformações muitas vezes insensíveis e invisíveis à primeira vista, aquilo que preparou os descobrimentos. A construção de um sistema de pensamento dá-se muito menos nos "acidentes visíveis" da história do que nos vestígios deixados por esses "acidentes", desdobramentos que permitiram, por exemplo, o nascimento da moderna civilização ocidental com suas técnicas, mitos, ambições e formas de dominação política. Datas emblemáticas como "Brasil 1500" ofuscam todo o resto (quando se pensa apenas em comemorar), mas podem também ser "pontas de iceberg" de um processo de reflexão.

Os ensaios deste volume põem em cena uma nova era construída sobre as ruínas de concepções tradicionais. Historiadores costumam dizer que este é um momento inaugural da história, uma nova origem do mundo. Desde o mito da criação do mundo, tendemos a acreditar que toda origem é perfeita. Mas é preciso reconhecer que há sempre muita imaginação nas narrativas de todo Estado nascente. A história oficial esquece que o que aconteceu no Brasil a partir do "encontro" (aniquilamento de outros povos e outras culturas, e, portanto, produção do que somos hoje) é parte essencial desta origem. Como nos lembra Valéry, na história

> os personagens que não têm as cabeças cortadas e os que não cortaram cabeças desaparecem sem deixar vestígios. É preciso ser vítima ou carrasco, ou sem nenhuma importância... A memória histórica obedece às leis do teatro. O homem gosta do drama. Mas o drama engendra o drama... Para demonstrar isso, basta tentar levar ao extremo a representação que se faz de qualquer dado "histórico". Vê-se, então, a parte que tomam nosso arbitrário, nossa sensibilidade e nossos conhecimentos dessa fabricação. Aliás, se retirarmos da leitura da história o socorro de nossa crença no *valor* de uma representação do passado, esta representação torna-se uma combinação entre outras igualmente possíveis.

Acontece que, no Brasil, as cabeças cortadas fundem-se com os "sem nenhuma importância" e desaparecem da história. O Ocidente, sempre é bom lembrar, construiu-se sobre as ruínas do Velho e do Novo Mundo.

Este primeiro volume da série procura mostrar o que e como pensava a Europa na época do descobrimento; como era a organização política de Portugal; a arte e a técnica das navegações, o dia-a-dia no mar, a chegada ao Brasil, as narrativas dos primeiros viajantes e os primeiros conflitos.

Experiência e *destino* são duas noções que, direta ou indiretamente, estarão presentes ao longo dos livros da coleção. Por que experiência e destino? O mundo das descobertas mostra-nos que, de alguma maneira, a política européia, dominada pela Escolástica, pensava de olhos fechados. Era um pensamento sem objeto, e a experiência era feita a partir apenas da idéia de experiência. O mundo não se preocupava em interrogar as coisas. Ou melhor, os homens viam o mundo tal como aparecia para eles e não tal como ele é; não viam nas coisas as próprias coisas mas apenas as idéias delas. Por meio da experiência concreta, além da descoberta do mundo, o homem também se descobre, funda a filosofia da autoconsciência, isto é, põe no lugar do ser "unicamente pensado, no lugar de Deus, do ser supremo e último de toda filosofia escolástica, o ser pensante, o Eu, o espírito autoconsciente". Esta foi a grande descoberta do homem que permitiu as experiências da descoberta do mundo. A crença cede lugar à experimentação. Experimentar quer dizer, em última análise, não acreditar. A revolução inaugurada no século XVI consiste, pois, na derrocada da "bela unidade medieval", que tinha no divino o mediador de todas as coisas. A certeza imediata, sensível, ajuda a fundar a época moderna.

Ora, pode-se dizer que as invenções são feitas sob o signo da descrença. Com a experiência, o pensamento estabelece uma nova modalidade de razão, operante, a partir das coisas do mundo. Experiência quer dizer prova, tentativa, ensaio. Na época dos descobrimentos, a palavra experiência designava o conjunto das aquisições do espírito em contato com a realidade. Já no fim do século XVI, o termo adquire conotações científicas, significando "praticar operações destinadas a estudar algo". A etimologia nos ensina que experiência liga-se à importante raiz indo-européia *per* que quer dizer "ir adiante", "penetrar em", dando ainda origem às palavras *perigo, pirata, porto.* Lemos, por exemplo, no ensaio *Quod nihil scitur* [De que nada se sabe], do português Francisco Sanchez (1551-1623), um dos precursores do pensamento moderno, antecessor de aspectos do racionalismo de Descartes e do ceticismo de Montaigne: "Observa diretamente..."; "A experiência e o juízo são os meios pelos quais os míseros humanos alguma coisa percebem e aprendem". Ou, como escreveu Duarte Pacheco, no *Esmeraldo de Situ Orbis*, "A experiência é a madre das cousas, nos desengana e de toda a dúvida nos tira".

Este pré-racionalismo português, de tendência empirista, teve o mérito de romper com o pensamento teológico e escolástico, tanto na teoria quanto na prática das navegações, resultando no que historiadores denominam de Renascimento português. Como observa Georges Lefebvre, "desta aventura multissecular — aos nossos olhos, o Renascimento — qual foi o aspecto essencial? Evidentemente os descobrimentos marítimos".

O Renascimento português, com seu desenvolvimento técnico, levou, portanto, a transformações radicais na própria forma de pensar e agir. As observações do poeta Paul Valéry, feitas para outro contexto, servem também para ilustrar o que aconteceu em 1500:

> O progresso dos meios enfraqueceu a metafísica, que jamais previu o que quer que seja dos fenômenos descobertos pela experiência [...] Enquanto o "espiritualista" move-se na linguagem, com a qual ele faz o que quer por meio de definições que se dá sem apoiá-las em fenômenos constantes — o materialista obriga-se a manter relação com a observação e a experiência, e busca nos fenômenos o que o outro procura no seu cérebro verbal.

Desta experiência inovadora, o que restou para o Brasil do século XVI? Nada ou quase nada. Isso porque o Brasil cresceu intelectualmente à sombra da Contra-Reforma, da Inquisição e da Companhia de Jesus, contra o pensamento heterodoxo, que, seguindo a linha dominante em Portugal, estabelecia uma relação despótica na política e nas idéias.

Se parece difícil vincular o Brasil às evoluções experienciais no mundo a partir de 1500, pode-se, pelo menos, precisar o sentido que o termo experiência adquiriu para nossa política e nossa cultura: no lugar da invenção política, cópia; no lugar da criação permanente de obras de pensamento, repetição.

Outro legado português, também tema deste livro, é o conceito teológico-político de *destino*. Por destino entende-se fatalidade, reservar esta ou aquela sorte à nação e ao povo. Na idéia de destino, há uma potência exterior ao homem que regula o curso dos acontecimentos; nela, há sempre um ser superior e exterior que sabe o futuro e o anuncia. Sem passado e sem presente, destino é uma maneira de dizer que jamais podemos mudar o presente porque tudo já está definido nos céus de um futuro glorioso: "Brasil, país do furturo". Esta ficção é teológica porque resulta de uma profecia semelhante à perfeição divina que nada pode ignorar; é política porque sempre foi apropriada até nossos dias pelas classes dirigentes para manipular vontades e adiar desejos de transformação.

A idéia de destino tem origem na própria tradição política portuguesa: das cruzadas ("dilatando a fé e o império") às navegações ("...toda história de Portugal gira em torno dos descobrimentos marítimos e da expansão dos séculos XV e XVI. Tudo o que aconteceu antes não foi mais do que uma preparação para esses grandes empreendimentos. Tudo o que aconteceu depois foram — e são ainda — conseqüências desses grandes empreendimentos", escreve Barradas de Carvalho). O destino de Portugal está inscrito, pois, no mar e no além-mar.

No Brasil, ao longo de sua história, o destino está sempre fora de suas fronteiras, espelho distorcido de experiências de outros países e, portanto, nunca realizável nas suas condições concretas: esteve em Portugal, esteve no Iluminismo, esteve na Revolução Francesa, esteve no positivismo. Está... Perdemos sempre a última caravela; alegremente esperamos a próxima...

O HOMEM, O MUNDO

O momento das descobertas foi também o momento das rupturas. Ao lado das invenções técnicas, que permitiram as aventuras dos navegantes, transformações nas estruturas materiais e mentais deram início ao que a filosofia e a história chamam de "liberação do indivíduo", tirando-o do anonimato medieval: "divinização do homem e humanização de Deus". Com o nascimento da idéia de indivíduo, surge um novo homem que se pretende autônomo. É essa autonomia que permite a construção, por meio da experiência, de uma nova ordem econômica e política que se contrapõe, no plano das idéias, ao caráter ideológico dominante.

Vemos, na circunavegação, a criação do grande processo de circulação: surgimento do espírito capitalista, com a circulação da mercadoria e da moeda; ao mesmo tempo que o gosto do risco nas navegações se afirma, aparece o primeiro esforço para organizá-lo racionalmente através de contratos de seguro, fundação das bolsas e dos grandes bancos. Como observa Claude Lefort em seu ensaio *Capitalismo e religião no século XVI*, como não reconhecer o capitalista e o banqueiro internacional já governando o mundo por detrás do príncipe e do papa no início do século XVI?

Circulação das idéias, com a descoberta por Gutenberg do processo de impressão por meio de tipos móveis, com a multiplicação de livros e o aparecimento da imprensa escrita.

Descoberta da circulação dos astros com as pesquisas do astrônomo Copérnico, dando início à revolução científica moderna, ao lado do dinamarquês Tycho Brahe e do alemão Kepler. Comprova-se, com rigor científico, o heliocentrismo, derrubando a visão do antropocentrismo vigente no mundo antigo e em toda a Idade Média.

Descoberta da circulação do sangue, ainda que sem verificação experimental, por Miguel Servet. A grande circulação sangüínea será confirmada um pouco mais tarde, experimentalmente, pelo médico inglês William Harvey. Mas é nessa época também que Leonardo da Vinci se dedica à descoberta do corpo através dos seus estudos da anatomia humana. São desse período ainda os estudos de anatomia, a partir da dissecação de cadáveres, do pai da anatomia moderna, o belga André Vesalio.

São desse período, também, as primeiras greves na imprensa e nas fábricas de tecidos. Mas, o que marcou a história das revoltas foi a Guerra dos Camponeses alemães, de 1524 a 1526. Liderados, entre outros, por Thomas Müntzer, os camponeses reivindicavam a propriedade comum dos bens de produção, a extinção da servidão, a redução dos impostos.

O tempo das descobertas foi, ainda, o tempo de Lutero, Calvino, Erasmo, Thomas Morus, Maquiavel, Montaigne, La Boétie, Piero della Francesca, Leonardo da Vinci, Michelangelo, Van Eyck, da Companhia de Jesus, da Contra-Reforma e, por fim, "o nascimento das europas fora da Europa e também — por causa da Europa — o nascimento das áfricas fora da África", como escreveu Jean Delumeau.

Época que antecipa nosso tempo, que produz o Brasil e suas contradições.

Uma das rupturas mais determinantes para a história no século dos descobrimentos foi a idéia de Estado. Sua reestruturação deu maior controle do poder central sobre as províncias. Historiadores assinalam que tais modificações nas estruturas políticas e sociais (ao lado das guerras de religião) fizeram nascer a filosofia política. Ora, vemos surgir nesse momento a revalorização da idéia de natureza humana e uma nova dimensão das relações entre o indivíduo e o Estado. A nova noção de natureza humana afirma a valorização do indivíduo e implica a "convicção de uma autodeterminação possível". Uma vez postas as determinações puramente humanas da vida social, a responsabilidade de cada um na vida do Estado não é mais objeto de dúvida. Em um comentário sobre as transformações políticas do século, Nadia Gontarbert nos lembra de que um dos textos de referência para católicos e huguenotes é *A cidade de Deus*, de santo Agostinho, que dá um sentido religioso às idéias de autodeterminação e de indivíduo, legitimando toda autoridade. Gontarbert resume esta concepção: "Deus quis que a multidão humana fosse guiada por um chefe. Este, escolhido pelo Criador, tem todos os direitos e todos os poderes sobre seu povo, ao qual não deve prestar nenhuma conta". Mas dois outros pensadores do século presentes neste livro — Erasmo e Maquiavel — invertem estes valores religiosos e põem o indivíduo no centro das especulações filosóficas e políticas. Mas quando critica os mecanismos de funcionamento do Estado, Maquiavel considera o príncipe o único responsável pela autoridade e organização política do país. Pensador difícil de compreender, comenta Merleau-Ponty em sua *Nota sobre Maquiavel*, pois "desconcerta os crentes do Direito como os da Razão de Estado" e para quem entre o poder e os sujeitos, entre o eu e o outro "não existe terreno em que cesse a rivalidade. É preciso sofrer a repressão ou exercê-la. A cada instante Maquiavel fala de opressão e de agressão. A vida coletiva é o inferno".

Fina interpretação de Merleau-Ponty que ressalta em Maquiavel tanto a crítica ao príncipe quanto à rejeição à idéia de um poder supremo das massas e o povo transformando-se em monarca. De alguma maneira, ele aponta para a crise desta oposição julgada essencial pelo pensamento clássico.

Neste cenário é escrito um pequeno texto que se transformou em um dos monumentos isolados da teoria da política moderna: o *Discurso da servidão voluntária*, de Etienne La Boétie. Relegado ao esquecimento durante mais de três séculos, o *Discurso* é uma reflexão sobre o ser tornado servo. Poucos comentadores se dispuseram a analisar a obra de La

Boétie; poucos políticos buscaram o seu concurso para bandeira de lutas libertárias: como nos lembra Marilena Chauí no ensaio *Amizade, recusa de servir*, o texto

> retorna à cena política durante a Revolução Francesa e no século XIX, retraduzido por La Mennais, no curso das lutas proletárias. Com os revolucionários, e em particular com Marat, a obra converte-se em panfleto pedagógico no qual ensina-se ao povo a causa da tirania e o remédio que o fará feliz, mesmo contra a sua vontade. Nessa apropriação do texto, abandona-se a intenção expressa de La Boétie que escrevera não querer pregar ao povo.

O silêncio em torno de La Boétie deve-se a algumas peculiaridades: primeiro, como já foi dito anteriormente, La Boétie "considera secundárias as oposições julgadas essenciais pelo pensamento clássico", que põe de um lado o povo, de outro o tirano. Como lutar pelo poder, como chamar o povo a tomar o poder político, como transformar-se em demagogo e panfletário sem criar a figura do outro como inimigo? Ora, La Boétie mostra que o povo é parte do poder e que entre o tirano e o povo não existe propriamente antagonismo. No processo de fabricação do tirano, "o que ele tem de fato de grandeza e potência é constituído apenas por aquilo que lhe é oferecido: o que ele tem não é senão aquilo que lhe é oferecido: o que ele tem não é aquilo que o 'povo' lhe *dá*" (Jean Michel Rey, em *La part de l'autre*). O povo faz corpo com o tirano, e os servos só são servos por vontade própria. Daí a força do tirano. O povo aliena-se porque quer bens; o tirano quer a força porque quer (e tem) o outro, o desejo do outro, em um processo incessante de produção e reprodução dos mecanismos de dominação. La Boétie escreve:

> Aquele que vos domina tanto só tem dois olhos, só tem duas mãos, só tem um corpo, e não tem outra coisa que o que tem o menor homem do grande e infinito número de vossas cidades, senão a vantagem que lhes dais destruir-vos. De onde tirou tantos olhos com os quais vos espia, se não os colocais a serviço dele? Como tem tantas mãos para golpear-vos, se não as toma de vós? Como ousaria atacar-vos se não estivesse conivente convosco?

Mais ainda: para o povo, não basta obedecer ao tirano,

> também é preciso agradá-lo, é preciso que se arrebentem, que se atormentem, que se matem de trabalhar nos negócios dele; e já que se aprazem com o prazer dele, que deixam seu gosto pelo dele, que forçam sua compleição, que despem o seu natural, é preciso que estejam atentos à palavra dele, aos sinais dele, e aos olhos dele; que não tenham olho, pé, mão, que tudo esteja alerta para espiar as vontades dele, descobrir seus pensamentos. Isso é viver feliz?

A servidão é voluntária, isto é, há uma cisão no interior da própria vontade, ela se desdobra, divide-se nela mesma a ponto de desejar a própria alienação, o próprio aniquilamento. Ao desejar servir, o povo confere ao tirano um poder ilimitado. "Não há desejo de mandar sem desejo correlativo de obedecer", comenta Pierre Clastres.

Outra razão que levou La Boétie ao esquecimento foi o rompimento com o discurso político cristão, apontado por Claude Lefort no ensaio *O nome do outro*. Ora, o discurso cristão é, diz Lefort,

> justamente referido pelo lugar de um saber produzido sob a garantia das Escrituras, do qual pretende ser o comentário face a um mundo ao mesmo tempo regido e concebido por Deus. De resto, a marca dessa ruptura é flagrante para quem faz o esforço de remontar aos tempos do humanismo. La Boétie recusa os signos visíveis da servidão e da dominação, esses signos que sugerem causas naturais, volta o seu leitor em direção do invisível, o nome de Um; mas desse modo exclui, sem que precise dizer materializado no todo-poderoso divino, o senhor absoluto, do qual, contudo, só a noção bastaria para impedir a idéia de uma servidão voluntária, a idéia de que o homem seja o autor de sua sujeição — ou a modificaria inteiramente tornando-a conseqüência de um decreto providencial.

Ora, sem ser um discurso aceitável pela política clássica, ainda que de "oposição", por ser ainda um pensamento transistórico, original e absolutamente livre, e tendo como inimigo todo o poder teológico-político, entende-se por que La Boétie é combatido através do esquecimento.

Seria preciso ter muita paciência e prudência para analisar todos os aspectos do mundo político do *Discurso da servidão voluntária*, mas, para os propósitos dos quinhentos anos do descobrimento, é mais que necessário fazer uma referência ao tema do "mau encontro" e às relações feitas por Pierre Clastres entre as concepções políticas do *Discurso e a organização política* das sociedades indígenas quase quinhentos anos depois.

Todo o *Discurso* vai no sentido de alertar o leitor sobre a origem e o preço da servidão e, portanto, da liberdade. O núcleo do texto está na questão, que La Boétie deixa sem resposta: "...que mau encontro foi esse que pôde desnaturar tanto o homem, o único nascido de verdade para viver francamente, e fazê-lo perder a lembrança de seu primeiro ser e o desejo de retomá-lo?". "Brutal encontro", "acidental", escreve Pierre Clastres no ensaio *Liberdade, mau encontro, inominável*, que faz desabar o antes da liberdade no depois da submissão, trazendo à sociedade a divisão entre os que mandam e os que obedecem: "O que é designado aqui é, efetivamente, o momento histórico do nascimento da história, essa ruptura fatal que jamais deveria ter se produzido, o acontecimento irracional que nós, modernos, nomeamos, de modo semelhante, o nascimento do Estado". Para Clastres-La Boétie, essa ruptura é uma passagem "fatal" e "brutal", que torna o homem desnaturado (isto é, sem liberdade, que é a essência de sua natureza), porque é sem volta. Não é uma passagem simples de uma maior para menor liberdade, gradações criadas pela democracia moderna, mas "passagem fatal" que quer dizer, em essência e na origem, que toda sociedade dividida é uma sociedade de servidão: "Não existe bom príncipe que se possa opor ao mau tirano. Amável ou cruel, ele, de qualquer modo, não é o príncipe a quem o povo serve?". *Servidão voluntária*, junção aparentemente contraditória: servidão só existiria pela vontade do outro; voluntária é a ação livre, sem pressão e por intenção, aquilo que está em nosso poder fazer ou não fazer. Espinosa ensina-nos que desejo e vontade são essências do homem determinado a fazer coisas que são úteis à sua conservação. Ora, com a perda da liberdade e com a junção à servidão, a vontade torna-se flutuante, o homem perde a consciência de si e da sua condição; assim, diz Espinosa, somos "agitados de diversas maneiras por causas exteriores e, como as flutuações agitadas por nossa sorte e de nosso destino". Ao expor o movimento contínuo e interminável de produção e reprodução do desejo de servir, La Boétie desloca o eixo da interpretação; não é mais a astúcia do tirano que leva à servidão, mas o próprio desejo do povo, que dá ao tirano mais do que ele espera. Pior ainda: o povo "não sente mais o seu mal", o que faz com que se crie uma espécie de *anestesia* (o termo é de Jean Michel Rey) que duplica o esquecimento da liberdade, "a lembrança do seu primeiro ser e o desejo de retomá-lo".

Os poucos comentadores de La Boétie costumam dizer que sua análise obedecia a um procedimento puramente lógico, transistórico, liberto de toda "territorialidade" social e política. Mas Pierre Clastres lembra-nos que o século XVI é o da Renascença, a volta da cultura greco-romana, mas também o século da descoberta do Novo Mundo. É fácil imaginar o fascínio exercido no pensamento europeu das narrativas das sociedades indígenas feitas pelos primeiros viajantes. Dificilmente La Boétie teria desconhecido tais narrativas. Mesmo tomando o *Discurso* como um trabalho de "pensamento", no sentido autônomo do "pensamento" que lhe dá Claude Lefort, é clara a alusão aos novos povos descobertos. "A propósito", diz La Boétie,

> se porventura nascesse hoje alguma gente novinha, nem acostumada à sujeição, nem atraída pela liberdade, que de uma e de outra nem mesmo o nome soubesse, se lhe propusessem ser servos ou viver livres, com que leis concordaria? Não há dúvida de que preferiria somente à razão obedecer do que a um homem servir...

Ora, Clastres nos mostra, através da análise de La Boétie, que as sociedades indígenas, antes do mau encontro vindo com os europeus, eram sociedades livres, "sem lei, sem fé nem rei". O que se conclui das análises é que duas concepções de mundo estavam em conflito em 1500. Sociedades sem Estado não porque fossem atrasadas mas porque, por escolha política e pela visão das relações entre os homens, eram estruturalmente contra a idéia de Estado, contra a sociedade dividida entre os que comandam e os que são comandados. A resistência ao invasor deve ser entendida dessa maneira: se, no início, as sociedades indígenas souberam reconhecer o outro enquanto outro — todos os viajantes narram nesse sentido as primeiras acolhidas —, logo viram surgir em seu seio essa coisa absolutamente nova que desejava alterar radicalmente a relação entre os índios: a inquietante figura do poder separado. Os tupinambás, como centenas de outras nações, foram dizimados. É certo que eles preferiram a resistência e a morte a "desejar servir". Eles sabiam que entre o desejo de liberdade e a liberdade não há diferença e que o homem só é servo por vontade própria. Mas isso é outra história. Ou melhor, esta é a história do próximo livro: o que eram as sociedades no Brasil de 1500.

A DESCOBERTA DO HOMEM E DO MUNDO

Gerd Bornheim

Por sua atualidade e suas dimensões, nosso tema — o conceito de descobrimento — é em tudo momentoso e de uma abrangência que em nada perturba a força de sua singularidade. Trata-se, para nós, da exploração de um conceito que haure toda a sua razão de ser de uma experiência inédita, nunca vista quer em suas motivações, quer na amplidão de suas conseqüências. Baste por ora dizer que as águas do descobrimento ainda hoje não se aquietam, nem mesmo na mais estável de todas as areias. E busca-se aqui um conceito. Convém iniciar, já por isso, com algumas observações introdutórias.

De três, a primeira observação lembra que não caberia limitar o fato do descobrimento, ainda que construído à saciedade pelas fantasias de um cálculo por assim dizer preciso, ao acosto aleatório numa praia baiana que era a total negação de um porto seguro. Quero dizer que o acontecer do descobrimento não pode ser entendido simplesmente a partir de um acaso factual, bem estabelecido em suas coordenadas históricas e geográficas. Se assim se quisesse, esse acaso já esgotaria tudo, tudo traria consigo, aprazer-se-ia de ser a superação do passado e a promessa de algum futuro — essa proa encalhada na areia e que mal suspeitava a quantas veio: é que os mares são atravessados por desígnios ambíguos e a paisagem disfarça mal a incerteza das incógnitas. Esse ponto exato, entretanto, tão afeito a uma aferição conceitual precisa, a rigor nada adianta. Quero dizer que a experiência factual vive das bastardias que promete, e ainda hoje o conceito de descobrimento só existe em função das fronteiras que teima em devassar. Este o nosso tema. Ou seja: o conceito de descobrimento continua, mesmo em nosso tempo, vivendo da impossibilidade de emparelhar-se com qualquer tipo de completeza; é que tratamos de um conceito congenitamente plural. Parece que ele se quer essencialmente aberto, como que a ignorar para sempre o próprio sentido de suas premissas — parece desde cedo que tudo converge para essa pequena coisa, que ninguém entende muito bem, e que vem sendo apelidada de aldeia global. Fiquemos por ora nisso: o conceito de descobrimento acaba fazendo-se alheio a qualquer impacto meramente factual. O que interessa está em pensar todo o sentido que esse elemento pontual possa oferecer; em verdade, ele vem de certo descortino e traz em seu bojo — não por ele mesmo, que nada é causa de nada — a invenção de um mundo nunca dantes navegado.

Em segundo lugar esta outra observação: claro que as delimitações se fazem fatais. É justamente a singularidade dos eventos que exige a delimitação de fronteiras — aquilo que lhe é anterior, ou aquilo que se edificou em sua conseqüência. Seja suficiente chamar a atenção aqui para a particularidade de um corte que se estabeleceu com a descoberta do Novo Mundo. A ocorrência talvez pareça nem ir além do anedótico, o que está longe de lhe tirar toda a imensa significação que esconde. E é que nós, americanos, não tivemos Idade Média. O descobrimento como que relega ao passado toda a riqueza, ainda que decadente, do mundo medieval. A experiência do elemento gótico, por exemplo, estaria fadada a restringir-se à nostálgica e paupérrima reencenação daquele estilo pela debilidade do romantismo já serôdio. E a que poderia vir então o gótico? O corte nem gerou tanta inquietação, antes pelo contrário — mas nós não tivemos Idade Média. Todo o nosso mundo, o Mundo Novo, foi construído a partir de uma radical experiência de ruptura: o homem novo, que pelas navegações parece incompatibilizar-se com as suas próprias raízes, promete a si mesmo um mundo totalmente outro. Sua missão é nova: a construção de um mundo realmente inédito. Portanto, a ruptura veio com toda a força de sua violência — a violência, diga-se logo, das mutações necessárias. Repito: nós não tivemos Idade Média. A experiência de ajoelhar-se nesse esplendor da Verdade que era uma catedral gótica só se verifica para nós em termos de extravagância turística. Nosso mundo é realmente outro. Entretanto, convém observar que as fronteiras entre o antes e o depois por vezes se tornam embaçadas. Assim, por exemplo, esse monge tão profundamente medieval que foi Lutero soube entender e abrir-se para o feito maior que era o capitalismo emergente; fala-se, por isso, das afinidades entre o protestantismo e sua ética profundamente medieval, e essa experiência em tudo futurosa que foi o advento do capitalismo. Outro exemplo: o barroco, em sua teimosia católica, e já pela presença dos padres vieiras nas embarcações dos descobridores, iria atrelar, ao que se continua vendo, o espírito novo a crenças que já nada tinham a ver com o próprio espírito do descobrimento. Ficamos, assim, a meio caminho. É que tais fronteiras se fazem geradoras de conflitos. E o que é pior: conseguem também abafar os conflitos nos muros brancos do barroco. Ao que tudo indica, porém, o retardamento das coisas, no fundo, deixa incólumes os desígnios implantados pelo espírito novo do Novo Mundo, mas os processos por vezes se revelam de mais difícil consecução. E, seja como for, mesmo os avessos dos descobrimentos, ainda que empanem, não chegam a arrefecer os ímpetos de implantação de um mundo realmente novo. A análise que acabo de fazer revela ao menos que a elaboração de um conceito, mesmo que avigorado pela força de sua própria necessidade, dificilmente consegue alcançar a transparência dos conceitos ditos exatos. De resto, é a impossibilidade de atingimento de total transparência que move o próprio sentido de uma pesquisa que se quer afim com parentescos que nem poderiam ser ignorados.

Passo a uma terceira observação, que desenvolve o que vem de ser dito. São agora, até que sucintamente, questões de método. Se se busca o conceito, como entendê-lo? Como dizer esse conceito de descobrimento? O que se pretende aqui está em estabelecer com certa visão de totalidade — dessa totalidade sempre descerrada do que possa ser o descobrimento. Os seus inícios escapam aos parâmetros de uma realidade claramente verificável, ainda que sobre eles quase tudo possa ser dito; e os seus fins como que escapam pelos vieses que tolhem a própria possibilidade de um conhecimento que se pretendesse afeito a causas finais. O paradoxo concentra-se todo neste ponto: é que trata de uma totalidade aberta, rigorosamente indefinível, mas que se deixa esclarecer através de análises que acabam compondo um discurso destinado a saber-se sempre enquanto incompleto. Nesse sentido, o conceito vive de sua própria generosidade, e de algo como a consciência de seus limites ou de sua insuficiência definitiva. Quero dizer que as análises que nos esperam não poderiam compatibilizar-se com o estabelecimento de essênciais definíveis em sua particularidade exata. Por tais caminhos, qualquer discurso sobre uma questão como a do descobrimento nem sequer conseguiria instaurar o seu ponto de partida. E são as questões dessa natureza que realmente interessam às exigências da educação, da política, ou daquilo que já Aristóteles insistia em chamar de cultura. Foi justamente o reconhecimento de toda a importância que deve ser vista no conhecimento calcado na exatidão das determinações particulares que levou Aristóteles a defender a sua concepção de dialética, que se nada oferece de exato, termina sendo em suas probabilidades a razão de ser de toda exatidão. De fato, o que importa está no desenvolvimento dessa cultura, dessa *paideia*, e isso já explica o porquê de a dialética constituir-se no método mais amplamente utilizado por Aristóteles. Um tanto inspirado no velho grego, permito-me adiantar algumas considerações sobre as características de dois traços fundamentais para o entendimento dessa imensa cultura que foi e continua sendo o descobrimento. São eles: a universalidade e o espírito crítico.

Pois o descobrimento foi antes de tudo a instauração destas duas coisas: a criação de uma experiência inédita da universalidade, e de uma universalidade que soube deixar-se perpassar pela prática da invenção de um espírito crítico também ele inédito. O tema só poderá ficar claro através das análises subseqüentes, mas, desde logo, avanço algumas indicações de caráter introdutório. Entenda-se aqui o universal na acepção latina da palavra, que parece congregar em si a duplicidade de seu sentido grego, como conceito universal (*katholou* — o homem, por exemplo, em contraposição à individualidade de Sócrates) e como *genos*, gênero e que tudo tem a ver com gênese. Pois a decomposição da palavra latina ensina-nos que a palavra universal se compõe a partir de *unus versus alia* ou *plura* — uma unidade contraposta a outras. Digamos que a vocação para a universalidade, inscrita em tudo, concerta as coisas particulares; tudo se faz habitado por jogos de contraposições: cada singularidade está contraposta a outras singularidades, e é no estofo dessas contraposições que se edifica aquela vocação de universalidade. Sirva aqui a situação do filho dentro da família como claro exemplo do que vem de ser dito; realmente, a educação se processa através de um jogo crescente de contraposições, que arrancam do berço, da presença dos pais, das experiências progressivamente mais coletivas, que alcançam a escola e por aí afora. A própria possibilidade da educação assenta nesses avanços que desentranham a configuração do universal — sem esse cultivo dos universais o homem ficaria adstrito ao absurdo de sua singularidade individual. Neste sentido, o descobrimento não passa de uma modalidade de cultura do universal, de um jogo de intensas contraposições, ressalvada, no caso, a amplidão do conceito: o que nele desponta é nada menos do que a idéia de Humanidade. Voltarei mais adiante ao tema. O que importa desde já está em chamar a atenção para o conceito de descobrimento entendido enquanto uma prática de realização de um certo universal, ou de um complexo de universais. Estamos, evidentemente, ao nível do universal concreto, isto é, de um universal que se vai construindo através do processo histórico. Este elemento concreto está na origem de qualquer sentido que a palavra universal possa vir a oferecer. Assim é que a ciência só se verifica dentro dos limites de uma cultura universalizante, que se faz em princípio de possibilidade da própria invenção da ciência compreendida enquanto quesito de determinação particular exata. Um exemplo: os navegadores consagraram e foram, afinal, a razão de ser da Escola de

Sagres (fundada já em 1416); é que de há tempos as coisas em Portugal se preparavam, e de muitas maneiras, para a prática universalizante dos navegadores. Outro exemplo: o enciclopedismo de Aristóteles em sua fase final buscava precisamente isto: inventariar a universalidade que chegou a ser concretizada pela evolução da cultura grega; a biblioteca de Aristóteles está na gênese da Universidade ocidental, e deve ser interpretada como o lugar de cultivo dos universais, ou melhor, do trânsito entre os universais concretos e os universais científicos.

A afirmação de que o descobrimento configure um universal concreto no sentido que vem de ser estipulado apenas define o objetivo do presente ensaio. E seu objetivo está também em entender que uma característica essencial do descobrimento reside numa forma muito peculiar daquilo que passou aos poucos a ser explicitado como constitutivo do espírito crítico próprio da época. O que afirmo, nessas amenidades preambulares, é que o espírito crítico também se constitui, e isso em seus modos de ser peculiares, no contexto de embates históricos bem determinados. A própria idéia de descobrimento fomenta um tipo de comparação entre culturas que certamente não será completamente novo, mas termina por alcançar entre nós uma intensidade que chega a pôr em risco os próprios fundamentos do mundo ocidental. Realmente, o cultivo da comparação vai a ponto de poder instituir-se até mesmo numa espécie de princípio de morte. A partir de certo momento, a crítica já não se compraz com a elegância dos comentários meramente intelectuais; ela acaba inspirando, como de fato aconteceu, um nefando comércio com a idéia do absurdo, do sem-sentido radical de toda realidade. Pois o conceito de descobrimento acoberta essas coisas díspares; a educação para o universal passa a exercer-se em bases insólitas, chegando até mesmo aos limites extremos de sua própria negação. Mas não pretendo neste escrito estender-me no âmbito de tais extremismos — trata-se, todas as contas feitas, e não são poucas, do surto de conceitos-limites. Prefiro deter-me, a seguir, naquela educação crítica da universalidade.

O DESCOBRIMENTO E A NATUREZA DO UNIVERSAL

O tema se revela crítico já por um simples fato que só apresenta de inocente as suas aparências: não é que se começa a discutir, com um fervor inédito, sobre a própria natureza dos universais? Convém não esquecer, e apenas aceno ao tema, que os descobrimentos já se deixam inserir no que pode ser considerado a segunda grande revolução na história do próprio homem — a primeira se verifica no Neolítico, com o estabelecimento dos hábitos sedentários nas emergentes povoações, com o trabalho transformador da natureza, com a divisão do trabalho e, expressando isso tudo, com a invenção da doutrina dos dois mundos, o dos homens e o dos deuses, que consolidaria as bases remotas de toda a questão dos universais. É exatamente essa consolidação que sofre os seus primeiros sérios percalços já nos inícios dos tempos modernos. O que se discute, com um vigor em tudo novidadeiro, está nada menos do que na própria natureza do universal; cresce a insatisfação com as bases teológicas que sempre pretenderam justificar os universais, e arma-se então um embate que ainda hoje mostra os seus vestígios. De um lado, subsiste e com muita energia a velha tradição platônica, que encontraria no último grande metafísico ocidental, Hegel, a sua manifestação por assim dizer conclusiva: haveria, para o idealista, uma realidade onto-teo-lógica dos universais, sempre associada portanto à presença do elemento divino; o real por excelência estaria justamente como que concentrado nos universais, garantindo-se assim o realismo metafísico de todo saber. Acontece que, já partir dos fins da Idade Média, põe a desenvolver-se uma outra corrente, o nominalismo, destinada a não economizar no que quer que fosse as conseqüências de seu sucesso; agora, o universal já não ostenta os seus travestires teologais, e os conceitos não passam de sinais, de símbolos de uma realidade que, ela sim, oferece a consistência do real. Por aí entende-se o êxito que começa a fazer a composição dos dicionários, ou o impacto desse momento maior do século XVIII, que foi a criação da Enciclopédia Francesa. Trata-se, portanto, a propósito dos universais, de uma discussão sobre os fundamentos. Ou mais simplesmente, está em causa o repúdio de qualquer alusão ao presumível caráter teológico no espaço que constitui os universais, e isso, em última instância, devido ao mero reconhecimento de que qualquer contágio teológico representaria apenas trastes inúteis, ou ainda, o que é muito grave, um sério entrave ao próprio desenvolvimento da ciência.

Estranha orfandade essa, a dos novos universais: eles enchem agora dicionários e enciclopédias. E se desprezam, por justíssima causa, qualquer vinculação de ordem teológica, isso significaria o quê? Que os universais se fazem alheios à questão do fundamento? Que o caráter abstrato dos dicionários deva repousar sobre um vazio que acaba esclerosando até mesmo a geração do sentido? Porque o dicionário é abstrato, e tudo se passa como se estivesse localizado aquém do sentido, antes do ser, numa vacuidade completamente descompromissada — daí, de resto, a sua índole utilitária, instrumental. Nem penso aqui nos conceitos universais formalmente considerados: o nominalismo soube ocupar-se do tema de modo até mesmo transparente através do reconhecimento da simples formulação dos enunciados científicos. Penso aqui, sim, naquilo que mais acima chamei de universais concretos, que embasam afinal de contas a própria possibilidade de toda pedagogia, da *paideia* tão cara a Aristóteles. Sem o universal concreto todo projeto educacional, no sentido mais amplo da palavra, torna-se rigorosamente inviável. A questão é: onde encontram esses novos universais o seu fundamento? A partir de onde pode-se agora entender todo projeto de cultura e educação? Ou seja: descartada a teologia, qual a base real que nutre os universais concretos? De onde sorvem eles o sentido que os impregna? E mais: qual a sua relação com o descobrimento e a instauração do chamado mundo novo? São perguntas desse teor que permitem ao menos vislumbrar todo o peso que se patenteia em experiências como a do descobrimento. E outra vez: por fundamental que sejam, os feitos dos descobrimentos não passam de um momento inserido em um sentido bem mais amplo do que a simples aventura náutica, e o que importa está no desvendamento das muitas dimensões que esse sentido soube assumir.

Diria que a derrocada do platonismo — cometimento muito menos intelectual do que possa parecer — viria a estabelecer novos critérios para a constituição de qualquer sentido averiguável na idéia de fundamento ou na de qualquer associação que lhe pudesse ser feita. E tais critérios encontravam o seu horizonte mais longínquo mas também o mais vizinho nas categorias de espaço e tempo. Aliás, nem poderia ser por acaso que estas duas breves palavras tenham passado por transformações tão radicais no correr da filosofia moderna e da contemporânea. O que se arma por trás desse processo todo está nada menos do que na instituição de um modo totalmente novo de compreensão do mundo, uma compreensão que se quer progressivamente sempre mais calcada nos seus estatutos de finidade radical; digamos, sem quaisquer laivos de pretensão, que o que está em causa reside por inteiro no que deve ser chamado de ontologia da finitude — mas sem pretensão: não se entenda aqui essa ontologia como uma teoria determinada que possa ser contraposta a outras doutrinas mais ou menos próximas ou distantes: o pensamento da finitude no caso quer significar tão-somente a demarcação de um novo terreno, a medrança de um solo outro todo eivado de vontades outras que não as estipuladas pelo escolasticismo tradicional. Em que se imiscuíam realmente os bravos navegadores? Amparados em uma ciência forçosamente incipiente, sempre a dois passos de uma inciência abissal, mergulhavam em medos e destinos que se confundiam até mesmo com o sem-sentido. É essa incerteza radical que inventa deveras o navegador, mesmo que agarrado às suas cepas. A América acaba sendo a China, e as praias da Bahia ofereciam os cenários do paraíso terrestre. Claro que novidades tão insólitas e alvissareiras faziam fremir os corredores vaticanos de toda sorte: a China afinal tão próxima? E que paraíso seria esse a desdizer as fantásticas elucubrações douradas do teatro medieval?

A pergunta se mostra clara: o que trazia em seu bojo, entre tantas coisas, a ciência,e a inciência dos navegadores? Em face de todas as riquezas, empobreço a análise com a referência a apenas dois indicadores. O primeiro prende-se ao contexto das ambigüidades fatais de todos esses rumos e rumores, e vincula-se à presença daquilo que estou aqui chamando de platonismo, ou seja, no caso, às insistências evangelizadoras que vinham enxertadas nas próprias quilhas dos cascos dos novéis navios. A evangelização buscava o quê? Reduzir os novos paraísos do além-mar às ribanceiras do bíblico? Mostrar à grandeza chinesa que ela se deve converter? Levou um bom tempo para que a consciência ocidental se desse conta do sentido dos propósitos que formavam a própria essência dos processos evangelizadores, qualquer que pudesse ser a religião ou seita. E levou também tempo para que os estudiosos se apercebessem de que os procedimentos evangelizadores abrigavam, em verdade, métodos calculados de reducionismo, processos de descaracterização, e que, afinal, evangelização e genocídio são palavras que acabavam acobertando a sua inteira sinonímia. A questão é grave: o Ocidente estaria destinado a inventariar eternamente o mesmo, por processos que levaram à destruição do outro; que implicavam a redução da alteridade à condição de peruana sombra de si mesma? Volto daqui a pouco ao assunto a propósito da análise da questão da alteridade.

Outro indicador, tíbio porque mormente subentendido, a revelar as implicações dos feitos dos navegadores alia-se justamente àquela transformação há pouco alvitrada por que começam a passar as noções de espaço e tempo. Sabe-se que a tradição do pensamento ocidental exibe uma óbvia preferência pelo conceito do tempo, e deixa o espaço como que a reboque. Mesmo em Heidegger, para citar a mero título de exemplo uma posição que deve ser considerada avançada, o espaço só se deixa esclarecer a partir da temporalidade. Pois não é que os novos navegadores preferem trilhar os caminhos opostos e avançar com suas práticas pelas dimensões infinitas do espaço? Eles demarcam a arte e a ciência da navegação enquanto conquista espacial, e, para eles, a significação como que exaustiva do tempo concentra-se na imensidão de um espaço que permanece inexaurível. Além disso, o espaço conduz realmente, efetivamente, ao outro, ao fabulário chinês ou paradisíaco, às pimentas-do-reino e à preciosidade das pedras. Pois parece evidente que, nos descobrimentos, está em causa uma vivência incrivelmente nova da espacialidade e, ainda que por extensão, da temporalidade também. Mas não tento aqui explanações que poderiam ser em tudo sugestivas e que impressionariam precisamente por seu caráter novidadeiro; apenas lembro o que estava se passando, não somente no manejo do leme das embarcações, mas também na originariamente inciente ponta do pincel dos pintores, do cisel dos escultores e nas arquitraves das edificações; ou ainda, logo em seguida, no que passaria a acontecer na nova ciência, a começar pela astronomia. Não me poderia furtar, todavia, de referir aqui outro exemplo para aclarar nosso tema, já analisado por mim alhures,[1] este sobre Shakespeare, saboroso precisamente por combinar certo ineditismo com o que parece ser um desprevenido procedimento na sua construção dramatúrgica; era possivelmente a simples presença do *air du temps* que levava nosso poeta a reinventar a própria vigência dos modos de ser das categorias do espaço e do tempo no teatro. Apenas menciono aqui o fato de que nosso autor foi o primeiro grande viajor da história do teatro, e ele viaja no espaço e no tempo: é a Dinamarca, é Verona, é Veneza, é Roma, é Atenas, é todo o império da realeza britânica. Nada disso na manifestação do instante absoluto que tudo decidia na mítica tragédia grega e nos não menos míticos mistérios medievais — é que tempo e espaço eram tragados pela onipresença por assim dizer absoluta do próprio instante. Shakespeare foi o homem que temporalizou e espacializou o teatro em função já de uma mentalidade completamente nova, que avançava no próprio sentido dos novos tempos e literalmente esquecia tudo aquilo que constituía a razão mesma de ser de todo o grande teatro do passado: o ato da fé.

As duas indicações feitas já bastam para que se comece a perceber as modificações essenciais nos modos como o homem dos tempos modernos passa a assumir categorias tão basilares quanto o espaço e o tempo. É pelos conceitos do espaço e do tempo, e pelo inusitado das experiências que sabem suscitar, que principiam a constituir-se os horizontes mais extremos não somente das transformações por que passam a verificar-se as vivências do universal, como também o problema do próprio sentido que o tema possa mostrar. Entende-se, por isso, que inicie-se a organização de duas novas ciências com todas as suas crescentes ramificações, que são a história e a geografia. A presença destas duas ciências no pensamento moderno oferece, como não poderia deixar de ser, um panorama dos mais complexos e fascinantes; a análise do tema exigiria um amplo espaço e foge das coordenadas mais estreitas do presente ensaio. Mas permito-me lembrar, a mero título exemplificativo, a posição de um Kant, para quem o conhecimento da natureza deriva da geografia física, da descrição da Terra, e que fala em três níveis da geografia, a física, a moral e a política.[2] Talvez a tripartição nem seja suficiente para o entendimento da inteireza da ação de nossos navegadores quinhentistas. Entrementes, a consideração maior acerca de nosso tema viria a ser assumida pela história. Para Marx, por exemplo, a "única ciência" seria a história; ele queria dizer, evidentemente, que tudo passa pelo processo histórico, pela historicidade inerente a todo labor humano, mesmo o mais inocentemente formalista. A posição de Marx revela-se interessante porque haveria, segundo ele, dois níveis da história: a dos homens, mas também a história da própria natureza, e estas duas histórias não poderiam ser separadas da categoria tempo,[3] visto que tudo é processo. Assim, o espaço, seguindo-se sempre os traços de uma vetusta tradição, termina marginalizado, o que parece fazer com que a geografia desfaleça em suas bases ontológicas; acontece que o espaço é como que "engolido" pela ciência da natureza dita histórica. Seja como for, espaço e tempo desempenham na nova era um papel que já nem poderia ser marginalizado. Análises subseqüentes vão confirmar o que vem de ser dito, a iniciaram-se em seguida pelas observações que faço a propósito do nominalismo.

A IMPORTÂNCIA DO NOMINALISMO

Já aventamos a que veio: discute-se aí o embasamento da própria possibilidade da ciência, ou o seu processo de legitimação. Sabe-se que o nominalismo, negativamente considerado, constituiu um processo de crítica aos próprios fundamentos platônicos da ciência, com resultados que foram muitíssimo além do que poderiam ter imaginado os seus promotores da já extenuada Idade Média; mas nessa agonia o nominalismo conseguia apontar para os novos tempos. Permito-me rascunhar o mais simples dos esquemas para caracterizar o nosso tema. Se a ciência quer ser uma explicação racional da realidade, e para fazê-lo lança mão de conceitos universais, tais conceitos deveriam conter em si a própria força daquela realidade. A fundamentação desses conceitos, iniciada por Platão e desenvolvida subseqüentemente de muitas maneiras, pretende que o conceito seja de algum modo a expressão exata do real por excelência, ou seja, da realidade divina em si mesma; o real não está nos indivíduos, nas aparências fugazes, nas existências restritas à sua contingência, e sim no fundamento divino de todo o real criado por Deus. Bem mais tarde se dirá que, então, valeria dizer que a essência precede a existência. A essência está no real propriamente dito, é o elemento divino, o estável, o imutável, o imóvel, o geral e necessário, isto é, tudo aquilo que deve ostentar a dignidade da ciência, e toda ciência não passa de teologia. Já a existência configuraria o efêmero, o contingente, o móvel e mutável, a particularidade do indivíduo destituído da consistência do universal; os medievais se compraziam em dizer que o indivíduo era apenas um acidente, *accidens*. Ou então dir-se-á, entre nós, com as palavras de ardente zelo evangelizador do padre Manuel Bernardes, em seu livro *Nova floresta*, que é de 1706: "Estime-se a espécie, não se conte o número".[4] Assim, salva-se a possibilidade de uma ciência desde que alicerçada no real considerado excelente, e perde-se a transitoriedade do indivíduo que nem poderia ser princípio de constituição de alguma ciência, posto que passa, posto que é nada. Tal é a coerência do nosso teólogo: "Ó glória que não passas! Tudo por ti se pode passar, maiormente ficando este tudo convertido em nada, uma vez que é coisa que passou".[5]

Pois o nominalismo viria proceder a uma interessantíssima e revolucionária inversão nessa dicotomia platônica. Agora, é a existência que precede a essência; as essências passam a ser consideradas enquanto conceitos vazios de qualquer conteúdo, simples palavras, justamente aquilo que se lê nos dicionários — afirmemos que os dicionários e as enciclopédias são nominalistas em seu próprio estofo inspirador. A existência, ao contrário, é que traz consigo todo o porte da realidade; o indivíduo, enquanto datado, situado no espaço e no tempo, é que passa a assumir todo o peso do real, dosado numa espécie de cidadania ontológica. Apenas uma inversão, mas que se planta na origem daquilo que alguns tempos mais tarde passaria a ser denominado como sendo nada menos que a morte de Deus. E de fato assim foi. As coisas se processaram então com uma rapidez espantosa. Claro que os inícios não poderiam deixar de ser um tanto vacilantes: Galileu ainda teimava em considerar-se platônico e pitagórico, mas ele já entendia dos fundamentos da hipocrisia; e Newton ainda conseguia acreditar que as leis da natureza eram a simplicidade enfim alcançada pelo homem da linguagem do próprio Deus. São apenas quimeras que o nominalismo logo dinamitaria. Pois o seu feito inaugural estava precisamente na destituição do elemento divino. Entretanto, veja-se a solércia: ainda em nosso tempo, Einstein pretendia responder aos defensores do indeterminismo com o esdrúxulo argumento de que Deus não joga dados, ao que os outros — Heisenberg, Schroedinger — prontamente responderam que a física não se ocupa de Deus. Pois esse desocupar-se de Deus foi, querendo-o ou não, inventado pelos nominalistas.

Sem dúvida, como já referi, as coisas passariam por uma fase de turbulências. Por outro lado, contudo, o modo como os historiadores das idéias e da epistemologia consideram o nominalismo deixa muito, ou tudo, a desejar. É que eles fazem as suas análises por vias demasiado limitadas à especificidade filosófica. Mas uma filosofia restrita à filosofia, mesmo quando bem-feita, é a coisa menos filosófica que se possa imaginar. E por acréscimo, empobrecedora. Digamos que a filosofia começa do outro lado dela mesma. Em verdade, o nominalismo, bem examinada a situação, acaba comprometendo-se com dimensões que impressionam pela extensão dos territórios que invade. Nem constitui exagero afirmar que, ao longo dos tempos modernos, tudo se vai fazendo nominalista. Não só a filosofia e a ciência, mas também a política e a arte, e não faço a seguir senão acenar aos temas.

Como seria de esperar, os embates passam a verificar-se em todas as frentes. A começar pela filosofia. Com os ingleses empiristas o nominalismo avança aguerrido para encontrar em Kant o seu paladino maior; Kant nem pode ser entendido sem Newton: ele queria saber como funcionava a cabeça do cientista, autor, afinal, da única ciência válida da época; mas por outra parte Kant consegue desteologizar a física newtoniana. E o processo se repete, para dar mais um exemplo, com o formalismo da ética kantiana: ele acaba dizendo que a *Diké*, a Justiça, a deusa-patronesse da filosofia e da tragédia gregas, não exerce mais qualquer função decisória, assim como o Cristo medieval também já não é mais juiz. A força do pensamento de Kant, entrementes, ou a sua fraqueza, não impediu que a filosofia moderna concluísse o seu ideário com o extraordinário sinfonismo, por exemplo, da filosofia hegeliana. Já do lado das ciências a situação avança de modo mais decisivo e parece que mais seguro. Digamos que há aí um andar que se processa no silêncio dos laboratórios, na calculada padronização das proporções, e as passagens se fazem cada vez mais transparentes, a ponto de se poder dizer que, já no século passado, toda ciência se converte em nominalista. Volto logo ao tema. Com referência à política, entenda-se bem o que afirmo. Vê-se de imediato que a mencionada formalização da ética e seus desdobramentos no mundo jurídico têm tudo a ver com o nominalismo. Mas o nominalismo tem tudo a ver também com a premência das transformações políticas; de fato, entendo que se deva associar o nominalismo ao fim da monarquia e ao advento da democracia. A figura monárquica do rei, como a do Cristo, consolidava apenas um tipo de universal concreto que autorizava o rei a dizer até mesmo que ele é a lei, o universal judicante. E é exatamente esta função que se volatiliza com o nascimento da democracia. Por que não avançar, então, que a democracia assume em seu próprio cerne um caráter nominalista? O voto democrático não teria cunho nominalista? E para concluir o elenco destes tópicos, duas palavras sobre a situação da arte. Considere-se que toda a grande arte do passado (a "pequena" arte nada tinha a ver com a arte propriamente dita) exauria-se em desvendar aqueles universais concretos — a mitologia dos deuses, os heróis, os reis, os santos, o Cristo, e tudo o que se lhes assemelhasse. Pois não é que ao final do período barroco da arte e já antes dos graves cometimentos políticos que se anunciavam, a arte religiosa e toda a sua temática simplesmente desaparecem? Do barroco passa-se ao rococó: parece um passe de mágica. A rara arte religiosa que ainda possa surgir deve ser debitada por conta das crenças pessoais dos respectivos artistas. Realmente, já não cabe falar de arte religiosa no sentido daquilo que Hegel chama de substância objetiva. A estética e a arte, em verdade, se alicerçam agora em duas linhas que nunca conheceram tamanho privilégio: uma arte do objeto e outra do sujeito, ou da expressão. O que importa agora está em pintar esta particular natureza-morta, que se basta sem ser cópia de nenhuma Idéia; ou este retrato, que nada mais deixa esplender de universal, representa tão-só algo como o comerciante que mora na esquina, ou algum vizinho dele, mesmo que seu nome seja Descartes; ou ainda os delírios, postos nos sons, de uma fantasiosa sonata talvez ébria de infinito, mas que não consegue abandonar o estatuto do simplesmente humano. Por que não ver nesta arte — e nem falo aqui nos prolongamentos contemporâneos da arte, que recusam até mesmo aquela hegemonia das categorias de sujeito e objeto — sua profunda afinidade com o que poderia ser denominado, sem nenhum sentido depreciativo, de euforia nominalista? Mas queria, nas considerações feitas, ressaltar tão-somente que o nominalismo parece exibir uma problemática muito mais ampla do que permite supor os por vezes míopes comentários meramente filosóficos do tema, ainda que eu não veja no que foi dito mais do que um desafio a ser bem analisado.

Não me afasto do tema sem antes desdobrar alguns comentos sobre o estatuto da nova ciência dos tempos modernos, a partir da vigência de seus pressupostos nominalistas. Esta ciência, aliás, bifurca-se em duas grandes áreas. Se ao tempo de Kant havia, como foi dito, uma única ciência, a físico-matemática, exemplo absoluto de tudo o que se pudesse imaginar sobre o ser e o dever ser da ciência, no largo correr do século passado aconteceu um desdobramento não só da ciência, como do próprio conceito de cientificidade, em tudo surpreendente. É como se a proliferação das ciências devesse dar conta de cada recanto da realidade, e cada recanto escondesse um mundo progressivamente mais complexo, a reclamar olhares diferençados. Mas logo as consciências se fizeram concordes em que havia nas bases dois grandes ramos científicos: o das ciências da natureza e o das ciências históricas: objetos diversos, metodologias diferentes, e por aí afora. Ocorre, porém, que tudo isso se fez — e é para isso que quero chamar a atenção a seguir — na esteira do já tão alteado nominalismo.

Mas repito: creio não haver excesso em afirmar que toda ciência de nosso tempo embasa-se no nominalismo. No que respeita às ciências da natureza, onde está o cometimento do nominalismo? Há um asserto, que já fascinava Marx, na *Enciclopédia* de Hegel que bem ajuda a esclarecer o nosso tema; nele, afirma-se que "a razão é tanto *astuta* quanto *poderosa*.[6] A frase deixa-se explicar pelo filósofo em um contexto que se quer essencialmente teológico. A astúcia estaria na "atividade mediadora", que aparentemente faz uma coisa, mas na ordem dos fins acaba fazendo outra. Assim, por exemplo, é que a providência divina concede aos homens crerem no mundo e em seu processo, mas astúcia reside no fato de que essa concessão só aparentemente aceita o jogo das tais aparências, e tudo o que acontece realiza em verdade a plenitude das intenções do próprio Deus. Ocorre que o universal divino já nada tem a ver com o nominalismo, e a astúcia da razão desloca-se então para outro contexto: onde está ela agora? A universalidade da conceituação científica — a proporção de dois para um entre hidrogênio e oxigênio na constituição da água — passa a ser apenas um signo, um indicativo daquilo que se constata na natureza, mas a rigor o correspondente objetivo dessa entidade científica não existe, não pode existir, e nem deve existir. Claro que tanto quanto possível os laboratórios vão entregar-se ao mister de construir uma água quimicamente pura. E é justamente neste ponto que residem os novos modos da astúcia da razão; é que no esforço sempre caricatural de reconstituir aquela fórmula, a aproximação desejada acaba revelando um outro sentido: se o correspondente da fórmula não existe nem precisa existir, ela consegue em contrapartida transformar-se em princípio de manipulação, e por essa astúcia a manipulação se torna poderosa: ela inventa a química e toda a farmácia. Em definitivo, o poder da astúcia da razão está nos fundamentos de toda a revolução industrial — e isso significa que não é só a ciência que se revela nominalista, mas também a construção do aparelho tecnológico, da máquina, na própria condição de seu estatuto. É que os endereços agora se querem outros que não os hegelianos.

E o nominalismo está presente também nos fundamentos das ciências históricas. Se a negação de qualquer realidade no próprio seio do conceito universal conseguiu perpetrar uma imensa revolução, não menos revolucionária é a afirmação em tudo nominalista de que a concretude se refugia nessa grandeza maior que passa a ser a realidade do próprio indivíduo. Assim, se já os antigos recusavam a possibilidade de se constituir uma ciência do indivíduo, agora é precisamente esse indivíduo que passa a reivindicar para si uma ordenação até mesmo privilegiada da cientificidade — é no século passado que se fundam as ciências históricas, e o indivíduo alcança a dignidade de plenitude ontológica, ele se alça exatamente àquilo que constitui a sua identidade original.

Toda essa dupla revolução, a do conceito universal abstrato e a do atingimento do indivíduo concreto, pertence — e é isso que deve ser bem compreendido — aos labores dentro dos quais se encaixam também os navegadores e os seus descobrimentos. Começa-se a perceber: o fato e o conceito do descobrimento, pela força das idades, vai construindo aos poucos toda a extensão de seu perfil. Pois continuemos nossa viagem.

A ALTERIDADE E O MUNDO DAS VIAGENS

Digamos que nossos navegadores por todos os lugares viajam, e fazem até mesmo a viagem viajar. Quero dizer que o próprio sentido da viagem subitamente se altera, e instala o homem de maneira a que dirija o seu olhar para endereçamentos que o levam a desvendar um gosto surpreendentemente novo pelas coisas diferentes. Não deixa de ser simples perceber a complexidade do tema, e é claro que há toda uma proto-história a respeito do que vou afirmar. Observe-se que o que importa aqui está na extensão e na intensidade das novas experiências, a par da transmutação de um sentido que corre de modo paralelo a tudo o que o Novo Mundo começa a oferecer de verdadeiramente novo. Isso em nada desmerece os avanços de outros empenhos viageiros, de velhos gregos, de romanos e nem de tantas outras empresas. Mas é importante não perder a agudeza do olhar, e perceber que nossos bons cristóvãos e cabrais mexem numa urdidura que põe em causa até mesmo as raízes neolíticas da história do homem.

Pois onde está o elemento novo das novas navegações? Nem penso aqui na dura realidade dos meios e utensílios outrora empregados, sempre o desfraldar das mesmas velas, e isso ao longo de milênios, até que fossem superados pela parafernália moderna das locomotivas e das aeronaves. Evidentemente, tudo isso tem o seu peso em nada desprezível, e que em nada desmerece — dou um salto — a experiência de um Goethe, sempre nostálgico e ávido por embrenhar-se no coração da eterna Grécia; mas, naqueles anos, ainda era difícil viajar, e nosso poeta não conseguiu ir além das praias da Sicília, de onde recitava, em grego, voltado para Atenas, os versos de Homero. Pois os tempos modernos descobrem até isto, que a imaginação se faz viajante. Logo volto a esse tema da imaginação. Interessa-me por ora chamar a atenção para um outro tipo de experiência, que uma breve comparação permitirá elucidar.

Penso aqui no centro latino de Paris, naquela estranha rua, de nome Vaugirard, imagino que uma das artérias mais extensas da história do urbanismo humano; de certo modo, ela foi feita para nem ter fim: os peregrinos cristãos forçavam para que se estendesse até para além dos mais estranhos espaços, de montanhas quase intransponíveis, e os passos trilhavam, e queriam fazê-lo, o terreno inóspito, duro, árduo, repleto de toda uma penalogia escrita no pó, até atingir a grande revelação. Caminhavam no coração de Paris até a distante Santiago de Compostela, já em plena Espanha. O interessante está em perscrutar o sentido que toda essa andança efetivamente oferecia, já tão verticalmente alheia até mesmo às experiências análogas do homem moderno. É que o peregrino medieval jamais abandonava, alheio a qualquer intempestivo quixotesco, a seriedade do que poderia ser chamado de a mesmidade do mesmo. O mesmo é aquilo que não muda nunca de nome, no caso o do Cristo. Porque os peregrinos de antanho já estavam desde toda a eternidade fincados nessa verdade absoluta do Cristo. E a significação da viagem não ultrapassava jamais essa identidade do mesmo; no sol da Espanha era o mesmo Cristo parisiense que confirmavam. O peregrino perseguia aquilo que ele já sabia, a confirmação absolutória de um Absoluto desde sempre creditado, ele nunca se desprendia das fronteiras de uma verdade que se exauria em exigir a sua própria confirmação, ainda que, e mesmo principalmente, através de milagreiras penas sequiosas de redenção. Os tortuosos caminhos ratificavam a identidade do princípio e do fim: do mesmo se ia ao mesmo, e tudo isso mais nada tinha a ver com o mundo.

Já o nosso sagaz navegador moderno cultiva a astúcia da descoberta do outro. Ao cabo de cada viagem, qual a paisagem, qual o novo paraíso, que tipo estranho de homem outro, e mesmo, e muito, que nova riqueza, que novas promessas de riqueza? Por aí, e por tantas rotas, passaria a deslumbrar-se o saber moderno. Afirmemos que, nesse processo, a viagem moderna põe em jogo o estatuto ontológico da mesmidade do mesmo, e abre-se em direção à descoberta das dimensões da alteridade do outro. Não retomo aqui a questão fundamental da aversão metafísica tradicional em relação à categoria do outro — já nos inícios do pensamento ocidental a tentativa de Platão de buscar a reabilitação da alteridade vem denominada por ele mesmo de parricídio, e é em nome desse parricídio que Aristóteles expulsará, com a falsa aparência das coisas definitivas, o outro de qualquer tipo de presença no âmbito da ciência.[7] Com os descobrimentos modernos é justamente essa categoria do outro que se vê literalmente promovida e se torna objeto de uma descoberta que iria infiltrar-se em todas as dimensões da cultura ocidental. Dou por enquanto apenas um corriqueiro mas nada ingênuo exemplo disso. Já cedo formou-se na Europa o cultivo dos famosos "Cabinets d'Histoire naturelle"; neles, a pesquisa habitualmente nem seria tão grande, mas a moda se alastrava: os gabinetes colecionavam tudo o que não se tinha em casa, a fomentar uma curiosidade que aposentava os truísmos em que se disfarçavam os velhos hábitos do pensamento. A grande novidade reside agora no fato de que a dita curiosidade transladava-se aos poucos para a visão das diferenças — a presença do outro constrói o preciso alicerce de tudo o que possa constituir o fascínio da diferença. O tema apresenta uma vastidão deveras impressionante — comprovam-no os relatos dos muitos viajantes, de diversas nacionalidades, que pervagavam nossas selvas — e parece-me que continua à espera de análises que mostrem a carga de sua progressiva constância e de sua abrangência. O assunto, visto pelo viés filosófico, leva a repensar coisas tão essenciais quanto o estatuto do erro, da contradição, das próprias bases da cientificidade, e isso a ponto de suscitar, na contramão, posições de um reacionarismo extremo.

Avento aqui mais um exemplo dessa abertura para a diferença: a antropologia científica. Trata-se evidentemente de uma ciência nova, que só poderia medrar no solo fertilizado por aquelas modificações no campo da ciência acima apontados. Pois a antropologia alicerça-se no exato reconhecimento da importância específica das diferenças. A novidade, portanto, que parece instalada no próprio berço da antropologia, está em que o *survey* do cientista assume o barco. O antropólogo constitui uma raça de gente que nasce com os pés plantados na proteção mínima das galochas: uma certa hegemonia do conceito de alteridade reclama que ele avance para adentrar-se na humanidade dos menores habitáculos, encravados na estranheza de pantanais e pedregais. Penso aqui nos barcos daqueles antropólogos, de tantos deles, que já na virada do século souberam dar vida nova aos propósitos dos grandes navegadores clássicos. Claro que agora já se sabe do planeta, as rotas estão codificadas, as economias definidas, mas continua o velho deslumbramento, o fascínio pela descoberta do outro, a atitude, agora mais debruçadamente científica, de perscrutar as diferenças, de flagrar a diferença enquanto razão de ser do outro: cria-se até uma pedagogia do outro, o reconhecimento, por exemplo, da superioridade de certos comportamentos de tribos nativas das ilhas dos mares do Sul em relação aos procederes da puritana sociedade ocidental; e começa-se a perguntar: será verdade que o sentimento de culpa tem de fato caráter universal? Mesmo um Lévi-Strauss, um tanto atordoado pelo excesso fragmentador das diferenças, buscou nos bororos mato-grossenses tão-só as suas estruturas específicas, alheio, como nem poderia deixar de ser, a quaisquer denodos de ordem evangelizante: nem a ciência transformadora, nem os enlevos da paulicéia desvairada — apenas a diferença.

E chegamos então a isto: o planeta filmado como um imenso catálogo, talvez sempre inacabado, de diferenças as mais díspares. Spengler enfim caducou: não existe apenas o elitismo de meia dúzia de "grandes" culturas, e sim o mapeamento de uma diversidade que torna suspeitas as hierarquias de superior e inferior, de normal e anormal, e mesmo de velharias como a de espiritualidade e materialismo. Trata-se, vê-se logo, de um jogo em tudo perigoso: onde fica, afinal, a estabilidade dos valores da cultura ocidental, precisamente da cultura que se deixou inebriar pelas diferenças? Tanto que, hoje, todo mundo já sabe: não existem mais culturas definitivas, todas elas são mortais. E já não resta dúvida: estamos todos instalados no reino das diferenças. Mas, ao mesmo tempo — e urge que se pense aquela morte —, estamos engajados num novo tipo de construção. Não há de ter sido por acaso que o século XVIII criou o conceito de Humanidade, entendido justamente como albergue possível da geografia das diferenças. Nem dá aqui para entrar no tema, não obstante toda a sua urgência. Não há de ser também mero devaneio inconseqüente a hodierna cunhagem da expressão "aldeia global", aparentemente tão cândida. Veja-se, entretanto, na palavra aldeia um prolongamento das diferenças, e no adjetivo global aquele desígnio que começou a ser fabricado na forja leibniziana do conceito de Humanidade. Imagino que tenha ficado manifesto que estou apenas indicando as fronteiras mais extremas da faina descobrimentista que varre nossos horizontes já faz um bom tempo — e continua e continuará a fazê-lo. De repente, até o Universo se torna pequeno.

A ALTERIDADE E O MUNDO DA IMAGINAÇÃO

Com certeza, os descobridores em todos os sentidos devem muito aos arroubamentos de sua imaginação — a imaginação, ela também, que nem se sabia histórica, vive do outro. Ou melhor: o outro passa a provocar toda uma nova cultura da imaginação, de seu sentido e de suas funções — tudo situado muito aquém dos arquétipos e da mesmidade de suas transformações. Por isso mesmo, nada há de simples em observar que o início dos novos tempos se querem em tudo racionalistas. Nem penso tanto na filosofia, que veio tarde, e sim — coisas já referidas anteriormente — na harmonia musical, no geometrismo que acaba se instalando na pintura, na escultura, na arquitetura, e também, logo mais, no advento do pitagorismo da nova física. O curioso está em que, sobre este fundo de uma racionalidade de estilo tão definido, de um requinte tão elaborado, termine se criando uma elevadíssima cultura das forças da imaginação. É toda uma vasta literatura que parece estar nas bases, pelas vias de alguma de suas terminais, por exemplo, das raízes do Brasil, e que, tanto quanto vejo, não encontra similar na história. Penso aqui na copiosa produção de utopias que, a seu modo, também inventam as origens dos tempos modernos; penso sobretudo em seu ineditismo, que não encontra precursores nem em Platão nem em santo Agostinho, como pretendem intérpretes desavisados. De fato, como interpretar as utopias e esse seu singular adendo que é o tão festejado bom selvagem? Já me ocupei do tema em outro lugar,[8] e retomo-o aqui num de seus aspectos por mim um tanto negligenciado, maiormente essencial para o nosso tema de agora. Como interpretar as utopias? Enquanto suficiência da fantasia literária? Isso nem existe. Como texto programático a ser posto na prática política? Demasiado cedo para isso, e nem o autor da mais famosa das utopias, Tomás Morus, político e primeiro-ministro inglês, perdeu o seu tempo com tal tipo de empenho. Seria então uma espécie de nostalgia do paraíso perdido? Mais fácil seria considerar o lugar da utopia como a superação daquele velho paraíso já tão desfalcado em sua zoologia. Seria o seu oposto, um aceno à construção do futuro? Talvez aqui, considerada numa ampla perspectiva histórica, a hipótese comece a revelar-se interessante. E mais complicada.[9] Porque as utopias representam uma cuidada desconstrução de tudo aquilo que o homem novo estava construindo para si mesmo e os seus pósteros. Realmente, o bom selvagem e as populações utopistas nada têm a ver com os novos valores — a autonomia, o individualismo, o poder político, o Estado nacional, o trabalho, a propriedade privada, o capitalismo, o poder da ciência, a cidadania plena, e por aí afora. Convenhamos que para configurar um ato revolucionário ou uma simples situação de crise o novo fabulário da imaginação não se deixa acomodar muito bem no contexto das devastadoras inovações que vinham sendo postas em prática pela criatividade do homem moderno — afinal, até o conceito desse homem novo é invenção dele mesmo. Não por isto, mas já por isto, prefiro explorar uma outra hipótese.

Esta hipótese — quero dizer: sugestão de trabalho — centra-se precisamente na função do imaginário. Nesta linha, a utopia não incitava a atos revolucionários, nem saberia ser princípio provocador de crises derribadoras — isso tudo viria mais tarde —, porquanto, em sua gênese, a utopia seria algo como uma complementação daquele tão bem calculado e tão bem-sucedido racionalismo; digamos que aquela esfera do racional, talvez por vir provida de uma aura de secura reducente, passasse a exigir certa modalidade de contrapeso: a produção pelo imaginário seria exatamente esse contrapeso em busca de alguma forma de equilíbrio. De fato, toda a questão está em entender qual a relação entre o sucesso do racional com esse elemento imaginário, provido de uma índole tão forte e bem caracterizada. Não penso que levaria muito longe avançar que o imaginário seria apenas uma dimensão por assim dizer psicológica, que viesse suprir por meio do recurso a um suposto irracional aquilo que pudesse estar faltando ao exercício da racionalidade. Tal tipo de justificação acabaria compondo um quadro com partes que, no fundo, permaneceriam alheias uma da outra. Nada disso: o imaginário vem munido de uma forma de vigência que decorre de dentro daquele exercício racional. O imaginário não reside em algum modelo de marginalidade ou de insuficiência que rondasse o racional, ele é antes uma forma de duplicação da racionalidade demandada pelo modo como a nova racionalidade desdobra o seu lugar próprio. Se esse exercício do racional repele todas as milagrarias e os seus pertences, ele solicita um cultivo do imaginário que é milagreiro à sua maneira: ele inventa as utopias e os bons selvagens. A diferença está em que essa nova função do imaginário arraiga-se por inteiro na própria racionalidade e termina constituindo um novo tipo de exercício, que estaria por assim dizer numa razão de segundo grau, ou seja, o novo estatuto da racionalidade é tão vigoroso que leva à formação dessa outra racionalidade, que em suas construções nada mais seria do que a reflexão sobre os constituintes primeiros do racional. É como se essa razão primeira, a da cientificidade, projetasse para fora de si um contraste a partir do qual ela se tornasse crítica em função de seus próprios procedimentos. Essa reflexão segunda constituir-se-ia assim literalmente em reflexo, ela seria como um espelho polimorfo, todo feito de contrastes a serviço da autocrítica.

O contraste é o outro da sociedade, no reverso que constrói a utopia; e é o outro do homem, no reverso que cria o bom selvagem. Isso significa que a produção imaginária funciona à maneira de um referencial cujo sentido estaria na confirmação crítica e ao mesmo tempo na consciência dos limites, das fronteiras. A utopia não destrói a nova sociedade, nem a substitui no que quer que seja, a utopia constitui um parâmetro exterior à sociedade, mas ao mesmo tempo inventado por essa sociedade; o bom selvagem não é a simples substituição do santo tradicional, ele é a projeção do homem novo naquilo que esse novo não é, como que a comentar os seus limites. O bom selvagem institui-se em elemento mais novo do novo, talvez a prenunciar promessas ainda indecifráveis. O homem moderno, que é a invenção de uma forma de olhar, olha até isto: a sua própria invenção desde um olhar outro, que o vê desde fora, pelo contraste em relação a toda a construção da modernidade. A reflexão chega, pois, a este ponto: é como se o olhar olhasse a si próprio. O homem moderno não é o bom selvagem, mas ele se deixa medir a partir do selvagem, o selvagem é o que lhe falta e por isso configura um certo paradigma. De certo modo, todo esse imaginário vive da negação do outro que o gerou; parece até que o homem vê-se agora enquanto sua própria transitoriedade — mas trata-se de uma transitoriedade que nada mais tem a ver com a superação do mundano: ela busca muito mais a ratificação reavaliadora servindo-se de seu reverso; ferve a sociedade, em algum lugar ela se quer outra que não ela mesma, e ferve o corpo humano, ele se vê em outras promessas de cama e mesa. O imaginário inventaria por inteiro o principal índice de um mundo em transformação, e que se quer a si próprio enquanto transformação. Tudo é viagem. É que o descobrimento se desdobra em mais de um nível — em ao menos dois. E sua novidade maior está precisamente no fato de que toda criação de nível nada tem a ver com a redenção em nome do sobrenatural, que começava a ver corroídas as suas próprias bases — o sobrenatural passa a ser substituído por uma insólita e sólida cultura do imaginário. Tudo agora se faz natureza, mas duplicada e reduplicada, reflexa e reflexiva, sempre querendo-se a si mesma, o olhar perquiridor que vive de sua suficiência e também de suas perplexidades. Talvez caiba até dizer que o melhor retrato do bom selvagem esteja na representação de Adão feita por Miguel Ângelo — o toque da mão divina, entretanto, já começa a ser dispensado; é como se o próprio Deus tomasse a iniciativa de despedir-se. Grandiosa criação essa de Miguel Ângelo, a do olhar do primeiro homem: o filho inventa o pai, e o reduz à condição de um passado definitivo.

Gostaria de resumir tudo o que acima disse num conceito, o de transparência. O trajeto desse conceito se estende do descobrimento ao autodescobrimento, estas coisas vistas num sentido estritamente sociocultural. Entenda-se que, sem tais novas perspectivas, o próprio conceito de descobrimento desfaleceria. Os descobridores não podem ser reduzidos a um acidente inconseqüente — o peso deles nem vem deles. Toda a sua grandeza está na extensão daquilo que seus feitos conseguiram promover, ainda que eles devessem permanecer sobrestados pela imprevisibilidade. Mas é precisamente a possibilidade de previsão que acaba gerando o conceito de transparência. O que se entende, pois, aqui por transparência? Digamos que se trata de um certo modo de ser por meio do qual o tecido sociocultural alcança um determinado grau de visão, certamente de muitas maneiras e em diversos níveis, mas sempre visão de sua própria consistência interna. Diria que a transparência brota do anverso a exigir o seu reverso. Essa transparência realmente se verifica? À primeira vista, a resposta deve ser negativa. As culturas são sólidas, elas se querem impermeáveis, vivem de uma tradição que se pretende em tudo respeitada; para elas é essa opacidade do continuísmo que interessa, ainda que se forjem impérios. As sociedades costumam ser essencialmente opacas. Pois em contraposição à tal opacidade é que se começa a perceber o que aqui está sendo apelidado de transparência: os tempos modernos souberam construir uma sociedade ininteligível sem certa prática da transparência. É como se os descobridores, ou melhor, a própria idéia de descobrimento viesse estabelecendo uma bem cuidada prática da comparação. E a comparação faz exatamente isto: ela rouba às coisas o seu conteúdo fechado, o que se compara perde um tanto de sua consistência opaca, e por isso mesmo se faz gerador de transparência. Essa transparência repousa numa certa cultura do reverso — eu invento o reverso e me julgo desde fora.

Isso não existiu, por exemplo, na densa opacidade tão característica do mundo medieval. Os seus extremos mais díspares, quais sejam, as fantasias paradisíacas do mundo que virá e as fabulações dos bestiários inferiores até ajudavam para tornar mais consistente a opacidade daqueles tempos. Isto é: depara-se-nos um mundo destituído da prática da transparência; a autoridade eclesial fazia-se em princípio de ocultação. Mas um certo exercício da transparência deve sem dúvida ser visto na antiga Grécia. Sem entrar na análise do tema, lembro apenas que um pré-socrático de primeira água inventou, tanto quanto vejo, o próprio conceito de crise cultural, ou seja, daquilo que estou chamando de transparência. Foi Xenófanes. Os gregos nunca foram ateus ou materialistas — isso são coisas modernas. Xenófanes não criticava a divindade, a Justiça, os valores fundamentais da vida grega — a transparência não poderia ir tão longe. Criticava, sim, os modos cotidianos, populares de entender todos esses valores, e isso em nome do próprio princípio da transparência que é a racionalidade em exercício: Xenófanes queria o trânsito da crença pré-crítica para o nível da conceituação propriamente crítica. Ou pense-se no hábito grego, desde Licurgo, de escrever uma constituição para cada cidade, de pôr em conceitos aquilo que a cidade pode e deve ser. Ou pense-se em Aristóteles, sobretudo no velho Aristóteles, que pretendia dedicar-se à elaboração do conceito desses conceitos constitucionais — seu último livro chama-se *A constituição de Atenas*. Aristóteles inventou não a palavra, mas o conceito de enciclopédia: ele queria pensar toda a cultura grega, todos os seus feitos, as suas proezas, o mundo de suas criações, o seu labor filosófico — catalogar absolutamente tudo, tudo pôr em conceitos, tudo tornar transparente. Os gregos realmente souberam dedicar-se a esse exercício da transparência. Evidentemente, avançaram até certo ponto, singular em sua exemplaridade, mas que só soube executar-se de modo limitado, como limitada foi também, e nem poderia deixar de sê-lo, a sua invenção da democracia. A razão disso deve estar no fato de que apenas se iniciava o aprendizado da liberdade.

Seja como tenha sido o passado, é indubitável que o cultivo da transparência alçou-se a um nível altamente revelador no correr dos últimos séculos. Os novos tempos parecem deixar-se definir por uma vontade de transparência realmente notável. Claro que o desiderato de uma transparência absoluta seria até mesmo irrisório por inexeqüível, por ignorar algo como a espessura do mundo. Mas tudo o que se fez na cultura moderna, em todos os seus níveis, conduz à edificação de uma imensa biblioteca, de uma espécie de livro — *le livre* — definitivo, a viver de sua própria impossibilidade. Mas o feito fundamental subsiste — o do estabelecimento da transparência. É neste sentido que chamei a atenção para o conceito de utopia, ou o de bom selvagem, precisamente enquanto configuração de uma realidade outra, reversa, através da qual sou visto, torno-me de certa forma transparente em meus aconteceres. O fundamento da transparência decorre por inteiro dessa prática da alteridade, ou da experiência dos reversos, ou do cultivo das diferenças — dessas diferenças que constituem a principal razão de ser dos empenhos teoréticos de nosso tempo. E considere-se ainda estes dois pontos de que nem me ocupo no momento. O primeiro lembra que, com a utopia e o bom selvagem, estamos apenas nos afloramentos iniciais da constituição da consciência histórica, que nada mais será do que a progressiva desnudação da transparência. E em segundo lugar cabe observar que aquela prática da alteridade e o cultivo da diferença estão longe de restringir-se a um hábito ou a um privilégio especificamente preso às coisas da vida intelectual e a seus misteres. O impressionante está no fato de se poder reconhecer as práticas das diferenças até mesmo nos vestires e desvestires da vida cotidiana. Também a vida corriqueira, não apenas em seus repentes, sente o fascínio da alteridade. Pense-se aqui, por exemplo, e gostaria de poder citar muitos exemplos mais, neste que é fonte inspiradora de uma experiência tão mal pensada e que deveria ser vista em sua carga de novidade: a do turista; suas andanças, mesmo quando tão superficiais, e por causa até dessa superficialidade, nutrem-se da busca do novo, do original, do nunca visto; o que lhe interessa está normalmente naquilo que é diferente, e só causa espanto que essas diferenças ostentem a idade das pirâmides egípcias. Diria que os astronautas e os turistas constituem-se em legítimos herdeiros dos velhos navegadores, daqueles que souberam ocupar a proa de seus espaços nas inventivas gerais que alicerçam os novos tempos.

A ALTERIDADE E O MUNDO DO CORPO HUMANO

Por que, nestas quadras, falar sobre o corpo humano? Porque o referido astronauta — e em sua esteira por que não incluir também a impaciência dos turistas? — deve ser levado a sério. De fato, a era desses novos navegadores cósmicos, dentro da qual já vivemos ainda que inquietos pelo estatelamento de não sabermos lá muito bem para onde vamos, enraíza-se nessa já passada era, tão grandemente portuguesa, engendrada pelos nossos destemidos e febricitantes navegadores clássicos. Retomo o esquema de nosso itinerário, que nem de longe cogita ser completo ainda que se pretenda essencial. O tema diretivo agora está na exploração da alteridade. Tentei, em primeiro lugar, explicitar a transformação do sentido ontológico da viagem nos tempos modernos; mais do que examinar experiências que se sucedem, tratei em verdade de mostrar que se verifica uma espécie de mudança na disposição geral desses tempos relativamente ao ato de viajar. Depois examinei, mas apenas em seu ponto de partida, os modos como o imaginário passa a ocupar os espaços da alteridade; aqui também indiquei uma ampla temática que atravessa os tempos modernos em seus viajares. A imaginação cultiva aquilo que não é, mas esse não-ser, nesses novos tempos, teima em transmudar-se em ser. Passo a examinar a seguir um novo lugar habitado pelas astúcias dessa busca do ser, sempre sob o signo da esfuziante alteridade: o próprio corpo humano. Esse corpo, invariavelmente visto como um menos ser, põe-se agora a descobrir as suas plenitudes.

Não quero referir toda a história anterior desse corpo. Baste dizer, talvez com algum exagero, que a cultura do corpo humano viu-se constantemente prejudicada pelas práticas de um ascetismo inacreditavelmente vitorioso, que persistia em marginalizar o corpo em todas as suas dimensões. Por definição, o corpo era considerado uma realidade essencialmente inferior, contraposta à sempre incontestada superioridade da alma que viria dotada até mesmo de uma suposta imortalidade. No fundo, no contexto da filosofia, esta última tese só foi levada a sério pela precária argumentação de Platão; isto não impediu, contudo, que o ascetismo conhecesse um sucesso nada menos do que avassalador. No curso dos novos séculos é que se começa a modificar tal estado de coisas. Pense-se bem no cenário medievo: a incrível falta de higiene, que nem o alto nível da invasora civilização árabe medieval soube remover; a crônica ausência de instalações sanitárias minimamente condizentes com a condição humana. E lembro também a fantástica e exterminadora presença da peste — sem ela, já antes do cristianismo, nem se consegue entender, por exemplo, as bases políticas da tragédia grega; foi por meras crendices que a peste sempre se mostrou invicta ao longo de toda a cultura ocidental, incientemente atribuída aos funéreos desígnios das misericordiosas vontades divinas. Mas bastou a minúscula descoberta de Pasteur para que esse inócuo teologismo sucumbisse perante a força menor. Pois os descobrimentos só fazem sentido enquanto forma de aceitação, de assimilação da alteridade — a começar já pela do micróbio. É por aí que o corpo humano passa a ser descoberto, não apenas enquanto materialidade viva (a descoberta, por exemplo, pelo inglês William Harvey, da circulação do sangue), mas sim por modos que passariam a mostrar-se progressivamente presentes em tudo, até mesmo, e principalmente, através da participação do corpo no inventário dos descobrimentos tecnológicos; quero dizer que o corpo, assumindo a máquina, introduz-se no próprio cerne da sequiosidade que informa os descobrimentos. Mas para lá chegar faço, a título de preâmbulo, três chamadas que me parecem de significação.

A primeira já se anuncia na invenção do próprio bom selvagem: um corpo nu integrado à natureza; via-se nele a simplicidade de um corpo que se bastava em sua suficiência — indígenas eram até transladados do Brasil para cortes européias a fim de que fossem exibidos em procissões de festejos mundanos; e via-se neles figuras destituídas de preconceitos, alheios às convenções de toda a ordem, estranhos ao constrangimento das modas, das formalidades, dos trejeitos do artificialismo. O imaginário criado em torno do bom selvagem teve uma força realmente extraordinária, a alimentar justamente esse mesmo imaginário. Pense-se no elogio do prazer na obra de um Diderot, ou na onipresença da volúpia, verdadeira chave mestra das divagações de um Rousseau, ou ainda, mais brutalmente, na literatura de alcova de um marquês de Sade. O fato é que o corpo foi nem tão lentamente criando seus espaços, talvez a par do cada vez mais óbvio esfriamento das representações idealizadas do corpo que enchiam as galerias de arte neoclássicas. Enfim, pela arte, pela literatura, pela filosofia, os libertinos afeitos ao corpo eram também os libertários desse mesmo corpo. O que por tudo se vê está na descoberta do prazer. Aos poucos, o prazer começa a deixar de ser aquela coisa malsinada, pontual, identificável nos menores gestos, sempre culpado até mesmo em seus nascedouros mais impuníveis. Mas os caminhos terminaram por se fazer árduos, para só abrandar-se em tempos mais recentes. Contudo, já antes, vislumbrava-se a recíproca pertença entre corpo e prazer, como se um desses pólos só alcançasse a inteireza de sua razão de ser por meio da presença do outro. O corpo passa, portanto, a exibir todo um modo de ser que pode ser considerado inédito na tradição ocidental. Digamos que o corpo humano começa a ser pro-duzido — no sentido latino de *pro-ducere*, de levar para a frente, de mostrar, de pôr em evidência. E isso tudo pertence apenas a uma proto-história do corpo: é a partir deste processo de abertura — que continuará, e de múltiplas maneiras, a inventar os seus frutos, de resto sempre mais amplos — que o corpo passa a ser explorado no sentido de uma reabilitação de seu estatuto próprio, e isso por meio de processos em tudo irretorquíveis.

O segundo ponto a ser ressaltado está nas criações basilares que inauguram a moderna medicina; pense-se no surgimento da química em fins do século XVIII e nas excepcionais repercussões disso na construção da farmacologia. Na verdade, a época inventa duas formas de medicina, a chamada alopática, respaldada na nova ciência, e uma outra, a homeopática, criada por Hahnemann. Sabe-se que ainda hoje estas duas modalidades de terapia não se dão lá muito bem; o que elas têm em comum, entretanto, está no respeito à definição mais tradicional do homem, a de animal racional. A diferença está agora em que o corpo é enfim arrancado de seu torpor milenar, e o exercício da racionalidade intromete-se então no intenso cultivo da fisiologia corpórea. Neste particular, tudo na medicina se faz cada vez mais digno de nota, chegando em nossos dias às promessas e realidades de que podemos usufruir. Toda a evolução da moderna medicina é nada menos do que extraordinária — basta lembrar, a título de simples exemplo, a transformação por que passou a gestão hospitalar. Originariamente, o hospital era um tipo de capela, no interior do qual os doentes eram dispostos de tal maneira que todos pudessem acompanhar os ofícios divinos que se desenrolavam no altar centralizador; ou seja: tudo não passava de práticas religiosas destinadas a preparar a alma do cristão para as benesses da vida espiritual eterna; tratava-se, pois, no fundo, de desfazer-se do corpo. Na extremidade oposta a isso tudo, os empenhos hospitalares que vêm se desenvolvendo no correr dos dois últimos séculos buscam concertar-se em torno do prolongamento da vida; persegue-se agora, dir-se-ia, a extradição do próprio conceito de morte. Assim, a morte, cada vez empurrada para limites últimos, emparelha-se sempre mais com os confins da eternidade que sempre lhe deu algum sentido. Talvez coubesse avançar que a morte agora configura o simples sem-sentido. Nem quero aqui entrar em tema tão circunspecto, mas lembro a arguta ironia do poeta T. S. Eliot sobre os anos finais de uma senhora: "[...] ela ficou tão velha, tão velha, que virou atéia". Mas acrescentaria que a medicina parece já ter se tornado alheia às velharias que gravitam em torno das querelas sobre o ateísmo: ela pretende, isso sim, e bem pragmaticamente, prolongar a vida encolhendo cada vez mais os espaços da velhice. A questão já não está no atingimento da vida eterna do corpo, mas em restabelecer a realidade do corpo até fazê-lo alcançar as suas ultimidades — talvez aquela vivência do sem sentido, pela extenuação progressiva das forças vitais. Realmente, o corpo se faz objeto de todo um processo descobridor, de descobrimentos que vêm se revelando capazes de derrubar antigas e assíduas crendices.

Apenas chamo a atenção para outro tópico por ele encaixar-se perfeitamente bem nesses agitamentos que navegam nas artérias do corpo humano — o esporte. Curiosa história essa, a do esporte. Aceitemos que o esporte ostentou na Antigüidade greco-romana um esplendor todo feito de singularidades — as façanhas, por exemplo, dos heróis das maratonas olímpicas, em que se confundiam os louros da vitória e a ostentação do corpo. Mas já naqueles tempos essa cultura do corpo deixava-se inserir — e com necessidade — nessa exigência maior da época, que eram os proveitos bélicos. E as coisas nem mudaram muito neste particular desde então. Com uma agravante: é que com o sucesso do ascetismo cristão o cultivo do corpo praticamente desapareceu. A que fica então relegado o esporte? O corpo entrava nos imperiosos adestramentos para a faina das guerras, os exercícios físicos associavam-se aos apetrechos guerreiros, como se via no espetáculo maior do torneio. Sem dúvida, procurando bem, a prática do esporte aparece também em outros lugares, nem tantos: penso num quadro de Bruegel, em que se vê algumas crianças em torno de uma bola. Isto é: a história dos esportes no Ocidente revela-se extremamente pobre, em que pesem os esforços dos inícios. É que tudo se deixava atrelar à própria concepção, nada lisonjeira, do que seja o corpo humano. E de fato, foi apenas na última virada do século que o panorama geral começou a mudar as suas feições — fico no símbolo da retomada, em 1900, das antigas olimpíadas gregas, mesmo que tudo se faça então como que glosado pelo signo da culpa corpórea — mas como vencer em alguns dias tantos séculos de ignomínia? Tanto faz: os esportes desobstruiriam aos poucos os seus campos, a ponto de se tornarem práticas corriqueiras até mesmo para pessoas que aparentemente nada têm a ver com o desporto. Do estádio à praia — invenções novíssimas — tudo se prende ao corpo, seja em nome do exercício, da saúde, do prazer, da simples exibição — e onde ficam os atesamentos bélicos, já que as armas se vêem substituídas pela tática dos botões?

O CORPO HUMANO E A VIAGEM TECNOLÓGICA

Mas parece que a isto chegamos: o corpo a serviço do descobrimento e o descobrimento a serviço do corpo. O lugar que permite o entendimento de toda essa verdadeira edificação do corpo humano mostra-se de modo muito privilegiado na feição moderna deste outro invento: a máquina, e por ela toda a extensão do mundo da tecnologia. Pois acontece que a maneira usual, e correta, de interpretação do que seja a máquina prende-se exatamente à realidade biológica. O berço possibilitador desse tipo de interpretação encontra-se, com toda a evidência, na Revolução Industrial; a máquina passa a constituir então o prolongamento do corpo humano, que se faz, já via com clareza Marx, centrado em dois pontos: a máquina torna o corpo humano "maior" e, ao mesmo tempo, aumenta em muito a sua capacidade de produção. Um guindaste, se me permitirem a singeleza do exemplo, prolonga, e cada vez mais, o poder da mão humana, além de multiplicar, e em muito, a sua capacidade de produção. Por aí se tem acesso à percepção da força revolucionária que impulsiona a nova tecnologia. De um lado, essa força se deixa entender a partir do conjunto dos fatores que compuseram os descobrimentos — incluída aí, e com ênfase, a nova concepção da ciência, voltada ao calculado poder de dominação; de outro lado, percebe-se que a técnica, embasada no seu poder de manipulação, passasse a ver inscrita em seu próprio destino a força transformadora das estruturas sociais. E o fato agora está em que a máquina entendida como extensão do corpo humano já nem pode mais ser dispensada: ela passa a motivar a reformulação de toda a política do trabalho e do ócio, exige que se repense o conceito de trabalho e o conceito de ócio, a defrontar-se com o impacto dessas coisas na própria condição humana.

Por estas razões chega-se a melhor perceber as essenciais vinculações da máquina com o corpo humano. E detenho-me, por um instante, na peculiar anatomia de tais vinculações. Tanto quanto se vê, a máquina atravessa dois momentos em seu processo de transformação interna e que devem ser bem aquilatados. O primeiro prende-se à realidade do corpo humano enquanto sistema de articulações; a máquina dilata o fato de que os membros humanos são articulados, e procura à sua maneira desenvolver precisamente essas articulações fisiológicas; a tecnologia usual em nossa sociedade vincula-se precisamente a esse estatuto. Já o segundo momento, bem mais recente, opera uma transmutação simplesmente notável nesse processo de prolongamento das estruturas biológicas, e isso por abandonar o modelo das articulações para adotar o das complexas estruturas do cérebro humano: um computador consegue estender esse cérebro quase ao infinito, e pelo que se observa estamos apenas inaugurando uma imensa evolução ao nível da informática. Estes dois momentos, que são grandemente distintos, pertencem em verdade às transformações por que vem passando o corpo humano enquanto paradigma revolucionário a afetar o comportamento humano e as estruturas sociais. Tudo se concentra neste feito: a instituição do corpo em ponto de partida para uma certa reestruturação do mundo, ou melhor: das relações entre o homem e a sua realidade circundante. Portanto: o que essa espécie de homogeneidade da visão biológica da máquina esconde — e nisso deverá estar a própria chave para o entendimento do mundo tecnológico — deriva justamente do descobrimento das potencialidades do corpo humano. Não é por acaso que Da Vinci soube imaginar o módulo do cálculo exato das proporções do corpo humano — esse mesmo artista Da Vinci que soube projetar, ao menos no papel, coisas, como os arquétipos que viriam compor certos trunfos da revolução tecnológica.

O que está em causa são formas de descobrimento, todas agregadas ao evento maior que é o surgimento do Novo Mundo. Repare-se entretanto que, no que concerne à máquina e a sua extensão tecnológica, estamos ainda hoje envolvidos num processo que não diz mais respeito simplesmente à evolução da tecnologia e da indústria, porquanto tal processo atinge sim, e de cheio, muito do que se pode agora entender por pedagogia da realidade humana. Sem dúvida importantíssimas são neste momento da história geral dos descobrimentos estas relações entre o homem e a máquina. Aconteceu, entrementes, que tais relações acabaram por mostrar-se extremamente intricadas, e isso precisamente no correr do nosso século. O tema merece um pouco de nossa atenção. Marx já viu na máquina, tal como utilizada na indústria capitalista, o fautor do autômato em que é transformado o trabalhador.[10] É que no capitalismo, explica nosso autor, "a maquinaria é mal empregada [*missbraucht*]",[11] e já em tenra idade se transforma o trabalhador em parte ou pedaço da máquina fazedora de partes ou pedaços (*Teil einer Teilmaschine*). Marx soube mostrar, sem dúvida, a virulência da máquina em relação ao trabalho humano, e tudo termina se resumindo para ele no fato de que a forma capitalista de produção promove o processo de alienação, porém com o adendo agora de que a maquinaria leva tal alienação a uma contradição extremada, ou àquilo que ele chama de "contraposição perfeita".[12] A miniatura da indicação feita sobre o pensamento de Marx já é suficiente para que possamos levar adiante nossas considerações. Observe-se, antes de tudo, que Marx está longe de pronunciar-se contra a máquina em si mesma, mas tão-só contra o seu emprego pelo capitalismo.[13] Mas ele a defende: sem o advento da máquina jamais se poderia entender que "a própria Terra é um meio de trabalho".[14] Portanto, neste particular fundamental o que acabamos encontrando em Marx é nada menos do que um vigoroso elogio da máquina.

Mas pertence à natureza do processo histórico ir debulhando, nos passos que lhe forem permissíveis, a agudeza das aporias em que o próprio evoluir se intromete. Já no início do século XX começa-se a perceber, por exemplo, que a presença da alta maquinaria não se reflete apenas nos efeitos da alienação, com toda a sua possível carga desumanizadora decorrente dos meios de produção dentro dos desequilíbrios sabidos; é que começa a verificar-se um outro tipo de entrave, por meio de um deslocamento a que logo se apelidaria de robotização: nela, a tônica já não estaria tanto nos processos geradores de fome e de miséria, mas no fabrico de todo um tipo de comportamento pautado por uma espécie de contagiante neutralização — algo como uma outra forma de desumanização. Lembro que Marx já entreviu o problema: ele diz sobre o jovem trabalhador que "aprende a adaptar o seu próprio movimento à contínua uniformidade do movimento de um autômato".[15] Mas o que se observa aos poucos é que esse ser autômato põe-se a viver com uma forma de auto-suficiência, independentemente dos meios de produção dessa ou daquela natureza: a máquina em si mesma, a indústria em si mesma seriam produtoras desses mecanismos. E Marx não se ocupou do tema das diferenças entre essas duas modalidades de desumanização: o autômato e o desequilíbrio na distribuição da riqueza não seriam reversíveis. A questão se agrava mediante uma segunda observação: é que Marx fala sempre e somente do trabalhador, e já no início do século começa a tornar-se claro que a situação se alastra para a inteireza da sociedade humana. Ou seja: o processo de robotização, como se diz, põe-se a redimensionar a própria condição humana em sua tessitura atual. Isso explica que certos autores passem a fustigar essa forma de apassivação da conduta humana pela máquina, mas justifica também que um Chaplin faça dessa mecanização do homem um tema até privilegiado de seus filmes, submetendo-o, contudo, a uma ironia altamente crítica — essa crítica pela comédia deveria ser muito bem meditada; acrescento, a título de curiosidade, que Chaplin parece ter construído até mesmo o estilo de seu principal personagem, Carlitos, a partir desses procedimentos de mecanização — o que está longe de significar submissão passiva por parte de nosso artista, e sim o exercício de uma extemporânea e mordaz crítica. Outro exemplo que já vem sendo há muito debatido: a televisão não atingiria apenas, como se pensava, o comportamento do operário que fabrica o aparelho, visto que concomitantemente inventa um outro tipo de mecanização que se instala no modo de ser geral da sociedade. Claro que Marx nem poderia ter imaginado isso tudo. É que os desígnios da tecnologia se fazem múltiplos, diversificam-se, renovam-se e acabam surpreendendo; de um lado a tão falada robotização, mas de outro um certo desmonte de preconceitos: a insignificância do advento de um expediente como o controle remoto pode significar um avanço imponderável, qual seja o exercício de uma certa crítica presa ao primarismo da comparação, mas talvez nem tão primária quanto possa parecer. Ou então a presença em lojas especializadas dessa outra novidade maior, em tudo estimulante e mesmo sediciosa, que é o vídeo e toda a variação de seus sucedâneos; nessa imensa videoteca à disposição de todos em todas as esquinas de tudo se encontra, da mais requintada pornografia ao melhor Shakespeare, à mais sublime das versões operísticas: onde estamos agora com a uniformização mecânica? A técnica é contra o homem ou prolonga o seu corpo, aumentando-lhe as dimensões de humanidade? E não esqueçamos que tudo apenas começa; de certo modo, a viagem tecnológica já nasce como que amortecida, ela configura por definição o ultrapassável.

A seiva que a nutre está na criação inesgotável da alteridade, e o avanço das perguntas já nasce anacrônico: onde a tela de maior amplidão? Onde a terceira dimensão? Por onde andarão os espaços e os tempos, o passado e o futuro?

O que estou querendo afirmar, e mais uma vez, é que vem se constatando um conflituada história das relações do homem com a máquina, e que o seu sentido se deixa concertar em algo como uma pedagogia do homem pela máquina. É perfeitamente compreensível que haja em tantos uma alérgica aversão pela simples presença da máquina e da revolução tecnológica. Reconheça-se que essa revolução está alcançando extensões que conseguem desenrolar-se para além até mesmo do imaginável, desmontando literalmente os modos tradicionais de ser. Entre tantas: mais essa forma de insegurança, de desestabilização a introduzir-se já de início, e principalmente, no mais insuspeito e íntimo do recesso de nossos lares. Tais argumentos, contudo, logo se mostram falazes, até inúteis: a própria casa de moradia vem sendo concebida como uma máquina, sem falar de toda a parafernália mecânica e eletrônica que a decora de ponta a ponta. A ardilosa situação parece montada. E ela é saudavelmente desmontada pela argúcia de qualquer criança: é que se teima em considerar a máquina como o outro, o grande intruso, o alienígena que tudo veio desarrumar. Mas o conforto dessas crianças já sabe ponderar as coisas desde o fundo de seus desavisos. O espanto chega a desconcertar: como pode um computador ser nocivo, se combina o prazer lúdico com um acervo de multiplicações e de informações que destina as nossas queridas bibliotecas livrescas à museologia? Digamos, sim, que o homem deve atrelar-se ao espírito crítico em relação a tudo, mas a tudo mesmo — tal é o seu estatuto de maioridade. E o exercício da crítica torna evidente, entre tantas coisas, o seguinte: é que a máquina, longe de ser o contrário do homem, mostra-se como produto do trabalho humano — não do trabalho escravo, e sim do trabalho criador; a máquina, diz já uma bela tradição acima referida, estende o corpo do homem, de certo modo a máquina *é* esse corpo. A questão toda está em que esse produto do cérebro humano soube tomar tal vulto que surpreendeu e mesmo assustou o seu criador. A controversa e copiosa história das relações entre o homem e a máquina — chegou-se a falar em homem unidimensional — terminou evidenciando, em que pese a incógnita dos imprevisíveis tempos que virão, que as máquinas deverão ser sempre o que elas foram em seu berço de nascença: pertenças do próprio homem.

Estou tentando discutir aqui ao menos as premissas de uma temática imensa — a dos descobrimentos, porquanto eles se fizeram plurais, e quiçá seja impossível por ora aquilatar toda a largueza dessa pluralidade.

Mas limito-me a esse constrangimento mínimo, ponto de partida: a relação entre a máquina e o corpo humano. Para isso, reinventemos a invenção: na origem de tudo está o cálculo — das navegações, das ciências e da filosofia, das artes; falo do cálculo originário que produziu o conceito de descobrimento em suas mais amplas feições. O cálculo inventou certa forma de olhar, que levou à ciência, que levou à máquina, que propicia as transformações sociais, que refaz a mente e o corpo do homem. Para concluir teço mais algumas considerações sobre o relacionamento do homem com a máquina.

Ter-se-ia de investigar — mas faltam-me recursos para isso, e nem seria este o lugar para fazê-lo — o extraordinário relacionamento que os descobrimentos passam a desenvolver em torno do verbo ter, ou com a ação de ter. As navegações emprestam à posse, ao ter, uma amplidão que parece realmente excepcional. Evidentemente, não se quer aqui diminuir a óbvia constatação de que o ter sempre foi constitutivo dos horizontes humanos — o trabalho, todas as formas de apropriação, a começar pelo esmero dos empreendimentos bélicos, encontraram o seu escopo por assim dizer definitivo nas possanças da ação de ter, essa ação inventa o próprio sentido incoercivelmente plurifacetado de todos os avanços do ter. Entretanto, neste ponto também, os navegadores tomam a dianteira ao menos por duas razões. A primeira está em que, como que de repente, essa ambição que investe no verbo ter passa a ostentar dimensões cada vez mais planetárias; a devassa da boa esperança encontra a sua medida na dominação de continentes inteiros. É como se a Terra e tudo o que a compõe estivesse oferta às insaciáveis cobiças do ter. São coisas que se manifestam no abarrotamento dos portos, numa fartura que transforma o gosto e o comércio das ruas, estipula um prazer inédito para as coisas do conforto, além de, claro, só pode ser, redobrar os apegos mais recônditos da própria cobiça. Entende-se o que ocorre por isto que nisto tudo percebem-se as primícias do próprio nascimento do capitalismo. O segundo ponto refere-se aos novos usos ligados ao cálculo. Digamos que o cálculo se faz de moda. Nem entro no tema já por ter sido anteriormente aventado: é a físico-matemática, a exploração dos compassos na música e do compasso no equilíbrio das naves, ou ainda as coisas que começam a acontecer na arquitetura e nas artes em geral em nome, por exemplo, da progressiva intromissão da perspectiva. Mas o cálculo também começa a tomar conta de outras atividades, a principiar nas geradas pelo comércio: é que entra a desenvolver-se a contabilidade, o acúmulo das posses organiza-se abstratamente na escrita em termos de débito e crédito, e passa-se a recriar os fundamentos das ciências econômicas. O verbo ter consegue alçar-se à altura de um perfil novo. E por aí se explica que o cálculo demarque agora a necessária introdução de certos conceitos numa acepção nova, como o de eficácia, de sucesso, de proveito, e até o de poder — e o poder do cálculo insere-se então no próprio cerne da ciência.

Invisto um pouco mais no tema com duas outras observações. A Revolução Industrial pode ser considerada desta maneira: como uma grande introdução geral à cultura do ter. Afinal, toda a ciência e toda a tecnologia modernas apostam no conforto para o homem, e o conforto significa antes de tudo o estabelecimento do homem neste mundo. O cometimento passa forçosamente pelo ter — por suas artes e seus sabores. Duas palavrinhas destacam-se aos poucos pela força que adquirem na composição dos novos aconteceres sociais e econômicos: são elas o consumo, e o seu antônimo que é a produção; são os conceitos que agora como que fecham o ciclo do próprio sentido dessa nova sociabilidade: consumir e produzir pressupõem-se com o rigor das leis do mercado, sempre a exigir a adaptação de toda a sociedade "válida" a esse círculo que é todo o oposto de um inferno. O indivíduo que não produz e não consome simplesmente perde a sua razão de ser, e condena-se à marginalidade inadmissível da esmola, ou da caridade. E nem é preciso ainda mais esclarecer que a emulação de base a alimentar toda essa dialética entre produzir e consumir decorre em todos os seus mistérios do pequeno verbo ter. A outra observação refugia-se em território mais teorético, e já começa a introduzir-nos em outro temário. Lembro aqui, ligeiramente, a dialética hegeliana do mestre e do escravo. O futuro está no escravo, ele cria aquilo que o mestre deve ser. Digamos que essa passagem prende-se à contraposição de dois verbos, ser e ter. Derrotado, e pela angústia, o escravo como que perde o seu ser, e então, falto de qualquer estabilidade, resta-lhe apenas o referencial negativo de seu senhor. O que mantém de pé essa figura da consciência deriva apenas da vigorosa disciplina do serviço. Mas também de uma nova criação, advinda do trabalho. Pelo trabalho o escravo passa a transformar as coisas, e a emprestar-lhes o que lhe vai pela cabeça — digamos que pelo trabalho o escravo põe-se a descobrir os caminhos da liberdade. Acontece que isso se faz por intermédio dos percalços da dominação garantida pelo trabalho, isto é, o processo de libertação deixa-se construir, todas as contas feitas, por meio do ter: o ter, o dominar liberta o escravo e transmuda-o em senhor. Senhor de duas coisas: daquilo que ele passa a possuir, ou ter, e da progressiva conquista de sua liberdade. E ainda: o ter e a liberdade se pertencem. Espero que a despretensiosa interpretação feita seja suficiente para o entendimento do sucesso que logo viria exibir a distinção entre ser e ter.

De fato, a distinção entre ser e ter, e por razões que sempre acabam se tornando óbvias, está presente um pouco por tudo — ela faz parte nada menos do que do cotidiano das pessoas. Lembro, sem delongas, a excepcional análise — crítica em relação ao ter — elaborada por Marx em seus *Manuscritos*, ou, a partir de pressupostos completamente outros, a interpretação — também ela negativa — feita pelo existencialista católico Gabriel Marcel, em seu livro intitulado justamente *Être et avoir*. Ou ainda a do antropólogo Arnold Gehlen, que estabelece uma interessante ligação de ser e ter com a realidade do corpo humano. Mas tento esquecer isso tudo, e elaborar alguns comentários que possam servir de encerramento para este ensaio, precisamente por meio de uma indicação sobre o modo como estes dois verbos e as interpretações que souberam suscitar se relacionam com a máquina e a tecnologia.

A questão toda está em uma ambigüidade que afeta as relações do homem com o seu corpo. Se digo: o homem é seu corpo — está estabelecida uma certa dualidade: o homem fala sobre o seu próprio corpo, estabelecendo-se por conseqüência um certo intervalo entre aquele que fala e seu corpo. E aí radica a ambigüidade entre ser e ter. É fácil entender o seguinte: cada um é o seu "corpo próprio" (para usar a expressão cunhada por Merleau-Ponty). E isso não apenas por uma razão de ordem negativa: o fato é que eu não posso mudar de corpo. Mas para além disso, cada um é efetivamente o seu corpo; este corpo determinado pertence ontologicamente à condição concreta de cada um, tanto que a recusa ao próprio corpo — ao ser o corpo — gera todo um catálogo de patologias. Acrescente-se a isso o fato altamente significativo de que em toda a tradição metafísica o corpo sempre era interpretado como o negativo, o inferior, a sombra que deveria ser superada. Em oposição a tudo isso o pensamento contemporâneo, e não sem razões, soube entregar-se a uma verdadeira reabilitação do corpo — e sabe-se do desempenho todo especial nesse sentido da obra de Merleau-Ponty. Nesta perspectiva o corpo revelou-se a temática de uma dupla conquista: o seu resgate daquela condição de negatividade; o corpo deixa então de ser um menos-ser. Aceitemos que esse processo comece por causa das teses de Nietzsche, e hoje pode-se afirmar que todo jovem, independentemente de se saber se ele leu e conhece o autor de *Zaratustra*, é nietzschiano. Isso significa que o corpo humano, além de sobrepor-se à sua suposta negatividade, passa a conquistar a sua dimensão ontológica. Assim, o ser-corpo do homem chega a ocupar um espaço novo, fundamentalmente desconhecido no pensamento tradicional. O curioso está no fato de que, exatamente a partir do momento em que o corpo começa a assumir o seu estatuto ontológico, manifesta-se aquela ambigüidade: se o indivíduo é seu corpo próprio, isso se faz no espaço de uma certa distância, e uma distância que se sabe enquanto comércio de certo cultivo dessa distância. Ou seja: se o homem é seu corpo, por outro lado ele tem o seu corpo e considera-o enquanto objeto próprio. Pela primeira vez na história surge toda uma literatura e uma arte que exploram com requintes até mesmo patológicos a experiência de o homem ter e poder dispor de seu corpo à maneira de um objeto. Isso explica o drama daquela ambigüidade fundamental: o ser o próprio corpo permanece acoplado ao fato de o ter. Acrescento a essa análise um dado que me parece em tudo essencial: é que o ter, suplantados os preconceitos tradicionais, parece não constituir uma dimensão negativa dos modos de ser do corpo; o ser o corpo pode ser até mais negativo do que o ter o corpo. Quero dizer que entre ser e ter não existe uma hierarquia que autorizasse o estabelecimento do superior e do inferior. Essa hierarquia está sem dúvida presente, e com preconceituosa facilidade, em muitas interpretações e muitas vivências, mas ela se prende no fundo a uma tradição metafísica que deve ser superada em todas as suas implicações. Ser e ter pertencem à própria condição humana, são dimensões muito profundamente ligadas ao estatuto ontológico da realidade corpórea do homem. Digamos, com uma fórmula que em nada pretende ser facilitadora, nem quer ignorar todo o peculiar drama em que se encontra intrincada a dialética entre ser e ter — digamos que pelo ser o homem chega a ter, e pelo ter ele chega a ser.

Há, pois, um drama entre o ser e o ter em relação ao corpo humano. E trata-se sem dúvida de um drama novo. Mas passo a acentuar esse outro drama, complementarmente relacionado a essa carga ontológica de ser e ter, que deriva da presença da máquina — e que por extensão define toda a tecnologia. O problema deixa-se equacionar com facilidade: o homem dispõe da máquina à maneira de quem dispõe de um objeto: ele tem a máquina a seu dispor. Mas ele também é a máquina? Em que sentido poderia o homem ser a máquina? Se a máquina deve ser interpretada como um prolongamento do corpo humano, aquela dialética entre ser e ter não se estenderia também para os modos de ser e ter o corpo em relação com a máquina? Para que a pergunta comece a fazer sentido faz-se indispensável que o pensamento deixe de lado todas as ilusões substancialistas: por aí haveria uma substância-homem e uma substância-máquina. Contra isso, a tônica deveria acentuar uma certa dialeticidade na relação entre homem e máquina. E dá para entender a situação atual do homem sem tal dialeticidade? Admita-se a tese que afirma ser o homem essencialmente um ser técnico, isto é, transformador: a própria gênese do comportamento humano decorre então de sua distinção técnica. E o corolário dessa tese vê-se na constatação de que a partir da técnica — da práxis especificamente humana — é que surgem o objeto e, posteriormente, o sujeito. Ou por outra: a capacidade transformadora situa-se antes da separação entre ser e ter, e ao mesmo tempo inaugura a própria possibilidade de opor o ser e o ter. Nossa tese enraíza-se precisamente neste ponto: é que com o advento da tecnologia, ou com o inusitado da extraordinária presença da máquina em nossos dias, todo o esquema da oposição entre sujeito e objeto, ou entre ser e ter, está a exigir uma revisão. O corpo tem a máquina ou é a máquina? O ter a máquina já não pode ser entendido de um modo meramente exterior. De certa forma, o homem é a máquina — o que não significa que o homem possa ser transformado em máquina, em ser-máquina. (Mas vai além do simples exotismo a insistência de tanta literatura em transformar o homem em robô — talvez por a fantasia apegar-se a conceitos que se travam em seus próprios limites.) O homem não pode assimilar a máquina assim como o corpo assimila a água: a água assimilada passa do ter ao ser. Pois parece-me que, no caso da máquina, essa assimilação requer ser substituída pelo que estou chamando de dialeticidade. O mínimo que deve ser reconhecido está em que a ambigüidade ontológica do corpo entre ser e ter transfere-se agora também para a máquina: a máquina estende-se até alcançar o corpo em sua ambigüidade. O homem tem a máquina, ele a compra e dispõe dela; mas por outro lado ele é a máquina, e o prolongamento humano já nem pode ser entendido sem esse seu prolongamento biológico que é a máquina. A relação entre ser e ter passa em nosso tempo por esse alargamento radical. Quero dizer que o contexto em que vive o homem acontece na dialeticidade do espaço de pertencimento entre homem e máquina — pertencimento que se confunde com o desejo, o conforto, o trabalho, a criatividade e tantas coisas mais. E em tudo isso, é sempre a dialética entre ser e ter que funciona.

Concluo: tudo o que disse atravessa a idéia de descobrimento em dois níveis. Uma coisa é o descobrimento aberto aos horizontes exteriores; tais itinerários encontram a sua razão de ser — da apropriação ao devaneio — no reconhecimento da alteridade. E é precisamente o reconhecimento do outro que leva, através de tantos percalços históricos, ao segundo nível do descobrimento; e é que alteridade se torna interior ao próprio homem, como que a tropeçar no desconhecido de seu corpo. A descoberta da alteridade, em seus dois níveis, é necessária — se não o for o próprio descobrimento não tem sentido algum. Esta necessidade — apoiada na crescente hegemonia de categorias como sujeito e objeto, espaço e tempo, ser e ter — é que conduz dos espaços exteriores à espacialidade do corpo próprio; níveis e categorias que constituem-se em esteios de toda conquista. A necessidade da nova máquina, que reinventa aquelas categorias, decorre por inteiro de sua natureza mediadora entre os dois níveis de descobrimento.

Termino com duas citações que poderiam ter servido de epígrafe para este ensaio; apenas as transcrevo, pois imagino que elas resumam o que tentei desenvolver. A primeira vem de Montaigne: "Eu não pinto o ser. Eu pinto a paisagem". E a segunda está em Sartre: "Estamos assistindo ao nascimento do mundo".

NOTAS

(1) "Um prefácio sobre Shakespeare", em *Páginas de filosofia da arte*, Rio de Janeiro, Uapê, 1998.

(2) Ver R. EISLER, *Kant Lexikon*, Berlim, Georg Olms (ed.), 1964, p. 184.

(3) Karl MARX, "Die deutsche Ideologie", em *Die Frueschriften*, Stuttgart, Alfred Kroener (ed.), 1953, p. 346.

(4) Padre Manuel BERNARDES, *Obras completas*, São Paulo, Editora das Américas, 1959, vol. I, p. 163.

(5) Idem, ibidem, vol. II, p. 53.

(6) G. W. F. HEGEL, *Enzyklopaedie der philosophischen Wissenschaften*, Frankfurt, Suhrkamp, 1981, vol. I, p. 365.

(7) Veja-se, de nossa autoria, o ensaio "Sobre o estatuto da razão", em *A crise da razão*, São Paulo, Companhia das Letras, 1996, pp. 97-110.

(8) Ver "O bom selvagem como *philosophe* e a invenção do mundo sensível", em *Libertinos libertários*, São Paulo, Companhia das Letras, 1996.

(9) Como indiquei no meu ensaio acima referido, o conceito de utopia exibe uma rica história: primeiro, o fabulário utópico de que aqui nos ocupamos; depois, a política que informa os diversos modos de realização do socialismo; e, enfim, a dissolução da utopia, presente já em toda uma literatura empenhada em ver o avesso negativo da utopia (Huxley, Orwell etc.). Mas seria necessário acrescentar a essa evolução o surto da ficção científica e examinar a sua índole cósmica em relação à natureza histórica da utopia.

(10) Karl MARX, *Das Kapital*, Berlim, Dietz, 1975, vol. I, pp. 443 e 446.

(11) Idem, ibidem, p. 445.

(12) Idem, ibidem, p. 455.

(13) Idem, ibidem, pp. 464-5.

(14) Idem, ibidem, p. 194.

(15) Idem, ibidem, p. 443.

QUE SIGNIFICA DESCOBRIR?

Vitorino Magalhães Godinho

As navegações oceânicas e as conquistas da Cristandade, a formação da Europa e a sua irradiação, não só teceram a rede mundial de trocas como criaram também configurações políticas através dos jogos dos impérios e nações, das colónias e da subordinação de sociedades outras. É assim que as Américas são moldadas pelos conquistadores e colonizadores segundo paradigmas europeus — é uma verdadeira invenção de uma realidade nova. Esta primeira descolonização política — de 1770 a 1830 — coincide com o arranque da Revolução Industrial; e durante um século o globo é organizado pelo capitalismo. Contudo, a própria Europa e seus prolongamentos irão redesenhar-se sob o choque das grandes guerras — o desmoronamento dos Impérios Austro-húngaro e Otomano. As colónias vão evoluir para a autonomia, as sociedades subordinadas sacodem o jugo e, por seu lado, as construções nacionais plurais, como os últimos impérios, desagregar-se-ão; por toda a parte se manifesta a recusa de preservar a ligação a Estados compostos por sociedades diferentes, a recusa de integrar a si as diferenças, a obsessão do homogéno.

Por todo o globo se procura obscurecer a expansão europeia, apagar séculos de história durante os quais descobridores, conquistadores, colonos ou missionários se amalgamaram, tantas vezes pela força, com as sociedades locais. Um passo será facilmente transposto: os intrusos teriam asfixiado o desenvolvimento próprio dessas sociedades, aniquilado as tradições, submetido as populações, espalhado a miséria. A história por toda a parte ensinada não seria mais que a visão dos vencedores, escamoteando a violência e justificando-se pela identificação da civilização com os padrões europeus. Civilizar seria impor um único modo de vida.

Contudo, esses povos da África, da Ásia, das Américas, da Oceania, apenas procuravam reorganizar-se segundo o modelo nacional — de feitura europeia —, sendo a sua principal preocupação reencontrar a sua própria linhagem e construir uma memória colectiva que justificasse o seu presente, enfatizando a "resistência" ao cilindro compressor externo. As descolonizações, posteriormente a 1945, vão opor ao anterior eurocentrismo um desabrido antieuropeísmo, que assimila no entanto os principais modelos de civilização renegada — modelos económicos (seja o socialismo ou o capitalismo), políticos (instituições, formas de Estado), ou mesmo culturais (a ditadura do audiovisual, o respeito pelos valores inerentes a cada cultura). Haverá infelizmente penosas relutâncias na instituição dos direitos do homem e do cidadão. Mas será sobretudo às fontes europeias que se vai beber, na perspectiva de construir uma história "nacional" (já que localmente apenas se dispõe da tradição oral e dos vestígios arqueológicos, por vezes inscrições epigráficas; só as grandes civilizações comportam as crónicas, a história escrita).

Por seu lado, alguns historiadores e pensadores europeus receiam ser acusados de advogados do imperialismo, acentuando assim uma visão negra da expansão europeia. Já em 1967, Gabriel Sánchez de la Cuesta (como Taviani sublinhou) considerava inadequado e impreciso o termo "descoberta" [*descubrimiento*]; visto que "los nativos que habitaban las tierras transatlánticas, con culturas y religiones seculares, ya estaban allí y eran perfectamente conscientes de ello. Pero en Europa se ignoraba su existencia". É então de "comunicación, es decir encuentro" que se deverá falar. Esta peregrina perspectiva fez escola; e todo um movimento, por vezes virulento, se empenhou em demolir o conceito de Grandes Descobrimentos — da abertura do globo graças às navegações de Portugueses e Castelhanos. Apenas haveria descoberta do ponto de vista da ignorância europeia.

Que os povos que procuram afirmar-se enquanto Estados tenham necessidade de construir uma memória colectiva de identificação, nada de mais respeitável; não há povos sem história. Mas é na herança do pensamento histórico europeu que irão encontrar os seus instrumentos e percursos, e nunca em ingénuos repúdios ou em posições sem qualquer pertinência. Parte dos descobrimentos respeita as ilhas desabitadas — e serão marcos decisivos (bastará mencionar os Açores). Noutros casos as terras eram habitadas, frequentemente de longa data, mas descobrir apenas tem sentido do ponto de vista do outro — do exterior. É como levantar uma tampa que nos escondia qualquer coisa — encontrar algo cuja existência se ignorava, ou o caminho para um ponto que já se sabe existir. Em 1628, Harvey descobre a circulação do sangue — embora desde a origem do homem o sangue nele circulasse. Herschel, em 1781, descobre o sétimo planeta, Urano, e, em 1846, Le Verrier, por meio do cálculo, estabelece a existência de Neptuno. Em 1878, Sedillot descobre os micróbios, Brown-Séquard as hormonas em 1888. É claro que estes astros, estes microorganismos, estas substâncias orgânicas existiam já: os descobridores não os inventaram nem os fabricaram — não teria havido descoberta se não houvesse existência prévia. Pelo contrário, Edison com a lâmpada eléctrica, Fahrenheit com o termómetro, ou Galileu com a luneta astronómica, criaram realmente algo que não existia — é a invenção, tal como a dos logaritmos ou da bicicleta.

Não querendo passar por cúmplices do opressor europeu, historiadores e intelectuais da civilização incriminada têm procurado demolir as considerações de López de Gómara, António Vieira, Montesquieu, Adam Smith, entre tantos outros, segundo os quais a descoberta da rota do cabo de Boa Esperança e o descobrimento da América se destacariam como os dois eventos capitais da história da humanidade. É o caso do requisitório de M. N. Pearson, de Cambridge. Embora reconhecendo os méritos dos navegadores dos séculos XV e XVI, considera ele que não existem realmente novidades, mas apenas o prosseguimento de uma longa tradição. Que este movimento se insere num longo processo, já Galvão o sublinhava em meados do *Cinquecento*, afasta-se ele contudo das sendas já trilhadas e inova profundamente quanto às técnicas e concepções, conduzindo a um conjunto de resultados que vai abalar a posição do homem, bem como as redes de relações. Esta apropriação do mundo pelo homem significa o domínio do espaço e das deslocações, a sua representação verificável, bem como a das civilizações e sociedades — é a invenção da humanidade e a afirmação das diversidades; tudo isso diz respeito não apenas à Europa, mas desde logo a todas as regiões e a todos os povos.

O historiador inglês cai na infantil armadilha da negação da descoberta a partir do momento em que existem já populações estabelecidas — é o caso do Brasil. Mas apercebendo-se do absurdo desta posição, embora não o confessando, Pearson distingue duas grandes áreas (ou três?): o mundo euro-asiático, incluindo o oceano Índico, entrecruzado por uma tecedura que vai dos Romanos ao veneziano Polo, com o Islame estendendo-se da Arábia ao Atlântico e à China, com as viagens chinesas alcançando a costa oriental africana; por outro lado, o continente africano, de povos ligados entre si por migrações e rotas regularmente percorridas, por um comércio embora rudimentar — laços que as vagas muçulmanas cimentaram. Classificação demasiado simplista, como veremos já. E as Américas onde estão? Quanto à Eurásia importa distinguir o complexo centrado nas estepes e nas cidades das caravanas (o mundo apercebido pelo caravaneiro) do complexo oceânico, em torno do arroz, das especiarias e do ouro — a percepção do marinheiro. Quanto ao primeiro, embora as migrações se desloquem de leste para oeste, entre os séculos XIII e XVI são sobretudo os mercadores e missionários europeus — cristãos — que revelam essas extensões ainda envoltas nos mitos de Gog e Magog, do Preste João, do Paraíso Terrestre. Mas é a visão mongol da China que Marco Polo nos transmite. Contudo, no que respeita à Índia ou à China, à Pérsia, à Arábia e ao Próximo Oriente, com as suas redes de caravanas de camelos e cavalos ou as longas filas de bovinos, as viagens portuguesas "por caminhos terrestres", nos séculos XVI e XVII, vão acumular um precioso espólio de conhecimentos precisos. No que se refere ao complexo do oceano Índico, ele será cartografado, novas rotas serão abertas quer pelos Portugueses — em direitura do cabo a Malaca, por exemplo —, quer pelos orientais que escapam ao controle português — de Samatra ao mar Roxo, relação nova entre mercado e escoamento. Se a presença de fortes armadas portuguesas vai alterar rotas e mercados, bem como as condições de abastecimento e as posições políticas, a inundação dos *reales* reestrutura as formas de troca e o papel das moedas. O que significa que o imperialismo português faz muito mais do que preparar as orientações e formas das expansões holandesa e inglesa.

Voltemo-nos para o que se passa em África. Se o Magrebe-Egipto pertencem ao complexo mediterrâneo, é igualmente certo que segundo as pistas de camelos saarianos o Norte se encontra ligado ao mundo guineense do ouro, dos escravos, da malagueta. Mas as florestas equatoriais separam o complexo magrebino-guineense do continente a sul da "linha", e através das vastas extensões meridionais não existem comunicações com um mínimo de regularidade e influência entre as duas costas, atlântica e índica. Até mesmo a intrusão do Islame não modifica essencialmente esta geografia de base. Deste modo, serão as caravelas portuguesas e as longas marchas dos *lançados* que revelarão este continente e o ligarão à Europa, e posteriormente às Américas. Convirá aqui recordar, inevitavelmente, Théodore Monod (que Lucien Febvre aplaudia): a contribuição decisiva dos Descobrimentos foi a ligação Euráfrica às Américas, assim se tecendo a rede de ligações atlânticas.

A descolonização posterior a 1945, acelerando o fabricar de uma memória que não dispunha de pontos de referência e se via despojada de sentido, na medida em que iria servir de fundamento a uma nova entidade colectiva, desenraizou as populações da verdadeira história e susteve o afluxo de ideias e dos meios susceptíveis de as orientar na senda de uma transformação estrutural. Estranhamente, esta recusa da história assemelha-se a certas preocupações que se tinham manifestado, por outras razões, desde meados do século XVI. No início da centúria, o impacto das navegações e descobertas suscitava uma tomada de consciência que as compilações desde então publicadas manifestam e consolidam. Momento culminante desta viragem intelectual: a monumental recolha de viagens e descrições de países (1550-59) devida ao veneziano Ramúsio, bem como a primeira história de todas as descobertas e navegações antigas e modernas, escrita por António Galvão, ex-capitão das Molucas, entre 1550 e 1557 (primeira edição de 1563), que Hakluyt tornará bem conhecida graças à tradução inglesa de 1603.

Ora, nesta *re-criação* da memória do navegar e do descobrir, Galvão insinua o eco de uma opinião que certamente surgia e segundo a qual os "modernos" não seriam descobridores;

> Ainda que alguns digam que ho mundo foy já descoberto e possam alegar pera isso, que assi como foy povoado, podia ser frequentado e navegado. E mais sendo os homens daquela idade de vidas mais compridas, leys, linguagens quasi todas hũas.

Mas Galvão não aceita esta concepção, inclinando-se de preferência para os que

> têm dito o contrairo: nam poder a terra ser toda sabida, e a gente comunicada hũa com a outra, porque quando fosse se perderia pola malicia e sem justiça dos habitadores dela.

Assim, aos olhos deste herói e modelo de político íntegro, "os mores descobrimentos e mais compridos foram por mar feytos, principalmente em nossos tempos". Francisco de Sousa Tavares, que preparou a edição póstuma, sublinha em prefácio que no comércio da pimenta e das especiarias, bem como em todas as navegações antigas e modernas, em "ambas estas cousas os Portugueses tem feito muita avantagem aos passados". Desde Duarte Pacheco (cerca de 1505), passando por Gregório López Madera (1597) e pelo economista italiano Antonio Serra (1613), esta primeira "querela dos antigos e modernos" terminaria geralmente com vantagem para os últimos.

Contudo, não é sem surpresa que detectamos, no momento supremo da expansão, algumas das reticências de que Galvão se fizera eco. Muito provavelmente, esta concepção negativa serviria para fundamentar a argumentação em favor da reivindicação da liberdade dos mares e da recusa em reconhecer o direito de ocupação pelo descobridor. Bastará aqui recordar a carta de D. João III ao seu representante em França, em 1530, destinada a tolher a pirataria e a penetração francesas nos mares e terras sobre os quais Portugal afirmava firmemente a sua soberania. É certo que o rei se baseia nas bulas pontifícias; mas é na incontestável descoberta pelos Portugueses que o direito de Portugal aos seus proventos se baseia em última instância — e até mesmo as outorgas contidas nas bulas do papa a tomam igualmente como fundamento, tendo em conta o seu objectivo: a missão evangelizadora.[1]

Esta argumentação remontava aos próprios começos da expansão marítima, como notou Duarte Pacheco por volta de 1505: a descoberta dos arquipélagos e da Guiné, esta última abrindo caminho à conversão dos negros à fé cristã, levou os papas a outorgar para sempre aos reis de Portugal, por legítima sucessão, a soberania sobre todas as ilhas, terras, portos, comércios, resgates, pescarias e conquistas já descobertas ou ainda por descobrir, incluindo os próprios índios; e firmes proibições e excomunhões vinham desencorajar todos os príncipes, senhores e Estados de infringir essa possessão concedida à Coroa portuguesa.[2]

Estas controvérsias prolongaram-se ao longo do século XVII, já que permaneciam os choques de interesses. É assim que o padre António Vieira se questionará, em 1664:

> Porventura aquela ametade do mundo a que chamavam quarta parte, não foi criada juntamente com a Asia, com a Africa e com a Europa? E contudo, porque a América esteve tanto tempo occulta, é chamada Mundo Novo: novo para nós, que somos os sábios; mas para aqueles bárbaros, seus habitadores, velho e mui antigo.[3]

Assim, tal como hoje uma corrente reivindicativa o repete imprudentemente (sem mesmo reconhecer que a ideia vem da época das descobertas, defendida por outros motivos), *descobrir* não se aplicaria ao movimento de expansão europeia, visto que as terras "descobertas" eram povoadas e consequentemente conhecidas dos povos que a habitavam. Mas atenção: Vieira emprega ironicamente os termos "sábios" e "bárbaros". Está no fundo a relativizar a "civilização", e insiste em endereçar aos europeus uma lição de humildade — as novidades nada trariam de novo. Por que razão há certas cousas que nos parecem novas?

> Umas cousas faz novas o esquecimento, porque se não lembram; outras a escuridade, porque se não vêem; outras a ignorância, porque se não sabem; outras a distância, porque se não alcançam; outras a negligência, porque se não buscam.

Uma vez mais, observa-se que a desconfiança em relação à "novidade", ao "novo", se encontrava muito difundida na Europa do século XVI; mas os Portugueses dessa época tinham-na rejeitado, exaltando as "novas novidades".

Que quer dizer finalmente "descobrir"? O que é o "descobrimento"? Quem é o descobridor? As minuciosas pesquisas de Barradas de Carvalho, na esteira de um estudo inovador de Jaime Cortesão (na introdução à edição da carta de Pero Vaz de Caminha de 1500), demonstraram que o termo "descobrir" — terras, mares — se difunde a partir de 1472, e "descobrimento" alguns anos depois (1486); até 1567, em 3239 referências, 73% respeitam a actividades marítimas. Nos relatos de viagens, no *Esmeraldo*, nas grandes crónicas, estas palavras atingem uma elevada frequência, em relação com "buscar" [procurar], outrora associada a "achar" [*hallar*, encontrar]. Pequenas gradações de sentido distinguem "achar" de "descobrir": descobrir denota frequentemente uma exploração sistemática, enquanto achar se refere de preferência a determinada realidade cuja existência se ignorava, a um primeiro encontro. A sinonímia mantém-se no entanto com frequência. Em compensação, "conquista", "conquistador" são muito menos correntes na língua portuguesa. Os títulos reais ostentados no final do século XV associam a conquista à navegação. Mas é por intermédio dos cronistas do século XVI que se estabelece a dualidade complementar. Castanheda intitula a sua história *Do descobrimento e conquista da Índia pelos portugueses*; as *Décadas* de João de Barros ocupam-se *Dos feitos que os portugueses fizeram no descobrimento e conquista dos mares e terras do Oriente*; uma crónica anónima possivelmente anterior a 1521 intitulava-se já *Da descoberta e primeiras conquistas na Índia pelos portugueses*. Mas o grande fresco esboçado por António Galvão deixa de lado a conquista: para além das diversas rotas das especiarias, consoante as épocas, o *Tratado* apresenta-nos "todos os descobrimentos antigos e modernos" até 1550. E em 1557 sai do prelo a *Relação verdadeira dos trabalhos... no descobrimento da provincia da Florida*.

Em Espanha passa-se geralmente o inverso: conquista e conquistador predominam. Colombo utiliza *buscar*, *hallar*, *el descubrir*, mas não *descubrimiento*. Esta palavra só se tornará corrente em meados de Quinhentos, segundo parece. É a *Relación del descubrimiento del reyno de Perú* de Diego Trujillo, é a terceira parte de Cieza de Léon, *El descubrimiento y conquistas deste reino de Perú*. Contudo, *descubrimiento* continuará a ser menos corrente que em Portugal. Examinemos uma das primeiras viagens que resultam incontestavelmente num *achamento*. Cà da Mosto viaja a bordo de uma caravela portuguesa, de conserva com uma outra, em 1456. Dobrado o cabo Branco, afastam-se da costa duas noites e três dias de navegação;

> el terzo zorno havessemo visto de terra, cridando tutti Terra, Terra. Molto se meravegiassemo perche nos savevemo che a quella parte fosse terra nessuna. E mandando doi homini a alto discoprimo doe grande Ixole. Unde essendo notificada questa cossa, dassemo gratia al signor Idio che ne condusca a

> veder cosse nove [...] e perche savevemo ben che de questa Ixola in Spagna non se ne aveva noticia alguna.[4]

Por conseguinte:

a) Os navegadores têm consciência de ter descoberto duas ilhas.

b) Ignoravam a existência de terras insulares naquelas paragens — ficam maravilhados por as encontrar (*achá-las*).

c) Mais ainda: na Península não existia qualquer informação a respeito das ditas ilhas.

d) Assim, a vista oferece-lhes cousas novas — a descoberta aliada à novidade.

e) Da descoberta resulta a redacção de uma notícia, com o fim de informar outrem, a notificação.

Mencionaremos um caso análogo, mas já de uma data em que a arte de navegar se tinha modificado consideravelmente. Em 1506, Tristão da Cunha dirige-se à Índia, à frente de uma poderosa armada (é acompanhado por Albuquerque, como capitão de alguns navios). Depois de terem passado o cabo de Santo Agostinho e feito escala na ilha de Ascensão, os navios descrevem o arco que lhes permitirá dobrar o cabo de Boa Esperança — longa travessia. Um dia, de madrugada, avistam uma terra grande e muito bela; os capitães decidem abordá-la, "por não estar ainda descoberta". Feito o reconhecimento, retomariam a sua rota; na carta surgia um novo arquipélago, chamado de Tristão da Cunha, do nome do descobridor. Também estas ilhas se encontravam desertas.

Descobrir insere-se num círculo cultural onde ainda nada se sabe do que se vai encontrar (*achar*); mesmo sabendo o que se procura (*buscar*), ignora-se no entanto o traçado do caminho que aí conduzirá. Note-se que esses arquipélagos eram desabitados; assim, não é de modo algum possível rejeitar a descoberta com base no conhecimento que dela teriam os seus habitantes. Convirá ainda distinguir os diferentes vectores da procura (*busca*), e consequentemente das navegações:

1) Terras desertas e completamente desconhecidas de toda a gente: Madeira, Açores, ilhas de Cabo Verde, São Tomé e Príncipe, Ascensão, Santa Helena, ilhas de Tristão da Cunha. O povoamento constituirá aí sociedades, e estas ilhas serão marcos fundamentais no delinear das rotas.

2) Terras habitadas mas isoladas, sobre as quais há por vezes vagas noções, entre o mito e a realidade: as Canárias, a Groenlândia.

3) Oceanos e mares não navegados (salvo esporadicamente, sem regresso, ou no interior de zonas restritas e bem delimitadas): Atlântico, Pacífico, oceano Índico meridional. É essencialmente o problema das rotas (ventos e correntes, artes de navegar).

4) Vastos espaços de povoamento muito difuso, mantendo apenas raras e ténues relações com o exterior: Canadá, América do Norte, Brasil, Argentina, Nova Zelândia. Economias agrícolas simples e de recolecção.

5) Espaços de economias agro-pastoris, povoamento em aldeias e pequenos aglomerados, penetrados por relações comerciais com outras sociedades: Guiné, África do Sul, Madagáscar, Antilhas.

6) Civilizações complexas, de Estados organizados, cidades numerosas e ligadas entre si por intensa circulação: astecas, maias, incas; Islame; Índia, China, Japão, Malásia—Indonésia, Filipinas.

Torna-se evidente que descobrir, ou descoberta, não comportam um só e mesmo sentido no que respeita a todos estes tipos de espaços; alguns deles interpenetram-se com os processos de descoberta de outros. No descobrimento em seu sentido pleno integram-se as ilhas desertas. Notemos contudo que as Américas eram totalmente desconhecidas dos europeus (esqueçamos os vikings), dos africanos e mesmo dos asiáticos. É certo que Louis Necker (como muitos outros) atribuiu a verdadeira descoberta do continente americano aos asiáticos que o vieram povoar.[5] Mas é confundir descobrimentos com migrações; por um lado, uma vez instalados, estes povos não mantiveram relações com o continente de origem, onde subsistirá a ignorância quanto ao que será o Novo Mundo. Em idêntica situação se encontravam a Austrália e a Nova Zelândia.

As Canárias, conhecidas desde os Romanos, são reintegradas na teia das relações da Cristandade no século XIV, graças às viagens de genoveses, florentinos, venezianos, catalães, castelhanos e portugueses. Busca das Ilhas Afortunadas — força do mito — e das escalas *per anar al riu de l'or*, ou mesmo das rotas transoceânicas em direcção às especiarias ou às regiões míticas. Na narrativa transmitida por Boccaccio os navegadores colhem informações sobre a economia, a organização social e política, a religião e os costumes. Mas a expansão marítima vai arrancar verdadeiramente aliada à colonização com Jean de Béthencourt e La Salle, em 1402. O objectivo é a conquista e constituição de um senhorio (a situação francesa incita-os a partir), além do estabelecimento do comércio de cores de tinturaria. Os Franceses exploram metodicamente as ilhas, com objectivos militares e económicos, dedicando-se ainda à conversão dos guanches. Além disso, exploram igualmente a costa continental fronteira, "para saber e conhecer a região de terra firme" entre os cabos Cantim e Bojador, com o objectivo de encontrar o rio do Ouro e de entrar em contacto com o Preste João.

No contexto peninsular, e em Portugal, estes diversos factores mostravam-se actuantes. Limitemo-nos a recordar a figura do infante D. Henrique (sem esquecer que a expansão constituiu uma empresa colectiva, cabendo ao Estado o papel decisivo). O veneziano Cà da Mosto acentuará neste caso três diferentes orientações. Em primeiro lugar, tendo sido provido por seu pai na direcção dos Cavaleiros do Reino, Henrique prossegue o combate contra os inimigos da fé cristã, pretende conduzir o ataque contra o império marinida, procura uma aliança com o Preste João. Por outro lado, participa na exploração dos arquipélagos — açúcar, sangue de dragoeiro, vinho etc.— e no comércio do ouro e dos escravos nos litorais saarianos e guineenses. De espírito movido por uma curiosidade pré-científica, pretendia ele "intender cosse nove pur a fin de saver la generatione de li habitanti in quelli paessi", conhecer essas partes, descobrir as terras dos primeiros negros e as suas diversas línguas, costumes e crenças. É esta actuação que o veneziano prefere apresentar em primeiro plano: "da un certo tempo in qua havea fato navigar mari dove mai per altri furono navigati e discoperto terre di diverse generatione stranie fra le qualle se atrovava cosse mirande".[6] Este retrato coincide com a análise do cronista Zurara: a primeira das cinco razões que motivaram Henrique é precisamente o facto de ter

> vontade de saber a terra que ia além das ilhas de Canária e de um cabo que se chama de Bojador, porque até aquele tempo nem por escritura nem por memoria de nenhuns homens nunca foi sabido determinadamente a qualidade da terra que ia além do dicto cabo.[7]

E Zurara insiste em que o infante "quis disto saber a verdade por haver de tudo manifesta certidam". Não seriam mercadores nem marinheiros, demasiado absorvidos pelo lucro imediato, que se iriam aventurar em tal busca.

Terceiro testemunho contemporâneo: Mateus Pisano, que resumiu em latim, por volta de 1460, a *Crónica da tomada de Ceuta*. Vejamos como apresenta a nossa personagem: o infante D. Henrique "ficou assinalado pela sua nobre coragem, porque trabalhou cerca de trinta anos a descobrir o que a natureza havia subtraído aos humanos olhares e escondido nas partes mais recuadas dos continentes, para as quais ninguém tinha até então aberto o caminho" (*De bello septensi*). Assim, a categoria do oculto, do escondido, do que andava subtraído à vista humana; e, face a ela, o pensamento e acção de *des-ocultar*, de tornar manifesto o que se encontrava escondido, de abrir a via de acesso a esse mundo anteriormente ignorado, quer pelo escrito, quer pela memória. Eis-nos na esteira de Bachelard e Wallon — no próprio âmago do que é descobrir.

Esta atitude inovadora não se confina aos dirigentes. Podemos estar certos de que caracterizava os meios marítimos e outros em Portugal. A confissão de Cà de Mosto constitui um testemunho: entusiasmado pelos convites do infante, levado pela atracção do lucro, embarca com destino à Guiné, "desideroso de veder del mondo e cossa che mai algun de la nostra nation nov avea vista",[8] e assim "andar e discoprir paixi nuovi per provar mia ventura".[9] O apelo das novas paragens, que ninguém ainda viu. Estas descobertas conduzirão ao seu registro por escrito. Veja-se a viagem de Pedro de Sintra para além da Serra Leoa, em 1461-62, com a missão de seguir adiante ao longo da costa dos negros, a fim de "discoprir paexi nuovi": o capitão português remete a Cà de Mosto "in nota de ponto in ponto tuto el paexe che haveano discoperto e li nome cheli haveano messo, e le starie come stavano tuto per ordine", já para além do rio Grande.[10] Mas o veneziano regista igualmente as reacções dos africanos:

> quando viram as primeiras velas e navios no mar, que jamais eles ou os seus antecessores tinham observado, acreditaram que se tratava de pássaros de asas brancas, vindos de algum estranho lugar. Entraram depois a bordo e viram as velas arreadas: julgaram então que eram peixes. Navios e marinheiros assustam-nos, porque se deslocam de noite e a grande velocidade; receiam que não sejam criaturas humanas, mas sim fantasmas.

Estas reacções dos sanhadja demonstram bem que se trata de descoberta — e revelação. Relativamente aos negros do Senegal, também estes não dispunham de embarcações marítimas e nunca tinham visto navios desde que o mundo é mundo, "salvo dapoi che hanno habuto cognoscimento da portogalesi".[11]

Sobre a Guiné, o seu ouro, o seu marfim, os seus mercados de escravos, havia largo conhecimento no Magrebe graças às caravanas de camelos transaarianas. A cartografia catalã regista os reinos negros do ouro, e "em busca do rio do ouro" tinha partido Jacme Ferrer na primeira metade do *Trecento*: o que se procurava era portanto o Senegal. Em 1447, um enviado dos genoveses, Malfante, acampou no oásis de Tuat, aí recolhendo informações, embora vagas e misteriosas, sobre os reinos e cidades para lá do deserto. Contudo, ninguém sabia navegar em direcção a esses rios da Guiné e regressar a bom porto à Península ou a Marrocos. Assim, os Portugueses realizam aqui uma verdadeira descoberta, cujo fulcro é a rota de regresso em arco de círculo, acercando-se dos Açores e contornando os alísios. Além disso, os Portugueses procedem ao levantamento sistemático dos portos, abrigos, cabos, desembocaduras de rios, registando o conhecimento dos lugares e das marés; não menos sistematicamente, penetram na vida das sociedades — sanhadja nómadas e cameleiros, jalofos, barbacins, pastores fulas, mandingas etc. É o olhar do mercador, atento aos usos e costumes, às actividades económicas e formas sociais, línguas e crenças (estas muito mais difíceis de captar).

Diogo Pacheco faz-lhes a entrega simbólica e dá testemunho da lealdade de "todos estes Reinos, senhorios e possessões, juntamente com as outras terras, os outros mares, as outras estrelas, os outros mundos antes desconhecidos".

Descobrir, descoberta, revelação portanto das partes encobertas, desconhecidas do mundo, a conjunção do Oriente e do Ocidente, a busca de novos caminhos e novas paragens e gentes, conduzindo ao encontro e à exploração metódica (*achamento, descobrimento*) de novos mundos, suscitando a maravilha perante a novidade. Já em 1489, o chanceler do reino João Teixeira descrevia a acção do Príncipe Perfeito: quer por terra, quer por mar, nunca ele se detinha no "descubrir novas terras, e sogeitar a si novas provincias". Pelo esforço das navegações — e aqui surgem as palavras decisivas — "descubriu quasi outro novo mundo", com os seus pilotos conseguindo alcançar para além do que desde sempre era considerado possível; e o sucesso permite crer que dentro em breve os navegadores cruzarão o oceano Índico.[12] Duarte Galvão, cronista e embaixador, introduz a dualidade entre *conquista* (que melhor traduz o envolvimento na Índia) e *descoberta* (*achamento, descobrimento*): os Portugueses descobriram "minas, terras outras, mares, climas, pólos e gentes incógnitas, nunca antes sabidas, nem de nós conversadas".[13] Um tipógrafo da Morávia estabelecido em Lisboa, que deu a conhecer Marco Polo e Nicolò di Conti em língua portuguesa, transmite-nos este sentido maravilhado das novidades que diariamente chegam das novas terras. A tradução italiana da carta de D. Manuel aos Reis Católicos, dando-lhes conhecimento do *achamento* do Brasil, insinua provavelmente o epíteto vespuciano de Mundo Novo; mas em Portugal era então corrente falar-se de "terra novamente descoberta"; à Terra de Santa Cruz deu-se igualmente o nome de *terra nuova*. É toda uma família de palavras e expressões, traduzindo a surpresa perante a novidade. Baldassare Castiglione far-se-á também eco, fazendo incidir a conversação sobre "la tierra o mundo nuevamente hallado por los portogheses".[14]

É por esta altura que Garcia de Resende, na sua crónica rimada dos acontecimentos do seu tempo, destaca com felicidade as atitudes fundamentais: "Outro mũdo encuberto/ vimos entã descobrir/ que se tinha por incerto";[15] ou sobretudo: "Outro mũdo novo vimos,/ per nossa gente se achar,/ e o nosso navegar/ tam grande, que descobrimos/ cinco mil leguas per mar".[16]

Estas "novas novidades" que despertam a surpresa em círculos socioculturais de horizontes até então limitados, suscitam o júbilo da extensão da empresa até mais longe, na sequência de diversos mitos e informações vagas e indirectas, ou da definição de objectivos precisos, para atingir os quais resta traçar as rotas. Em qualquer caso, trata-se fundamentalmente da construção do espaço, permitindo as deslocações conscientes dos homens. É de um espaço físico que se trata: correntes marítimas, ventos, características dos lugares, situações climáticas... Mas torna-se necessária a tradução geométrica desse espaço, o saber operar com ele. O que pressupõe teorias, mas ao mesmo tempo também a construção naval. Assim, levanta-se ferro em busca do que se suspeita existir embora não o conhecendo, ou de realidades de cuja existência se tem a certeza mas até então não frequentadas. Ilhas míticas como a Antilia, o Brasil, as Sete Cidades, outras entre o mito e a realidade — Canárias, Madeira; rios autênticos, como o rio do Ouro (Senegal); reinos reais mas envolvidos em mítica bruma — o Preste João, Cipango, Catai. A busca pode conduzir ao que se procurava, a situar correctamente o que se encontrava deslocado nas concepções correntes, a descobrir o desconhecido caminho para uma realidade já conhecida. Por vezes, julga-se encontrar o que se buscava, mas o que se descobre de facto é algo totalmente diferente — é o caso de Colombo.

As chaves do descobrir são, por conseguinte: saber aonde se pretende chegar; estabelecer marcos na via susceptível de nos conduzir ao destino; daí, conseguir traçar a rota que nos reconduzirá ao porto de largada; e, finalmente, saber regressar ao mesmo destino e chegar são e salvo. O regresso é evidentemente a chave mestra. Assim, os Portugueses descobriram os rios da Guiné porque conseguiram traçar o regresso em arco de círculo aproximando-se dos Açores, contornando os alísios e a corrente de nordeste por navegação muito distante da costa; por outro lado, graças à invenção da caravela (cerca de 1440), podiam avançar com vento pela proa (ângulo mínimo de 27°). O arquipélago açoriano torna-se a placa giratória de todo o Atlântico: as armadas da Índia oriental; as *flotas* e *galeones* das Índias de Castela; os navios que vêm do Brasil; as caravelas do ouro e dos escravos da Mina; até os bacalhoeiros da Terra Nova aí fazem sempre escala; na ida não há escala obrigatória, com as Canárias e Cabo Verde desempenhando essa função, embora menos forçada. O problema da Rota do Cabo consistiu no abandono da navegação ao longo da costa da África meridional: a partir da latitude de Serra Leoa os veleiros tinham de se afastar em grande extensão para sudoeste e, descrevendo um arco sem abordar o Brasil, por inflexão para leste, dobrar o cabo de Boa Esperança; o regresso da Índia, em compensação, processava-se em linha recta do cabo até à Serra Leoa, com ponto de apoio nas ilhas de Santa Helena ou de Ascensão, sujeitando-se depois aos imperativos do arco açoriano.

As relações entre as Índias de Castela e o Extremo Oriente das drogas e especiarias, do ouro, das sedas e porcelanas, confrontavam-se com o problema do regresso — com a Rota do Cabo evidentemente excluída:

quarenta anos de fracassos, o primeiro com a viagem de Magalhães — Elcano (1522) e a nau *Trinidad*. A expedição de fray Garcia de Loaysa (1525-27), saída da Corunha, apenas conseguiu instalar um núcleo espanhol nas Molucas durante seis anos, finalmente repatriado pelos Portugueses. Da costa mexicana fazem vela três navios de Alvaro Saavedra, em fins de 1527; instalações de novo nas Molucas e nas Filipinas, mas as novas tentativas de atravessar o Pacífico no sentido de leste fracassam em 1528 e 1529. Grijalva, partindo de Acapulco em 1536, é assassinado na Nova Guiné. Atentemos na viagem de Ruy Lopez de Villalobos, partido do México em Novembro de 1542. A sua acção desenvolve-se no mesmo círculo da Molucas, das Filipinas e ilhas vizinhas; mas continuará a haver pungentes fracassos nas tentativas de regresso (Bernardo de la Torre em 1544, Ortiz de Rete no ano seguinte). Fracasso particularmente grave, visto que Bernardo de la Torre fora encarregado pelo vice-rei do "descubrimiento de la buelta desde donde parasse esta armada a Nueva España, cossa tan deseada y hasta estos tiempos nunca hallada, no porque sea difficultosa, sino por los malos aparejos que los que la han buscado an traido".[17] Esta questão do regresso pela rota transpacífica instalava-se no centro das preocupações de toda a armada; os debates prosseguem, enquanto Garcia Escalante de Alvarado enuncia o rol das tentativas infrutíferas.[18] O capitão português aproveita para convencer os Espanhóis de que "el navio no avia podido navegar y el viaje de la Nueva España no se podia hazer". Só com Legazpi e Urdaneta, em 1564-65, o circuito entre a costa mexicana e as Filipinas será finalmente estabelecido.[19]

D. João de Castro (*Da geografia por modo de dialogo,* anterior a 1538) tinha razão em sublinhar que, graças à verdadeira geografia (estabelecida sobre os traçados de latitudes e longitudes),

> desta maneira se pode pôr em hũa breve carta e pintura todo o mundo, e qualquer parte, provincia, reyno ou comarca delle com muita certeza; e as terras e ilhas que de novo se descobrem, ainda que estejão muitas mil legoas mitidas por esse mar oceano, se podem pôr em carta tanto em seu próprio lugar, e se podem tornar a buscar e a achar, sem errar hum ponto em sua postura.

A nova cartografia, registando os resultados das navegações, tornou possível o domínio do espaço e dos espaços: reencontrar em qualquer altura os lugares onde se esteve, procurá-los novamente sem erro.

Neste processo deve acentuar-se o papel decisivo desempenhado pelas ilhas e por certos pontos de referência — cabos, desembocaduras de rios, cidades servindo de entrepostos. Até 1515-20 a expansão constitui impérios essencialmente insulares e formados por séries de entrepostos e cidades fortificadas: Castela detém as Canárias e as Antilhas; Portugal possui as cidades-portos marroquinas, os arquipélagos da Madeira, Açores, Cabo Verde, São Tomé e Príncipe, as bases de Goa, Cochim, Ormuz, Malaca, a ilha de Moçambique, o castelo de São Jorge e as feitorias de Arguim, rios da Guiné e do Benim, alguns pontos da costa brasileira. Mesmo certas zonas continentais são frequentemente classificadas como ilhas. É o caso do Brasil ou da Florida (Cabeza de Vaca ainda assim se designa em 1527-36). Trinidad Barrera está correcta quando escreve que "En los primeros tiempos, todo nuevo descubrimiento era supuestamente insular". Note-se que a concepção insular se relaciona com os mitos tradicionais das Ilhas Afortunadas, de Satanás ou da Perdição. Os "insulários" constituem um bloco considerável na literatura dos Descobrimentos. Citemos alguns deles (sem esquecer que o *Livro dos arautos*, português, de 1416, contém um insulário dos mares do Levante): Cristoforo Buondelmonti, *Liber insularum Archipelagi*, 1420; Bartolomeo da li Sonetti, *Insolario del mare Egeo*, cerca de 1485; Benedetto Bordone, *Libro nel qual si ragiona de tutte l'isole del mondo con li lor nomi antichi e moderni, historie, favole e modi del loro vivere, e in qual parte del mare stanno, e in qual paralelo e clima giacciono*, Veneza, 1528 (2ª ed. 1534); Alonso di Santa Cruz, *Islario general* (Biblioteca Nacional de Madrid, manuscrito); *L'isole piu famose del mondo descritte da Thomaso Porcacchi da Castiglione Aretino e intagliate da Girolamo Porro Padovano*, Veneza, 1572; André Thevet, *Grand insulaire et pilotage*, cerca de 1586.

A partir de 1515-20 os impérios tornam-se territoriais, e um sistema único de conhecimento integra o mundo das caravanas e o mundo da navegação marítima.

Descobrir: construir o espaço operacional; e, consequentemente, instrumentos físicos (a bússola, o astrolábio, a sonda, a corda de nós, o compasso), formas de actuação sobre o real, mas também uma utensilagem mental (a trigonometria da *toleta di marteloio*, o sistema dos referenciais e coordenadas, a preocupação da medida, a precisão descritiva). Construção do espaço ligada à construção do tempo — as estações propícias às viagens, as horas das marés, a duração da enchente e da vazante, os prazos de pagamentos, as letras de câmbio ou os contratos, a transmissão de notícias vindas frequentemente de muito longe e por difíceis trajectos (da Índia a Portugal por Ormuz, o Cairo ou Damasco, o Mediterrâneo).

Não se tratava no entanto de conhecer e registrar a informação referente a esta ou aquela região de forma isolada, mas realmente de abranger o globo terrestre em sua totalidade, com precisão, minuciosamente. Desde 1502, segundo Barros, sentia-se na corte de Lisboa a vertigem do espaço imenso que se abria perante os Portugueses. Os técnicos vão procurar medir o globo terrestre, pelo que, tendo em conta os imperativos náuticos, discutirão cuidadosamente o comprimento do grau equatorial e do meridiano. Os Portugueses adoptam o valor de 17,5 léguas portuguesas (5620 m), enquanto os Espanhóis permanecem fiéis ao valor de 16 2/3 léguas (e a légua espanhola é mais curta). Por volta de 1520, André Pires (*Livro da marinharia*) discute longamente as diferentes distâncias, concluindo (Elcano ainda não regressara a Sevilha) que havia ainda 99°, ou seja, 1650 léguas a descobrir ao longo do equador. Pires recorre ao grau de 16 2/3 léguas para atribuir à circunferência terrestre a extensão de 6 mil léguas. Mas em Portugal adoptava-se geralmente o valor de 6300, e Duarte Pacheco chegava mesmo às 6480, o valor mais próximo (ou seja, 37 961 km de circunferência, acima dos 37 296 km correntes). Fernão Mendes Pinto transmite perfeitamente este sentido da imensidão, quando conta que o rei dos tártaros se espantara ao ouvir os Portugueses explicarem-lhe que de Lisboa a Pequim se levavam quase três anos de viagem; de facto, o rei dificilmente concebia que essa máquina do mundo pudesse ser tão vasta.[20] O capitão António Galvão, na primeira história universal das navegações, considera que tudo está já descoberto em longitude, mas que em direcção ao Pólo Norte apenas se atingiu a latitude 78°, e para o sul 53° no máximo, restando portanto ainda milhares de léguas a descobrir.

As navegações de descobrimento teceram uma rede mundial de rotas, pondo em mútua relação todas as civilizações que se tinham desenvolvido ao longo da linha costeira dos oceanos. Nessa rede se integraram não apenas a geografia tradicional da Ásia das monções, mas também todos os espaços continentais que as caravanas haviam construído: pistas transaarianas, rotas ao longo das estepes euro-asiáticas, circulação interior do Próximo Oriente e da China (e entre mercados de escoamento chineses e mercados abastecedores indianos), da Indochina, das Américas astecas, maias e incas. Esta integração de conhecimentos acumulados por outras civilizações constitui um factor capital do processo dos Descobrimentos. Poderíamos também considerar a sua actuação em sentido inverso, como na carta turca de Piri Rais. Pertencente a um *Atlas* de 20 cartas englobando tudo o que então se conhecia, esta obra de Kemal Rais, datada de entre 1517 e 1523, embora não registando a escala de latitudes, desvenda aos meios otomanos o Atlântico descoberto por Portugueses e Castelhanos. As viagens de descobrimento deram origem a um vasto capital de obras culturais transmissíveis às restantes sociedades e de geração em geração: roteiros, cartas de marear, manuais náuticos, livros de bordo, descrições e crónicas, livros de pesos e medidas, informações sobre mercadorias. Graças a este capital acumulado por Portugueses e Castelhanos (em colaboração com outros), Holandeses (vejam-se os registos de Van

Linschotten) e Ingleses, não esquecendo os Franceses, encontrarão abertos os caminhos e poderão seguir as mesmas rotas, acabando por triunfar nesta concorrência.

A construção do espaço e, correlativamente, a do tempo, supõem o estabelecimento do diálogo entre economias e culturas diferentes, até então frequentemente isoladas entre si. De facto, com excepção das terras desabitadas (cujo papel é apesar de tudo fundamental), descobrir é ir ao encontro de outros homens, é *tratar* (em plena acepção) com eles, tal como Baltasar Gracián acentuará em 1657. Enquanto um povo não tiver frente a si próprio o espelho de outros povos, será bastante difícil chegar a conhecer-se bem. O conhecimento de si baseia-se no prévio conhecimento de outrem, a que se segue o jogo recíproco dos espelhos. No século XVI já havia consciência disso. António Pinto Pereira, escrevendo a história da Índia sob o governo do vice-rei D. Luís de Ataíde (1572-75), comenta com argúcia: "segundo somos todos costumados a nos desconhecer a nós mesmos" — em geral, não nos conhecemos a nós próprios. É certo que a ignorância relativamente aos outros é própria de certos círculos socioculturais. Mas se os outros não vêm ao encontro dos primeiros, se não se esforçam por penetrar a sua intimidade, então não terão participado no processo das descobertas. Diogo Velho, no início do século XVI, refere as "Gentes novas escondidas,/ que nunca foram sabidas"; e cerca de 1524 Garcia de Resende anuncia o "Outro mundo encuberto"; e também Barros insiste na existência de um mundo "tantas centenas de anos encoberto".[21] Ora os navegadores levantam âncora tendo como objectivo descobrir o véu que encobre as cousas, conhecer essas cousas "que nunca foram sabidas", e assim estabelecer relações com "novas gentes"; em suma, tornar manifesto este novo mundo.

Não se trata de modo algum de içar a vela à aventura, ou recolher informações ao acaso das circunstâncias. É desde o início uma exploração metódica. Podemos ler, por exemplo, logo na abertura, o relato da viagem às Canárias de Angelino del Tegghia de Corbizzi e de Niccoloso de Recco, saídos de Lisboa em 1341: são as habitações e o povoamento; é a nudez ou o vestuário (peles de cabra, tangas de palma); as distinções sociais; a produção e a alimentação; os corpos; o que é adorado e os seus ritos; a própria numeração decimal.[22] A crónica *Le Canarien* (datada aproximadamente de 1425), sobre a conquista das ilhas setentrionais por Jean de Béthencourt e La Salle (a partir de 1402), pinta-nos com grande minúcia uma descrição das ilhas e dos guanches, regista as distâncias em léguas, compara a visão directa com a representação na carta. O quadro esforça-se por abarcar quase todos os aspectos essenciais, desde a geografia física, passando pelos tipos de população e línguas, o povoamento rural, a cerealicultura e a criação de gado miúdo, os poderes políticos e a estratificação social, as relações sexuais e o parentesco, a religião e os ritos. Nem é esquecida uma referência às transformações do armamento, resultantes da intrusão dos normandos: em *Lançarote*, os guanches tornam-se arqueiros e homens de guerra, procuram mesmo obter artilharia.[23] Pela mesma época é elaborado um relatório português, destinado à preparação de uma expedição militar. Naturalmente mais voltado para a guerra, abarca um menor número de aspectos; apesar disso, é metódico e preciso (Zurara dele fará um capítulo da sua *Crónica dos feitos de Guiné*).

É portanto desde o início da expansão que se procede à recolha sistemática de informações no terreno. Descendo ao longo do litoral saariano e guineense, os Portugueses, para além da descoberta do espaço, esforçam-se por penetrar na intimidade das populações com as quais pretendem estabelecer relações. É assim que deixam João Fernandes na região do rio do Ouro (erradamente não identificado com o Senegal), onde viverá sete meses entre os azenegues (sanhadja). Desta observação activa resultará uma excelente descrição, que Zurara vai igualmente inserir na sua crónica da Guiné. A paisagem, a geografia, a população — pastores que dormem em tendas de palha, pescadores habitando igualmente em palhotas à beira-mar; agrupam-se em aldeias; sendo raros os burgos maiores (cerca de cinquenta aglomerados fortificados desde o Bojador até Tunes). Mas os grupos (*taqbilt — cabildos*) deslocam-se constantemente. Regista-se o seu modo de vida: criadores de ovelhas, mas também pastores de cavalos e camelos; a alimentação (leite, raramente carne, algum cereal, ervas, peixe no litoral); o vestuário distingue os estratos sociais, os homens das mulheres — estas envolvem o corpo nu em *haiks* [alquicés], cobrem o rosto, mas nada se preocupam em cobrir as partes pudibundas, o que, para os Portugueses, representa um sinal de "bestialidade". João Fernandes vai mais longe, procurando as características da língua e da escrita — diferentes das dos outros mouros; do ponto de vista religioso, todos pertencem à "seita" de Mafamede. Na composição social notam-se os escravos negros, no extremo oposto os azenegues "honrados", que possuem grossas somas de ouro (vindo da Terra dos Negros); porque estes sanhadja são caravaneiros, circulando entre os oásis setentrionais de tamareiras e os mercados do Senegal-Alto Níger. Ao observador não passa despercebido um elemento decisivo da vida do deserto: a orientação pelos ventos e o voo dos pássaros, bem como pelas estrelas. Compreendemos assim a razão por que Cà de Mosto conseguiu deixar-nos uma preciosa descrição baseada nessas viagens a bordo de navios portugueses: é que de facto conciliou a atitude dos mercadores e missionários italianos que se embrenhavam pela Eurásia, com a perspectiva dos navegadores, mercadores e colonos do mundo atlântico, cujas observações lúcidas e sistemáticas surgem já desde o primeiro terço do século XV.

É esta acumulação de um inigualável capital de informações sobre os outros que constitui a outra trave mestra das descobertas e cuja acumulação prosseguirá sistematicamente. Avança-se até ao largo trazendo um autêntico plano de pesquisa (já o observamos no caso das Canárias e do Saara). Este questionário será preenchido recorrendo a sólidos testemunhos e à observação activa, cuja interpretação será guiada pela observação *de visu* dos indígenas; tal preocupação tinha já guiado Zurara na elaboração da *Crónica de D. Duarte de Menezes*, pouco posterior a 1460. O regimento conferido a Diogo Lopes de Sequeira, em Fevereiro de 1508, confiando-lhe a missão de "descobrir"(explorar metodicamente) a ilha de São Lourenço (Madagáscar) e Malaca, parece-nos exemplar quanto às vias que os Portugueses prosseguiram conscientemente na sua expansão.[24] Detenhamo-nos na sua análise, no que se refere a Madagáscar:

1) Antes de mais, a armada deve descobrir todo o perímetro da ilha, contornando particularmente a costa ocidental; os navios entrarão em todos os portos, estudando-os a fundo, registando conhecenças e percursos de entrada e saída, condições de fundeamento em relação com os ventos, com as correntes e as características dos fundos (segurança). Todas essas informações completas e sistemáticas serão devidamente registadas por escrito — é isso o descobrir, enquanto a apreensão do espaço ["Vós trabalhareis por a descobrir toda, e correrdes por a dita banda dal'oeste, vendo e entrando em todos os portos que nela houver, em que seguramente poderdes entrar, marcando as barras e entradas deles e tomando os sinaes deles, e poendo-os em escrito pera ficarem bem sabidos, e se poderem guardar os navios que ali forem de qualquer perigo que neles houver"].

2) Primeira operação face aos insulares: exibir-lhes uma série de mercadorias e metais, a fim de determinar se existem ou não na ilha; em caso afirmativo, inquirir sobre caminhos e condições de viagens e transacções. Em particular, as especiarias, a cera e o cobre. Perguntar quais as mercadorias que aceitam em troca.

3) Inquirir sobre navios vindos de fora aos diferentes portos insulares; a sua proveniência, a sua carga, se desembarcam os mesmos artigos em outras ilhas — jogarão eles com a diversidade de destinos? A que nações pertencem os mercadores e as equipagens dessas embarcações: serão muçulmanos ou gentios? Brancos ou negros? Qual o seu vestuário? Vêm armados ou não?

4) São esses navios pequenos ou de grande tonelagem? De que tipo? Estações de chegada e partida, periodicidade das viagens (anuais ou a intervalos plurianuais?). O seu modo de navegar.

5) Indagar se a ilha possui embarcações ou naus próprias, o destino das suas viagens, quais as mercadorias que vão procurar e quais as que transportam para os diferentes destinos [*escapulas*].

6) Quais os géneros de produção insular? Poder-se-ão obter em troca de quê? São caros ou baratos?

7) O poder político: quem são os reis e senhores, tanto muçulmanos como gentios? A sua maneira de viver. Como se aplica a justiça? De que bens dispõem (terão tesouros?). Quais são os seus domínios e qual a forma de os preservar? De que meios militares dispõem: elefantes ou cavalos, armamento; possuem alguma artilharia? Os guerreiros são tímidos ou aguerridos?

8) Existem reis e senhores muçulmanos separados, vivendo independentes? Os muçulmanos reconhecem ou não os reis e senhores gentios?

9) As populações insulares são muçulmanas ou pagãs? Neste último caso, como vivem os muçulmanos entre elas? Existem cristãos como na Índia? Conhecem São Tomé?

10) Quais os costumes dos insulares? Serão, pelo menos em parte, semelhantes aos dos malabares?

11) Existem na ilha cidades, vilas ou aldeias importantes? E são protegidas por muralhas ou fortalezas? Como se apresenta o povoamento da terra?

12) Para terminar, uma interrogação de vasto alcance: existe circulação monetária ou simplesmente "moedas" como as do Manicongo (pré-moedas)? Particularmente no que respeita ao cobre, pretende-se saber se é objecto de comércio na condição de mercadoria; nesse caso, quais os objectos fabricados em cobre, se ele é utilizado para fundir artilharia, e quais os tipos de canhões (determinar igualmente como se fabrica a pólvora).

A inquirição conduzida em Malaca retoma todos estes pontos, embora acrescentando um outro questionário, muito completo, sobre os Chineses: embarcações e navegação; armas e métodos de guerra; comércio, mercadores, feitorias, mercadorias e preços; poder político; vestuário e costumes; extensão e confins da China.

Estamos portanto perante actos oficiais, cuja origem remonta pelo menos a 1425 (Canárias): questionários destinados a orientar explorações metódicas no terreno e traduzindo-se em relatórios escritos, de forma a que a realidade no seu todo seja bem conhecida. Em Espanha data-se geralmente esta prática oficial do último quartel do século XVI, com Ovando y Garay, e posteriormente Velasco; mas Trinidad Barrera faz notar que relatórios deste tipo se tinham já tornado correntes desde os anos de 1540, ou mesmo antes (citemos, no caso da Florida, os *Naufrágios* de Cabeza de

Vaca). Essa mal-sucedida colonização empreendida por Pamphilo de Narváez em 1527 não tinha sido antecedida por um reconhecimento dos locais e dos povos que os habitavam, o que explica o seu infeliz fracasso. Mas o relato de Alvar Nuñez mostra-nos a espantosa odisseia dos grupos deixados entregues a si próprios; apenas alguns deles alcançariam o México. Cabeza de Vaca, muito particularmente, fornece-nos uma descrição baseada na observação activa, de grande acuidade e precisão: aprendeu as diferentes línguas das povoações que o acolheram ou aprisionaram, e sua actuação médico-cirúrgica auxiliou-o a introduzir-se na intimidade da vida desses índios, passando por espantosos sofrimentos. Ao longo desses anos, aperceber-se-á claramente da complexidade e diversidade das relações entre os intrusos e os indígenas: violência, má fé, outras vezes colaboração leal, generosidade oscilante entre os dois campos.

Em comparação com a exploração da ilha de S. Lourenço, importaria trazer a terreiro uma outra descrição, igualmente baseada numa inquirição precisa e muito vasta, relacionada com o Japão de cerca de 1548 (informações fornecidas por Jorge Álvares, padre Francisco Xavier, padre Nicolau Lanciloto, e reunidas no *Livro que trata das cousas de India e do Japão*).[25] Neste caso, detenhamo-nos apenas na elucidação relativa às questões da língua e da escrita. No Japão utilizam-se caracteres chineses, que se escrevem e lêem correctamente. Mas os Japoneses não compreendem nem falam o chinês, tal como os Chineses não entendem nem falam o japonês; contudo os dois povos entendem-se por escrito. A escrita chinesa é lida desde Tyampa até Myako (Kyoto), terra firme japonesa; os livros impressos na China são largamente exportados para o Japão. Por outro lado, vale a pena salientar uma observação bastante arguta de Tomé Pires, por volta de 1512-15: os guzarates do reino de Cambaia "utilizam nas suas contas os algarismos (hindus-árabes) tal como nós, com os mesmos caracteres que nós — assemelham-se aos Italianos na arte de conhecer e tratar as mercadorias". E Garcia de Resende, por volta de 1534, considera-os superiores aos venezianos e genoveses nessa arte do comércio.

Quer isto dizer que os Portugueses se esforçaram por captar as formas de pensar e sentir dos outros. O padre Luís Fróis, a partir da sua experiência japonesa, conclui que é o estudo da língua e da comunicação entre os homens que revela os segredos que o simples olhar não pode por si só penetrar (c. 1587). E os Portugueses elaboram gramáticas das línguas orientais, tal como os Castelhanos compõem gramáticas das línguas ameríndias.

A esfera das mentalidades, evidentemente, permanece muito mais opaca entre as duas partes. E em particular as atitudes e práticas religiosas. Em primeiro lugar porque o Islame é o mais perigoso concorrente económico. Mas também porque a expansão ultramarina tem como fundamento ideológico a evangelização do globo, a conversão de todos os homens à única religião verdadeira; e sobretudo com o desmoronar da atmosfera erasmiana e o surto de fanatismo da Contra-Reforma. Assim, a violência irá agravar-se a partir de meados do século XVI. A razão primordial e irredutível do choque entre as civilizações e da recíproca incompreensão foi o antagonismo da fé e das crenças. Apesar do considerável número de renegados. Vejamos o retrato dos Marroquinos, esboçado no relato da *Jornada de D. Sebastião às partes de África*:

> um reino cheio de bárbaros, inimigos da fé e pela guerra sem tréguas, que habitam campos desertos e secos, sofrendo de sede, de calor e dos trabalhos que estas condições impõem; aí vivem como feras ou bestas brutas; só se tornam soldados pelos combates que travam com os nossos.

Encontros entre sociedades e civilizações, no decurso dos quais a ignorância recíproca cede lugar às tentativas de conhecimento mútuo; há choques, é claro, mas também a curiosidade, a colaboração, a troca de objectos, de ideias, de técnicas e formas de vida. O mundo transforma-se, e nesta transformação desse "mundo a tal ponto mudado" detectamos dois factores e processos conexos que condicionam a evolução: mercantilização e urbanização, dos quais os protagonistas tomam consciência e que se tornam as linhas de força desta civilização universal que está nascendo. Vale assim a pena examinar como são vistas as cidades, no momento em que arranca a expansão crucial no oceano Índico. A carta de D. Manuel ao Rei Católico, em 1505, transmite essa visão urbana que foi a dos navegadores da armada de Cabral, em 1500. Na barra de um rio, eis Sofala, que não é uma cidade propriamente dita, mas é "habitada da molti mercadanti", e a sua função essencial é o comércio do ouro. População de negros de pequena estatura mas de robustos corpos, "et molti monstruosi: quali mangiano carne humane precipue de loro nemici, et hanno pocha voce"; o território pertence ao senhorio do rei de Kilwa. Chamemos a atenção para esta preocupação com a antropofagia, mito-realidade que inquietava os cristãos, mas sobre o qual se insistia para afastar os concorrentes. Penetremos em Kilwa, esta uma verdadeira cidade, edificada sobre uma ilha muito perto da terra firme, bem povoada de negros e mercadores (estes certamente muçulmanos), distinguindo-se pela sua função comercial: ouro em abundância, âmbar, almíscar, pérolas. Os habitantes cobrem-se de panos de seda e de finas bombazinas; atentemos no interesse da seguinte observação: "edificata [a cidade] al modo nostro". Mogadíscio (Magadoxo), em compensação, é socialmente contrastante: a cidade é grande e bela, mas "de molta cavallaria et non molta mercadantevole".

Cambaia e Calecut afirmam-se como entrepostos universais. A primeira, pertencente a um rei poderoso e senhor de vastos territórios, convertido ao Islame, situa-se em terra muito rica em açúcar, anil, cera; o incenso vem-lhe da Arábia, as sedas e bombazinas da China e da Pérsia, os cavalos da Pérsia e da Arábia; refiram-se finalmente os elefantes. É assim uma "Cittade de molta mercantia perche com Arabia et India confina; et per quella costa vanno a Calichut dove sono molti altri regni et cittade: come se mostra nella carta de navicare". Calecut merece sem dúvida uma descrição muito mais completa e precisa. Situada em terra firme, é povoada de gentes não muito negras (mas a quem se chama também negros), gentios de ritos e crenças. O rei e os nobres são "idólatras" (por isso os muçulmanos os chamam *kafirs*, cafres). O rei é transportado sobre uma padiola. Pratica-se o suicídio ritual, sobretudo entre viúvas. A população abriga-se em casas dispersas, construídas de mármore, pedra e cal, com cobertura de folhas de palma. A madeira é esculpida em imagens. Cada casa dispõe de um jardim com pomar, além de fontes onde se toma banho três vezes por dia. Deixemos a descrição, embora importante, do vestuário e da alimentação, da organização da família. A economia baseia-se no comércio de mercadorias, de especiarias e drogas de todos os tipos. Calecut é o ponto de encontro dos mercadores de Guzarate, de Meca, da Turquia, Bagdad, Pérsia e outras regiões e cidades. É daqui que partem as "naus de Meca", carregadas de especiarias e drogas com destino ao Cairo e Alexandria, onde os venezianos as vêm recolher. Os ducados de ouro venezianos circulam assim abundantemente. E por aqui chegamos à incisiva comparação: "per questo vi sono mercadanti de'tutte quelle parte e d'mercantia como Bruges in Flandria; et Venetia in Italia". A sensibilidade ao urbano torna-se flagrante quando, em meados do século XVI, o padre Nicolau fornece a *Enformação do Japão*: "Ho que Vosa Merce diz see á sidades grãodes nela [ilha], diz que há muito grãodes povoações mas não há i sidade nenhũa serquada de muros nem de foses".[26] O que quer dizer que se distingue claramente uma grande aglomeração de uma outra que, atendendo ao seu modo de vida, aos equipamentos colectivos e às funções, podemos classificar como urbana, como cidade: e o Japão caracteriza-se pela ausência de urbanização (sabemos aliás que também as cidades chinesas apresentam características distintas das cidades europeias; mas a diferença não parece ter sido então claramente apercebida).

Os Descobrimentos e o comércio, as conquistas, a colonização e a evangelização representam uma busca dos outros e do outro, e nesse sentido uma tomada de contacto com sociedades e civilizações diferentes, colocando frente a frente cristãos, muçulmanos, hindus, budistas e outras religiões, bem como economias de técnicas desiguais e domínios compartimentados; vectores de interesses frequentemente divergentes, mas também frequentemente susceptíveis de operar em conjunto. A forma de olhar os que estão perante nós, como a nós próprios, varia segundo os grupos socio-culturais e os objectivos por eles prosseguidos. Navegadores, mercadores, guerreiros, padres e missionários, cavaleiros-mercadores, administradores, capitães, colonos (casados "*estantes*") e *lançados*, são levados por motivações que se chocam ou se completam, a sua maneira de agir tanto os aproxima como os afasta, os seus desígnios reforçam-se por vezes mutuamente, outras vezes suscitam duros conflitos. Os missionários não desdenham entregar-se às práticas mercantis (os jesuítas vendem seda chinesa ao Japão, arrecadando em troca o metal branco; em Moçambique a evangelização utiliza o comércio de bijutaria para atrair os cafres); o recurso à guerra é frequentemente utilizado, e as organizações eclesiásticas chegam a disputar o poder político — é o caso da apanha de pérolas no noroeste de Ceilão, ou das *reduções* dos jesuítas na América do Sul. O homem de armas combate com o objectivo de edificar ou defender o império, mas também (e é um dos principais objectivos da política imperial), a fim de forçar a abertura de relações comerciais, aniquilar a concorrência, garantir o monopólio das carreiras comerciais, ou simplesmente prover de benefícios a sua família e os seus protegidos (*acostados*). O mercador tira partido dos caminhos abertos pelo missionário, outras vezes são os eclesiásticos que lhe criam dificuldades (é o caso da política monetária de D. João de Castro, por eles inspirada, ou das lutas que envolvem o comércio de Malaca). Se por um lado a cruzada representou a ideologia da expansão, por outro prejudicou fortemente o comércio e o império.

Conhecimento verificável do mundo físico e do mundo humano, as Grandes Descobertas rompem a tradicional geografia mítica e livresca, os protagonistas da acção passam à prática eficaz inserida no real. Abandona-se o fantástico e o maravilhoso, embora durante muito tempo ambos se infiltrem nas novas concepções e nas condutas efectivas, restringindo-se no entanto progressivamente. A mentalidade quantitativa do comércio e da navegação, que o surto da economia monetária implanta e difunde, exige a medida e a contagem que qualquer um pode verificar, tal como a operacionalidade numérica — por um lado avança-se para a álgebra, e por outro para a cartografia, com as suas teias de paralelos e se possível meridianos, o que conduzirá à geometria analítica — aos sistemas de eixos e coordenadas.

Mas o homem não perdeu por isso a capacidade de se maravilhar; a surpresa do desvendar o oculto, de se introduzir no que era até então desconhecido, estimula-o cada vez mais intensamente. Precisamente devido a estas transformações, as maravilhas, o maravilhoso, adquirem um significado inédito, interligado à função de um real que, até então oculto, começa a ser *descoberto.* No Prólogo à tradução do livro de Nicolò di Conti, o tipógrafo moravo conta-nos que o papa ordenou ao veneziano, para que pudesse merecer a absolvição (já que tinha renegado a fé), que relatasse toda a verdade sobre tudo o que observara ao longo de suas viagens:

> fazendo parte de maravilhas a muitos de cousas ignotas e mal conhecidas, escrevendo os mares e provincias e regnos por honde ho outro passara. E nom pôs mentiras nem maravilhas por elle fingidas, mas ho certo que ho outro vio e tocou.

O próprio Valentim Fernandes, na dedicatória de abertura da tradução de Marco Polo, ilustra bem o que a partir de então se deve entender por maravilhoso:

> E quaaes som estas cousas maravilhosas, Rey Ilustríssimo, que vimos oje e cada as vemos. Em verdade nom podem ser outras maiores que as cousas novas e maravilhosas das terras e gente nova e das suas cousas.

Henrique VIII de Inglaterra louva D. Manuel (em carta de 14 de Setembro de 1516) não só por assiduamente combater contra os infiéis e lhes ganhar tantas vitórias notáveis, para proveito e honra da república cristã, mas sobretudo por, com vultosas despesas e graças à grande força dos seus, descobrir [abrir o que está fechado] o mundo antes desconhecido.[27]

O conhecimento do mundo é a novidade decisiva destes séculos, porque traz em si a invenção da humanidade. Assim, aqueles que andam ligados à gesta do descobrir acentuam claramente *novo* e *novidade.* Ludovico di Varthema, regressado do Oriente a Lisboa antes de 1510, afirma de forma lapidar: "a novidade das cousas deleita habitualmente os espíritos generosos e incita-os a grandes empreendimentos". Numerosos são os sedentos de ouvir cousas novas. Michel Mollat chamou a atenção para uma passagem de Mandeville (último quartel do século XIV): "As cousas novas deleitam e é com prazer que as vemos". Voz então isolada, anunciando contudo a mudança. Ainda antes de 1516, Diogo Brandão, embora continuando a considerá-las como um mal, observa já que "tantas novidades tem/ esta vyda cada dya,/ que nam descanssa ninguem,/ nem repousa a fantesia". O rápido desenvolvimento das novidades engendra e traduz a *mudança,* caracterizada sobretudo pela urbanização. Referindo-se a Ormuz, em 1554, o padre António Mendes verifica que "se os desta terra não vivessem em continua mudança, porque tudo he embarcar e desembarcar [...]".[28]

Contudo, não é de modo uniforme nem instantaneamente que as novidades se difundem através dos diferentes espaços socioculturais, ou que a mudança é apercebida. Refira-se um exemplo apenas. O mercador florentino Luca Landucci, escrevendo em seu *Diário* entre 1450 e 1516, refere-se ao ano de 1492 assinalando longamente a chegada a Florença da notícia da conquista de Granada pelos Reis Católicos, e explicando: "Fu stimato dagli uomini buoni e fedeli un grande aquisto per la fede di Cristo, e principio all'aquisto degl'Infedeli di Levante e di Gierusalem".[29] Não se lê no *Diário* qualquer referência à viagem de Colombo, embora ocorrida no mesmo ano, nem às viagens de Bartolomeu Dias, Vasco da Gama ou Cabral. Contudo, numerosos mercadores florentinos estabelecidos em Sevilha e Lisboa andavam ligados ao comércio oceânico. Mas a chegada a Florença dos primeiros açúcares da Madeira, em 1471, é registada.[30]

Novos paradigmas e novos valores, sobretudo o aparecimento de uma atitude prática que busca o conhecimento verificável e o desvendar do oculto, bem como as transformações da estrutura económica e político-social, revelam a transformação dos modos de vida que as navegações e a expansão provocaram. Primeiro os cristãos, depois e sobretudo os europeus, são conduzidos a pôr em causa os seus próprios valores e instituições, deixando-se seduzir pelos modelos que encontraram no exterior. Apesar do islamismo, a Turquia permanece dominante durante muito tempo. Mas do índio brasileiro, como das aldeias da Índia, e de outros povos neolíticos ou pelo menos com predomínio da economia agrícola e camponesa, vem o modelo do bom selvagem, apesar do facto de os selvagens — os que vivem nas florestas e ignoram as cidades — serem estigmatizados a pretexto do seu canibalismo e da sua nudez, costumes que bastam para os classificar entre a bestialidade. Mas quando se vierem a estreitar as relações dos Portugueses com a China, as "tão polidas políticas" dos Chineses tornar-se-ão paradigmáticas.

Toda esta evolução se desenvolve pois graças aos acervos de "novas novidades". É o surto da arte náutica, que permite singrar todos os oceanos e todos os mares, traçar a rede mundial das relações comerciais. É a arte da guerra — dotada de artilharia, dos corpos de besteiros, das armas de fogo portáteis e, no mar, da nova construção naval e dos novos meios de navegação — que permite a alguns Estados o domínio de espaços de milhões de quilómetros quadrados. São as novas instituições políticas e económicas, bem como os meios de que o Estado passa a dispor para actuar com maior eficácia: no caso português, as Vedorias da Fazenda, as capitanias (donatarias, fortalezas-alfândegas), a rede de feitorias ou entrepostos e de armazéns, a Casa dos Contos e a Matrícula Geral, os Paços do Concelho nas cidades e vilas, os governos gerais (vice-reinos), as armadas protegendo as rotas, a organização das frotas que transportam o ouro, as especiarias, o açúcar.

Descobrir é este momento único na história: a gesta das navegações constrói operatoriamente o espaço estabelecendo a continuidade dos espaços; e através do conhecimento do mundo, que significa intercâmbio cultural e económico entre sociedades e civilizações, afirma a reciprocidade de perspectivas entre o "nós" e os outros, ou seja, a unidade do género humano na pluralidade — em suma, a invenção da humanidade.

NOTAS

(1) *Paulicea Monumenta Historica*, vol. I, pp. 134-5.
(2) Duarte Pacheco PEREIRA, *Esmeraldo de Situ Orbis*, "Prólogo".
(3) P.e António VIEIRA, *História do futuro*, cap. XI.
(4) Cà de MOSTO, *Navigazione prima*, em Franco MACHADO e Damião PERES (eds.), p. 60.
(5) *Cadmos*, n.º 53, 1991, pp. 27-53.
(6) Cà de MOSTO, *Navigazione prima*, pp. 6-7.
(7) Gomes Eanes de ZURARA, *Crónica dos feitos de Guiné*, cap. VII.
(8) Cà de MOSTO, *Navigazione prima*, p. 7.
(9) Idem, ibidem, p. 49.
(10) Idem, ibidem, p. 74.
(11) Idem, ibidem, p. 33.
(12) Luís de MATOS, *L'expansion portugaise dans la littérature latine*, pp. 169-70.
(13) Duarte GALVÃO, *Crónica de D. Afonso Henriques*, c. 1505, "Prólogo".
(14) Baldassare CASTIGLIONE, trad. Juan Boseán, 1534, liv. II, cap. V.
(15) Garcia de RESENDE, *Miscellanea*, c. 1534, n.º 50.
(16) Idem, ibidem, n.º 180.
(17) *Relación anónima*, por Consuelo VARELA (ed.), 1983, p. 37.
(18) Ibidem, pp. 141, 144-9, 158 e ss.
(19) A esse respeito ver Morales PADRÓN, *Atlas historico cultural de América*, 1988, t. I.
(20) Fernão Mendes PINTO, *Peregrinação*, cap. 122.
(21) João de BARROS, *Décadas I*, liv. IV, cap. 2.
(22) *Documentos sobre a Expansão Portuguesa*, t. I, pp. 21-9.
(23) Ver nosso *Mito e mercadoria. Utopia e prática de navegar*, pp. 112 e 119-25.
(24) *Cartas de A. Albuquerque*, t. II, pp. 403-19.
(25) *Livro que trata das cousas da India e Japão*, por Almeida CALADO (ed.), Coimbra, 1957, caps. XVII-XX.
(26) Ibidem, cap. XXI, p. 124.
(27) Ramos COELHO, *Alguns documentos da Torre do Tombo*, pp. 391-2.
(28) *Documentação Padroado Oriente*, t. V, p. 341.
(29) *Diário de Luca Sanducci*, editado por A. LANZA, 1985, p. 62.
(30) Ibidem, p. 10.

DOS MUNDOS FECHADOS À ABERTURA DO MUNDO

Bartolomé Bennassar

O MAPA DE HEWES E A FRAGMENTAÇÃO DO MUNDO

Em 1954, um pesquisador da Universidade do Colorado (EUA), Gordon W. Hewes, publicou um mapa do mundo no qual pretendia distinguir, por volta de 1550, 76 civilizações e culturas diferentes. Essa classificação propõe um corte bastante contestável, por exemplo, quanto à América do Sul, onde, para o conjunto dos territórios do atual Brasil, da Amazônia, do Paraguai e do Pampa, ele distingue apenas duas civilizações ou culturas, os "jê-botocudos" (nº 10) e os "índios do Brasil" (nº 50) sem mais precisões, sem nenhuma menção, por exemplo, dos *tupinambás* ou dos *tupis-guaranis*. Acrescentemos que essa classificação baseia-se quase unicamente nas técnicas de exploração ou de produção do solo e muitas vezes negligencia os critérios culturais. Mas o mapa de Hewes tem um mérito essencial: sublinha que não podia existir então visão global do mundo, pois este era estilhaçado, fragmentado, feito da adição de unidades muitas vezes completamente estranhas umas às outras. Trata-se, de alguma maneira, de um "mundo em cacos", nos antípodas da situação de "globalização" para a qual caminhamos.

Hewes pratica mesmo sínteses abusivas: é assim que atribui o nº 61 aos mexicanos e maias juntos; ora, sabemos que a confederação asteca, relativamente próxima, em termos geográficos, do mundo maia, ignorava-o quase totalmente, e sabemos também que o mundo mexicano comportava sistemas sociais e línguas bastante diferentes (os nauas, os zapotecas, os tarascos etc.), o que Hewes não levou em conta. Por outro lado, parece que o mundo mexicano e o mundo inca (nº 62 no mapa de Hewes) não mantinham nenhuma relação, de maneira que os incas não parecem ter sido avisados da conquista espanhola do México. Para eles, o mundo conhecido não ia muito além dos limites de seu *Tahantisuyu*, vasto, é verdade, mas que pouco ultrapassava o mundo andino. Os próprios mexicanos, apesar do grau elevado de sua cultura, não parecem sequer ter sido prevenidos da instalação de povos estrangeiros nas Antilhas até a conquista de Cuba, em 1511-12. Quanto aos *tainos* das Antilhas, haviam sido inteiramente incapazes de informar os espanhóis a respeito do continente vizinho. Assim, em 1492 e ainda em 1500, os povos que habitavam as Américas não tinham nenhuma consciência de seu próprio continente. Não é surpreendente que, por ocasião do quinto centenário, em 1992, os povos indígenas que recusavam a denominação de América, dada pelos conquistadores, não tenham sido capazes de pôr-se de acordo sobre um nome substituto.

Em outras palavras, a fragmentação do mundo era ainda mais importante do que o ensaio de Hewes indica. *Uma visão global do mundo próxima da realidade não podia existir em parte alguma*, mesmo no seio das civilizações mais avançadas. E, como vamos ver em alguns instantes, a cartografia da época dá bem conta dessa impossibilidade de visão global e dos erros cometidos pelos maiores cientistas na representação do mundo.

Por certo, no interior do que mais tarde se chamará de Mundo Antigo, que reunia Europa, Ásia e África, o conhecimento que cada civilização tinha das outras era pelo menos aproximado. Assim, os europeus conheciam fazia vários séculos a existência de civilizações brilhantes no Extremo Oriente, aonde alguns deles haviam ido ao longo da Idade Média (Marco Polo, sem dúvida, embora uma tese americana pretenda que sua viagem foi apenas imaginária, e outros, em todo caso), enquanto o comércio de caravana multiplicava as trocas de preciosidades do Extremo Oriente até o Mediterrâneo. Sabe-se que Colombo era portador de cartas dos reis da Espanha destinadas ao grão-cã, que houve constantemente em Colombo uma obsessão da China, que ele pensou ter encontrado várias vezes, notadamente na América Central e em Cuba, como se vê nos relatos de suas terceira e quarta viagens.

Mas as relações internacionais do Mundo Antigo eram muito compartimentadas: no começo do século XV, de 1405 a 1433, os chineses haviam enviado várias expedições à África oriental, seis, ao que parece, dirigidas pelo almirante eunuco Zeng-Hé, que chegaram à África depois de ter alcançado a Índia, o Ceilão (Sri Lanka), o golfo Pérsico e Ormuz. Essas expedições tinham uma função econômica e os arqueólogos descobriram produtos tipicamente chineses na África oriental, mas, depois de 1433, a China recolhera-se em si mesma.

Em suma, no fim do século XV, havia no Mundo Antigo vários cruzamentos de civilizações em relação umas com as outras, mas de maneira dispersa, episódica ou sazonal. Assim, o oceano Índico era o lugar de relações privilegiadas entre árabes, africanos do Leste, malaios e indianos. No Extremo Oriente, eram regulares as ligações entre a China, a Indonésia e o Japão, por exemplo, para o fornecimento do sal, gênero estratégico! O Mediterrâneo era um outro cruzamento que associava a Europa, a África do Norte, por intermédio da qual ela alcançava as riquezas do Sudão, e a Ásia ocidental, mas que se comunicava com o conjunto precedente apenas pelas caravanas. O Norte da Europa, do vale do Reno às ilhas Britânicas, com o mar do Norte como centro, era um outro cruzamento, cujas relações com a área mediterrânea eram, aliás, regulares e intensas. Os africanos do Oeste e do Congo acabavam de entrar em relação com a Europa por intermédio de Portugal, mas a África central e austral permanecia uma *terra incognita* que, ao que parece, não tinha relações com o resto do mundo.

O oceano Atlântico continuava a ser a fronteira mais temida do mundo conhecido: europeus e africanos na margem oriental, americanos na margem ocidental; não se aventuravam muito ao largo. Para a maior parte dos europeus, o Atlântico era o "Mar Tenebroso", povoado de monstros ou de criaturas estranhas: quimeras, acéfalos, cinocéfalos, dragões (ver iconografia e *Sphaera Mundi* de John de Hollywood, publicada em 1498). Ele abrigava ilhas nômades, localizadas nos mapas das maneiras mais fantasistas, mas cujos nomes deviam vencer o tempo: 89 ocorrências para a ilha Brazil em mapas desenhados entre 1325 e 1667, no mais das vezes a sudoeste da Irlanda, algumas vezes a oeste de Portugal e três vezes, apesar de tudo, perto da costa norte da América do Sul. A ilha de Saint-Brandan, da qual Maria Eurydice Barros de Ribeiro estudou o percurso simbólico através do Atlântico, de fato viajou muito, com 57 ocorrências, pois é encontrada em todas as paragens do Atlântico e mesmo no oceano Índico. A ilha Antilia aparece doze vezes no Atlântico entre 1424 e 1492. No entanto, os navegadores portugueses haviam progredido muito no domínio do Atlântico: utilizando os arquipélagos da Madeira, onde se instalaram em 1416, e dos Açores, que povoaram a partir de 1439, eles haviam posto em funcionamento a técnica da *volta*, que permitia regressar da África tropical e equatorial para Portugal; e, em 1487, Bartolomeu Dias aplicara o sistema da *volta* ao Atlântico Sul: afastando-se das costas da África, ele conseguira dobrar o cabo das Tormentas (cabo da Boa Esperança). Em compensação, a expedição de Fernand van Olmen, lançada em 1487 rumo ao oeste a partir dos Açores pelo rei João II de Portugal, fracassara. Por certo, não está excluído que, além dos vikings, outros navegadores tenham atravessado o Atlântico em um passado muito antigo ou ao longo da Alta Idade Média, mas não existem provas formais.

QUAL VISÃO CIENTÍFICA DO MUNDO?

Quais podiam ser as concepções do mundo no fim do século XV? Creio que é preciso admitir que existia, de um lado, uma visão "científica" de que eram detentores os geógrafos, matemáticos, filósofos, progressivamente corrigida pela experiência dos marinheiros e dos cartógrafos. E, de outro lado, uma visão mítica elaborada a uma só vez pelas mensagens dos textos sacros (como a Bíblia, para os cristãos) e por um conjunto de legendas, de relatos fantásticos, de tradições, que constituíam uma chave de leitura do mundo. Aliás, podia haver encontros ou mesmo acordos imperativos entre essas duas visões.

Confesso conhecer mal as concepções que os chineses ou os hindus tinham do mundo. Conheço melhor, embora muito imperfeitamente, as cosmogonias dos ameríndios, mas vou ater-me às concepções dos europeus.

No começo do século XV, a Europa instruída tivera a revelação da geografia de Cláudio Ptolomeu, um cientista grego do século II d.C. que passara quase toda a sua vida no Egito, onde nascera. Sua obra fora traduzida para o árabe no século IX, mas permanecera desconhecida no Ocidente. O manuscrito foi levado para a Itália por um cientista bizantino, no começo do século XV, e oferecido ao papa Alexandre V em 1409. Depois, foi traduzido para o latim e várias cópias foram feitas. O advento da imprensa multiplicou as edições: Bolonha (1477), Roma (1478) e a melhor edição desse tempo, a de Ulm, em 1482.

O mapa do mundo de Ptolomeu impunha a idéia de um *continuum* territorial da Europa ao Extremo Oriente, estando a Ásia, além disso, unida à África. O desenho da Europa e mesmo o da Ásia era bastante próximo da realidade, mas a África era muito mal conhecida e representada de maneira muito falha. Esse mapa mostra também que não existia então a menor suspeita da América. Segundo a teoria de Aristóteles, o mesmo oceano banhava as colunas de Hércules (estreito de Gibraltar) e Catai (a China). Efetivamente, no mapa de Ptolomeu, uma imensa extensão marinha cercava a massa das terras.

As realizações cartográficas do fim do século XV demonstram progressos muito sensíveis com relação ao mapa de Ptolomeu, o que significa que, apesar do segredo, as descobertas portuguesas foram assimiladas. Assim, o mapa-múndi de Henricus Martellus, elaborado por volta de 1489-90, consegue um desenho excelente da Europa e um traçado da África ocidental próximo da realidade. Em compensação, a África austral desloca-se muito claramente para o leste, o mar Vermelho é amplo demais. O Extremo Oriente permanece fiel à concepção ptolomaica, com uma comprida península, por vezes chamada "cauda do dragão", que, nos mapas posteriores, será transferida para a América do Sul. O globo confeccionado em Nuremberg por Martin Behaim nos anos 1487-92 apresenta características comparáveis. Henricus Martellus e Martin Behaim não haviam suspeitado, assim como Ptolomeu, da existência de um outro continente (ver figuras 1 e 2). E como nessa época, em plena Renascença, os cientistas demonstram uma grande devoção pelos antigos, terão muita dificuldade em crer que Aristóteles ou Ptolomeu tenham podido ignorar a existência de um vasto continente.

As dimensões do planeta constituíam um objeto de desacordo no seio do mundo "científico". Ptolomeu, como todo o mundo, dividia a esfera terrestre em 360 graus e avaliava em 180 graus a extensão do mundo conhecido em seu tempo, das margens atlânticas da Europa ao Extremo Oriente, de maneira que o oceano que se estendia além do Extremo Oriente, até a Europa, tinha uma extensão comparável (180 graus). De fato, Ptolomeu não estava muito afastado da realidade. Mas Martin de Tyr avaliava em 225 graus a extensão terrestre da Europa ao Extremo Oriente, o que reduzia a 135 a do espaço oceânico. O cardeal humanista Pierre d'Ailly, em sua *Imago Mundi*, a reduzia mesmo a 105 graus, pois considerava que havia trinta graus entre as costas orientais da China e as de Cipango (o Japão). Sabe-se que D'Ailly teve muita influência sobre Colombo, pois seus cálculos favoreciam a hipótese do genovês, reduzindo a distância que separava a Europa da China pelo oeste. Uma das anotações encontradas no exemplar da *Imago Mundi* que pertencia a Colombo é inequívoca: "O fim das terras habitáveis na direção do Oriente e o fim das terras habitáveis na direção do Ocidente são bastante próximos e, entre os dois, *há um mar estreito*". Evidentemente, essas diferenças de cálculo punham também em discussão a proporção das terras e dos mares. No conjunto, antes se acreditava que a superfície das terras emersas era superior à dos mares e oceanos.

Em nenhum lugar do mundo existia, portanto, consciência do mundo tal como ele é. A Europa, por seu lado, estava muito pouco segura de seus conhecimentos: em 1452, um bom humanista, Aenaeus Piccolomini, que iria tornar-se o papa Pio II, não sabia se a terra era redonda ou oblonga e, em 1496, o cônego de São João de Latrão, Lilio, negava que ela fosse redonda e publicava uma obra "contra os antípodas", cujo conceito julgava absurdo. Alguns cientistas (?) defendiam ainda a tese das cinco zonas, que datava de Parmênides (século V a.C.), mas já o português Diogo Gomes baseava-se na experiência dos navegadores para negá-la: essa experiência ridicularizava principalmente a crença em uma zona tórrida, no centro do mundo, onde teria sido impossível aos homens viver e combatia a idéia das zonas geladas. Um outro português, Duarte Pacheco, em seu *Esmeraldo de Situ Orbis* que, infelizmente, só foi publicado tarde, esclareceu: "sob essa linha equinocial, há de fato populações que vimos e freqüentamos", e ele opunha a experiência, "mãe de todas as coisas", à teoria incompetente. As controvérsias sobre as dimensões do planeta e sobre as proporções respectivas das terras emersas e dos mares permaneciam consideráveis, como se viu, a despeito dos progressos das escolas portuguesa e maiorquina de cartografia. Em 1474, quando João II consultou o cosmógrafo florentino Toscanelli sobre os meios de se alcançar as Índias, ele subestimou muito o diâmetro de nossa Terra, o que foi um dos argumentos de Cristóvão Colombo para propor sua expedição. Mas os cientistas de Salamanca, que examinaram o projeto de Colombo, acreditavam que os cálculos de Ptolomeu estavam mais perto da verdade e como, além disso, Colombo confundira milha latina e milha árabe, eles rejeitaram seu projeto. Contudo, no mesmo momento, Martin Behaim, situando Cipango na localização real do México, ia antes na direção de Colombo. Como se vê, a visão do mundo permanecia confusa mesmo entre os cientistas.

As percepções eram complicadas ainda pelas *interferências religiosas e míticas*. Assim, os contemporâneos freqüentemente faziam uma leitura literal, e não simbólica, da Bíblia. Nesse espírito, e de acordo com a letra do Gênesis, a origem dos homens era de natureza monogenética e toda hipótese poligenética estava proscrita. Todos os povos do mundo deviam receber, um pouco mais cedo ou um pouco mais tarde, a revelação bíblica e a evangelização. Por conseguinte, era preciso que as comunicações tivessem podido estabelecer-se pelo Mundo Antigo e que a Bíblia, de uma maneira ou de outra, fizesse referência a isso. A tal ponto que muito tarde, em 1590, o jesuíta José de Acosta escreve: "Em uma questão tão considerável quanto a descoberta e a conversão do Novo Mundo à fé de Cristo, é muito razoável pensar que há alguma menção dela nas Santas Escrituras". E, antes dessa data mas depois da descoberta e da exploração do Novo Mundo, durante muito tempo os novos mapas e mapas-múndi, que integram a descoberta, julgam indispensável unir a América ao resto do mundo, por exemplo, por intermédio de um continente austral, como na série dos mapas portugueses dos anos 1515-19 (ditos *Atlas Miller*, do nome do último proprietário antes da compra pela Biblioteca Nacional de Paris) e, especialmente, no mapa-múndi de Lopo Homem, "mestre de mapas marinhos", feito em Lisboa em 1517, ou ainda no mapa-múndi de Oronce Finé, professor de matemáticas no Collège de France, realizado em projeção cordiforme.

São essas mesmas interferências religiosas e míticas que explicam a busca do Paraíso terrestre na América, desde as viagens de Colombo, e a dos reinos de Társis e de Ofir. Mas voltarei a essa questão um pouco mais adiante. Desejaria mostrar primeiro como se transformou progressivamente a visão do mundo científico na virada dos séculos XV e XVI.

UMA NOVA VISÃO DO MUNDO

Certo número de humanistas e de cientistas refutou, de início, a afirmação de Colombo segundo a qual ele alcançara as Índias. Na opinião deles, tratava-se apenas das ilhas do "Mar Oceano", até então desconhecidas. Essa refutação, na qual não me detenho, ocupa os anos de 1494-97.

Em seguida, durante os anos 1499-1502, surge em alguns a suspeita de um novo continente e logo a convicção de sua existência. Mas é preciso sublinhar que a tese de uma *pré-descoberta do Brasil pelos portugueses* no fim do ano de 1493 ou no início de 1494, compartilhada pela maior parte dos historiadores portugueses especialistas e que eu próprio sustentei em um pequeno livro recente, pré-descoberta mantida secreta até a viagem de Cabral por razões relacionadas às negociações dos dois tratados de Tordesilhas, é muito sólida e tornaria ainda mais facilmente explicável a convicção de Vespúcio ao término de sua segunda viagem, feita por conta dos portugueses. Ele escreve:

> Chegamos a uma terra nova que, por múltiplas razões, julgamos ser o continente [...] Passamos ao sul da linha equinocial e do trópico de Capricórnio até que o Pólo Sul estivesse cinqüenta graus acima de meu horizonte, o que era minha latitude com relação ao equador. Navegamos no Hemisfério Sul durante nove meses e 27 dias [...] Estive nas cercanias dos antípodas, minha navegação me fez percorrer um quarto do universo [...] Fiquei convencido de que essa terra não era uma ilha, *mas um continente* [...]

Estamos então em setembro de 1502, portanto, depois da descoberta da "Terra de Santa Cruz" por Cabral, mas este não ladeara a costa do continente por longas distâncias, contrariamente a Vespúcio.

Por seu lado, navegadores espanhóis como Alonso de Hojeda, Diego de Lepe, Cristobal Guerra, Vicente Yañez Pinzon, que realizaram de 1499 a 1502 várias viagens chamadas injustamente *viajes menores*, chegavam mais ou menos às mesmas conclusões. E o salto decisivo foi realizado quando Vespúcio batizou "*Mundus Novus*" a edição veneziana de sua segunda carta a Lorenzo di Pier Francesco Medici e quando publicou suas *Quatuor navigationi*. A expressão cartográfica desses textos é devida a Martin Waldeseemuller e à sua *Cosmographiae Introductio*, publicada em Saint-Dié em abril de 1507, que precedia uma nova edição da *Geografia* de Ptolomeu. Embora a obra fosse muito cara, foi reeditada seis vezes antes do fim de 1507, alcançando a tiragem de mil exemplares, por causa da revelação de uma nova parte do mundo. O mapa de Waldeseemuller (ver figura 3) marca a irrupção da América na geografia mundial. Observar-se-á que o novo continente carece de espessura, o que é normal, pois apenas suas costas haviam sido localizadas (Vespúcio, ao longo de sua segunda viagem portuguesa, atingira a latitude da Patagônia). Ele dá também uma boa representação da África, o que demonstra uma boa utilização das viagens portuguesas. Enfim, ele sugere a intuição do Pacífico, que apenas pôde ser obtida pelo cálculo matemático. É nesse mapa que se encontravam as duas vinhetas, de Ptolomeu olhando para o leste, e de Vespúcio para o oeste. As figuras 4 e 5 (mapa-múndi português de c. 1516 e mapa-múndi de Sebastião Cabot de 1544) mostram a progressiva consolidação dos conhecimentos, sobretudo o último, evidentemente editado em Antuérpia: Cabot, *piloto mayor* da *Casa de Contratacion* de Sevilha, dá testemunho da profunda mutação ocorrida desde 1520. O traçado da América do Sul, das Antilhas, da América Central, do México (incluído o mar de Cortés), do Sul dos atuais Estados Unidos (incluída a Flórida) é já notável, e só o Norte da atual América do Norte permanece *terra incognita*. A distância entre a América austral e a África central é bem marcada. O oceano Índico e o mundo malaio são bem conhecidos, frutos das navegações portuguesas. O Pacífico é representado com uma aproximação promissora: maior largura ao sul, estreitamento ao norte, levada em conta a orientação, figurada de maneira feliz, do continente americano.

A DESFORRA DO IMAGINÁRIO

Se os mapas nos demonstram os progressos incontestáveis do conhecimento da Terra, quer se trate da forma e das localizações dos continentes, das ilhas, dos oceanos e dos mares, quer ainda de suas dimensões, as gravuras, as litografias, as pinturas e um grande número de textos garantem a desforra explosiva do imaginário na visão do mundo. O mais espantoso é que os mesmos homens que participam, por suas viagens, suas anotações topográficas, seus relatos, de uma representação cada vez mais exata de nosso planeta são também, com muita freqüência, os que reativam, rejuvenescem, insuflando-lhes uma nova vida, tradições ou mitos muito antigos, que vêm da Bíblia ou da Antigüidade pagã, sem falar de religiosos mais ou menos mitômanos como frei Marcos de Niza, cujos relatos fantásticos estiveram na origem de numerosas expedições ao território dos atuais Estados Unidos... Já se disse que o paraíso terrestre, até então situado no mais das vezes no Oriente (ver, a esse respeito, Jean Delumeau, *Uma história do paraíso*, tomo 1), beneficia-se de uma nova localização, graças a Cristóvão Colombo que, depois de ter descoberto índios "angélicos" (porque deviam sofrer a influência do paraíso terrestre próximo), vê no Orinoco um dos rios poderosos que devem descer desse lugar elevado onde se encontra o paraíso, e depois acumula indícios a ponto de escrever finalmente: "Estou intimamente convencido de que é lá que se encontra o paraíso terrestre" (terceira viagem). Da mesma maneira, Colombo acreditou descobrir várias vezes os reinos de Ofir e de Társis, dos quais vinha o ouro da rainha de Sabá, com o qual teria sido decorado o templo de Salomão, e certos autores (como Forsetier em 1525) operam uma identificação entre a ilha Espanhola e Ofir. Um grande erudito como Arias Montano, diretor dos trabalhos da *Bíblia poliglota*, é seduzido pela idéia de que o Peru seja Ofir e de que o templo de Jerusalém tenha sido construído com o ouro do Peru. Continua-se a procurar Ofir e Társis mais tarde: a capitulação acertada em 1525 entre Carlos V e Sebastião Cabot estipula que Cabot vá às ilhas das Especiarias (as Molucas) em busca "das terras de Társis e de Ofir", de Cipango e de Catai. Portanto, são colocados no mesmo plano territórios cuja existência é certa e outros que são legendários. Procura-se descobrir, acredita-se encontrar e até se desenham em mapas os lugares de instalação das dez tribos perdidas de Israel, em geral no Norte da Ásia (1506, 1508, 1513, 1584), bloqueadas por altíssimas montanhas. A história da Torre de Babel permitia explicar a confusão das línguas do México central etc. Mas a religião popular, tal como florescera na Idade Média, não era abandonada: a Virgem Maria aparece várias vezes, no México, no Peru, no Chile, notadamente para mudar o curso das batalhas, e é ajudada nesse papel pelo apóstolo são Tiago que, de mata-mouros, reconverte-se em conquistador no México em 1519, durante o cerco de Cuzco, no Peru, depois no Paraguai etc.

As mitologias da Antigüidade pagã também estavam em voga: Vespúcio encontrava gigantes nas Américas, e a população da Patagônia era composta apenas de gigantes. Ele também encontrava centenários em profusão. Se as Américas não parecem opor uma ilha Macho a uma ilha Fêmea, como o fizera em 1457 ou 1459 o cartógrafo Fra Mauro, que as havia situado no oceano Índico, as amazonas da Antigüidade, das quais se ocupara Estrabão, que haviam sido acantonadas em Lesbos, que depois se acreditara encontrar nas cercanias de Éfeso, na região do Ponto Euxino, na África etc., proliferam literalmente nas Américas, na ilha de Matinino (Martinica), nas Lucaias, no México nas vizinhanças do mar de Cortés (Cihuatlan) e, evidentemente, no Norte do atual Brasil, onde aparecem no relato fabuloso do dominicano frei Gaspar de Carvajal, que acompanhou

Francisco de Orellana em sua extraordinária viagem de 1542. A tal ponto que várias expedições são organizadas com o único objetivo de encontrar as amazonas: a segunda viagem de Orellana e a de Hernando de Ribera e Ulrich Schmidel ao Paraguai; Walter Raleigh procurou-as no Orinoco. Poder-se-ia evocar também a reativação dos mitos da Fonte da Juventude (que provocou a expedição de Ponce de Leon à Flórida) e do Eldorado.

As grandes viagens dos séculos XV e XVI foram também uma abundante fonte de fantasmas de todos os gêneros, uma fábrica do fantástico e do maravilhoso. Elas revelam (ou pretendem revelar) a existência daqueles seres monstruosos que os homens da Antigüidade, da Idade Média e da primeira modernidade procuravam apaixonadamente, com curiosidade e paixão a uma só vez, estimulando seus fantasmas necróticos ou eróticos: eles procuravam e por vezes acreditavam ver não apenas os gigantes ou as amazonas, mas também homens acéfalos ou cinocéfalos, unípedes, ciclopes, dragões, centauros, sereias, lobisomens, animais fabulosos. As gravuras do século XVI fizeram grande uso desses monstros (que parecem ter decepcionado Colombo, que não os encontrou ao longo de suas viagens — ver figuras 6 e 7), algumas transferindo para os mundos novos o patrimônio fantástico da Antigüidade ou da Idade Média européia: é assim que a ilustração da *Crônica de Nuremberg*, publicada em 1493, foi reutilizada em partes separadas para servir como ilustração da América.

Contudo, houve um domínio no qual o imaginário foi, em um primeiro momento, submergido pela realidade, antes de tirar sua desforra com grandes lances de representações horríveis: foi o das práticas antropofágicas e dos sacrifícios humanos. A iconografia foi muito tempo incapaz de dispensá-los. Por exemplo, na gravura de 1589 que representa Vespúcio descobrindo a América, no segundo plano aparece uma cerimônia canibal (ver figuras 8 e 9). O relato do marinheiro alemão Hans Staden, que vivera vários anos no Norte do Brasil, um dos grandes best-sellers do século XVI, traduzido para o francês com o título de *Nus, féroces et anthropophages* [*Nus, ferozes e antropófagos*] e em muitas outras línguas, era ilustrado de águas-fortes que mostravam essas práticas e que estiveram na base do sucesso. Os gravadores hostis à Espanha, por exemplo, os gravadores da Europa protestante, apresentarão por vezes um paralelo entre os espanhóis sedentos de ouro e os indígenas americanos ávidos de carne humana.

Seria um erro separar, e mais ainda opor, os autores eruditos que fazem o balanço das descobertas e os que dão livre curso à sua imaginação para tornar plausível a existência de seres fabulosos ou extraordinários. São freqüentemente os mesmos. E eu não disse nada dos que procuraram nos mundos novos as reencarnações dos heróis dos romances de cavalaria, tais como Amadis de Gaule, Esplandian ou Lissant da Grécia, por exemplo.

Assim, como já se sabia, a Europa tomou a iniciativa de viagens que vão acabar com a separação dos mundos, criar o que se chamou "a economia-mundo", prelúdio da atual "globalização", e chegar a um conhecimento progressivo do mundo tal como é, produzindo a uma só vez a destruição de certos mitos e a explosão do imaginário. Conhecem-se as razões desse fenômeno maior da história da humanidade. Relembrá-las-emos de passagem.

A Europa dispunha de uma superioridade técnica em dois domínios essenciais: a navegação e o armamento. Com relação a isso, os ibéricos (portugueses e espanhóis) desfrutavam de um grande avanço.

A Europa dispunha (sobretudo na Itália, nos Países Baixos e nas regiões do Reno) de uma rede urbana excepcional que acelerava a difusão das notícias, da informação, ela própria servida pelo desenvolvimento rápido da imprensa.

A Europa tinha necessidade de encontrar metais preciosos monetizáveis, para romper os bloqueios de sua economia.

Enfim, ela era animada por um messianismo religioso antiislâmico que trazia várias esperanças: a difusão do cristianismo, a busca do paraíso terrestre, ou mesmo, para alguns monges como os franciscanos que foram os primeiros evangelizadores do México ou alguns jesuítas, a construção de um "milênio" em uma terra protegida, em suma, a tentação utópica. Não é sintomático que a Califórnia, que continua a ser o melhor expoente do sonho americano, tenha um nome nascido de um romance de cavalaria? A Califórnia que, a crer nas façanhas de Esplandian, era uma ilha povoada pelas amazonas!

Tradução de Maria Lúcia Machado

O IMAGINÁRIO PORTUGUÊS E OS MEDOS DO MAR

Luis Krus

Nos começos da história medieval portuguesa, quando, no século XII, o novo reino peninsular se afirmava como o mais ocidental das fronteiras da Cristandade rural contra o Islão urbano e mercantil, o mar conceptualizava-se como caos e desordem, definindo os seres que o habitavam, as tragédias marítimas que nele ocorriam e os povos que por ele circulavam, um antimundo cuja constante ameaça permitia valorizar e reforçar a sacralizada coesão do espaço cristão.

Um tal sentir encontra-se bem patente nos escritos produzidos nos meios eclesiáticos. Assim, cerca de 1168, quando os cónegos do mosteiro de Santa Cruz de Coimbra redigiram em latim uma biografia do seu primeiro prior, S. Teotónio, um antigo conselheiro do monarca fundador do reino, o rei Afonso Henriques, insistem várias vezes nos perigos e temores do mar como forma de exaltar a heróica santidade de seu pai espiritual. Nesse sentido, recorda-se como o prior, numa das suas marítimas viagens, fora capaz de afastar um marinho monstro, descrito como espantosa e diabólica besta, e lembra-se como Teotónio fora visto, em visão atribuída a um monge, numa eira situada no meio do mar, protegendo os seus cónegos das ferozes ondas oceânicas, numa atitude que significava, segundo a narrativa, como o santo sempre soubera defender o seu mosteiro e a cidade de Coimbra, então o principal centro político-cultural do reino, das salgadas e amargas águas do mar que era o mundo. Ou seja, na hagiografia de Teotónio, o mar e os seus disformes seres simbolizavam ameaças particularmente temidas, aquelas que só um santo podia neutralizar e exorcizar.

No fundo, estas histórias do prior do mosteiro régio de Coimbra reflectiam como o Portugal primordial, o reino nascido da expansão rural e senhorial, se aproximava da forma como a Cristandade continental, guerreira e monástica, tendia a conceber as suas distantes fronteiras marítimas. Tratava-se, sobretudo, de imagens nascidas e difundidas durante a Alta Idade Média, quando o litoral europeu, tanto o mediterrânico como o atlântico fora progressivamente invadido e ocupado por povos não cristãos, primeiro os muçulmanos e depois os escandinavos. Sendo o mar a sua estrada e, em certa medida, o seu modo de vida, ele passou a comungar da destruição e da impiedade que lhes eram atribuídas.

Para a difusão de tais ideias muito contribuíram as migrações dos clérigos evangelizadores da Europa continental. Oriundos, em grande parte, do Norte de África, da Itália, da Península Ibérica, da Irlanda e das Ilhas Britânicas, não deixaram de agigantar entre as recém-cristianizadas populações da Gália, da Germânia e outras regiões do interior europeu as notícias sobre a crescente perda do poder e da presença da Cristandade nas suas franjas litorais, apresentando os novos senhores do Mediterrâneo e do Atlântico como protagonistas de feitos e tumultos que pareciam prefigurar os acontecimentos próprios dos fins dos tempos, aqueles que se anunciavam no tão comentado "Apocalipse" atribuído a S. João.

Segundo os evangelizadores, era esse, aliás, o contexto que deveria promover e incentivar a cristianização da Europa continental. Por ela, a Igreja podia superar as humilhantes perdas sofridas nos contigentes dos seus fiéis e criar, através dos novos povos convertidos, as aguerridas e fervorosas multidões capazes de resistir e responder aos supostos profanadores das terras e das gentes litorais mediterrânico e atlântico. No fundo, os clérigos evangelizadores do interior da Europa procuravam preparar, em aliança com o papado, as forças necessárias à protecção da Cristandade, as quais se traduziriam na fundação de um império, primeiro carolíngio e depois otoniano, a quem se atribuiu o desenvolvimento da coesão e da unidade propícias ao desencadear do prometido universalismo da Igreja do Povo Eleito. Até lá, porém, a Cristandade rural e continental olhava com apreensão, despeito e temor os povos urbanos e mercantis que partilhavam o seu perdido litoral. Por eles, o mar era observado com desconfiança e ansiedade. Por isso, nas comunidades religiosas e textuais da Cristandade dava-se tanta atenção ao registo analítico das notícias sobre as desordens oceânicas, os prodígios e maravilhas que ocorriam no mar, as manifestações do mal que o tinham como cenário privilegiado.

Mas, se a biografia conimbricense de S. Teotónio reflecte como nos finais dos anos 60 do século XII os meios político-letrados próximos da realeza portuguesa se sintonizavam com uma visão negativa e sobressaltada do mar, suas gentes, fainas e actividades, essa representação mental não seria tão marcante entre as comunidades estabelecidas no litoral do Entre Minho e Tejo, identificando este último rio, nessa época, a rectaguarda da fronteira lusa com o Islão hispânico. Com efeito, na maioria das povoações onde o trabalho do mar complementava o labor dos agros e o pastoreio, o oceano ultrapassava o simples registo de símbolo de um mundo caótico e maléfico. Para os camponeses-pescadores das aldeias e vilas do litoral atlântico, o mar era uma realidade bem presente e integrada nos quotidianos sociais. Definia um meio de subsistência explorado pela pesca e pela extracção do sal. Correspondia a um elemento natural cuja periculosidade e imprevista mutabilidade não impediam a navegação costeira e as práticas de cabotagem. Era mesmo, sobretudo nas costas da cidade de Lisboa, concebido como um desafio à aventura capaz de trazer fama, conhecimento, proveito e riqueza.

A esse respeito é elucidativa uma história recolhida, em 1154, pelo marroquino Idrisi, o célebre geógrafo árabe que nesse ano terminou a obra significativamente intitulada *Diversão para aquele que deseje percorrer o mundo*. Trata-se do episódio conhecido como a *Viagem dos aventureiros de Lisboa*, também contado na mesma época por Abu Hamid de Granada, um letrado bem representativo de um género literário então muito em voga no Al-Anadalus, o dos relatos de viagens. Segundo Idrisi, pouco antes da conquista portuguesa da cidade, ou seja, antes de 1147, oito varões, os aventureiros, todos eles aparentados entre si, teriam partido do porto de Lisboa rumo ao oceano, devidamente abastecidos de água e de víveres. Ao fim de vários dias de navegação, teriam atingido uma ilha onde apenas viram carneiros. Depois, metendo-se de novo ao mar, acabariam por encontrar uma outra, desta feita habitada. Nela, depois de várias peripécias, foram feitos prisioneiros e conduzidos até junto do rei local. Interrogados pelo soberano, através de um intérprete árabe, como explicita o texto, acerca do significado da sua navegação, teriam dito que apenas pretendiam saber quais os extremos limites do mar e o que nele existia de singular e maravilhoso, um propósito que o monarca confessou sempre também ter sido um dos seus desejos. Devido a tal sintonia, os aventureiros foram então soltos e devolvidos ao mar numa embarcação. Ao fim de três dias e três noites acabariam por atingir a costa atlântica marroquina, aportando a Safim e a todos contando a sua maravilhosa aventura.

A veracidade da viagem dos aventureiros tem sido muito discutida, aceitando-se hoje, apesar de se reconhecerem na narrativa vários elementos épico-lendários, a sua plausibilidade. Sendo assim, as ilhas visitadas remeteriam para os arquipélagos da Madeira e das Canárias, os quais constituiriam o vértice de um triângulo oceânico cuja base corresponderia às costas atlânticas portuguesa e marroquina. No fundo, a aventura dos lisboetas teria decorrido num espaço oceânico que sabemos ter sido frequentemente praticado pelos mercadores e marinheiros muçulmanos durante os séculos XI e XII, quando os actuais Sul e Centro de Portugal se incluiam entre territórios hispânicos submetidos ao poder dos imperadores de Marrocos, os almorávidas.

Como é evidente, em 1147, a ocupação cristã de Lisboa trouxe consigo o desmantelamento dos circuitos económicos e mercantis que ligavam a antiga cidade islâmica, por via marítima, à Andaluzia mediterrânica e ao Magreb atlântico. Nesse sentido, a conquista portuguesa da cidade destruiu o fundo civilizacional que fizera possível e atractiva a circulação de histórias como a da *Viagem dos aventureiros*. Contudo, o encontro cristão das memórias e das narrativas sobre os bem recentes gloriosos tempos da Lisboa muçulmana não deixou de evidenciar como as navegações atlânticas tinham dado à cidade prosperidade e riqueza, e como o oceano representava algo bem diverso do que se fazia crer na nortenha vida de S. Teotónio. Assim, ao contrário de um antimundo caótico, imprevisível e ímpio, o Atlântico era susceptível de ser pensado como realidade capaz de ser conhecida e navegável, percorrida e rentabilizada pelas comunidades litorais que com ele podiam contar.

Mas, se o encontro e o contacto com o Islão urbano e mercantil trouxe consigo a possibilidade de acentuar uma outra forma de olhar o mar, particularmente sensível às populações costeiras em cujo quotidiano já se encontrava, havia muito, integrado e praticado, a transformação da concepção cristã acerca do oceano, tal como foi herdada pela Cristandade da Alta Idade Média, produziu-se muito lenta e gradualmente, até porque o mar Atlântico continuou, ao longo da segunda metade do século XII e primeiro quartel do XIII, a servir de via para expedições militares punitivas organizadas pelos novos senhores do Islão hispânico, os marroquinos imperadores almóadas. Assim será a partir da segunda metade do século XIII, quando Portugal rural e guerreiro começa a ocupar o actual Sul do país, o Alentejo e o Algarve, passando a dominar as povoações portuárias do litoral meridional atlântico e mediterrânico, que as novas representações do mar se tornarão mais significativas, impondo-se à medida que a realeza fazia das cidades, do comércio e da moeda as bases da afirmação de um poder centralizado e centralizador, acima dos poderes regionais detidos pela nobreza e pelo clero do Norte senhorial.

Então, enquanto o rei promovia politicamente as povoações urbanas do Centro e Sul do país, da Estremadura e do Além Tejo, e que, ao longo de todo o litoral português se atribuiam privilégios aos habitantes e povoadores das vilas e aldeias da orla litoral costeira, o que aconteceu durante toda a segunda metade do século XIII e os começos do XIV, começam a tornar-se nítidas e visíveis diversas práticas e crenças que procuravam encontrar no sagrado cristão protecções e rituais propiciatórios para neutralizar as forças negativas e maléficas tradicionalmente associadas ao mundo marítimo oceânico.

Porém, um tal esforço para a cristianização do mar e a sua consequente integração no orbe cristão não foi um exclusivo português. Durante os séculos XII e XIII, ele afirmou-se um pouco por toda a Cristandade, paralelamente ao retomar da vida urbana e à consolidação da expansão territorial europeia em direcção ao Mediterrâneo, para a qual foi determinante a institucionalização das cruzadas à Terra Santa. Deste modo, enquanto a Cristandade ia ultrapassando a sua tonalidade de civilização continental e rural, cercada de povos marítimos hostis que lhe disputavam e amputavam o acesso ao mar, e se ia definindo como espaço aberto às rotas mercantis e marítimas, prestes a retomar parte do seu antigo pulsar urbano, ganha novo peso o moderno olhar sobre a imensidão oceânica.

De uma forma simbólica, tal mutação expressa-se nas representações cartográficas do universo que se difundem a partir do século XII. Antes dessa época, o oceano, visto como o grande mar exterior que se supunha rodear a massa terrestre formada pela justaposição dos três continentes conhecidos, a Europa, a Ásia e a África, era pouco representado, quando não omitido. Ora, a partir dos séculos XII e XIII, ao mesmo tempo que progridem as configurações geográficas representadas no litoral mediterrânico dos continentes conhecidos e que neles se cartografa um cada vez maior número de cidades, sejam reais ou míticas, também começa a ser frequente localizar por cima dos ondulados e circulares traços que identificam o mar exterior toda uma série de ilhas, sobretudo nos mapas-mundo influenciados pelas grandes cartas ecuménicas dos manuscritos de um texto de origem hispânica, o *Comentário ao Apocalipse* do Beato de Liébana, um escrito, por sua vez, baseado num anterior texto do bispo Apríngio de Beja. Sobre essas ilhas, tanto mais profusas e contíguas quanto mais recentes são os mapas, inserem-se nomes ou legendas sobre os eremitas, monges e santos que as teriam percorrido, consagrado e anexado à Cristandade. Assim, nestes mapas, o mar afirma-se como espaço de memória sagrada e como território percorrido por santos que nele deixam presença e relíquias à espera de devotos e peregrinos. O oceano surge então cristianizado, lembrado pelos eleitos que seguiram as suas rotas e que, como se contava para alguns deles, nele chegaram a procurar e a encontrar o Paraíso.

De uma forma geral, a cartografia que acolhe todas estas histórias testemunhatórias do desejo e da vontade de reintegrar o mar no universo cristão, não faz mais que acolher, reformular ou recompor memórias com origem nas margens atlântica e mediterrânica da Cristandade. Dos clérigos letrados do Sul tinha partido a cristianização de tópicos e temas relativos às navegações dos heróis da Antiguidade, atribuindo-se a santos proezas outrora recordadas como tendo sido protagonizadas por Hércules ou Ulisses, ao mesmo tempo que se procurava actualizar a lembrança da geografia das aventuras destes últimos, não raro se contando, como eles, os míticos heróis da Antiguidade, também tinham actuado nas costas atlânticas da Cristandade, tal como o atestam várias crônicas cristãs da Hispânia de Trezentos. Assim, para elas, como também já o afirmavam os geógrafos árabes, a Ibéria fora politicamente unificada por Hércules, atribuindo-se-lhe não só a fundação de inúmeras cidades costeiras peninsulares, como as origens da própria realeza hispânica.

Por outro lado, dos escritos produzidos pelos clérigos integrados no chamado cristianismo celta, retiravam-se recordações de como, num passado anacronicamente próximo, o mar existente para além das Portas de Hércules fora navegado por santos monges, como Brandão ou Patrício, e sublinhava-se como eles tinham demandado no oceano o Paraíso ou Purgatório, encontrando-o nalgumas das suas ilhas. Navegantes em busca do transcendental, as suas marítimas viagens confundiam-se e, por vezes, mesclavam-se com as aventuras próprias dos heróis arturianos, apenas se substituindo os bosques e as florestas pelas ilhas dos mares do Norte, ao mesmo tempo que também se aglutinavam às hagiografias celtas temas e motivos primitivamente contados a propósito dos guerreiros e homens sagrados presentes nas sagas nórdicas.

Foi, em suma, com base neste abundante e compósito material que os clérigos da Cristandade continental e interior, então envolvidos num processo civilizacional capaz de reatar um perdido paradigma urbano e mercantil, elaboraram os mapas e as sínteses geográficas dos séculos XII e XIII, fazendo-o de modo a justificar o apelo do mar que então se fazia sentir por toda a Cristandade. Ao difundir as notícias de como o Atlântico conservava em si graças e tesouros que incluiam templos, relíquias e o próprio Paraíso, os clérigos letrados libertavam o mar dos seus congénitos e estruturais demónios, afastavam suspeitas sobre os fundamentos religiosos e morais seguidos pelas comunidades que com ele estreitamente se relacionavam e elaboravam doutrina apta a enquadrar e a apoiar as navegações e as rotas comerciais e oceânicas.

Como seria de esperar, todo este novo posicionamento eclesiástico e letrado face ao mar e suas gentes foi particularmente bem acolhido e desenvolvido nas áreas da Cristandade que o tinham tornado viável e possível, ou seja, as que remetiam para as regiões costeiras da Europa mediterrânica e atlântica. Nelas, assistiu-se então, a partir da segunda metade do século XIII, à proliferação de práticas e vivências religiosas destinadas a assegurar aos crentes um oceano que fosse caminho e estrada onde se obtinha não só o peixe e o sal utilizado nas trocas locais e regionais, como as mercadorias ligadas ao grande comércio e aos seus proveitos. Por isso, os temas e os motivos marinhos depressa encontraram presença nos templos cristãos, ao mesmo tempo que as comunidades portuárias costeiras passaram a prestar especial culto e devoção aos santos navegadores.

No Portugal medieval posterior à "Reconquista", a escultura dos templos românicos e góticos começou então a acolher representações de peixes, um antigo símbolo cristológico do cristianismo mediterrânico agora reaparecido, em embarcações de vários tipos, a pretexto da iconografia de temas como o da barca dos justos e a barca dos pecadores. Simultaneamente, com o retorno dos seres fabulosos do bestiário clássico, reapareciam as sereias, um motivo que fora muito trabalhado na arte figurativa da Antiguidade urbana e que agora de novo se revelava na pedra esculpida dos templos, quando as actividades marítimas retomavam alento e suscitavam vontades de protecção dos poderes sagrados.

Enquanto portador de uma visão acerca o mar, a presença desses seres míticos e lendários que os antigos fizeram povoar os mares não deixa de ser ambígua. Com efeito, a figura da sereia fora o produto do encontro de tradições culturais muitas vezes antagónicas. Tanto se associaram, no quadro da tradição grega e oriental, a um ser tentador e maléfico, sendo esse o caso das sereias que n'*A Odisseia* de Homero procuraram provocar a morte e a destruição de Ulisses, como remeteram, no âmbito da cultura latina, para símbolos da gratificante abundância do mar, apropriando-se de atributos próprios das nereidas e tritões. Ora, se na arte da Cristandade em geral as sereias surgem, maioritariamente, como emblema das forças malignas e pecaminosas que os poderes do templo devem exorcizar, na iconografia portuguesa aparecem quase sempre associadas ao peixe representativo do supremo bem cristológico, remetendo, por isso, para valores ligados à salvação e à redenção. Neste caso, apontam então para a fertilidade e prodigalidade do mar, sendo a função esperada do lugar sagrado onde se exibem, a de contribuir para o assegurar da sua permanente fecundidade. A ser assim, na escultura lusa, a mulher-sereia conota-se mais com Maria do que com Eva, mais com a graça a conservar do que com o pecado a repelir.

Paralelamente, os templos do Portugal litoral, tanto paroquiais como monásticos, também tendem a acentuar o culto e a celebração dos santos patronos dos viajantes, todos aqueles que protagonizam as cada vez mais frequentes deslocações exigidas por um país onde as vilas e cidades pressionavam uma crescente abertura ao exterior. Neste contexto, intensifica-se a devoção a santos como Cristovão, o protector dos caminhos, não apenas invocado pelas gentes cujas idas a peregrinações, guerras e negócios implicavam a travessia de caudalosos rios em passagens temidas e perigosas numa época de escassas pontes, como também chamado em socorro dos marinheiros e navegantes nessas outras estradas e nessas outras águas que eram as ondas oceânicas.

Porém, para lá de Cristovão, os viajantes do mar e as gentes que, quotidianamente, se dedicavam à fauna marítima, os pescadores, ainda procuravam protectores celestes mais específicos, os santos cujas vidas contavam como tinham dominado e ultrapassado os mesmos temporais e os mesmos naufrágios que atemorizavam os homens do mar. Integravam essa categoria santos como o irlandês Brandão, cuja hagiografia foi traduzida do latim para o português durante o século XIV, e Santo Amaro, o homem de Deus a quem os monges que redigiram a respectiva vida em língua vulgar fizeram incansável navegante, atribuindo-lhe uma geografia de viagens que ia do mar Negro ao Mediterrâneo e deste ao Atlântico Norte, o mar gelado a quem os seus biógrafos se referem como mar coalhado, tudo isto antes de encontrar uma oceânica ilha do Paraíso e de numa outra ter fundado uma cidade sob terra trazida da eterna morada dos justos. Em suma, um santo que superara os medos, os terrores e as tragédias de todos os mares e que, grato à divina providência, escolhera o Atlântico para última e santa escala terrena. Ou seja, em última análise, um pioneiro de uma pré-anunciada colonização cristã do oceano.

Menos lendário e mais recente revela-se um outro protector celeste da vida e da faina marítimas crescentemente invocado no Portugal litoral dos séculos XIV e XV, Pedro Gonçalves Telmo, o Santelmo tão presente nas narrativas das Descobertas. Nascido em Leão, nos finais do século XII, vivera grande parte da sua vida na Galiza e no Norte de Portugal, aí se tendo distinguido até à sua morte, ocorrida em 1236, na evangelização e na assistência às comunidades piscatórias e portuárias. Depois de adquirir fama pela produção de milagres em favor de pescadores e mareantes, e assim os salvar dos perigos do mar, o culto de S. Telmo depressa se expandiu por todo o litoral da península ibérica. Em Portugal, durante os séculos XIV e XV organizaram-se várias confrarias de gentes do mar dedicadas à celebração da sua memória e muitos barcos de pescadores e mercadores foram baptizados com o seu nome ou ostentavam os seus símbolos em busca de sagrada protecção.

No fundo, todos estes cultos que permitiam ultrapassar o medo e o receio de um mar agora constantemente lembrado como morada de santos e espaço de manifestação de lugares teológicos, como o Purgatório ou o Paraíso, tornaram a vida e a prática marítimas perfeitamente integradas nos quotidianos da sociedade cristã. Nesse sentido, o mar tornou-se, progressivamente, num elemento natural, familiar e sereno, ao mesmo tempo que progredia o seu conhecimento e se reintroduziam ou adaptavam os saberes, as técnicas e as rotas oceânicas herdadas das antigas navegações romanas, celtas e muçulmanas. Todo este relativo apaziguamento da angústia face a um oceano ainda há pouco pensado como caos, desordem e cenário do fim dos tempos, reflecte-se em textos literários onde os temas e os motivos marinhos ganham novos sentidos e conotações.

Assim, nos finais do século XIII, a lírica trovadoresca galaico-portuguesa expressa-se acerca do mar em contextos totalmente afastados de referências a tragédias ou catástrofes mortíferas ou aniquiladoras. Se tomarmos como exemplo uma série de cantigas compostas na corte régia lisboeta pelo poeta João Zorro, acerca das *barcas novas* que o soberano luso *mandou lavrar* no estuário do Tejo e no *mar as meter*, o oceano representa-se como um espaço dominado e disciplinado, apenas evocado porque a ausência prolongada a que estavam sujeitos os seus frequentadores criava distância e saudade àqueles que os amavam, ou seja, no caso dos poemas de João Zorro, à donzela que neles lamenta a partida do amigo nos navios que serviam o poder e os negócios do senhor rei. Significativamente, a antecipada saudade expressa pela rapariga não envolve qualquer preocupação pela vida de um amado cujo destino era o oceano. Com efeito, na poética cortesã trovadoresca não se questiona o mar como lugar de faina e de trabalho. E se surge algo como de natural e usual, como vulgar destino de uma lamentada e chorada ausência.

Contudo, isto não significa que o Atlântico tivesse totalmente perdido o seu carácter nefasto e letal, como ficou evidente quando, nos anos 40 do século XIV, os merínidas de Marrocos atravessaram o estreito de Gibraltar e puseram mais uma vez em perigo a Cristandade hispânica. Nessas ocasiões, assim como durante as frequentes incursões da pirataria muçulmana nas povoações meridionais do litoral português, o mar recuperava a sua negra dimensão de lugar de combate escatológico e apocalíptico. Então os protectores dos guerreiros a quem competia a defesa da fronteira cristã não eram os santos que afastavam as tempestades e os naufrágios. Nessa ocasião invocavam-se outros celestiais coadjuvantes, aqueles que tinham eleito o mar como via de regresso a terras cristãs para a elas oferecerem as relíquias, os poderes e os milagres capazes de aniquilar os inimigos da fé. Referimo-nos a S. Tiago e a S. Vicente.

O primeiro, S. Tiago, patrono das cruzadas peninsulares contra o Islão e apóstolo tutelar de uma das principais ordens religiosas militares hispânicas, a de Santiago da Espada, tinha culto difundido por toda a Cristandade ibérica desde o século IX. Com efeito, fora nessa época que começara a ser considerado o evangelizador da Hispânia, dele se passando a contar como, após ter morrido no Próximo Oriente, fora o seu corpo milagrosamente conduzido numa embarcação guiada por Deus até à Galiza, onde depois de permanecer oculto durante vários séculos, se desvendou aos crentes para militar contra os islâmicos profanadores da Hispânia que ele outrora cristianizara e sacralizara. A partir de então, segundo os seus biógrafos medievais, atribuiam-se-lhe decisivas intervenções na luta contra os infiéis, sendo as igrejas de que era patrono por toda a península a garantia da continuidade dos seus favores. Nos seus templos, as profusamente esculpidas vieiras, remetendo, como ex-votos, para as conchas que os peregrinos traziam de Compostela, atestavam a sua qualidade de santo navegante, capaz de proteger o mar e suas gentes dos maléficos poderes muçulmanos.

Quanto a S. Vicente, o diácomo de Valença morto nos começos do século IV, durante as perseguições aos cristãos ordenadas por Diocleciano, desde cedo que o relato das condições em que teria ocorrido o seu martírio, dele faziam um santo protector do mar contra os inimigos da fé. Segundo a sua hagiografia, depois de morto, foi o seu corpo privado de sepultura e exposto à ferocidade dos animais selvagens. Porém, se os romanos com uma tal prática pretendiam evitar a criação de mais um mártir, não o teriam conseguido, dado um corvo marinho ter defendido o corpo do santo dos ataques das bestas-feras. Dando-se conta do sucedido, os perseguidores teriam ensaiado uma segunda tentativa para fazer desaparecer o corpo santo, atando-lhe ao pescoço uma mó de pedra e lançando-o ao mar. Novo vão esforço: o corpo, intocado pelos peixes, teria ficado a boiar e ido ter à praia de Valença, onde foi recolhido pelos cristãos que lhe deram sepultura e o tornaram relíquia.

Com culto confirmado, a partir do século V, por várias cidades portuárias mediterrânicas, o corpo-relíquia de S. Vicente foi reivindicado por vários templos da França, Itália e Portugal, após a conquista muçulmana de Valença nos começos do século VIII. Segundo a versão portuguesa, as relíquias do santo teriam sido levadas, às ocultas, para o Promontório Sacro, o actual cabo de S. Vicente, no extremo ocidental do Algarve. Nos anos 70 do século XII, teriam então vindo por mar, numa nau sem tripulantes e sempre acompanhadas por dois corvos, até Lisboa, quando a cidade estava em vias de ser reconquistada pelos muçulmanos. Tal como S. Tiago antes navegara até à Galiza para de lá poder vir a patrocinar a derrota cristã do Islão ibérico, também Vicente supostamente se acolhia à então mais exposta das cidades da fronteira portuguesa, propondo-se incentivar a resistência lusa e preparar uma ofensiva, como se por tal acto desejasse evidenciar uma especial protecção ao novo reino cristão hispânico e à sua realeza.

Lisboa tornava-se assim no novo centro de difusão do culto de S. Vicente. A mais usual das insígnias do santo, a da barca que o transportara encimada por dois corvos, será eleita como signo heráldico do seu município a partir de meados do século XIII, quando a cidade atlântica se começava a transformar no mais importante centro urbano-mercantil do reino e na sua capital política. Recolhendo atributos próprios dos celestiais protectores da vida marítima, dos que sacralizaram os caminhos do mar e atenuaram as suas ameaças, ao mesmo tempo que cumpria a função de incentivador da heroica luta dos cristãos contra os povos infiéis que percorriam as águas oceânicas, Vicente depressa se tornou no patrono celestial do reino, da sua realeza e da sua capital, tendo o seu culto sido especialmente incentivado pelos monarcas da dinastia de Avis.

Quando, em 1415, os barcos da armada portuguesa que se dirigiam a Ceuta amainaram as velas ao dobrar o cabo de S. Vicente, em sinal de respeito e de procura do apoio do santo para a empresa, o país que assim iniciava as Descobertas fazia-o símbolo da possibilidade de dominar e exorcizar os medos, os receios e os perigos do mar.

PRIMEIRA MISSA E INVENÇÃO DA DESCOBERTA

Jorge Coli

A descoberta do Brasil foi uma invenção do século XIX. Ela resultou das solicitações feitas pelo romantismo nascente e pelo projeto de construção nacional que se combinavam então. Como ato fundador, instaurou uma continuidade necessária inscrita num vetor dos acontecimentos. Os responsáveis essenciais encontravam-se, de um lado, no trabalho dos historiadores, que fundamentava cientificamente uma "verdade" desejada, e, de outro, na atividade dos artistas, criadora de crenças que se encarnavam num corpo de convicções coletivas.

A ciência e a arte, dentro de um processo intrincado, fabricavam "realidades" mitológicas que tiveram, e ainda têm, vida prolongada e persistente.

O quadro de Victor Meirelles, retratando a *Primeira missa no Brasil*, tal como foi descrita na carta de Pero Vaz de Caminha, é um episódio muito expressivo dentro desses processos. Ele fez, em grande parte, com que o Descobrimento tomasse corpo e se instalasse de modo definitivo no interior de nossa cultura. Assim, revela-se um excelente objeto de análise para a compreensão de procedimentos artísticos que dependem, em sua própria gênese, das contribuições originadas no projeto ideológico mais geral, na própria natureza de uma história capaz de engendrar o passado que se deseja, e na relação cúmplice entre as duas disciplinas no sentido de conferir aos construtos resultantes uma força efetiva de persuasão e de certeza.

A CARTA E O BOM SELVAGEM

A chegada das naves portuguesas pela primeira vez ao Brasil foi, é sabido, acompanhada por um documento excepcional. O escrivão da frota, Pero Vaz de Caminha, mandava ao rei de Portugal um relato narrando, passo a passo, do dia 21 de abril a 1º de maio de 1500, a aproximação e abordagem das novas terras.

O caráter documental, por si só, conferiria a esta *Carta do achamento do Brasil* um alto valor. Mas ela adquire um caráter mítico de "ato fundador" do país a partir de duas qualidades que Caminha possuía largamente: legítimo e elevado talento literário vinculado à capacidade aguda de observação.

Vista pela primeira vez, a terra brasileira foi descrita por meio de um olhar interessado e atento, cujo caráter "antropológico" nos parece tão moderno, mas que guardava na memória o tema clássico das Ilhas Afortunadas,[1] além de estabelecer, de imediato, um elo com o paraíso primordial da Bíblia. Nesta passagem, por exemplo:

> Entre todos esses que hoje vieram, não veio mais que uma mulher moça, à qual esteve sempre à missa, à qual deram um pano, com que se cobrisse, e puseram-lhe ao redor de si. Porém, ao sentar, não fazia memória de o muito estender para se cobrir; assim Senhor, que a inocência dessa gente é tal, que a de Adão não seria mais quanta em vergonha.

Embora de relance, este olhar possui natureza semelhante àquele, mais prolongado, de Jean de Léry, alguns decênios depois. De modo retrospectivo, é possível perceber na carta de Caminha o núcleo primordial de uma percepção que Sérgio Buarque de Holanda chamaria de "Visão do Paraíso"[2] e que, de Léry a Montaigne, e de Montaigne a Rousseau, daria origem ao tema do "bom selvagem", instrumento reflexivo capital para que a cultura do Ocidente pudesse pensar-se de modo crítico. Enfim, esse bom selvagem francês, nascido da reflexão sobre o índio brasileiro dos primeiros tempos, finalmente, no século XIX, voltaria para seu lugar de origem através do Romantismo.

A INVENÇÃO DE UM DOCUMENTO AUTÊNTICO

Porém, nesta seqüência, a *Carta* indica antes um olhar comum possível do que um efetivo primeiro núcleo do tema paradisíaco. Pois ela foi publicada somente em 1817, na *Corografia Brasílica* de Aires de Casal. Só então a *Carta* de Caminha entra como documento primordial na história do Brasil — e, sobretudo, na história da história do Brasil.[3] Os historiadores costumam encontrar apenas aquilo que procuram.

A história, a cultura, o imaginário coletivo dos portugueses teve, na epopéia das navegações, um pólo essencial contínuo e sempre renovado através dos tempos. Camões, Vieira, Pessoa estão entre os nomes mais elevados que se encarregaram de atualizá-la e, assim, de perpetuá-la, transformando-a num instrumento de identidade e de construção constante de si. O caso brasileiro é diverso. O episódio de Cabral não se destaca na história. Ele surge apenas quando a história o exige.[4]

Límpido, preciso, visual, com um frescor tão adequado ao mundo inocente que reconstitui, o estilo de Caminha confere ao documento o poder definitivo de projetar-se no imaginário histórico que emerge e atravessa o século XIX brasileiro. Imaginário investido pela fabricação de um mito nacionalista cuja vida será longa, vigoroso ainda nos nossos dias. Capistrano, em 1883, formula de modo lapidar: "[...] carta de Pero Vaz de Caminha, diploma natalício lavrado à beira do berço de uma nacionalidade futura [...]".[5] O documento do passado encontra o seu destino numa inequívoca teleologia ideológica.

As imagens tão marcantes apresentadas pelo escrivão de bordo em 1500 perpassam pela produção literária de um romantismo "indianista", reforçando a crença na fusão das raças presente em *Iracema*,[6] obra nuclear que preside à criação de uma consciência nacional das origens, na qual seu autor, José de Alencar, vai buscar o tom em *Atala* e *René*. Ao fixar no verbo a observação "verdadeira", a carta legitima e confirma, segundo a história, as convicções que a literatura criava: Caminha garante Chateaubriand e confere verdade virtual a *Iracema*.

Deste modo, a carta foi publicada quando o devia ser. Correspondia perfeitamente à solicitação de historiadores e literatos que construíam então o passado brasileiro através da história e da literatura — essas duas grandes disciplinas do imaginário.[7]

A MISSA E A FUSÃO DAS CULTURAS

Além de seu poder em tornar presentes aqueles acontecimentos remotos, primevos, quase míticos, a carta trazia também a associação dos dois elementos humanos nobres, tomados no século XIX como ancestrais legítimos para a recente nação: os índios e os portugueses. Mais do que isso, a carta juntou, amável e harmoniosamente, pagãos e católicos.

O cerne do texto concentra-se na cerimônia mais significante: a missa, que congregou navegadores e índios. Caminha detalha os preparativos, assinalando as diferenças de cultura: o trabalho dos carpinteiros, o espanto dos índios diante da "ferramenta de ferro", eles que possuíam apenas "pedras feitas como cunhas, metidas em um pau entre duas talas, mui bem atadas"; a grande cruz, que repousava contra uma árvore, à espera de sua elevação, devotamente beijada pelos portugueses, imitados em seguida por dez ou doze nativos; a escolha de um lugar de destaque para a instalação do altar. Por fim, a cerimônia propriamente dita:

> Ali estiveram conosco a ela obra de cinqüenta ou sessenta deles, assentados todos em giolhos, assim como nós, e quando veio ao Evangelho, que nós erguemos todos em pé, com as mãos levantadas, eles se levantaram conosco e alçaram as mãos, estando assim até ser acabada e então tornaram-se a assentar como nós, e quando levantaram a Deus, que nos pusemos de giolhos, eles se puseram todos, assim como nós estávamos, com as mãos levantadas e em tal maneira assossegados, que certifico a Vossa Alteza, que nos fez muita devoção. E estiveram assim conosco até acabada a comunhão...

Caminha conclui inserindo o personagem de um índio mais idoso, "homem de cinqüenta ou cinqüenta e cinco anos", que parece ter compreendido o sentido da cerimônia, chamando a atenção de outros índios — "falando-lhes acenou com o dedo para o altar, e depois mostrou o dedo para o céu, como quem dizia alguma coisa de bem e nós assim o tomamos". Caminha sabe singularizar, e deste modo, dar mais vida ao geral.

Assim, sob a égide católica, associam-se, numa cena de elevação espiritual, as duas culturas.[8] Criava-se ali o ato de batismo da nação brasileira. Momento prenhe de significados, que o projeto de construção de um passado histórico para o Brasil, ocorrido no século XIX, saberia explorar.

GÊNESE "DA PRIMEIRA MISSA NO BRASIL"

A pintura será encarregada de fixar e de imprimir nas mentes esse instante inaugural através do pincel de Victor Meirelles, então jovem e promissor talento.

Meirelles havia partido para a Europa em 1853, quando recebera o Prêmio de Viagem da Academia de Belas-Artes do Rio de Janeiro. Depois de um período romano, instala-se em Paris. Ali, em 1859, decide pintar a *Primeira missa no Brasil.*

Seu mentor brasileiro era Araújo Porto Alegre. Na esteira de Ferdinand Denis,[9] cujas obras sobre o Brasil propuseram uma inflexão cultural de cunho nativo para o jovem país independente, Porto Alegre foi o primeiro catalisador do romantismo brasilianista,[10] exercendo atividades literárias ao mesmo tempo que plásticas. Esse importante animador de uma cultura artística de cunho nacional insistira para que Meirelles se embebesse do texto de Caminha: "Leia cinco vezes o Caminha, que fará uma cousa digna de si e do país". Insistia também para que reproduzisse uma natureza tropical, inserindo na paisagem imbaíbas, coqueiros, palmeiras.[11] Preparava-se um ícone da história nacional.

Victor Meirelles estava encarregado de uma tarefa ambiciosa e cuja responsabilidade parecia imensa: oferecer ao Brasil o instante de seu nascimento. Essa intenção parece tão clara que Porto Alegre não hesitará em mesclar os dois nomes criadores desse momento primordial num terceto que envia ao jovem pintor:

Lê Caminha, ó artista, marcha à glória
Já que o céu te chamou Victor na terra
Lê Caminha, pinta e então caminha.[12]

A vitória do pintor depende do cronista, e a leitura da crônica justifica o avanço do artista em seu destino vitorioso. A história e a arte se imbricam numa imanência genética de seus criadores: uma depende da outra, um depende do outro.

Cimentada esta solidariedade entre o documento e a pintura, poderíamos imaginar que a *Carta*, com sua descrição minuciosa, bastasse para a gênese da obra. Há mais, no entanto, e algo bastante surpreendente. É que Meirelles inspira-se, para seu grupo principal, na *Première messe en Kabilie*, obra pintada por Horace Vernet, e apresentada em 1855 no *Salon*.

O episódio figurado ocorrera em 1853 e fazia parte do projeto colonial francês na África do Norte. Ele simbolizava o domínio do exército conquistador em interior de terras habitadas por um povo que soube resistir e se revoltar contra os europeus. A missa celebrava a submissão das tribos cabilas.

Vernet participara da campanha. Foi mesmo por sua intervenção que o padre Régis, o celebrante, o acompanhou. Mais ainda: Vernet havia mesmo projetado o altar provisório ao ar livre; ele fora o cenógrafo e o *metteur-en-scène* do acontecimento.[13] Mais do que nunca, a pintura aqui fazia-se história: o artista criava o fato por meio de uma montagem que seria, em seguida, perpetuada na tela. Ou seja, o acontecimento era, em realidade, uma construção simbólica de autoria do próprio artista. Transposto para imagem fictícia da tela, deveria entrar para a "verdade" dos feitos históricos.

Embora retratando um episódio situado nos anos de 1850, portanto contemporâneo de Meirelles, a imagem produzida por Vernet trazia pontos em comum com a cerimônia de frei Henrique de Coimbra. Em ambos os casos tratava-se de uma celebração em terra de infiéis que se juntavam a europeus na assistência. Desta forma, o quadro de Vernet tornava-se paradigma enquanto resultado de um testemunho ocular. O pintor francês *vira* uma cena equivalente, do ponto de vista histórico, àquela que se passara no Brasil em 1500. A analogia impunha-se como instrumento do rigor e da verdade: um outro pintor, através de sua arte, tornara-se testemunha de um acontecimento paralelo ao que Meirelles deveria construir para a arte e para a história brasileiras. Assim, Vernet oferecia, adicionalmente, uma certa verdade transistórica de articulação entre culturas por meio do mesmo ritual que Meirelles percebe e capta.

Tais afinidades transistóricas interculturais eram sentidas, no século XIX, como instrumentos da legitimidade. Através de um raciocínio analógico e intuitivo, elas pareciam conferir um cunho de autenticidade às obras contemporâneas: é assim que Gonçalves Dias irá buscar, no Brasil, o modelo das baladas alemãs, elas próprias de origem popular, para seus poemas indianistas,[14] e é através do mesmo procedimento que Longfellow — por sinal amigo e correspondente de Pedro II do Brasil — recriará as lendas indígenas da Nova Inglaterra tomando como inspiração as formas rítmicas do *Kalevala* da Finlândia!

DIGRESSÃO SOBRE O PLÁGIO

Os vínculos entre Meirelles e Vernet trazem-nos, no sentido dessas relações fecundantes, paradoxalmente paralelas e incidentais, uma situação intrincada que vale analisar. O grupo central de ambos os quadros é evidentemente o mesmo, disposto de modo invertido. Entretanto, idéia de plágio, que surge imediatamente ao espírito, deve ser tomada com precaução.

O procedimento por citações, dentro da pintura de história, era um instrumento legítimo à natureza do gênero. Os achados insignes voltavam nas obras mais ilustres, incorporados: a cultura visual mostrava-se como tão importante quanto a invenção. Não é inútil lembrar que os pressupostos culturais sobre os quais repousava o gênero pintura de história revelavam-se tão constitutivos da imagem quanto cores e pinceladas. A arte do século passado — e não apenas a dita *pompier* — mantinha um diálogo denso com a história da arte, mais antiga ou mais recente.

Os pintores jovens citavam incessantemente os mestres que os precederam, inspirando-se neles. Foi, *grosso modo*, a partir do Impressionismo que a idéia de originalidade se modificou, e realizar uma grande obra não significou mais orquestrar uma multiplicidade de imagens harmoniosamente organizadas numa vasta superfície, fazendo apelo a um passado visual coletivo, que nelas se insere, atualizando-se. Hoje, acostumados com a genialidade mais imediata, formalmente originalíssima e com referências culturais concentradas numa subjetividade, como no caso de Monet, Van Gogh ou Picasso, olvidamos as ambições da pintura de história, gênero então considerado como hierarquicamente superior aos outros — retrato, natureza-morta, paisagem — porque os englobava a todos, numa articulação complexa, arduamente obtida.

O que importava era dar conta de um programa ambicioso: menos valia a novidade individual do que a felicidade em vencer os escolhos inerentes ao projeto. Nesse contexto, a citação, a referência ao passado não são, de modo nenhum, pastichos originados pela falta de imaginação, mas um modo de mostrar como aquele elemento preexistente ressurge numa outra inter-relação.

O jovem Meirelles, em Paris, devia fazer um quadro significativo para a cultura nacional. Ele tinha, diante dos olhos, como referência obrigatória, o quadro que Horace Vernet, mestre então indiscutível, expusera, poucos anos antes, cujo título e o essencial do tema estavam muito próximos do projeto brasileiro. Tratava-se, para Vernet, de misturar cabilas e soldados franceses, criando uma barreira de personagens entre a cerimônia e o espectador, como Meirelles devia misturar portugueses e índios, diante da celebração que se passa, nos dois quadros, à frente de um altar improvisado ao ar livre. Como já foi assinalado, Vernet presenciara o acontecimento, fora mesmo seu *metteur-en-scène*. Esta situação, na qual um outro pintor, inda mais de grande prestígio, era testemunha e participante do fato histórico, introduz um aspecto suplementar na "verdade" que Meirelles buscava: além da carta de Caminha, além do estudo da natureza local, havia uma experiência visual contemporânea análoga àquela passada em 1500, que permitia um reforço na verossimilhança da imagem. Por todas essas razões, nosso brasileiro tomou-a como modelo, e dela extraiu o núcleo da sua obra.

MISSAS COMPARADAS

Tudo isto torna ainda mais fascinantes as grandes distâncias que existem entre a pintura de Vernet e a de Meirelles. A incorporação, na obra brasileira, do achado do mestre francês não significou cópia, plágio ou pasticho. Porque a *Primeira missa* de Meirelles mostra que a retomada de Vernet deu-se em benefício de um resultado muito diferente.

Um dos pontos mais evidentes nessa diversidade é a distância da cena. Vernet quer narrar, com precisão, um episódio, e ele o traz para a proximidade dos olhos, de modo a que adquira impacto. Meirelles quer a cena principal mais ao longe, integrando-a numa suavidade atmosférica, num clima espiritualizado. Vernet quer o efeito teatral. Sua cruz é envolvida por uma nuvem de fumaça, diminuída ao pé das montanhas áridas que barram o céu, comprimindo o espaço e impondo-se majestosamente. A cruz de Meirelles, longilínea, traça o eixo condutor que leva o olhar para o alto, enquanto o horizonte abre-se no fundo como um instrumento da serenidade. Vernet impõe a cena através do impacto oferecido pelo formato vertical da tela; Meirelles desenrola com calma seu episódio numa horizontalidade um pouco onírica.

Vernet quer a descrição pitoresca das roupas, dos detalhes, em coloridos vivos, e não possui o sentido da organização conjunta, da integração dos personagens. Meirelles trata seus índios de maneira pouco descritiva, numa concepção abstrata,[15] fazendo-os desenrolar uma cadência sucessiva de gestos. Com precisão, insere todo elemento delicadamente diante de cada exigência da composição — note-se esse grupo de frades que se inclina suavemente ao pé da cruz, abrindo-se num leque que vai da posição vertical à horizontalidade do solo. Ele cria também indizíveis passagens de tons.

Vernet narra anedoticamente, *en gazetier*, como dele diria Baudelaire. Preocupa-se com o pitoresco minucioso dos trajes, mas coloca sem cuidado uma fieira de soldados e suas baionetas que se sucedem com dureza banal. Ele desconhece essas secretas intimidades entre os elementos que se enlaçam num sentido poético da organização, tão caras ao pincel de Meirelles. São gritantes as diversidades essenciais de ambos os quadros. Entre a anedota pitoresca contada por Vernet e o sentimento elevado obtido por Meirelles há um abismo separando duas concepções artísticas.

Estas duas concepções divergentes resultam em uma oposição significativa no que concerne ao sentido geral da obra. Partamos dos cenários. Já vimos o quanto, para Porto Alegre, a construção de uma natureza nacional era importante e como, obedientemente, Meirelles vai pôr em prática essas sugestões. Mas é preciso pensar também que essa natureza substitui o templo, já que a cerimônia é ao ar livre. Se na obra de Vernet as montanhas são rudes e ásperas, impositivas, elas se coadunam com o projeto de um triunfo cristão em terra hostil, onde a junção de cristãos com infiéis se faz por justaposição, sem a idéia de fundir os dois grupos. Ao contrário, a linha de soldados, rigorosa e repetida, faz como que uma barreira e não conduz à reunião harmônica dos grupos distintos.

No caso de Meirelles, o templo natural, suave em seus verdes macios e banhado por uma luz finíssima, mais a própria disposição dos personagens que, embora guarde o princípio de unidades grupais, em seus encadeamentos e ritmos, reúne os participantes numa fusão. Torna-se uma espécie de útero fecundador.

É importante que os grupos guardem, cada um, sua coerência unitária porque conferia-se — os românticos conferiam — aos índios uma especificidade que nos distinguisse dos europeus. Esperava-se desses bons selvagens uma contribuição que faria de nós, brasileiros, um *unicum* pela mescla de duas culturas e de duas raças convergentes. Mais tarde, em 1879, Meirelles encarregar-se-á de um novo construto no programa ideológico nacional integrando o terceiro elemento cultural e racial, vindo da África. É quando termina a imensa tela da *Batalha de Guararapes*, onde cristaliza visualmente o mito fundador das "três raças tristes", consolidadas pelo heroísmo guerreiro que defende o território e opõe-se ao inimigo.

No caso da *Primeira missa*, veremos adiante como a fusão manifesta-se por meios formais justos. O processo integrador exclui a imposição que encontramos em Vernet, mas exclui também o vetor missionário de "mão única", isto é, a Europa que traz o Cristo para os pagãos e que reduz seu vínculo com os aborígines a uma incorporação simples de convertidos à fé da Igreja.

Esta configuração, vinculada ao princípio barroco da expansão da fé, teve expressão visual. Jean-François de Troy, brilhante pintor dos tempos da Regência, concebe um *Le débarquement de Christophe Colomb en Amérique*, obra destinada à Sala do Senado no palácio ducal de Gênova, mas que permaneceu em estado de projeto.[16]

A imagem se desenrola da esquerda para a direita. Os europeus avançam vigorosamente, tendo à frente uma cruz tosca que é exibida aos selvagens, os quais imediatamente se prostram em gesticulação de espanto e de êxtase. O projeto da propagação católica é aqui clara e exclusiva: da chegada de Colombo à América não nasce nenhuma nova nação. Trata-se de dilatação da fé em novos mundos. Algo muito divergente das intenções próprias à *Primeira missa* de Meirelles.

O ÍCONE E SEU FUTURO

Em 1861, a obra é apresentada no *Salon* parisiense.[17] Era a primeira vez que um pintor brasileiro conseguia tal proeza, e isso acentuou, aos olhos nacionais, a importância do quadro.

Ele se tornou a verdade visual do episódio narrado na carta. Como diria, em 1888, o crítico Gonzaga Duque:[18] "A primeira missa não poderia ser senão aquilo que ali está". Isto é, Caminha não encontrara apenas um tradutor visual moderno. Era outra coisa, mais forte, mais profunda: o espectador moderno *assistia* à primeira missa no Brasil. Quem o assegurava era, de um lado, o documento e, de outro, o poder demiúrgico da arte.

Essa verdade perpetuar-se-á em outras obras relevantes de nossa cultura: quando Humberto Mauro realiza seu filme *O descobrimento do*

Brasil, em 1937, guiado pelo roteiro oferecido por Caminha, não poderá evitar de reconstituir, diante da câmara, a cena idealizada por Victor Meirelles. O nacionalismo dos tempos de Getúlio Vargas vai continuar os mitos do século XIX numa prolongação ideológica que se quer verdade da história. E não cessa aí.

No Uruguai, em 1948, Cândido Portinari termina, para o Banco Boavista do Rio de Janeiro, a *Primeira missa no Brasil*. O tema fundador persiste, historicamente inevitável. Mais ainda, persistem as soluções essenciais da imagem, estabelecidas por Meirelles: um núcleo central com o celebrante e seu assistente no momento da elevação, diante de um altar cúbico sobre um pedestal ao ar livre e, numa gravitação em torno, os fiéis.

Portinari retoma Meirelles. Curiosamente, sua gramática visual tardocubista, feita de recortes duros e geometrizados, vai induzi-lo a uma rigidez e a um procedimento de unidades repetidas, evidente no grupo central de monges, em concepção oposta aos de Meirelles. É como se, involuntariamente, ele se aproximasse da própria fonte mais antiga, isto é, do quadro de Vernet que, na sua ausência de flexibilidade, apresentava uma certa dureza na disposição dos personagens, mais particularmente naqueles ajoelhados, com as baionetas em riste. Esteja claro: não imagino que Portinari conhecesse a tela de Vernet, mas, retificando a composição de Meirelles no sentido do rigor geométrico, ele se aproxima, involuntariamente que seja, do modelo francês, recuperando a rigidez que Meirelles abrandara.

O diálogo entre Portinari e Meirelles pode ser percebido ainda por meio de uma recusa, não iconográfica, mas ideológica. O projeto de Meirelles baseava-se na fusão fundadora entre europeus e indígenas. Portinari rejeita essa integração, eliminando os índios de sua obra e mostrando uma cerimônia só de europeus. A astúcia é relativamente fácil, mas sua sedução funciona como uma armadilha. Assim, Mario Pedrosa escreve, sobre o quadro, no *Correio da Manhã*: "É ato de conquista cultural, de plantação da semente na terra virgem. Aquilo tudo vem de fora; é um enxerto de civilização cristã em solo pagão. Eis por que não há índios".[19] Um novo mito, crítico desta vez, constitui-se para rever a história. Inda mais que, se examinarmos com isenção a obra, perceberemos nela um caráter épico vindo não apenas do formato enorme — 266 × 598 cm — mas da grandeza compositiva, na qual inserem-se gestos expressivos de uma fé comovida e sincera, colocados em evidência, no primeiro plano. O tom épico, além disso, sobrepuja qualquer veleidade crítica. A eliminação dos índios permitiu a leitura mais radical de Mario Pedrosa, embora a imagem oferecida permaneça ambígua, negando a clareza proposta pela interpretação.

Seja como for, o modelo é sempre a *Missa* de Meirelles. Em 1861, o ícone definitivo estava terminado. Meirelles faria outras obras, admiráveis. Nenhuma delas, porém, teria a presença, o impacto, a popularidade, a verdade da *Primeira missa.* Mais tarde, em 1879, Pedro Peres executaria a *Elevação da cruz em Porto Seguro,* belo quadro, sem dúvida, mas tão anedótico, e sem essa existência culturalmente ontológica da admirável pintura de Meirelles. Seria necessário esperar outro pintor, Pedro Américo, que, em 1885, realizaria uma obra que se tornaria outro ícone fundador da história brasileira: *O grito do Ipiranga,* celebrando a independência do Brasil. Este último, entretanto, poderá parecer, talvez, a certos olhos de hoje, um pouco envelhecido pela alta veemência retórica fortemente afirmada. A *Primeira missa,* não.

A FORMA JUSTA

É bem evidente que, para atingir esse poder e essa permanência, a obra possui os meios formais adequados. Meirelles estudara na Academia de Belas-Artes do Rio de Janeiro, que fora marcada por professores franceses vindos em 1816, de boa cepa neoclássica. Mas os anos que passara em Roma, trabalhando sobretudo com um discípulo de Minardi, Nicola Consoni, fizeram-no entrar em contato com a chamada pintura "purista" — arte na qual o desenho é mais frágil, tênue e delicado que os da tradição inaugurada por David, arte que abranda o vigor anatômico neoclássico em benefício de corpos simplificados, arte cujas cores são suavizadas e onde uma geometria interna preside à composição —, geometria de tranqüilo equilíbrio. Arte de abstrações que se distanciam, por essência, da cor local pitoresca, cara ao narrador Vernet. Aqui atingimos o núcleo irredutível da distinção entre os dois pintores. Na Roma de Pio IX, a formação neoclássica de Meirelles atenuara-se, espiritualizara-se, adquirindo um modo definitivo de ser que o seu período parisiense não saberia apagar. Todos estes princípios surgem com clareza na *Primeira missa,* cujo projeto era o de instaurar um momento harmônico e espiritual, onde se concertavam mundos opostos.

Para tanto, Meirelles dispôs as multidões conforme um triângulo largo que se abre para o espectador, evitando a rigidez simétrica. Ali os personagens, sem perder a variedade individual, por vezes mesmo singularizando-se, como o velho índio de Caminha, integram-se numa massa de tons cuidadosamente modulada. No primeiro plano, os índios compõem um friso em contraluz, que faz recuar a cena principal, onde frei Henrique de Coimbra procede à elevação. Vemos a missa a distância, projetada mais longe pelas sombras do primeiro plano, que nos separam da cena principal. A luz é nacarada, sem brilhos excessivos. A atmosfera difusa não permite que o branco das vestes do sacerdote ressalte em demasia; ela antes o incorpora ao azul esbranquiçado da paisagem ao longe. O instante é contemplativo. O movimento é suspenso.

Meirelles atingiu a convergência rara de formas, intenções e significados que fazem com que um quadro entre poderosamente dentro de uma cultura. Esta imagem do descobrimento dificilmente poderá vir a ser apagada, ou substituída. Ela *é* a primeira missa no Brasil. São os poderes da arte fabricando a história.

NOTAS

(1) Como lembra Luciana Stegagno PICCHIO em *La letteratura brasiliana*, Firenze, Sansoni-Accademia, 1972. Sobre os modelos culturais que se impunham à visão dos cronistas no século XVI, ver Frank LESTRINGANT, "L'Amérique dans la mythologie classique", *Revista de História da Arte e Arqueologia*, Campinas, 1994. Ver também a excelente análise de Wilson MARTINS, "A gramática do mundo", em *História da inteligência brasileira*, 2ª ed., São Paulo, Cultrix, 1977, vol. 1, pp. 49 e ss.

(2) Sergio Buarque de HOLANDA, *Visão do paraíso: os motivos edênicos no descobrimento e na colonização do Brasil*, 4ª ed., São Paulo, Nacional, 1985.

(3) A carta de Caminha foi copiada em 1773, por ordem do guarda-mor da Torre do Tombo. Em 1793 o historiador espanhol Juan Batista Muños a publica parcialmente na sua *Historia del Nuevo Mundo* (ver Francisco Adolfo de VARNHAGEN, [visconde de Porto Seguro], *História geral do Brasil antes de sua separação e independência de Portugal*, 4ª ed., São Paulo, Melhoramentos, 1927, p. 87, nota V, e Raimundo de MENEZES, *Dicionário literário brasileiro*, São Paulo, Saraiva, 1969, p. 284). É Aires de Casal que a publica e divulga pela primeira vez no Brasil em 1817. Depois da publicação de Aires de Casal, que expurga a carta das passagens referentes à sexualidade, as edições e traduções se multiplicam ao longo do século XIX. A segunda entre elas foi a tradução francesa, de 1821, feita por Ferdinand Denis, no seu *Journal des voyages*, retomada em 1822 pelo mesmo autor, em *Le Brésil, ou histoire, moeurs, usages et coutumes des habitants de ce royaume*, obra redigida em colaboração com H. Taunay. De 1822 data também a tradução inglesa do texto, incluída na segunda edição da *History of Brazil*, de Robert Southey. Denis a publica mais uma vez em 1825, nas *Scènes de la nature sous les tropiques*; em 1826 o documento conhece uma edição portuguesa da Academia de Ciências de Lisboa, e em 1828 é traduzida em alemão no *Feliners Reisen Durch Brasilien*, por D'Olfers. Ainda a esse respeito Leonardo ARROYO, "Inventário bibliográfico", em *A carta de Pero Vaz de Caminha*, São Paulo, Melhoramentos, 1971. Além da edição de Arroyo, ver também, entre as recentes, a de Sílvio CASTRO, Porto Alegre, L&PM, 1987. A carta terá sempre um papel primordial em todos os debates sobre a descoberta — veja-se, por exemplo, o texto de referência que constituiu a tese de J. Capistrano de Abreu, "O descobrimento do Brasil", apresentada no concurso para a cadeira de História do Brasil do Colégio Pedro II em 1883 (J. CAPISTRANO DE ABREU, "O descobrimento do Brasil", Sociedade Capistrano de Abreu, 1929).

(4) Gabriel Soares de Souza, em 1587, ao assinalar o descobrimento em seu *Notícia do Brasil*, associa a ele essencialmente apenas o caráter de posse lusitana, simbolizada pelo ato da missa: "Esta terra se descobriu aos 25 dias do mês de abril de 1500 anos por Pedro Álvares Cabral, que neste tempo ia por capitão-mor para a Índia por mandado de El-rei D. Manuel, em cujo nome tomou posse desta província, onde agora é a capitania do Pôrto Seguro, no lugar onde já estêve a vila de Santa Cruz, que assim se chamou por aqui se arvorar uma muito grande, por mandado de Pedro Álvares Cabral, ao pé da qual mandou dizer em seu dia, a 3 de maio, uma solene missa com muita festa [...] e para solenidade desta posse plantou êste capitão no mesmo lugar um padrão com as armas de Portugal, dos que trazia para o descobrimento da Índia, para onde levava sua derrota" (Gabriel Soares de SOUZA, *Notícia do Brasil*, introd., coment. e notas pelo prof. Pirajá da Silva, São Paulo, Martins, s. d., t. I, p. 65). Frei Vicente do Salvador, em sua *História do Brasil*, concluída em 1627, imbuído ao mesmo tempo do espírito da Contra-Reforma, de um profundo preconceito contra os índios e de um pessimismo em relação aos destinos da terra, que nasce com o próprio nome, para ele demoníaco, de Brasil, e que condena o país a um sinistro futuro, assinala, no descobrimento, os poderes soberanos de Cristo através da missa sobre os bárbaros pagãos: "[...] o padre frei Henrique [...] o qual disse ali missa e pregou, onde os gentios ao levantar a hóstia e cálix se ajoelharam e batiam nos peitos como faziam os cristãos, deixando-se bem nisto ver como Cristo senhor nosso neste divino sacramento domina os gentios [...] Do deus Pã diziam os antigos gentios que dominava e era senhor do universo, e disseram verdade se o entenderam deste Pão divino; porque sem falta ele é o deus que tudo domina, e apenas há lugar em toda terra onde não seja venerado, nem nação tão bárbara de que não seja querido e adorado, como estes brasis bárbaros o fizeram" (frei Vicente do SALVADOR, *História do Brasil 1500-1627*, 6ª ed., rev. por Capistrano de Abreu, Rodolfo Garcia e frei Venâncio Willeke, São Paulo, Melhoramentos, 1975, p. 57). (Comparar com nota 8.) O descobrimento e a missa servem a Soares de Souza para legitimar a possessão da terra por Portugal; Vicente do Salvador os utiliza apenas para ilustrar os poderes de Cristo sobre um povo e numa terra das mais hostis e avessa à espiritualidade.

(5) J. CAPISTRANO DE ABREU, "O descobrimento do Brasil", pp. 238-9.

(6) *Iracema* foi publicado em 1865.

(7) A carta de Caminha, no século passado, foi acompanhada pela descoberta ou pela leitura atualizada dos textos de viajantes do século XVI (Staden, Thévet, Léry) e dos antigos memorialistas. Alencar, na "Advertência" à *Ubirajara*, a última de suas obras indianistas, insistirá na necessidade de estudar "com alma brasileira, o berço de nossa nacionalidade". Neste conjunto, entretanto, a carta, percebida como texto fundador, guardará sempre seu brilho primordial.

(8) O caráter de construto próprio a esta fusão sobressai na leitura comparada do capítulo primeiro da *História do Brazil* do protestante Southey, cuja tradução brasileira feita por Luiz Joaquim de Oliveira e Castro é publicada em 1862. Assim, Southey desconfia da vocação cristã dos indígenas sugerida por Caminha. Por exemplo, adesão dos selvagens parece a ele mera imitação mecânica: "Havião-se reunido alli uns sessenta indigenas, que ajoelhárão quando virão os Portuguezes ajoelhar, erguerão-se quando os virão erguer-se, e praticárão todos os gestos que os virão practicar" (Roberto SOUTHEY, *Historia do Brazil*, trad. de Luiz Joaquim de Oliveira e Castro, notas de J. C. Fernandes Pinheiro, Rio de Janeiro, Garnier, 1862, t. 1, p. 33). O espírito de "objetividade" de Varnhagen foi certamente contaminado pela postura de Southey, quando escreve: "Presencearam a solemnidade, cheios de espanto (que alguns dos nossos tomaram por devoção), muitos filhos da terra que ali vieram". Note-se o sugestivo *nossos* em oposição aos *filhos da terra*.

(9) Ferdinand Denis percorreu a América do Sul durante cinco anos, demorando-se sobretudo no Brasil. Escreveu abundantemente sobre a cultura brasileira. Seu *Scènes de la nature sous les tropiques*, de 1824, no qual celebrava os poderes da natureza sobre a imaginação dos homens que vivem na exuberância dos países quentes, teve um papel determinante sobre o romantismo que nascia no Brasil.

(10) Porto Alegre cria a palavra *brasiliana* para designar uma produção lírica que fundia, no modelo da balada romântica, temas e termos da natureza e da cultura brasileira. A palavra terá uma grande fortuna; ainda no século XX ela serviu de título para uma importante coleção de estudos diversos sobre a história e a cultura do Brasil, e foi incorporada aos dicionários para definir uma coleção de obras ou um conjunto de estudos sobre o Brasil.

É forçoso assinalar também aqui o visconde de Porto Seguro, Francisco Adolfo de Varnhagen, cujo papel como historiador do Brasil é essencial, tanto pela interpretação quanto pela descoberta e publicação de documentos, mas ainda como historiador da literatura brasileira e, mais, como dramaturgo, poeta e ficcionista, recriando, por meio da arte, o passado histórico que construía em suas obras de historiador. Antonio Candido enumera: "Varnhagen reúne o *Caramuru* e o *Uraguai* em 1845, nos *Épicos Brasileiros*, descobre Frei Vicente do Salvador, redescobre praticamente a *Prosopopéia*, de Bento Teixeira, publica o *Diálogo das Grandezas* e o *Roteiro*, de Gabriel Soares, sem contar que seu *Florilégio* é a mais rica antologia do tempo [...]". Suas obras de inspiração histórica incluem um drama intitulado *Amador Bueno*, de 1847, e *O Descobrimento do Brasil*, de 1840, que Antonio Candido define como "crônica romanceada". Ver Antonio CANDIDO, *Formação da literatura brasileira*, São Paulo, Martins, 1959, pp. 349 e 388.

(11) Eis o que diz Porto Alegre na carta de 4/2/1859: "Não se esqueça de pôr algumas embaíbas (sic), que são formosas e enfeitam o bosque pelo caráter especial de suas folhas [...] Lembre-se bem das nossas árvores e troncos retos, carregados de plantas diversas, altas e com coqueiros ou palmitos pelo meio, pois estes crescem à sombra dos grandes madeiros. Pouco, mas característico, mas genuinamente brasileiro". E ainda, em 11/3/1859: "Na minha última carta lhe recomendei muito a leitura da carta de Pero Vaz de Caminha, que veio com Cabral na ocasião da descoberta. Ela o inspirará". Cit. por Donato MELLO JR., "Temas históricos", em *Victor Meirelles de Lima*, Rio de Janeiro, Pinakotheke, 1982.

(12) Cit. por Donato MELLO JR., "Temas históricos", p. 60.

(13) Ver catálogo da exposição "Académie de France à Rome", École Nationale Supérieure des Beaux-Arts, Paris, 1980, p. 110 e, sobretudo, *Les artistes contemporains — musiciens, peintres et sculpteurs*, Paris, Maison de la Bonne Presse, 1895, première série, pp. 14-6. A associação entre as missas de Meirelles e de Vernet encontra-se em GONZAGA-DUQUE, *A arte brasileira*, São Paulo, Mercado das Letras, 1995, p. 173 (1ª ed. 1888).

(14) Acrescente-se, nesta esplêndida e embaralhada mistura de fontes, que se Gonçalves Dias concebe suas baladas através do modelo germânico, inspira-se em Montaigne — e não nos cronistas — para a cena central de seu poema mais célebre, o admirável *I-Juca-Pirama*, que narra uma cerimônia antropofágica. Ou seja, para criar o mais brasileiro dos poemas românticos, Gonçalves Dias vai buscar a forma da balada alemã e a narração de um pensador francês do século XVI que nunca esteve no Brasil. (A análise da relação entre Montaigne e Gonçalves Dias, e de seus vínculos também com a obra de Alencar, encontra-se em CAVALCANTI PROENÇA, *José de Alencar na literatura brasileira*, Rio de Janeiro, Civilização Brasileira, 1966, pp. 46 e ss.)

(15) Meirelles dissolve o pitoresco local, as citações destinadas a oferecer um reconhecimento anedótico dos personagens nesta concepção abstrata e sintética da tela. É isto que faz com que Barros Cabral, professor de pintura histórica na Academia de Belas-Artes

do Rio de Janeiro, escreva, criticando os índios de Meirelles: "Em segundo, a cor dos índios é muito vermelha e em nada se assemelha a raça do Norte, a qual tem uma cor muito mais avermelhada e escura. Em terceiro deve aver so um indio com cocar porque é este o sinal do Chefe da Tribu ou Cacique". O primeiro argumento refere-se ainda a detalhes de cor local: "[...] acho que o altar onde se selebra a Missa deve ser coberto com panos de navio ou barraca para impedir que esteija assim esposto o Calix, pois é costume em campo aberto selebrar-se a missa em uma tenda, cuja frente seja aberta nos espectadores" (cit. por Donato MELLO JR., "Temas históricos", p. 61). Vernet saberia melhor incluir estes saborosos detalhes na obra, multiplicando-os. Meirelles submete tudo à sua concepção unitária, espiritual, muito alta, de pintura.

(16) Ver Hugh HONOUR, "L'Amérique vue par l'Europe", catálogo da exposição do Grand Palais (Paris, 1976-77), Paris, Édition des Musées Nationaux, 1976, pp. 128-9.

(17) O catálogo do *Salon* de 1861 inscreve, à p. 263:

> MEIRELLES DE LIMA, (Victor), né à Sainte-Catherine (Brésil), élève de MM. Léon Cogniet et A. Gastaldi.
> Rue du Cherche-Midi, 109
> 2183 — *Première messe célébrée au Brésil.*
> "Le vendredi 1er mai 1500, le P. Henrique célébra la messe en présence des sauvages, qui semblèrent prêter à la cérémonie l'attention la plus vive et se levèrent tous au moment de l'évangile."

Meirelles é ainda mencionado em *Notices explicatives, historiques, biographiques sur les principaux ouvrages de peinture et de sculpture exposés au Palais des Champs-Élysées*, Année 1861 — Paris, Plon, 1861, p. 54: M. MEIRELLES DE LIMA — *N. 2183 — Première messe célébrée au Brésil.*

> Scène intéressante, dont les principaux personnages sont des Indiens. Leurs traits expriment l'étonnement, l'émotion, que leur cause le spectacle imposant dont ils sont les témoins. L'autel, abrité par des arbres magnifiques, avait été dressé sur une élévation. C'était le 5 mai (*sic*) 1500. Au moment de l'Évangile, tous les indiens se levèrent comme les Européens qui assistaient à la messe.

O título de *Primeira missa celebrada no Brasil* foi algumas vezes contestado porque, antes dela, uma outra foi rezada num ilhéu. Donato MELLO JR., em "Temas históricos", p. 67, esclarece: "*A Primeira missa* por ser a primeira em terra firme na presença dos índios tupiniquins, no dia 1º de maio de 1500, em que Pedro Álvares Cabral, simbolicamente, implantava a fé cristã em plagas americanas e tomava posse da terra para a Coroa portuguesa. Nesta segunda, a cruz fora de madeira e na anterior, a 26 de abril, tinha sido uma cruz de ferro".

(18) GONZAGA-DUQUE, *A arte brasileira*, São Paulo, Mercado das Letras, 1995, p. 173.

(19) Cit. por Cândido PORTINARI, "Projeto cultural artistas do Mercosul", São Paulo, Finambras, 1997, p. 262.

NA BARCA DA CONQUISTA
O Portugal que se fez caravela e nau

Maria Helena da Cruz Coelho

Na noite escreve um seu Cantar de Amigo
O plantador de naus a haver.
E ouve um silêncio múrmuro consigo:
É o rumor dos pinhais que, como um trigo
De Império, ondulam sem que se poder ver.

Arroio, esse cantar, jovem e puro,
Busca o oceano por achar;
E a fala dos pinhais, marulho obscuro,
É o som presente desse mar futuro,
É a voz da terra ansiando pelo mar.

Este é o retrato de D. Dinis e da sua época na poesia esotérica da *Mensagem* pessoana.[1]

E da sexta figura dos castelos avancemos para o timbre, figurado numa das asas do grifo, D. João o Segundo:[2]

Braços cruzados, fita além do mar.
Parece um promontório uma alta serra—
O limite da terra a dominar
O mar que possa haver além da terra.

Seu formidável vulto solitário
Enche de estar presente o mar e o céu.
E parece temer o mundo vário
Que ele abra os braços e lhe rasgue o véu.

Dois tempos, personificados em dois homens, esboçados com argúcia fina e profunda, na aguarela poemática de Pessoa. Um código poético, ancorado num real histórico.

Com D. Dinis o fim e um princípio de um velho e novo tempo.

Primeiro erguera-se a espada. Contra o muçulmano. E o reino de Portugal fizera-se. A espada estava agora embainhada e o rectângulo delimitava-se na finisterra peninsular.

O sexto rei dos castelos fecha o ciclo da expansão terrestre e prepara o ciclo da abertura marítima. Herda de seu pai um reino reconquistado que se estende até o Algarve. Com fina percepção política, que teve ensejo de se manifestar em pleno, num governo longo de mais de quatro décadas, e de se impor peninsularmente numa conjuntura de hegemonia portuguesa face ao momento difícil de menoridades de príncipes e pretendentes aos tronos peninsulares, D. Dinis prepara o reino para novos rumos. Delimita-o, identifica-o, "nacionaliza-o".

Recebe um reino definido espacialmente em três lados do quadrilátero. Consegue D. Dinis precisar-lhe os contornos na última fronteira, a oriental. Envolvendo-se nas questões de Castela veio-se a apoderar de Riba Côa e, em 1297, pelo tratado de Alcañices, acordado com Filipe IV de Castela — tratado de que este ano se comemoram, justamente, setecentos anos —, toda esta região fica pertença de Portugal, bem como se delimita, com rigor, a fronteira alentejana em torno do Guadiana. Territorialmente fixam-se, aqui, as delimitações de um dos Estados mais antigos da Europa.

Todo o esforço régio se concentra, pois, na sua plena identificação. Intensifica as medidas povoadoras do seu antecessor. Coloca a fronteira transmontana, alentejana e algarvia à guarda de homens livres, organizados em concelhos. Dinamiza a formação de novos núcleos urbanos. Reforça-lhes os seus centros defensivos, construindo ou reconstruindo castelos, torres e muralhas. Cria na fronteira alentejana vilas de planta regular, à semelhança das *bastides* francesas, fruto da sua vontade planificadora.

Procura identificar os homens com o espaço em que vivem. Em consentâneo, dinamiza o aproveitamento de todas as potencialidades desse mesmo espaço. A exploração dos reguengos é fomentada com inúmeros contratos agrários individuais ou mesmo colectivos. Na terra crescem os cereais, a vinha e a oliveira, ou apascenta-se o gado e aproveita-se a floresta, de acordo com as aptidões agro-pecuárias dos lugares. Na costa incrementa-se a pesca e a salinicultura. A produção excede as necessidades de consumo. Do Minho ao Algarve os portos marítimos animam-se na circulação de cabotagem ou no comércio externo.

Os barcos portugueses navegam pelo Atlântico e chegam à Inglaterra, Normandia e Flandres. Os mercadores portugueses recebem dos reis ingleses Eduardo I e Eduardo II cartas de segurança e privilégios (1294,

1303, 1308) e a protecção de Filipe, o Belo de França (1290, 1309-10). Em contrapartida Portugal é procurado por genoveses, venezianos, flamengos, biscainhos, ingleses, aragoneses e bretões. Lisboa, já capital política, projecta-se como porto de escala internacional. O monarca reforça, então, as suas muralhas e melhora as condições e capacidades da Ribeira e dos demais portos satélites.

As capacidades produtivas internas e a projecção externa garantem-se pela manutenção da paz e da ordem. A guarda da defesa, em terra e por mar. D. Dinis procura reorganizar o exército e exige que os concelhos lhes forneçam certo número de besteiros, homens que passam a constituir um corpo especializado de profissionais da guerra. Mais denodadamente reforça a segurança dos mares, com uma armada mais numerosa em navios e confiada à direcção competente de Manuel Pessanha, um genovês conhecedor da ciência e técnicas náuticas.

Um Portugal assim identificado no plano interno, quer-se plenamente outro face a estranhos. D. Dinis consegue fazer reverter a seu favor a extinção da Ordem dos Templários. Obtém do papa o assentimento para com os bens daqueles em Portugal criar a Ordem de Cristo, em 1319. Nasce uma nova ordem portuguesa, financiadora dos futuros empreendimentos expansionistas, da qual D. Henrique será, mais tarde, Administrador Geral. Paralelamente liberta a Ordem de Santiago da sujeição a Castela, pela escolha de um mestre provincial, oriundo de Portugal, para a dirigir. E até mesmo ao celebrar a concordata com o clero, se lhe confirma os privilégios e imunidades, também exige que os problemas eclesiásticos se resolvam, doravante, no país e não fora dele.

É ainda no país que quer dar formação aos letrados que cada vez mais sustentam o aparelho burocrático do Estado. Apoia, assim, a criação de um Estudo Geral em Lisboa, sancionado pelo papa em 1290. Impõe o português como língua oficial da chancelaria régia. Apoia e cultiva ele próprio a poesia trovadoresca e dinamiza uma cultura de corte. Quando "na noite escura escreve um Cantar de Amigo", escreve-o em Portugal e em português. É poeta e rei-lavrador, governando um reino uno e único no contexto peninsular. Um reino outro que ganhou a sua alteridade geoestratégica na configuração última das suas fronteiras, a sua alteridade social na plena identificação dos homens com o seu território, a sua alteridade cultural no reconhecimento de uma língua, um Estudo e uma cultura próprios.

D. Dinis, e Portugal com ele, é chamado a intervir na política dos reinos peninsulares. Apoia com homens e dinheiro o reino de Castela; recebe embaixadas e ratifica acordos do reino de Aragão. Escolhe uma infanta de Aragão, que faz rainha. Rainha que em Portugal se fez santa.[3]

O reino está cumprido. O sonho será "de um trigo de Império". Alguns ouviriam já "a voz da terra ansiando pelo mar". Ouvi-la-iam os pescadores da costa portuguesa, os mercadores que cada vez mais avultavam no Atlântico, os homens que se dedicavam à pirataria e ao corso, visando a perseguição dos navios muçulmanos, enfim, alguns chefes e marinheiros da própria armada régia que, num empreendimento luso-genovês teriam alcançado as Canárias, no reinado de Afonso IV.

Não era, porém, ainda tempo de ir mais além. Não antes de sedimentar, internamente, uma sociedade e uma economia que se vão ressentir da conjuntura adversa de meados de Trezentos. Abrira a centúria com maus anos agrícolas em 1314-19, agudizados em 1331 e 1333. A sequência de deficientes colheitas arrastava consigo a fome e a morte. Tudo se poderia ter recomposto se a Peste Negra não houvesse visitado Portugal em 1348, deixando atrás de si um rasto de dor e mortandade, na ceifa de um terço do milhão ou 1,5 milhão de almas que teria o reino. A debilidade populacional instala-se, porque as epidemias repetem-se, com maior ou menor amplitude, ao longo do século XIV e no seguinte, acompanhadas ainda de maus anos agrícolas que negavam o pão às bocas. Nas décadas finais de Trezentos nem a guerra faltou para adensar os efeitos nefastos desta fatídica Idade de Ferro.

Muita terra fica improdutiva, sem braços para a cultivar. Escasseia o cereal, que a difícil custo se importa de uma Europa também ela a braços com a crise. Investe-se, mais oportuna e rentavelmente em culturas de mercado, como a vinha e a oliveira, ou em culturas especializadas, como o cânhamo. Ainda mais pragmaticamente reserva-se a terra sem frutos para a pastagem dos animais, desenvolvendo-se a criação de gado, em detrimento da agricultura. A vida no campo torna-se pouco rentável e atractiva. Os homens buscam então a sua sorte nas cidades. Mas estas não estavam preparadas para uma inesperada concentração populacional. Dentro delas, os recém-chegados, sem dinheiro ou haveres, têm dificuldade em integrar-se no mundo do trabalho. Não dispõem da capacidade económica para abrir uma tenda ou uma oficina. Não conhecem os segredos dos mesteres. Resta-lhes, para a grande maioria, apenas a possibilidade de retornarem ao trabalho da terra, agora nos arredores da cidade, ou desempenharem os serviços mais pesados e desqualificados das oficinas ou da própria cidade. Oferecem-se, pois, como assalariados para os mais variados trabalhos ou carências dos citadinos. Uns quantos não lograrão mesmo integrar-se socialmente e engrossam o número dos marginais e vagabundos.

Certo é que alguns vizinhos das cidades, com o afluxo de gente, tiveram ensejo de progredir economicamente. Assim, os pequenos comerciantes fixos ou ambulantes dispunham de mais bocas para alimentar. Assim os mesteirais, que conseguiam ter mais saída para os seus produtos que vestiam, calçavam ou serviam os homens.

E nos centros urbanos ia-se gradualmente criando uma élite que não cessava de se projectar. Eram eles os mercadores-proprietários que transaccionavam mercadorias de vulto, dedicando-se uns quantos, nas maiores cidades do Porto, Lisboa ou costa algarvia, à própria mercancia de importação e exportação e ao fretamento de navios. Exportavam azeite, vinho, figos, passas, esparto, mel, cera, unto, cortiça, grã, sal, pescado, peles e couros com destino a Castela, Aragão, França, Flandres, Ilhas Britânicas, Alemanha, Liga Hanseática, Escandinávia e confins do Báltico ou Mediterrâneo. Conviviam alguns com mercadores estrangeiros frequentadores de Portugal, por entre prazentis, florentinos, ingleses, flamengos e alemães, conhecendo uns quantos os privilégios da nossa feitoria da Flandres. Com liquidez de capital arrendavam a cobrança de direitos régios e eclesiásticos, emprestavam dinheiro a bons juros, dominavam e especulavam com os produtos a lançar no mercado e sempre investiam parte do seu numerário em terras.

Esta burguesia urbana, detentora de poder económico, guindava-se também ao poder político e social dentro das cidades. Como juízes e vereadores assumiam as rédeas do poder municipal. E sempre na órbita da governança, controlavam a sociedade. Ditavam as posturas económicas, impunham os códigos de valores e conduta, governavam as instituições assistenciais, imiscuiam-se na esfera do religioso, como beneméritos fregueses ou beneficentes confrades. Entregavam à Igreja alguns dos seus filhos — fosse um prior ou cónego para uma catedral ou colegiada, fosse uma filha, com o respectivo dote, para o mosteiro de maior nomeada na região — estreitando alianças com a clerezia. Em consentâneo ofereciam a outros herdeiros a ascensão pelo saber. Faziam-nos cursar o Estudo Geral de onde saíam bacharéis e doutores, alcandorando-se então a homens letrados e legistas que sustentavam a burocracia e administração régias, penhores de uma outra influência para a família. Pelo saber e pela religião os herdeiros da burguesia entrelaçavam-se com os herdeiros da nobreza. Pela riqueza e pelo poder a burguesia cruzava-se com a nobreza e as alianças matrimoniais sucediam-se.

Por entre os privilegiados a crise deixou, porém, marcas profundas. A Igreja viu até aumentar o seu património fundiário, graças a muitos legados pios. Sob a ameaça da morte, sobretudo a Morte Negra, os homens investiam os bens terrenos em benesses espirituais de orações, missas, exéquias e sufrágios. Para a Igreja e clérigos, intermediários entre o terreno e o divino, convergia a fortuna imobiliária de proprietários moribundos. Fortuna que já não lhes servindo para o prazer do corpo, poder-lhes-ia, então, alimentar o bem-estar da alma. A Igreja cobrava vastas propriedades. Faltava-lhe, porém, os braços para as cultivar. E terra improdutiva não era rentável, salvo para pastagens, como se disse. Há quebra na produção cerealífera e os preços baixam. Na inversa sobem os salários. Os rendimentos senhoriais diminuem e desvalorizam-se, agravados, ainda, por uma imensa e contínua quebra da moeda. A exigir, então, readaptações no aproveitamento e gestão dos senhorios — novas culturas, outras actividades agro-pecuárias, maior opressão sobre o campesinato em foros e serviços, renovada atenção aos réditos do exercício do poder jurisdicional ou fiscal.

A nobreza, por dádivas à Igreja, fraccionamento dos bens por heranças, entrega de dotes de casamento ou de entrada em religião viu, pelo contrário, o seu património a diminuir. E não diminuía só a terra, mas também as rendas, com menos gente para a amanhar convenientemente. Sem guerras expansionistas que lhe garantissem o acréscimo legítimo dos seus domínios, pela recompensa régia da sua intervenção armada, a nobreza tende a recompor, ilegalmente, as suas carências. Entra por maninhos e baldios dos concelhos, enreda-se em conflitos internos. Os pequenos enveredam pela pilhagem e banditismo e os grandes pelas disputas de senhorios e poder jurisdicional. As sucessivas leis régias que visavam cercear as jurisdições senhoriais são, em grande parte, iludidas ou transgredidas. Os nobres mais desfavorecidos oferecem os seus serviços aos de maior riqueza e poder. A alta nobreza aumenta a sua dependência para com a corte e favores régios. Reforçam-se os laços de clientelismo e vassalidade que entretecem as clivagens sociais mais profundas. Criam-se ou reforçam-se partidos e bandos de fortes casas senhoriais.

O recrudescimento do senhoralismo é um facto na segunda metade do século XIV. Reforçando-se no seguinte. D. Pedro I iniciou as doações com a mais alta jurisdição de "mero e misto império", a condes e infantes. Mas será a política fernandina que servirá, prevalentemente, aos interesses da nobreza. A guerra que D. Fernando moveu a Castela, numa aliança com a Inglaterra, não foi, todavia, um capricho, mas uma imperiosa necessidade. Buscava através dela travar a hegemonia castelhana e aliviar a sua pressão sobre a fronteira terrestre, almejando um domínio da fronteira marítima que lhe desse a imprescindível segurança e capacidade de navegação no Atlântico, em tempos da Guerra dos Cem Anos. Esta acção militar exigia o concurso da nobreza. Em 1369-71 e 1372-73 os exércitos e marinhas portuguesas e castelhanas afrontam-se, como ainda em 1381-82 os anglo-lusos se cruzam, por terra e por mar, com os castelhanos.

D. Fernando teve de atrair partidários e de recompensar fidelidades e serviços. Multiplicam-se as doações à nobreza, algumas delas agraciando os condes de Barcelos, Ourém, Viana e Neiva com a máxima jurisdição. Crescem as terras — tantas vezes retiradas aos termos concelhios — e os poderes senhoriais. Crescem as exorbitâncias dos nobres. Ouvem-se os protestos dos povos em cortes — contra as tomadias de géneros e bens aos camponeses e a exigência de serviços gratuitos; contra a entrada dos seus gados por terras alheias, contra a sua apropriação de terras de outrem; contra a extensão do seu poder jurisdicional a espaços que não alcançavam, como os concelhios; contra a cobrança de novas portagens, passagens e outros direitos de circulação e comércio em terras suas e alheias.

Mais. Não se confina a fidalguia aos réditos da terra, mas quer também auferir dos da mercancia. Tanto pela cobrança de direitos fiscais, como pela decisiva opção pelo comércio. Como que pré-anunciando tempos futuros, surge-nos, em Guimarães, em 1373, uma referência a um cavaleiro-mercador.[4] Numa vila sem cavaleiros vilãos, mas recheada de mercadores e mesteirais, esta alusão parece reportar-se a um nobre que abraçou a mercancia. Como tantos outros o farão, dando os primeiros passos nestes finais de Trezentos, para se afirmarem, inequivocamente, na centúria seguinte. De nada servindo as vozes dos povos que, de pronto, se ergueram nas cortes de Lisboa de 1371 e nas de Leiria de 1372 contra a mercancia e regatia de clérigos e fidalgos. A realeza estava de seu lado. D. Fernando, ao conceder, em 1377, amplos privilégios a quem construisse navios de grande capacidade, com mais de cem tonéis, estava a dar o seu apoio aos grandes mercadores, onde se incluía a própria família real e os privilegiados.[5]

O mar chamava. Marcava um destino. Como resposta a todas as crises. Mas antes tivera ainda Portugal de olhar para dentro de si. Resgatando o reino. Morto D. Fernando, Beatriz, casada com D. João I de Castela, é a sua única herdeira. Governa Leonor Teles, esperando-se o filho varão daquele matrimónio. Impacienta-se D. João de Castela. Teme-se Leonor dos movimentos internos dos grupos sociais que se lhe opunham, sobretudo a burguesia e o povo, bem como ao seu valido, o conde Andeiro. Escolhe o Terceiro Estado um líder para congraçar as vontades — João, o mestre de Avis, ainda um filho de D. Pedro, embora não um infante da amada Inês. Os acontecimentos precipitam-se de 1383 a 1385. O Andeiro é assassinado. Lisboa sofre um cerco castelhano de meses e ocorrem algumas batalhas. Recrutam-se forças militares de norte a sul do país. Buscam-se aliados por entre a nobreza, burguesia e povo. Portugal fractura-se por entre fidelidades a João de Castela ou ao mestre de Avis. Mas o mestre será rei, a 6 de Abril, nas cortes de Coimbra de 1385. Um primeiro Abril em Portugal. Em tempos medievais. Seguido de um Agosto quente e vitorioso na batalha de Aljubarrota.

D. João I vai consolidar a sua realeza por entre guerras e tratados, alianças diplomáticas e uma segura política interna.[6] Em 1393 subscreve uma primeira paz com Castela. Reacende-se a guerra para dar lugar a um novo acordo de paz em 1402, ainda que outro se lhe sucedesse em 1411, para se alcançar o definitivo em 1432. Assina, em 1386, o tratado de Windsor, consolidando a aliança com Inglaterra. No ano seguinte casa com Filipa de Lencastre. Como depois casará o herdeiro com Leonor de Aragão e a sua filha Isabel com Filipe o Bom, duque de Borgonha, diversificando as alianças políticas. D. João assegura para si e seus descendentes — na pessoa dos infantes Duarte, Pedro, Henrique, Isabel, Fernando e João — o reconhecimento e prestígio internacionais. Cavalaria, fama, educação, cultura são as divisas identificadoras da Ínclita Geração.[7]

No país D. João agracia os seus partidários da nobreza e clerezia com doações de bens e direitos, reconhece o apoio do Terceiro Estado e consulta-o no Conselho Régio e quase anualmente em cortes. Ouve as queixas do povo miúdo e responde aos anseios dos mesteirais e assalariados. Tudo isto num primeiro momento, ainda sob o impacto da mudança. Depois, na viragem do século, certa que era já a independência e a solidez da realeza, intenta consolidar as permanências estruturais — manutenção e reforço do senhoralismo, apoio à burguesia mercantil, sujeição dos mesteirais aos mercadores, adscrição da mão-de-obra à terra, favorecendo proprietários rurais e criadores de gado. Sem se negar uma certa mobilidade social nos quadros dirigentes, um rejuvenescimento da nobreza e um crescendo político do poder concelhio, certo é que a hierarquização e coesão social se redesenhavam, por entre domínios verticais, entrosados em clientelismos e vassalidades. Umas quantas solidariedades horizontais de confraternidade, vizinhança, religiosidade e festa mais entreteciam o variegado tecido social. Ainda que tensões e conflitos não estivessem excluídos, uma ambiência de reestruturação da sociedade e reorganização do quotidiano sobrepunha-se.

E nos pinhais ecoou de novo o som do mar. E os homens para ele se voltaram. Esse mar de há muito cruzado nas rotas comerciais, na guerra marítima ou nas actividades de pirataria e corso. Um mar real. Mas não menos um mar pensado, idealizado, desconhecido. Na Bíblia, um mar simultaneamente bom ou perigoso, espaço de dilúvio ou de milagre. Nos geógrafos da Antiguidade ou nos escritores medievais, um mar que rodeava a terra, espaço desconhecido, negro e escuro, inconcebível como vazio, mas porque desconhecido, um mar povoado de ilhas e monstros. Na cartografia, à semelhança do mar interior que é o Mediterrâneo, coberto de ilhas, assim o Atlântico é o mar exterior, povoado também de ilhas, monstros e sereias. Mercadores, marinheiros ou corsários conhecem melhor esse Atlântico que bordeja a Península Ibérica e se estende para norte até à Inglaterra e Países Baixos. Uns conhecem-lhe sobretudo a costa com os seus portos. Outros o mar largo, onde se inscrevem as rotas e se cruzam os pontos nevrálgicos de confluência dos caminhos marítimos. Esta vivência é substancialmente acrescida com os conhecimentos da navegação europeia que chegam a Portugal. E dominados os muçulmanos pelos castelhanos no estreito de Gibraltar, as comunicações entre os dois mares passam para a mão de cristãos. Logo, no século XV, a rota marítima ao longo da Península Ibérica representa quatro quintos do volume total das comunicações entre o Mediterrâneo e o Atlântico Norte.[8]

D. João I apercebe-se de que a consolidação da sua dinastia e a segurança do reino se jogavam não só em terra, mas sobretudo no mar. Em terra procurou contrabalançar o poderio castelhano por entre guerras e acordos de paz que outras ameaças laterais a Castela, como o reino de Aragão e o de Granada, ajudariam a concretizar. No mar apostou numa estratégia mais envolvente de defesa e expansão do reino, como resolução das suas crises internas e externas.[9]

Decide-se então o monarca de Avis por Ceuta. Conquistada em 1415. Ceuta era ainda o seguimento natural na luta contra o infiel, agora atacado no coração do seu próprio território. A expansão marítima era uma imperiosa necessidade geopolítica. Sem ela podia perigar o êxito da dinastia recentemente implantada. E só por meio dela conseguiu Portugal afirmar-se e firmar-se na Península e na Europa em Quatrocentos.

A presença dos portugueses em Marrocos conferia-lhes uma posição geoestratégica de excepcional valor na luta contra a pirataria muçulmana, que muito prejudicava o comércio entre o Mediterrâneo e o Atlântico. Permitia-lhes responder melhor a uma possível ameaça às costas portuguesas do reino mouro de Granada, da mesma forma que viabilizava uma qualquer aliança com Aragão. Assegurava-lhes uma nova e privilegiada área de influência, sustentadora do reino — o Atlântico Sul.

Esta vontade política era apoiada pelas forças sociais do reino. A velha e nova nobrezas queriam terras e feitos militares que lhes garantissem os benefícios régios. O ideal cavaleiresco de cruzada legitimava espiritualmente a guerra santa contra os infiéis e temporalmente os seus proventos. A burguesia visava alargar o espaço dos seus mercados e o alcance das suas transações comerciais. Era a dialéctica da cruzada e mercancia, sempre inter-recorrentes. O povo ansiavá por melhores condições de vida, que sempre no caminho da aventura e na esperança de novas terras e riquezas se configurava. O ouro muçulmano poderia fazer recuperar as debilitadas finanças régias com a cunhagem de boa moeda de ouro; o cereal poderia alimentar as bocas que tinham fome; a costa marroquina poderia ser penhor de boa pescaria e suporte do comércio.[10]

O sonho não se tornou, de imediato, realidade. Mas a dinâmica expansionista estava lançada e prosseguirá em várias direcções. A descoberta e ocupação dos arquipélagos atlânticos foi o objectivo imediato, estando a colonizar-se as ilhas da Madeira e Porto Santo logo em 1425 e os Açores, depois de descobertos em 1427, ao longo dos anos de 1431-32. E assim, no governo do rei de Boa Memória ficam desenhados dois dos caminhos da acção expansionista portuguesa — a conquista e fixação da costa marroquina; a colonização e aproveitamento das ilhas atlânticas.

Em tempos do seu sucessor, D. Duarte, abre-se a nova via de exploração da costa africana. As viagens sucedem-se com êxito: Gil Eanes dobra o cabo Bojador em 1434, chegando-se em 1436 ao rio do Ouro e Pedra da Galé. Mas já o objectivo magrebino sofre um duro revés com o desastre de Tânger, em 1437. Ceuta é mantida a pesados custos de homens e dinheiro, que certa facção política, onde se inclui o infante D. Pedro, critica veementemente. Por isso nos cerca de dez anos da regência pedrista — de 1435 a 1448 — as linhas directivas da sua política ultramarina são a valorização das ilhas e as expedições à costa africana, entregues à liderança do seu irmão, o infante D. Henrique. Incentiva-se o povoamento do arquipélago açoreano, o qual se fará, porém, em ritmo lento, com colonos reinóis de depois flamengos,[11] afirmando-se, já, todavia, o tráfego dos produtos madeirenses. Da Madeira chega o trigo, o vinho e depois o açúcar, dos Açores virá ainda o trigo e as plantas tintureiras, para, mais adiante, se aproveitarem os recursos naturais dos arquipélagos, desde as madeiras até à pesca. Nas muitas viagens à costa africana, organizadas pela Coroa ou por particulares, chega-se até ao cabo Branco, Arguim, Cabo Verde e Guiné. De pronto se estabelecem relações comerciais e os proventos africanos, por entre escravos, ouro e marfim, começam a chegar a Portugal.

Avançava-se no mar em tempos de grande perturbação interna no reino. Sob a ameaça dos infantes de Aragão, D. Pedro teve de submeter Portugal a um contínuo recrutamento militar e a uma pesada carga fiscal. Viu-se obrigado a comprar fidelidade e apoios, favorecendo largamente a nobreza. Mormente a casa de Bragança. Contrariando a sua ideologia, teve necessidade de sobrecarregar o povo com tributos e guerras e de manter o seu poder graças a oficiais que tutelavam os concelhos e a clientelas bem recompensadas. Este senhorialismo que alimentou, feriou-o de morte, em 1449, no campo de Alfarrobeira.

A bandeira incontestada da nobreza será, a partir de então, D. Afonso V. Os senhores imprimem as marcas da política régia. Internamente fortalece-se o poderio das casas nobres e o poder da Coroa atenua-se. Externamente vai-se retomar a conquista sistemática de Marrocos, Alcácer, Ceguer cais em 1458, como, mais tarde, em 1471, Arzila, Tânger e Larache. Atente-se que a política marroquina, querida pela fidalguia, como penhor de terras e cargos, servia também à política africana. O trigo aqui cultivado alimentava a metrópole, mas também, juntamente com os tecidos aí fabricados, servia de troca ao ouro e escravos da Guiné. Estes, por sua vez, eram a mão-de-obra escrava imprescindível para fazer mover os engenhos de açúcar que começavam a proliferar nas ilhas.

Até à morte do infante D. Henrique a costa vai-se desvendando, ficando-se os navegadores portugueses por altura da serra Leoa, enquanto se avistavam algumas ilhas do arquipélago de Cabo Verde. As adversidades de clima e terreno dificultaram o povoamento destas ilhas, que se inicia com degradados, se bem que a sua mais vital importância se consubstanciasse no apoio às rotas africanas e depois às naus do Oriente e Brasil.

Para administrar as riquezas africanas funda-se em Lagos, em 1455, a feitoria dos tratos de Arguim, depois transferida para Lisboa, em 1463, acabando por mais tarde dar lugar à casa da Guiné e da Mina. Por morte do infante, a empresa africana deixa, por alguns anos, de ser controlada pela Coroa. Em 1469 Fernão Gomes arrenda por cinco anos o comércio para além do Bojador, por 200 mil reais anuais, obrigando-se, todavia, a descobrir cem léguas de costa. Os lucros deviam ser muito superiores à renda paga e os povos criticam esta actuação régia nas cortes de Coimbra-Évora de 1472-73.

Logo em 1474 o controle das descobertas retorna à Coroa, concedendo D. Afonso v, vitaliciamente, o exclusivo dos tratos africanos ao príncipe herdeiro D. João. A empresa estava em mãos firmes e nada a deterá, malgrado as vicissitudes das guerras em que D. Afonso v se envolveu com Castela, frustado que fora o auxílio da França. O Príncipe Perfeito soube desde logo harmonizar os proventos marroquinos em trigo e panos com os da Guiné, investindo-os no resgate do ouro, escravos, malagueta e pimenta-de-rabo.

Ascendendo ao trono em 1481 vai ainda mais longe. E para que nada obstruísse o seu ideário e praxis centralizadoras, atinge de morte o poder senhorial e corta algumas das suas mais influentes cabeças, como as dos duques de Bragança e Viseu.

Através da construção da fortaleza de S. Jorge da Mina controla todo o comércio e navegação nos mares a sul do equador, rechaçando as tentativas de concorrência de estrangeiros, e impondo um *mare clausum* português. Povoam-se as ilhas de S. Tomé e Príncipe com colonos do reino, negros, escravos ou forros, degradados e crianças judias, vindo o arquipélago a ser, em Quinhentos, um grande centro açucareiro e sempre uma plataforma de apoio à navegação. Prosseguem as descobertas, chegando Diogo Cão ao Zaire em 1482 e atingindo-se em 1486 o cabo Negro e serra Parda, assinalando-se aí a presença portuguesa com padrões e inscrições.

Visa mais longe, e ultrapassando os objectivos africanos, busca o longínquo Oriente, por terra e por mar. Afonso de Paiva e Pero da Covilhã partem de Lisboa, em 1487, na demanda do reino de Preste João e de informações sobre a navegação e comércio no Índico. Por mar, a busca da Índia prossegue por via atlântica. E quanto em 1488 Bartolomeu Dias dobra o cabo das Tormentas, essa esperança torna-se uma certeza, que nem o anúncio da descoberta das Índias por Cristóvão Colombo, em 1492, abala. Por isso, plenamente consciente deste novo sentido do Atlântico Sul, em que impera a latitude e a localização das estrelas, conhecedor da exigência de largo espaço para além da costa para o navegar a Sul, e certo da união dos oceanos no caminho para a Índia, D. João II é firme nas negociações para a divisão dos mares entre Portugal e Castela. Ao assinar, em 1494, o Tratado de Tordesilhas está a revogar o Tratado de Alcáçovas-Toledo de 1479-80, nos seus efeitos e na sua ideologia, ainda perpassada do sentido de horizontalidade mediterrânica do Atlântico. E ao dividir os mares por um meridiano que passava a 370 léguas a ocidente de Cabo Verde, cabendo a Portugal a navegação pelo lado oriental, o monarca estava seguro de estar a reservar para si e para os seus a Índia e talvez até alguma outra terra de um outro continente.[12]

E já, nos versos pessoanos, D. João II, solitário, a contemplar:

O limite da terra a dominar
O mar que possa haver além da terra.

A visão e a glória, essa será do venturoso D. Manuel. Vasco da Gama, partindo de Lisboa em 1497 chega à Índia no ano seguinte. E eis D. Manuel, numa carta ao imperador Maximiliano, de 26 de Junho de 1499, a intitular-se "Senhor da Conquista, Navegação e Comércio da Etiópia, Arábia, Pérsia e Índia".[13] Por sua vez a segunda armada que se dirige à Índia, chefiada por Pedro Álvares Cabral, toca, a 22 de Abril de 1500, a Terra de Vera Cruz.

As carreiras das naus, sucedâneas das viagens aventurosas de descoberta das caravelas, vão transportar chefes, homens e armas que constroem militarmente um Império Oriental, capaz de dar cobertura ao comércio luso no Índico. Comércio que põe fim à hegemonia das Repúblicas Italianas nas trocas entre o Oriente e o Ocidente. E que fará sobrepor o Atlântico ao Mediterrâneo no encontro das civilizações européias e orientais, através do inicial protagonismo português que arrastará, depois, para os mares e para a colonização, os demais países atlânticos. Paralelamente os primeiros produtos brasileiros — pau-brasil e animais exóticos — vão chegando ao continente, por mão de arrendatários do seu tráfego, e vão-se desenhando as primeiras feitorias no Brasil. E assim se unem, nas carreiras das naus portuguesas, quatro continentes.

O mar era português. E para que o fosse concertara-se o querer do monarca com a vontade dos seus súbditos. A direcção fora da Coroa; a acção da gente do reino.

Elevada à realeza, a dinastia de Avis soube impor o seu poder e concretizar um Estado. Os monarcas rodearam-se de letrados e legistas que suportavam o aparelho burocrático. Fosse a nível do desembargo régio, onde a administração, a justiça, as finanças e a chancelaria se definiam com especificidades próprias; fosse a nível do governo local, em que o monarca, por intermédio de corregedores, juízes de fora, almoxarifes e tabeliães impunha o seu poder a todo o território. Uma legislação ordenada, de que são bom exemplo as *Ordenações Afonsinas*, emprestava ao governo um suporte legal, de alcance geral, imprescindível. Obra que teve o seu máximo corolário na sistematizadora acção legislativa manuelina.

Por sua vez a máquina de guerra em que o Estado de Quatrocentos se tornara, conferiu ao monarca um poder acrescido em capacidade recrutadora de homens, aperfeiçoamento do sistema militar e direcção da guerra. Ao mesmo tempo exigiu uma outra eficiência na rede de cobrança fiscal, com a imposição das sisas como tributo régio, fazendo avultar, a par do tradicional Estado de justiça, um Estado de finanças.

Neste Estado centralizador, militarizado, burocrático e fiscal, impõe-se então no aparelho do Estado, para além da habitual fidalguia e clerezia, uma nobreza de leis e saber. Esta nobreza togada, fruto de uma capilaridade social que atravessava tanto a nobreza de sangue como a burguesia, enxameava a corte ou disseminava-se pelas diversas partes do reino. Sustentava a máquina burocrático-estatal no continente, como depois nas ilhas e no Império. Representava, no seu todo, uma outra extensão do poder pela cultura e saber, pelo domínio das leis, da justiça e da escrita. Mas porque detentora de poder, tantas vezes usado em nome e proveito próprios, assim também era abusadora e sujeita a vícios, que Gil Vicente tão bem sabe criticar, fazendo entrar na *Barca do Inferno* [14] um corregedor e um escrivão. Parodiando os conhecimentos de latim do corregedor, mimosea-o com estas palavras:

> *Ó amador de perdiz*
> *quantos feitos que trazeis!*

[...]

A largo modo acquiristis
sanguinis laboratorum
ignorantes peccatorum
ut quid eos non audistis.

Por sua vez os escrivães são rotulados como "mestres das burlas vistas".[15] E a própria Justiça assim se retrata na *Frágua do Amor*:[16]

A Justiça sou chamada
ando muito corcovada,
a vara tenho torcida
e a balança quebrada.

Ao lado do monarca, tradicionalmente, como se sabe, o alto clero e a alta nobreza. Estratos privilegiados que viviam dos rendimentos de suas terras e dos proventos dos cargos que usufruíam. E que terminada a capacidade de acréscimo territorial do reino no continente, mais tiveram que estreitar a sua dependência para com o rei e a corte. O monarca sustentava-os com contias, assentamentos, tenças e moradias. Dava-lhes bens e direitos, à custa de terras e direitos próprios ou concelhios. A uns quantos dava títulos e jurisdições. Se a sua principal função era a guerra — penhor de todos os seus galardões — compreende-se bem que os reis e senhores a fomentassem. Era um meio de canalizar para o exterior tensões internas latentes; era um recurso para obter proventos.

Não era, porém a guerra contra os cristãos, a do proveito. Antes a que se dirigia contra os infiéis, legítima nos ideiais e nas riquezas. Logo a nobreza apoia as campanhas marroquinas, que serviram de tirocínio de guerra para os jovens e recompensa das mais altas famílias no exercício de cargos.

Mas se alguns nobres, como já o referimos, se exercitavam no reino como mercadores, mais o fizeram ao tempo em que a costa africana se ia desbravando. A segurança das armadas, a defesa de certos postos chaves de comércio na costa, exigiam a sua presença. De pronto os homens da guerra se dobraram de homens do comércio, surgindo a figura do cavaleiro-mercador. E quando, no século XVI, se encetou a ciclópica empresa da construção do Império do Oriente, que antes de ser um espaço de comércio e missionação, o foi de guerra, a nobreza conhecia um novo e decisivo papel na empresa ultramarina, ainda que actuando noutros moldes.

Apoiada estava a fidalguia pelo clero, que sabia ser necessário cruzar armas para conquistar novos espaços para a difusão da fé, no controle de almas e corpos. Consciente do elevado número de religiosos, no continente, sem grandes proventos e préstimo, assim lhes predestinava um outro futuro o Frade da *Frágua do Amor*.[17]

> *somos mais frades qu'a terra*
> *sem conta na Cristandade,*
> *sem servirmos nunca em guerra.*
> *E haviam mister refundidos,*
> *ao menos tres partes delles,*
> *em leigos, e arneses nelles*
> *e mui bem apercebidos,*
> *então a Mouros co'elles.*

Mas já então, como bem se percebe, o cavaleiro-cruzado de Quatrocentos, o cavaleiro andante, dava lugar ao cavaleiro-estratego, ao capitão, ao conquistador com diferentes recursos e objectivos. Os versos de Garcia de Resende[18] bem o patenteiam ao referir "Que a muita artelharia/ destruy a cavalleria".

O mito do cavaleiro das boas causas e chamado à Glória já só permanece nas páginas da literatura de um Cervantes ou Gil Vicente.

Ao serviço do rei, na corte, no reino ou nas empresas ultramarinas, vivia, pois, uma certa nobreza. Mas a que deste poder centrípeto estava afastada, uma nobreza rural de baixa condição, essa vivia com dificuldades e mal sustentava o seu estado. É a fidalguia satirizada por Gil Vicente, na *Farsa dos Almocreves*,[19] pela boca de um capelão seu serviçal:

> *Sam capellão d'hum fidalgo*
> *que não tem renda nem nada;*
> *quer ter muitos apparatos*
> *e a casa anda esfaimada;*
> *torna ratinhos em pagens,*
> *anda já a cousa damnada.*

As clivagens sociais acentuam-se, ainda que os laços de vassalidade e clientelismo, em parte, as atenuassem. E nesta vassalidade de reis e senhores se vai encontrar a pequena nobreza com os estratos médios do povo.

Aqueles que de entre o Terceiro Estado se dedicam ao comércio de alcance nacional ou internacional são em escasso número. Esses foram dominando, ao longo de Trezentos, o comércio no Atlântico Norte, como vão saber aproveitar-se dos recursos da costa marroquina e, sobretudo, do comércio da costa de África e depois da Índia. Têm capacidade para financiar armadas particulares, para concretizar contratos de arrendamento dos tratos comerciais ou para se colocarem como servidores e intermediários da política armazenadora e redistribuidora da Coroa. Os mercadores nacionais, a par de alguns estrangeiros, afadigam-se em ir buscar às ilhas ou ao exterior os produtos que resgatassem o ouro, os escravos, o marfim, a malagueta e a pimenta-de-rabo das paragens africanas. E depois faziam convergir essas riquezas para as casas que, em Lisboa, a redistribuíam pela Europa. A acção de uns quantos na empresa ultramarina é recompensada regiamente com a nobilitação. Nasce, então, num percurso inverso ao da nobreza, mas num igual sentido de convergência, o mercador-cavaleiro. A osmose horizontal entre certa burguesia e nobreza torna-se ainda mais real e efectiva.

Toda esta movimentação de produtos, e não menos o acréscimo, ainda que paulatino, da população, que se foi fazendo sentir na centúria de Quatrocentos, terá favorecido os pequenos comerciantes ambulantes do reino e os de tendas fixas que abasteciam os centros urbanos. Bem como a empresa expansionista e o alargamento de espaços costeiros favoreceu as gentes do litoral, conhecedoras dos segredos do mar e profissionais da pesca. E é sobremaneira nas cidades e vilas que se começa a colorir a sociedade com negros e mulatos, escravos ou libertos, que se encontravam, não apenas no serviço doméstico, mas também no pequeno comércio, por entre moleiros, padeiras e frigideiras, que por exemplo encontramos no Porto, em inícios de Quinhentos.[20]

Também nos principais centros urbanos se dinamiza o artesanato. Algum imprescindível como sustentador do comércio de exportação, tal como a tanoaria, outro fundamental para servir às necessidades básicas dos citadinos. E para os agentes do comércio interno, como para os mesteirais, o fornecimento das armadas acrescia-lhes a procura, estimulando a circulação e a produção. Os mesteirais crescem economicamente. Mas a riqueza não lhes outorga, como desejavam, o prestígio social e poder. Os mercadores afastam-nos do governo municipal para a seu contento lhes venderem as matérias-primas e melhor lhes controlarem os preços dos artefactos. Só bem tardiamente a Casa dos Vinte e Quatro será uma realidade e os procuradores dos mesteres terão voz nas reuniões camarárias. E são ainda os filhos de alguns destes que os mercadores querem compelir aos ofícios, negando-lhes a ascensão a vassalos, que uns tantos haviam adquirido.

Sustentando toda a pirâmide social estavam os que trabalhavam a terra. Uns poucos, pequenos proprietários, a maioria, amanhando terra alheia. Alguns, dispondo de um arado para a lavrar, outros, de uma simples enxada para a cavar. Os de mais baixos recursos teriam continuado a viver *de* e *para a* terra. São aqueles que na voz que lhes empresta o mestre viventino na *Barca do Purgatório*[21] dizem:

Bofá, Senhor, mal peccado,
sempre he morto que do arado
ha-de viver.
Nós somos vida das gentes
e morte de nossas vidas;

Ou ainda:

o lavrador
não tem tempo nem logar
nem somente d'alimpar
as gotas do seu suor.

Ao camponês cabe fazer produzir a terra, mas o circuito de comercialização dos produtos agrícolas escapa-lhe, controlado que está por grandes e médios comerciantes. E porque não mercantilizado, não corrompido pelo ouro, é nele então que se identifica a mítica Idade de Ouro, que a escrita imortaliza em romances de cavalaria e bucólicas novelas, como as de Sá de Miranda.

Alguns mais jovens ainda procuraram fugir da terra, enveredando pela aprendizagem de um ofício, lançando-se no pequeno comércio, ou, com mais sorte, enfileirando-se entre os pajens da corte. Mas esta ascensão social subvertia as hierarquias e prejudicava os possidentes. As oligarquias queixavam-se em cortes, reclamando a adscrição dos filhos dos lavradores à lavoura e criticando o excessivo número e baixa condição social dos vassalos del-rei. Vai ao seu encontro a voz que na *Farsa dos Almocreves* [22] apregoa:

Cedo não ha de haver villãos;
todos d'ElRei, todos d'ElRei.

Por sua vez aqueles que de entre os camponeses, artesãos ou pescadores rumaram na aventura da empresa ultramarina, visavam, como todos os demais, a riqueza fácil da pilhagem e a miragem da ostentação, não pensando num investimento lucrativo, tal qual o Marido do *Auto da Índia*,[23] que contava:

Fomos ao rio de Meca
pelejamos e roubamos

[...]

se não fora o capitão,

eu trouxera a meu quinhão
hum milhão vos certifico.

Sorte outra poderiam ter tido os excluídos, marginais e degradados que ajudaram a defender a costa marroquina ou a povoar as ilhas atlânticas, a par de tantos colonos que se repartiram pelos diversos arquipélagos como depois pelo Brasil. Mas essa já é uma história por dentro de outros espaços.

A riqueza, vinda do continente africano, como depois da Índia, não serviu para melhorar as condições de vida da maior parte da população. Acentuou, pelo contrário, ainda mais as clivagens estamentais e interestamentais. E como não foi investida no reino, mas sim redistribuída, a partir de Lisboa, pela Europa, serviu apenas, momentaneamente, para restabelecer as finanças do Estado, para que boa moeda de ouro e prata fosse cunhada, para que o prestígio régio se firmasse além-fronteiras. D. João II, o rei do ouro, ostenta a sua riqueza no cerimonial da corte e das cortes, nas bodas e festejos. D. Manuel deslumbra a *Respublica Christiana*, pela riqueza e exotismo, na embaixada que envia ao papa Leão X, em 1514. E projecta-se em memória descobridora, por entre símbolos do mar e da soberania, nesse estilo próprio de que são jóias o gracioso baluarte e padrão da Torre de Belém e o imponente Mosteiro dos Jerónimos.

A riqueza alimentou a corrupção, o consumo e o luxo da corte e estimulou os canis redistribuidores, tornando-os em simples intermediários, dependentes parcialmente e outros países, como Holanda, França e Inglaterra. A riqueza não foi investida na manufactura, nem tão-pouco na melhoria das técnicas e exploração agrícola. Apenas alguns lucros foram aplicados, não na metrópole, mas sim na periferia — primeiro nas ilhas e depois no Brasil. Logo, a reexportação da riqueza não incorporava o trabalho nacional e o não investimento no centro conduziu ao autobloqueio. Quadro que não deixou de se ver ainda mais agravado pela descapitalização interna, ocasionada pela fuga dos cristãos-novos perseguidos pela Inquisição, definitivamente instalada em 1536, que então buscaram e revitalizaram outras paragens, como a nossa feitoria de Antuérpia.

Com D. João III já foi preciso abdicar das praças marroquinas para sustentar o Oriente e encetar a política de colonização brasileira. Para algum tempo depois, mais drasticamente, o reino se submeter a políticas outras de directivas estranhas.

Destinos já adivinhados por Camões e transpostos para a imprecação do Velho do Restelo:[24]

Ó glória de mandar, ó vã cobiça
Desta vaidade, a quem chamamos Fama!

[...]

A que novos desastres determinas
De levar estes Reinos e esta gente?

[...]

Deixas criar às portas o inimigo,
Por ires buscar outro de tão longe,
Por quem se despovoe o Reino antigo,
Se enfraqueça e se vá deitando a longe!

A redenção de toda esta empresa descobridora estaria então na humanidade e justiça social a promover entre os homens. Depois do mito, a utopia. Dominada a cobiça, a ambição e a tirania, Camões aconselha aos vencedores:[25]

Ou dai na paz as leis iguais, constantes,
que aos grandes não dem o dos pequenos,

[...]

Fareis os Reinos grandes e possantes,
E todos tereis mais e nenhum menos.

Se este humanismo é utópico, foi real, sem dúvida, o melhor conhecimento dos homens e do mundo que as descobertas permitiram, abrindo-se as ciências, letras e artes ao sentido universalista, empirista e renovador que atravessou a cultura portuguesa de Quinhentos.

E para terminar retornemos, como no início, aos versos pessoanos:[26]

Cumpriu-se o Mar, e o Império se desfez.

Versos que se fecham no doloroso grito:

Senhor, falta cumprir-se Portugal!

Hoje, em 1998, galgadas que foram várias décadas, alcançadas que foram algumas vitórias, reconhecidos que foram certos direitos básicos dos homens, cremos que, bem realisticamente, poderemos afirmar — Portugal está a cumprir-se. E a cumprirem-se por si mesmos, e com ele, tantos outros pedaços do antigo Império, hoje Estados soberanos. Como este do Brasil. Como os muitos de África. Entrelaçados, hoje, num reviver de utopias outras, numa comunidade de lusofonia.

NOTAS

(1) Fernando PESSOA, *Mensagem*, Lisboa, Clássica, 1985, p. 26.

(2) Idem, ibidem, p. 44.

(3) Assumimos este trabalho como uma síntese de diversas obras, mais gerais ou especializadas, de vários autores. Sobre o governo dionisino vejam-se os mais recentes trabalhos: José MATTOSO (dir.), *História de Portugal*, vol II; J. MATTOSO (coord.), *A monarquia feudal (1096-1480)*, Lisboa, Editorial Estampa, 1993; Joel SERRÃO e A. H. de Oliveira MARQUES (dir.), *Nova história de Portugal*, vol. III; Maria Helena da Cruz COELHO e Armando Luís de Carvalho HOMEM (coord.), *Portugal em definição de fronteiras. Do Condado Portucalense à crise do século XIV*, Lisboa, Editorial Presença, 1996.

(4) Agradecemos esta informação, constante da sua tese de doutoramento, a ser defendida em breve, à mestre Maria da Conceição Falcão Ferreira.

(5) Sobre toda esta ambiência social, além das *Histórias de Portugal* já citadas, vejamse os nossos estudos, "O peso dos privilegiados em Portugal", em *Actas do Congresso Internacional de História "El Tratado de Tordesillas y su época"*, Madrid, 1995, vol. I, pp. 291-314; "O social: do vivido ao representado em cortes", em *Actas dos Segundos Cursos Internacionais de Verão de Cascais*, Cascais, Câmara Municipal de Cascais, 1996, vol. 2, pp. 15-44; "Estado e sociedades urbanas", a publicar nas *Actas do Ciclo de Conferências sobre "a génese do Estado Moderno"*; "Clivagens e equilíbrios da sociedade portuguesa quatrocentista", a publicar na revista *Tempo* da Universidade Federal Fluminense.

(6) No que concerne à evolução do poder régio ao longo dos séculos medievais, leia-se Maria Helena da Cruz COELHO, "O poder na Idade Média: um relacionamento de poderes", em Luis Buno Espinha da SILVEIRA (coord. e prefácio), *Poder central, poder regional, poder local. Uma perspectiva histórica*, Lisboa, Cosmos, 1997, pp. 25-46.

(7) No que respeita à ambiência sociocultural deste período, leia-se o nosso estudo "Portugal na época dos Descobrimentos", sep da *Revista de História das Ideias*, Coimbra, Faculdade de Letras, 1992, vol. 14, pp. 7-21.

(8) Este pensar e conhecer o mar estão muito bem, e condensadamente expostos, no artigo de Luís Adão da FONSECA, "A memória dos Descobrimentos, hoje", Arquivos do Centro Cultural Calouste Gulbenkian, Lisboa-Paris, 1995, vol. 34, pp. 121-9.

(9) A análise da viabilização geopolítica do reino de Portugal, por entre acções e diplomacia, é o objecto de estudo da obra de Jorge Borges de MACEDO, *História diplomática portuguesa. Constantes e linhas de força. Estudo de Geopolítica*, Lisboa, Instituto da Defesa Nacional, 1987.

(10) No que às motivações, ideologia e repercussões dos descobrimentos e expansão ultramarina se refere, torna-se imprescindível a consulta da obra de Vitorino Magalhães GODINHO, *Mito e mercadoria, utopia e prática de navegar. Séculos XIII-XVIII*, Lisboa, Difel, 1990, que condensa muitos dos seus anteriores estudos.

(11) Sobre o povoamento açoreano leia-se Maria Helena da Cruz COELHO, "O Portugal quatrocentista — um reino de onde partiram povoadores para os Açores", *Revista Portuguesa de História*, Coimbra, 1996, t. XXXI, vol. I, pp. 99-130.

(12) Quanto ao Tratado de Tordesilhas, incluindo a publicação do mesmo, leia-se Luís Adão da FONSECA, *O Tratado de Tordesilhas e a diplomacia luso-castelhana no século XV* (leitura paleográfica de Maria Cristina Cunha), Lisboa, Inapa, 1991. Acresce que sobre este tema se realizou o Congresso Internacional de História "El Tratado de Tordesillas y su época", em 1994, de que saíram três volumes de *Actas*, em 1995. Também sobre o assunto apresentamos, na Fundação Joaquim Nabuco, num ciclo de conferências e mesas-redondas sobre o Tratado de Tordesilhas, realizado em Outubro de 1994, a conferência "A delimitação de Portugal em tratados — O Tratado de Tordesilhas", agora publicada em Manoel Correia de ANDRADE (org.), *Tordesilhas. Um marco geopolítico*, Recife, Fundação Joaquim Nabuco-Massangana, 1997, pp. 49-76.

(13) A obra mais recente sobre este tema é a de Luís Adão da FONSECA, *Vasco da Gama. O homem, a viagem, a época*, Lisboa, Expo. 98, 1997.

(14) Gil VICENTE, *Obras completas*, prefácio e notas do prof. Marques Braga, Lisboa, Sá da Costa, 1942, vol. II, pp. 70-2.

(15) Idem, ibidem, p. 73.

(16) Idem, ibidem, vol. IV, p. 117.

(17) Idem, ibidem, p. 122.

(18) Evelina VERDELHO, *Livro das obras de Garcia de Resende*, Coimbra, Fundação Calouste Gulbenkian, 1994, p. 561.

(19) Gil VICENTE, *Obras completas*, vol. V, p. 333.

(20) Assim os refere o *Livro 10 das Vereações do Porto*, estudado na dissertação de mestrado de Maria de Fátima Pereira Machado, "O Porto de D. Manuel a D. João III (1518-1530)", Porto, Faculdade de Letras, 1997, pp. 90-1, 94 e 97.

(21) Gil VICENTE, *Obras completas*, vol. II, pp. 93-4.

(22) Idem, ibidem, vol. IV, p. 346.

(23) Idem, ibidem, vol. V, pp. 114-5.

(24) Luís de CAMÕES, *Os Lusíadas*, canto IV, estrofes 95, 97 e 101.

(25) Idem, ibidem, canto IX, estrofe 94.

(26) Fernando PESSOA, *Mensagem*, p. 51, ao terminar o retrato de *O infante*.

A EXPANSÃO PELA ESPADA E PELA CRUZ

João Marinho dos Santos

APRESENTAÇÃO GERAL DOS OBJECTIVOS DA EXPANSÃO

Quase sempre associamos aos Descobrimentos, em particular, e à Expansão Portuguesa, em geral, sentimentos de glória e de honra nacional (logo, motivos de celebração festiva), esquecendo-nos de que na génese do processo há uma situação dramática e de natureza diversa (social, económica, político-militar) que urgia solucionar, quer à escala nacional, quer à escala europeia.

Muito sumariamente, recorde-se que a chamada *Longa Depressão* do século XIV e da primeira metade da centária seguinte (em Portugal os efeitos de recuperação afiguram-se mais tardios) atingiu tanto os produtores como os não-produtores (eclesiásticos, nobres, mercadores), pelo que era imperativo encontrar soluções para os problemas económicos e para os graves conflitos sociais. Entre nós, designadamente, a falta de unanimidade quanto ao diagnóstico da situação (e aos interesses) das élites (logo com reflexos nos órgãos de decisão) manifestar-se-á, como diz Gomes Eanes de Zurara, na formação de "partidos", uns favoráveis à guerra, outros à paz — ou seja, em termos de modos de vida à escala nacional, uns adeptos da persistência do saque, outros do incremento das actividades produtivas e da comercialização do excedente. Mas não se relegue para segundo ou terceiro plano o contencioso político-militar que tínhamos com Castela, o qual, em última instância, se prendia com a independência nacional e provocava, no âmbito da *Respublica Christiana* (sobretudo ao nível diplomático), um autêntico escândalo por ser uma guerra entre cristãos, quando havia um inimigo comum ainda na Península Ibérica.

Situação complexa esta e cheia de inúmeros perigos quanto à estratégia a adotar mas que exigia (principalmente depois do provisório contrato de paz assinado com Castela a 31 de Outubro de 1411) que alguma coisa de decisivo fosse feita. João Afonso, vedor da Fazenda e alto representante da burguesia, viu "com clareza" (como refere Zurara) a forma de satisfazer o interesse nacional (frisemos o carácter global-integrado da sua proposta) ao sugerir a conquista de Ceuta, quando outras hipóteses foram avançadas, entre elas a participação na reconquista do reino mouro de Granada. Explicitemos que nos estamos a apoiar na *Crónica da tomada de Ceuta por el-rei D. João I*, obra redigida entre 1450 e 1465.

Porém, como não poderia deixar de ser, uma questão era a definição e a justeza dos objectivos e outra era a exequibilidade da acção tendo em conta os meios disponíveis. Denunciando suficiente realismo-frieza, até porque a responsabilidade da decisão lhe pertencia, D. João I (com o apoio do seu Conselho) considerará, como dificuldades da empresa de Ceuta, a falta de dinheiro, de equipamento náutico e militar (embarcações, fardamento, artilharia e outras armas) e, principalmente, de gente, para (repare-se bem) não só conquistar e manter a cidade marroquina, como também para defender o país na eventualidade do rei castelhano (aproveitando a oportunidade) o atacar. A este propósito, chamaremos particularmente a atenção para o facto de a falta de "gente de guerra" não ser apenas um problema demográfico ou quantitativo, mas sócio-cultural, ou seja, de disponibilidade para fazer a guerra no exterior da pátria. Como motivar, concretamente, as saídas desses camponeses atreitos à paz e à sua terra?

Tendo em conta a diversidade das mentalidades que se procuravam afirmar no Portugal de começos de Quatrocentos (quando à tradicionalidade mais atávica se vinham juntar aspirações da mais utópica modernidade), o papel da ideologia afigurou-se (e acabou por ser) fundamental. Por outras palavras, urgia reactivar a identidade nacional, de modo a consociar interesses polarizados em valores tão díspares como os da honra e do proveito e, deste modo, com forte *espírito de corpo*, partir para a Expansão Ultramarina.

Partir com dor (com saudade) e em dor (a imagem do Cristo Crucificado não é, por certo, um elemento espúrio do mito de Ourique) para realizar a Expansão, sempre no *fio da navalha* de um processo *holista*-colectivo (entenda-se em colonização, sob a iniciativa da Coroa-Estado) ou de um processo individualista com deslocamentos e finalidades de natureza privada (em emigração). E o que se afirmava como solução, para satisfazer as necessidades de um pequeno reino que teimava em ser independente, acabou por se converter num projecto de sentido *mundial*-imperial, em parte por força da evolução da política internacional (não se perca de vista, designadamente, a queda do Império de Constantinopla, às mãos dos turcos, em 1453), mas também como resultado do excelente comportamento da nação portuguesa. Concretamente, pensamos que, sobretudo com a formação do Estado (Império) da Índia no começo do século XVI, Portugal chegou a balancear-se para a assumpção, ao nível de *Respublica Christiana*, do papel que até àquela data coubera a Constantinopla. Pelo menos é assim que propomos uma leitura da *Crónica do imperador Clarimundo*, de João de Barros. Mas já anteriormente as políticas ultramarinas haviam sido muito marcadas (e portanto definidas) pelos interesses da *Respublica Christiana*.

Elemento imprescindível (no que à Expansão diz respeito) da identidade nacional e da independência do Reino, a guerra acabou por se converter em factor de formação e manutenção de império(s). Exigiu-se-lhe, portanto, que não só funcionasse em concorrência com outros modos de vida (com relevo para o mercantil), como se modernizasse dos pontos de vista técnico e táctico-estratégico. Difícil era o desafio, quer porque faltava o elemento humano, quer porque os custos com a actividade bélica eram elevadíssimos — tanto mais quanto o país não lograva fixar a riqueza com o investimento nos sectores produtivos. Perderá, naturalmente, a Coroa-Estado, em benefício dos particulares que com a guerra ganhavam. Ontem, como hoje, o jogo de interesses era complexo e obscuro.

Mas, enfim, quanto à génese do fenómeno da Expansão Portuguesa, pensamos que, ao nível dos objectivos vitais-estruturais, foi decisiva a satisfação da coesão nacional e da independência face à ameaça de Castela. Estamos, pois, de acordo com esta afirmação de Agostinho da Silva, há poucos anos desaparecido: "O que Portugal fez de maior no mundo não foi nem o descobrimento, nem a conquista, nem a formação de nações ultramarinas: foi ter resistido a Castela". Só que acrescentaríamos ou explicitaríamos: para resistir a Castela, teve que optar pela Expansão Ultramarina. Dificilmente poderia ter encontrado outra forma de crescimento (e de desenvolvimento) e, só crescendo, se poderia opor à anexação ou a iberização plena.

Quanto aos objectivos conjunturais em finais de Trezentos e começos de Quatrocentos, voltamos a lembrar a pressão da *Longa Depressão* e o carácter espúrio da *nova* realeza ou de uma outra dinastia encetada com o mestre de Avis, filho do rei D. Pedro I e da plebeia Teresa Lourenço, já que os infantes D. João e D. Dinis, filhos do mesmo pai e de D. Inês de Castro (a presumível rainha), haviam deixado o país e estavam, portanto, impedidos de comandar e representar a larga facção de portugueses que não queria ser castelhana. Foi, em boa parte, neste quadro de *guerra nacionalista* que se forjou a *guerra universalista* inerente ao fenómeno da Expansão Portuguesa.

A GUERRA COMO PROBLEMA DE GOVERNO

> Depois que a frota [para a tomada de Ceuta] foi assy toda jumta na pomta do Carneiro, El rey sahio em terra, e ajumtou comssigo todos aquelles do comsselho, e assemtousse no chaão e elles todos darredor delle. Ora, disse elle, vos quero rresponder a todo o que me fallastes açerqua de meus feitos. E quamto hé ao que dizees que me torne pera meu rregno, pareçeme que assaz seria de gramde mimgua aver açerqua de seis annos, que amdo em este trabalho fazemdo sobre elle tamtas çircustamçias como sabeis, pollas quaaes o mundo esta com as orelhas abertas pera ouvir a fym da vitoria, e deixallo assy agora pareçeme que nom sera outra cousa semam huu escarnho.[1]

É assim que o cronista Gomes Eanes de Zurara regista não só a presença do rei português na expedição que tomou Ceuta, como garante que essa decisão foi objecto de prolongada avaliação (seis anos) por parte de D. João I e do Conselho da Coroa-Estado. Fazer a guerra ou a paz era, de facto, um direito real, mas que envolvia sempre (ou quase) a audição de personalidades que apoiavam a governação, sobretudo quando existiam, como era o caso, uma ou mais alternativas.

Avancemos alguns anos e de novo, em 1432, se porá a questão de participar da conquista do reino mouro de Granada ou cair sobre outra praça marroquina, voltando-se a pedir aos consultores da Coroa-Estado que se pronunciassem sobre um projecto que viabilizava a participação no comércio do Mediterrâneo (com a conquista de Granada), ou sobre um outro que permitia a constituição de um "senhorio" (encetado com a tomada de Ceuta) sem excluir a actividade mercantil. Sabemos qual foi a opção e, independentemente do projecto de Granada poder ser considerado uma provocação a Castela, o que se afigura importante é o reconhecimento da guerra como um dos modos de vida nacional e sua imprescindibilidade para garantir a nossa identidade com vista à defesa da independência. Por outras palavras, também na perspectiva político-militar a Expansão se converterá em meio e suporte da independência de Portugal. Explicitaremos mais adiante este aspecto do interesse nacional, em começos do século XV, mas queremos desde já adiantar que, na continuidade da *Reconquista Cristã*, o muçulmano ou o *mouro* (atente-se na persistência da designação) será sempre, no ideário português de Quatrocentos e Quinhentos, o inimigo *absoluto*, mau em todas as circunstâncias e, por tal, sem direito à existência. Da parte do *outro* o mesmo se verificará em relação a *nós*, conforme se poderá provar, por exemplo, com o seguinte excerto de *O presente dos defensores da fé* ou *O mimo do campeão da fé* do muçulmano quinhentista Zinadim Benali Benhamede:

> Por isso fiz esta compilação para incitar os crentes [islâmicos] à guerra contra os adoradores da cruz [portugueses], porque fazer-lha é uma obrigação imperativa, por terem invadido o território muçulmano, aprisionado um sem número de crentes, matarem grandissimo número d'elles, converterem muitos ao christianismo...[2]

Ora, é este o ideário da luta *total* e contínua, e motivador da ideologia oficial, que mais suscitará a honra individual e, naturalmente, colectiva ("a honra do Reino"), acabando por concorrer para a unidade e a identidade da nação.

Veremos como as nossas gentes, pelo seu carácter *camponês*, não eram das mais atreitas em fazer a guerra e sobretudo em fazer a guerra fora da sua terra, da sua *pátria*. Logo, a falta de combatentes não poderia ser só equacionada em função do escasso fundo demográfico, mas tendo em conta também o número dos que estariam dispostos a sair. Conclusão: será preciso criar motivos ou atractivos capazes de justificar a saída sob o controlo da Coroa-Estado.

Em meu entender, a necessidade de o itinerário da Expansão Portuguesa ter de coincidir o mais possível com a presença muçulmana documenta a vantagem do funcionamento do mito cruzadístico compensar, ideologicamente, a escassez de combatentes lusos e sua débil apetência pela guerra, já que esta situação tenderá a ser estrutural. De facto, a Expansão Portuguesa irá buscar ao ideário da *Reconquista Cristã* (designadamente ao cruzadismo) muito da sua carga tradicionalista, se se entender que o tradicionalismo é uma reactivação consciente do passado, de um tempo glorioso em que muitos dos valores sociais estão intensamente embebidos de sagrado. Documentemos, por exemplo, com a referência maravilhosa, contida na *Crónica dos sete primeiros reis de Portugal* (iniciada em 1419) e alusiva à formação do mito de Ourique: a Virgem Maria converte-se em protectora dos portugueses e em sua intercessora junto do seu bendito Filho, porque "Ele queria destruir muitos inimigos da Fé".[3] Registe-se, pois, a participação da atitude tradicionalista como factor motivador da Expansão Portuguesa, mas não a valorizemos em excesso, sob pena de deformarmos a realidade.

Efectivamente, o Portugal de 1415 era, obviamente, diferente do da *Reconquista Cristã*, já que novos valores haviam entretanto emergido. A prova disso é que o proveito (concebido não apenas na sua vertente económica, mas também sócio-cultural) rivalizava já com a honra, a ponto dos partidários-defensores do enriquecimento (logo com uma mentalidade economicista) serem não apenas os mercadores ou mesmo os *honrados*, mas também a gente do povo. Para documentar esta dimensão (nacional) do valor da riqueza móvel, recorramos, uma vez mais, à *Crónica da tomada de Ceuta*, apreciando precisamente o juízo que o combatentes comuns farão do pretenso comportamento dos que os comandavam, logo após a conquista da cidade:

> [...] e os outros do povo aviam em sy muy grande despeito polla cobiça, que os outros tinham, e deziam em suas vontades, que todo seu trabalho fora despeso em vão, porque elles aviam de ficar sem parte de tamanha rriqueza, como elles criam que avia em aqquella cidade.[4]

Quem duvida de que uma grande parte dos que foram a Ceuta o fizeram por interesse económico? Ao tomarem tal decisão, evidenciavam, afinal, que a modernidade ia impregnando irremediavelmente a sociedade portuguesa, muito embora fosse difícil (e nem sequer conviesse) estilhaçar a tradicionalidade.

O desejável, sim (e foi esta a decisão, convertida em programa, do Poder Central), era precisamente tentar conciliar valores antigos e modernos (em parte antagónicos), para fortalecer, como se disse, o objectivo da unidade nacional. Antes de documentarmos que não foi fácil essa conciliação ao longo dos séculos XV e XVI (e mesmo depois), assinalemos o contributo também do mito de Ourique especialmente para a consociação da honra e do proveito.

Lê-se, com efeito, na *Crónica dos sete primeiros reis de Portugal*, ao reconstituir-se parte da resposta que D. Afonso Henriques terá dado aos que observavam, em Ourique, que os cristãos eram poucos face ao numeroso grupo de mouros:

> E pois Deos guisou tanto bem como este o qual he que em vençemdo serviremos a Deos e gamçaremos [alcançaremos] honra e riquesas, em este mundo, e esperança, porque o servimos de aver o outro.[5]

Repare-se como a função explicativa e convincente do mito não se circunscreve à certeza da conquista do Céu pelos que morressem em combate, nem à aquisição da honra. Com a guerra contra o infiel os combatentes também podiam alcançar riqueza, porque se tratava de um inimigo rico, e o objectivo militar era destruí-lo física e economicamente, recorde-se.

Poderíamos dilatar as referências práticas e teóricas sobre os conflitos-inadequações que entre a honra e o proveito se gerarão ao longo dos séculos XV e XVI, mas limitá-las-emos a dois ou três exemplos. Quando, em 1501, logo após o atribulado regresso de Pedro Álvares Cabral da Índia, a facção do Conselho de Estado que defendia o comércio (isto é, o proveito) com a Guiné em vez de fazer "conquistas" no Oriente se voltar a pronunciar, logo a outra facção rival recordará o perigo de a honra se esbater como motivação, em benefício do proveito, pondo deste modo em causa a unidade e até a independência nacional. Mas, em contrapartida, só a honra não chegava para motivar os que eram necessários para fazer a colonização, como se vislumbra no teor desta *carta-pregão* de 14 de Junho de 1510:

> Todas as pessoas que quyserem hyr servyr elrey noso senhor a Imdya, na armada que prazendo a Deus ade partyr o anno de quinhentos e onze, pera lla andarem em suas armadas e servirem nas cousas que lhes mandar seu capitam mor, o dito senhor lhe[s] ordena quinhentos reis de soldo por mes, e mais lhe(s) sera dado de commer; e alem dysto praz a sua alteza que em todo tempo que la andarem possam livremente comprar certas mercadorias e fazer companhias comerciais com os cristãos.[6]

Resumindo: o projecto da Índia (como outros projectos expansionistas portugueses) conterá, realmente, o espectro dos valores e das motivações nacionais (com relevo para a necessidade de conciliar a honra e o proveito), consubstanciado na guerra contra o muçulmano-*mouro* aguerrido, inimigo tradicional do cristão português. Será assim no Norte de África, mas também na Guiné islamizada (ainda que um tanto forçadamente), sem esquecer as ricas economias mercantis do Índico, sobretudo quando controlados pelos muçulmanos. Corria-se, porém, também o risco da atitude emigradora (dispersiva) ser contrária à missão colonizadora de Portugal. Daí a divulgação de proclamações ideológicas como esta, conservada numa obra anónima, regida provavelmente em 1577 e intitulada *Primor e honra da vida soldadesca no Estado da Índia*:

> Os mercadores que nas necessidades acodem ao serviço del Rey com empréstimo de dinheiro, ou fazenda, e per qualquer via de si, ou per outrem lhe são proveitosos, são dignos e merecedores de todas as honras, que por tam boas obras merecem; mas os que se fazem inimigos do bem commum, vivendo em terras onde não se aproveitam mais que a si, sem lhes dar nada das necessidades do Estado, nem do credito da nação, inimigos são delle, e della, estes são membros apartados de sua cabeça, e como taes devem ser tratados.[7]

Caberá, portanto, à Coroa-Estado moderno o papel de congregar e mobilizar a nação para a realização de projectos de interesse comunitário, a ponto de "o serviço del rey" se *confundir* com o interesse nacional e como tal ser recompensado. Esta tarefa não foi porém fácil. Assim, a preocupação ideológica de o interesse individual não se sobrepor ao colectivo ou de a riqueza não assumir maior importância que a honra (conforme a tendência para que se caminhava) levou, por um lado, à revivificação, ao longo do século XVI, do imaginário mítico-maravilhoso e, por outro, à produção de "alvitres" recordando a necessidade da guerra. Esta era, de facto, imprescindível para unir os portugueses sob a tutela da Coroa-Estado e, como tal, tornou-se, ao longo da Expansão, num *problema* de Governo, quer quanto ao seu uso, quer quanto à participação e modernização dos meios. Não nos disperssemos, porém, voltemos a focalizar o quadro em que emergiu a Expansão Portuguesa.

A ESTRUTURA DA SOCIEDADE PORTUGUESA NO COMEÇO DO SÉCULO XV

Estruturalmente, a sociedade portuguesa de começos do século XV é de tipo *camponês*, o que significa, no essencial: que é de natureza agrícola a maior parte do que produz, embora a terra não pertença a quem a trabalha; que uma fracção importante do excedente (agrícola e não-agrícola) já se integra no mercado interno e externo; que há um governo central (a Coroa-Estado) suficientemente burocratizado (através de um aparelho de funcionários) a regular, à escala nacional, os interesses dos diferentes grupos sociais e a ver, por tal, o seu poder (ainda que muito pessoalizado no rei) reconhecido em todo o território...

Esta realidade e o modelo que tenta interpretá-la não excluem, obviamente, nem a participação de um reduzido mas poderoso grupo de guerreiros profissionais (os nobres detentores, aliás, de uma considerável percentagem da posse real da terra, o que lhes permite criar a dependência dos que aforam ou arrendam), nem dos que detêm os poderes religioso e ideológico (os eclesiásticos), nem dos que exercem as artes e os ofícios e a mercancia, além de outros (organizados em classes).

Quanto ao peso do grupo dos pescadores e dos mareantes, é óbvio que os frutos do mar e os serviços de transporte marítimo e fluvial concorriam então para o reforço da economia nacional, mas ele não deve ser relevado ao ponto de, inadequadamente, se afirmar que Portugal era um *país de marinheiros*. Se o fosse não se compreenderia muito bem, por exemplo, como esclarece Gomes Eanes de Zurara na *Crónica da tomada de Ceuta por el-rei D. João I*, que o contingente de combatentes de 1415 não suportasse o "enfadamento do mar" e que todo o seu interesse fosse regressar o mais depressa a casa.[8]

Considero estas referência importantes, já que elas suscitam a pergunta como foi possível mobilizar as vontades de tantos que, de acordo com a mentalidade camponesa, eram avessos à guerra. Zurara, atento à caracterização da situação sócio-económico-cultural de um período de viragem da história portuguesa, registou a força deste partido de pacifistas (chamemos-lhes assim). Defendiam eles, nomeadamente, que Portugal tinha abundância de pão, vinhos, pescados, azeite, mel, carne, frutas e legumes (repare-se na natureza do excedente), pelo que convinha ao interesse nacional transaccionar (obviamente em paz) esses produtos com a Europa mercantilizada (inclusive com a vizinha Espanha) e fruir, a pleno, valores sócio-culturais, como os da tranquilidade, da convivência, do lazer... Em suma: viviam de e para o proveito, residindo "toda a força da sua honrra", como dirá o cronista, "na fama de sua despesa". Aplaudiram, pois, a decisão do rei de Portugal de celebrar pazes (ainda que provisórias) com Castela em 1411, como se inquietarão com a aparente adopção de um projecto belicista em 1415.[9]

Mas, havia também, como se disse, uma élite de guerreiros (constituída principalmente por dignatários jovens) que se comprazia na exibição da força física e da valentia, no enriquecimento através do saque e, sobretudo, na obtenção da honra que a guerra (designadamente a guerra contra Castela) proporcionava.

Como se constata, não poderiam ser mais antagónicos os interesses sócio-económicos-culturais que logravam assumir dimensão nacional em começos do século XV, a ponto da situação preocupar e exigir a intervenção da Coroa-Estado. Mais: a juntar a este, perfilavam-se, como se disse, outros problemas, não menos importantes, e que também exigiam solução. Recordemo-los: o escândalo (com repercussões a nível internacional) da dilatação da guerra entre dois reinos peninsulares que integravam a *Respublica Christiana* e a necessidade de Portugal se afirmar como nação independente, sobretudo face às pretensões hegemónicas de Castela, o que aliás motivara a guerra entre portugueses e castelhanos.

Encontrar, portanto, um projecto capaz de abarcar, conciliar e satisfazer todos estes objectivos temos de concordar que não era fácil e é sob esta perspectiva globalizante que, em meu entender, deve ser reconhecida a genialidade da solução de Ceuta, mais manifesta se se considerarem (como então sucedeu) os inconvenientes de outras alternativas.

Repare-se, designadamente, neste inconveniente: pretender conquistar Gibraltar ou Granada era mostrar a Castela "que o seu poder nora era bastante para acabar sua conquista" (leia-se, terminar a *Reconquista Cristã*), o que redundaria em injúria e numa mais que provável renovação da guerra entre cristãos. Ora, a este respeito, o que o rei português mais pretendia fazer crer nas instâncias internacionais era que a sua vontade "sempre foy chegada ao amor de todolos christaaõs". E invocava, a seu favor, este argumento:

> [...] quantas vezes [não] fuy rrequerido del Rey de Graada, offereçendome gemtes pere me ajudarem a destroyr ou deneficar meus comtrairos [os castelhanos], a quall cousa sempre emgeitey, conheçemdo que posto que me trouvesse proveito, que nom era rrezam tomar tall ajuda seendo elles inimiigos da nossa samta ffe.[10]

Logo, sem

> nenhũua intrinsiqua allegria soomente quanto era que pois elles [castelhanos] queriam contra dereito e rrezam apremar as cousas de meus naturaess, e soomente porque meu senhorio nom devia sogeição...[11]

Prossigamos, porém, com a anunciação das vantagens da escolha de Ceuta como projecto de interesse nacional.

Para além de contribuir, indirectamente, para acelerar a *Reconquista Cristã* (tenha-se em conta a unidade do complexo Granadino—Marroquino), o que não deixaria de causar boa impressão ao nível de *Respublica Christiana*, a tomada de Ceuta e a sua manutenção proporcionariam, pelo menos teoricamente, também proveito e honra. Ela era, de facto, uma cidade rica não só devido à força da sua agricultura e do seu artesanato, mas ainda e sobretudo à pujança do *comércio a distância* ao lograr atrair as rotas transaarianas, mediterrânicas e índicas.[12]

Por sua vez, com a conquista de Ceuta e a possibilidade de se distender, por longo tempo (o que não se lograria com a tomada de Granada), o teatro de guerra a outras regiões dos reinos de Fez e Marrocos, os "bons homens" de Portugal não esqueceriam, por certo, o "virtuoso exercício das armas", além de persistir o perigo de Castela romper as pazes e voltar a travar luta com o Reino lusitano.[13]

Como se depreende, pois, a conquista de Ceuta *evitava* a monstruosidade da guerra entre cristãos, viabilizando em seu lugar a actividade bélica que justificava a manutenção e a actuação de uma élite guerreira cristã — a cruzada contra o infiel — e onde, a par da honra e da glória (sobretudo celeste) se poderia obter também proveito. Constituiria, além disso, o primeiro passo para a formação de um "senhorio" português ultramarino que contrabalançaria o crescimento territorial e económico de Castela (reforçado com a futura conquista do reino de Granada) e, em última instância, dissuadiria os castelhanos de, algum dia, anexarem Portugal. Por outras palavras, a independência nacional seria garantida com a Expansão Ultramarina.

Só que este bem pensado e pretensioso projecto não era fácil de concretizar. Entre as principais dificuldades que chegaram a dissuadir os governantes de tomar Ceuta, contou-se a da falta de gente de guerra, conforme dissemos. É que, por um lado, o fundo demográfico nacional era então muito baixo (rondaria o milhão de habitantes) e, por outro, faltava o dinheiro para se poder contratar mercenários estrangeiros. Documentemos, recorrendo uma vez mais a Zurara, o qual reconstitui assim a opinião do monarca:

> E a terceyra cousa acho que he a abastamça da gemte que nom tenho [...]. E eu nom tenho a de fora nem esperamça como a haja primçipallmente pollo falleçimento do dinheiro que semto em meu rregno... E assy que com as minhas gemtes me comvem soomente fazer todo meu feito.[14]

Repare-se: D. João I acabará por reconhecer que só poderia contar com os portugueses para fazer a guerra no exterior e defender o país. Mas dispunha de pouca gente e esta contingência, só por si, apontava para a submissão, em última instância, à hegemonia de Castela. Teria de ser assim?

Não foi isso que sucedeu. Factos recentes, nomeadamente o êxito na batalha de Aljubarrota, contrariavam as posições mais derrotistas, sugerindo, ao invés, que se insistisse na formação de um espírito de corpo forte, alimentado ideologicamente por um mito miraculista, ou seja, por uma forma de memória, a um tempo verdadeira e fantástica, e tendo por objectivo convencer. E foi, de facto, nesta ambiência de necessidade em preservar a independência de Portugal e em fortalecer a vontade da reduzida comunidade nacional que, em pouco tempo, se forjou um mito fundador activo.

Lê-se, com efeito, em o *Livro de arautos* ou *De Ministerio Armorum*, de autor anónimo, como convinha, e datado de 1416, ou seja, um ano depois da tomada de Ceuta:

> No tempo dos sarracenos como na província de Entre-Douro-e-Minho [um subtítulo da obra] se refere, preparou-se o já mencionado conde D. Afonso [Henriques] juntamente com outros barões e nobres dessas províncias para combater nesta província com cinco reis sarracenos; tais barões, nobres e outros cristãos, ao verem que eram em pequeno número e os infiéis em grande, disseram a esse mesmo conde que o queriam a ele como rei e com ele viver ou morrer. Logo de imediato o fizeram rei no acampamento. No dia seguinte, travado combate entre sarracenos e cristãos os cinco reis caíram mortos com o seu exército [...]. E, porque antes daquele combate, tal rei cristão vira numa aparição Nosso Senhor Jesus Cristo com as suas cinco chagas, e pelo auxílio da graça do mesmo Cristo vencera esses cinco reis infiéis...[15]

Repare-se como a circunstância dos cristãos, em Ourique, serem em pequeno número e os infiéis em grande não fora impeditiva dos primeiros alcançarem a vitória. Por quê? Porque ao lutarem não só por uma causa justa, mas querida por Deus (dizia-se), os portugueses mobilizaram em seu auxílio o favor divino. Que causa era essa explicitaremos a seu tempo, devendo nós, por agora, insistir mais na formação do mito, pelo que voltamos à *Crónica dos sete primeiros reis de Portugal*:

> E os Christãos que vinham com ho primcipe D. Afonso [Henriques], forom em grande duvida para fazer tal batalha [a de Ourique]. Bem lhe[s] parecia, que era muyto desigual. E então lhe disserom: Senhor, vos vedes quamta gente he aqui com el Rey Ismar [sarraceno], e esto nom he razom de tão poucos como nos somos, pelejarmos com tantos [...]

Ao que D. Afonso Henriques respondeu:

> E pois nem he menos poderosa a mão de Deos aguora pera nos ajudar contra Rey Ismar, que foy em outro tempo para ajudar o Conde Fernão Gonçalves contra Almançor [...]. E pois Deos guisou tanto bem como este, o qual he que em vemçemdo serviremos a Deos e gamçaremos [alcançaremos] honra e riquezas, em este mundo, e esperança, porque o servimos, de aver o outro. E os que aquy morerem seram certos que loguo yrão ao Parayso.[16]

Registe-se como o essencial do mito se mantém, mas são aduzidos, com a *Crónica*, novos elementos pretensamente factuais, para além de se alargar, consideravelmente, a função explicativa e convincente. A luta contra o mouro não proporcionava só a honra, mas também a riqueza, garantindo além disso a conquista do Céu (no caso de se morrer em combate), porque era "serviço de Deus". Difundida, por certo, do alto dos púlpitos ou por outras vias (recordemos o teatro Vicentino), esta ideologia chegaria facilmente aos estratos populares.

Mas, a base factual e a teia de relações indutivas e convincentes eram mais latas. Designadamente em o *Livro de arautos* registou-se que "[...] o rei D. João [I] e os seus, embora poucos, travaram vários combates e derrotas, por Deus [sublinhe-se], [contra] muitos dos seus inimigos que eram dez vezes mais, a passar".[17] Eis estabelecida a relação entre Ourique e Aljubarrota (como marco simbólico das guerras contra Castela, em finais do século XIV) e, assim, de acordo com a intenção dos manipuladores do mito miraculista, a conclusão só poderia ser esta: em Ourique a vitória do "conde" D. Henrique sobre os sarracenos coincidira com a sua eleição como rei, o que significava ou deveria significar que qualquer tentativa, fosse de quem fosse, para usurpar o trono português constituía um sacrilégio.

Continuando a explicitar: os reis portugueses e, com eles, a nação haviam sido eleitos por Deus para combater contra os inimigos da sua Santa Fé e esta missão (que justificara a fundação de Portugal) deveria ser realizada em espírito comunitário, sob as ordens da Coroa-Estado (atitude colonizadora), em todos os lugares e em todos os tempos até que se verificasse a vitória universal do Reino de Deus. A esta luz, nada nem ninguém se deveria opor e/ou interpor, porque seria vencido, inclusive os castelhanos. Assim, o impossível humano tornava-se possível e dava alento aos que acreditavam, dispondo-os a combater. Releve-se, pois, em termos de eficácia, a importância desta vontade posta ao serviço da guerra cruzadística, ou seja, a sua marca divina, logo invencível. A não ser que a maldade dos homens...

O DISCURSO IDEOLÓGICO TÍPICO E A FUNÇÃO DOS RITOS

Já com a armada em Lagos a caminho de Ceuta, mas quando ainda poucos sabiam o que ela se propunha a fazer, mestre Fr. João Xira será encarregado pelo Conselho do rei de esclarecer os combatentes sobre a natureza do inimigo que iriam defrontar e sobre a justeza dessa luta, procurando, ao mesmo tempo, convencê-los de que não deveriam ter medo. Tratar-se-á portanto, segundo a reconstituição ou a imaginação de Zurara, de arquitectar um discurso lógico facilmente compreensível e convincente, ou seja, que estivesse perfeitamente de acordo com as normas da acção ideológica. Assim, o orador partirá de alguns axiomas ou verdades indiscutíveis, como era a disponibilidade de qualquer homem civilizado morrer, se necessário, pelos valores em que acreditava e tanto mais quanto se tratasse de um cristão e da defesa da sua religião. Depois, invocando a patrística e outras autoridades eclesiásticas, Fr. João Xira assegurará aos combatentes lusos que "[...] Deos todo poderoso sabe, que sse alguu de vos outros morrer, que morre polla verdade da ffe e salvaçom da sua ley, pollo qual elle meesmo lhe dara o çellestrial guallardom...", ou seja, o Céu.[18] Conclusão lógica para qualquer ouvinte: por que ter medo se o fim último do cristão é lograr nesta vida efémera o mérito suficiente que lhe garanta o Céu? Ora, este era-lhe assegurado ao morrer na guerra do Ultramar. Daí a aceitação que terão tido palavras como estas, proferidas por Fr. João Xira e por outros oradores sagrados: "Tyraay todo o pavor e o espanto e estudaae em pellejar esforçadamente comtra os inimigos da samta ffe...".[19]

Mas convinha, também, identificar o mais possível o inimigo e, quanto a esta matéria, o discurso de Xira será peremptório: tratava-se do mesmo infiel que, por traição do conde Julião (senhor de Ceuta e personagem lendária que terá colaborado com os árabes invasores), profanou os lugares santos do Norte de África e da Espanha.[20] Por outras palavras: o inimigo que os portugueses iriam encontrar em Marrocos era o mesmo com que a *Reconquista Cristã* se defrontara na Península Ibérica (e continuava a defrontar em Granada), ninguém duvidando de que se tratara sempre de uma guerra justa, já que os invasores e profanadores haviam sido os mouros.

Como fora possível (seria, por certo, outra curiosidade lógica do ouvinte) que uma tal calamidade (a derrota e sujeição dos cristãos do Norte de África e das Espanhas) tivesse sido consentida por Deus? Resposta dos ideólogos, apoiada na história do *Povo Eleito* de Deus:

> Ca assy como nosso Senhor Deos no tempo do patriarca Abraão soportava aos gemtios immigos de sua ffe soomente pôr correiçom do seu povo, assy mantem agora aquestes [leia-se os "mouros"] amtre nos em vista de nossos olhos, fazendo dano a muitos dos nossos irmaãos, soomente a fim de nos amoestar e castigar...[21]

Aceita a justificação do castigo, logo surgiria na mente do ouvinte *discreto* (perspicaz) a questão de saber como fazer cessar tal castigo. E o discurso ideológico respondia: a "má geração" dos muçulmanos seria exterminada por Deus se os cristãos se arrependessem dos seus pecados, fizessem penitência e confiassem no poder divino. Satisfeitas estas condições, a mais débil força dos cristãos converter-se-ia em furacão devastador dos seus inimigos, como se poderia provar aliás com um facto recente da história de Portugal. Pois não foi Ele que, em Aljubarrota, "ajudou contra os vossos immigos christaãos, que eram muito mayor numero que vos outros", perguntará Xira, "assy vos ajudara comtra estes [os mouros de Ceuta], que sam vossos immigos e de Cristo".[22] Estava feito, em termos ideológicos, o curto-circuito entre Aljubarrota e Ceuta, mas era preciso demonstrar melhor que o aparente impossível se poderia tornar em possível, como sucedera também em Ourique.

Mito e maravilhoso em parte sobrepõem-se, sobretudo no que concerne à participação do imaginário-irreal e à possibilidade de ambos servirem a função ideológica, ou seja, de ajudarem a convencer. Repare-se, no entanto, que o mito, como forma de memória, assenta por norma num fundo de verdade.

Passemos, então, a relevar, *quantum satis*, a componente mítica miraculista de Ourique.

Na *Crónica da tomada de Ceuta*, no capítulo essencialmente narrativo intitulado "Como os letrados tornaram com rresposta a el Rey dizendo que era serviço de Deos de se tomar a çidade de Cepta", poucas referências sugerem o carácter mítico-sagrado da batalha de Ourique. Um dos letrados conselheiros lembra, sim, "[...] a memoria do muy notavell e fiell e cathollico christaão el Rey Dom Affomsso Amrriquez" que, em Ourique, por reverência e amor da Paixão de Nosso Senhor Jesus Cristo, cujos signos foram registados na bandeira portuguesa, expôs a vida nesse combate travado contra cinco reis mouros, prosseguindo depois a *Reconquista Cristã*.[23] Porém, o *Livro dos arautos* regista que, antes daquela contenda, em que os cristãos estavam em pequeno número e os infiéis em grande, tal rei cristão [D. Afonso Henriques] viu numa aparição Nosso Senhor Jesus Cristo com as suas cinco chagas, e pelo auxílio da graça do mesmo Cristo venceu esses cinco reis infiéis.

Registe-se como um facto histórico real (a batalha de Ourique) se mitifica com a introdução, sobretudo, de um elemento *maravilhoso* (neste caso sagrado) — a aparição do Cristo sofredor a D. Afonso Henriques, quando o grupo de guerreiros que o acompanhava, tendo em conta o poderio dos mouros nas vésperas de uma importante batalha, decide aclamá-lo rei. Por outras palavras, Ourique converte-se em mito fundador da nação portuguesa e essa função tem a justificá-la a luta difícil, sangrenta (como a imagem do Cristo crucificado sugere), contra o mouro infiel.

Assim, será à luz deste espírito de missão que a vitória impossível de Aljubarrota se esclarece e que os portugueses terão de ganhar alento para arrostar a difícil conquista de Ceuta e de tudo o mais que se encontrar em poder do principal inimigo dos cristãos.

Foi, portanto, no domínio ideológico que se procurou encontrar solução para uma das principais dificuldades com que D. João I se viu confrontado quando sopesou a possibilidade de tomar Ceuta: "[...] a abastança de gente que não tenho [...]".

O trabalho de acção psicológica com o objectivo de fortalecer a vontade dos combatentes portugueses não se resumia, contudo, ao papel da palavra-discurso, fortalecido com o documento do maravilhoso e do mito, antes se alargava à vivência de certos ritos profanos e sagrados que se prolongavam até à fase do combate, e mesmo depois.

Rapidamente, vamos referir alguns ritos sagrados introduzidos logo na operação da tomada de Ceuta, lembrando, a propósito, que, para Deus se dispor a auxiliar os cristãos no extermínio dos muçulmanos, exigia que eles se arrependessem dos seus pecados, fizessem penitência e confiassem no seu poder. Deste modo, todo o sentido do ritual religioso antes do combate apontará para que o guerreiro se mostre arrependido através do acto de confissão, se apresente purificado pela absolvição e acredite que Deus-Todo-Poderoso está efectivamente a seu lado. Vamos concretizar: já prestes a desembarcarem para o assalto a Ceuta, os combatentes que iam na galé do capelão-mor do infante D. Henrique, Martim Pais, foram convidados, depois de ouvirem um outro discurso de incitamento e de renovação do espírito de corpo, a receber a absolvição geral (com a possibilidade de um ou outro se confessar particularmente), a assistir à mostra do

Corpo de Cristo e a beijar a respectiva custódia. Depois disto, dirá o capelão-mor do infante:

> Agora disse elle, irmãos e amigos, teemdes sobre vos as armas da fortalleza, ora daqui em diante pellejae sem nenhuu temor, ca o nosso Senhor estara aqui em presença de todos ataa fim de vosso trabalho, sem nenhuu temor dos immigos pera vos dar o seu verdadeiro esforço.[24]

Ou seja, como símbolo restava o crucifixo ou mesmo a custódia.

Quem é que, deste modo, não se sentiria mais forte e mais determinado em combater, sabendo que contava com a ajuda real e insuperável de Deus? Isso mesmo estimou Zurara que tivesse acontecido, ao afirmar:

> Todas aquellas pallavras que assy rrazoou Marim Paaez, fezeram gramde fortelleza e acreçemtamento de ffe, em quamtos estavam em aquella gallee, mais porque em todollos outros navios nom see fazia semelhante auto [acto-rito].[25]

Era o resultado da actuação do rito ou a vantagem de tornar actual o mito de Ourique, sem esquecer a aparição de Cristo, ali bem presente (segundo os crentes) na história sagrada.

Deste modo, o agente ideológico da Expansão, por excelência (que não o único, porque comandante que se prezava incitava os seus combatentes), será o missionário com vestes sacras e com a cruz alçada na mão, proferindo palavras de incitamento e distribuindo bênçãos e perdões durante o combate. Por vezes, em situações mais difíceis, a intrepidez do missionário leva-lo-á, mesmo, a montar um cavalo e a tomar a dianteira do exército, tal como sucedeu em 1557, quando o governador da Índia, Francisco Barreto, decidiu combater alguns capitães do Idalcão que ameaçavam Goa. Depois de haver formado o seu exército, dirigiu-se ao colégio de São Paulo e

> [...] levou consigo ao padre João de Mesquita e o padre Pedro d'Almeyda a cavalo; aos primeiros encomtros que lá tiverão com os mouros foy o padre João de Mesquita na dianteira com seu cavalo com hum Crucificio arvorado em huã astea duma mea lança nas mãos e os soldados apos este; afirmo-lhes charissimos que foi tamanho o esforço dos soldados e contentamento dos fidalgos da India que quando depois tornarão não falavão em outra cousa senão no esforço que o padre com suas palavras lhes dava.[26]

Tomando "por voz o nome do nosso Capitão Geral Jesu Christo, Nosso Senhor" por "quem estavam aparelhados a morrer, pelo qual todos os mais estavão confessados e avião recebido o Santissimo Sacramento" — conforme se lê (e repare-se na persistência dos ritos quatrocentistas) numa carta do Pº Francisco Peres — compreende-se que os nossos não mostrassem fraqueza durante o combate. Antes, redobravam as forças físicas e, perante os resultados de uma vitória humanamente surpreendente, logicamente concluíam que fora milagre. Um exemplo: ao terminar o cerco de Malaca, de 1551,

> [...] despois das dez, que a gente se vio livre de hum periguo tamanho, todos, claramente, confessarão ser esta victoria não alcançada por forças humanas, pelo qual o Padre Viguayro, com todos os clériguos, com hum crucifixo diante, correrão os muros [da cidade], dando graças ao Senhor, que havia remido a cidade, a sesta feira.[27]

E daí até se reforçar a ideologia oficial ia um passo, como se poderá documentar com esta citação da obra de frei Amador Arrais de finais do século XVI:

> Em nossas guerras nunca faltarão mostras de Deos as favorecer como suas [...]. Sabemos que alguãs batalhas das que na Índia aos nossos se derão, depois de muitos encontros, e recontros, se vio receberem os Portuguezes os pelouros de ferro no meyo dos corpos, sem o golpe lhes imprimir mais que hua pequena nodoa.[28]

EM JEITO DE CONCLUSÃO

A temática "A expansão portuguesa pela espada e pela cruz", para corresponder à realidade, exige a utilização do método global ou sistémico, com a consideração de um forte imbricamento dos domínios político-militar e religioso, que quanto aos objectivos, quer quanto às estratégias. Ou seja, o Império Português, suportado pela espada, procurava ser de forte matriz religiosa (no caso *cristã*, com a dimensão civilizacional inerente a esta imagem de marca) e a sua debilidade militar (sobretudo em termos de escassez de recursos humanos) tendia a ser compensada pela ideologia cruzadística e miraculista, a que não eram alheios, antes pelo contrário, para além dos valores da honra e da glória (celeste), os do proveito e da fama. Sob esta perspectiva, em particular da afirmação do mercantilismo e do humanismo, é óbvio que a *modernidade* da Expansão Portuguesa completará a sua forte *tradicionalidade*, ou seja, a sua inspiração nos modelos do Império Romano do Ocidente e do Império Romano do Oriente.

NOTAS

(1) Gomes Eanes de ZURARA, *Crónica da tomada de Ceuta por el-rei D. João I*, Lisboa, Academia das Sciências de Lisboa, 1915, pp. 184-5.

(2) Tradução do árabe por David Lopes, sob o título *História dos portugueses no Malabar*, Lisboa, Imprensa Nacional, 1898, p. 5.

(3) Edição crítica de Carlos da Silva Tarouca, S. J., Lisboa, Academia Portuguesa de História, 1952, pp. 12-3.

(4) G. E. ZURARA, *Crónica da tomada de Ceuta por el-rei D. João I*, p. 211.

(5) *Crónica dos sete primeiros reis de Portugal*, p. 41.

(6) *Cartas de Affonso de Albuquerque, seguidas de documentos que as elucidam*, t. III, pp. 3-5.

(7) Por João Rodrigues, 1630, fol. 87.

(8) G. E. ZURARA, *Crónica da tomada de Ceuta por el-rei D. João I*, pp. 171 e 184.

(9) Idem, ibidem, p. 151.

(10) Idem, ibidem, p. 184.

(11) Idem, ibidem, p. 32.

(12) Idem, ibidem, p. 248.

(13) Idem, ibidem, pp. 258 e 260.

(14) Idem, ibidem, p. 39.

(15) Manuscrito latino traduzido por Aires Augusto do Nascimento, Lisboa, 1972, pp. 12-3.

(16) *Crónica dos sete primeiros reis de Portugal*, pp. 39-41.

(17) *Livro de arautos*, pp. 262-3.

(18) G. E. ZURARA, *Crónica da tomada de Ceuta por el-rei D. João I*, pp. 157-8.

(19) Idem, ibidem.

(20) Idem, ibidem, p. 158.

(21) Idem, ibidem, p. 161.

(22) Idem, ibidem, p. 201.

(23) Idem, ibidem, p. 36.

(24) Idem, ibidem, p. 202.

(25) Idem, ibidem.

(26) Carta do Pe Luís Fróis, de 30 de novembro de 1557.

(27) Carta do Pe Francisco Peres, de 24 de novembro de 1551.

(28) *Dialogos*, Coimbra, na off. De Diogo Gomes de Loureyro, 1604, fol. 134-v.

A IDADE MODERNA ENTRE LUZES E SOMBRAS

Humberto Baquero Moreno

Uma questão que tem dividido os historiadores portugueses consiste na determinação do momento exacto ou aproximado em que Portugal entra na Idade Moderna. Este problema encontra-se directamente relacionado com a caracterização dos ingredientes que definem o modernismo face ao medievalismo representativo de um conjunto de manifestações que o determinam. Todo este processo traduz-se em assintonias que nos permitem considerar que existem diversos momentos, que pela sua heterogeneidade não permitem afirmar em termos cronológicos o salto da Idade Média para a Idade Moderna. Verifica-se a existência de diversos patamares cujo ritmo de desenvolvimento é assimétrico e desigual.

O trânsito do medievalismo para a modernidade conhece em Portugal dificuldades e contratempos. Embora arreigado a conceitos de tradição e senhoralismo, o infante D. Pedro, regente de Portugal (1439-48), representa um projecto, de difícil aplicação, que visa o reforço do aparelho do Estado. O seu grande objectivo é a diminuição dos privilégios da nobreza controlando os seus movimentos e cerceando na medida do possível as suas veleidades, no que se reporta a uma maior intervenção nos desígnios políticos do poder. O próprio infante D. Pedro reflecte no seu íntimo as contradições da sociedade portuguesa. Pertenceu a Paulo Merêa a melhor caracterização desta figura controversa, analisando para o efeito a sua obra-prima *Da Virtuosa Benfeitoria*. Escreve a propósito da feitura ideológica desta obra que o duque de Coimbra

> não era evidentemente das tendências mais democráticas, das que formavam a extrema esquerda da política medieval, que nós podiamos esperar um eco na obra do infante, mas dentro da sua situação social, ele pensa como os homens ilustres do seu tempo. Inspiram-no por um lado as doutrinas eruditas da política medieval, por outro as ideias correntes do ambiente feudal.

Como tratadista, isto é, apreciado através da sua obra literária e abstraindo da interpretação (discutível) da sua acção política, ele não é pois um percursor da Renascença, ou, se assim se prefere, e talvez mais rigorosamente, não o é no sentido e na medida em que, dum modo geral, o foi a Idade Média. Com efeito usando uma expressão querida da Gierke, podemos dizer que, por certos aspectos da sua doutrina ele, com toda a escola de que ele é um inteligente representante, mantém dentro do quadro da Idade Média, a ideia do Estado antigo-moderno.[1]

Seu sobrinho e genro D. Afonso V, casado com sua filha D. Isabel, reflecte do mesmo modo as contradições que caracterizam os homens do seu tempo. Politicamente as suas ideias mostram que nos encontramos perante uma mentalidade senhorial, embora diversa da do seu tio. Enquanto aquele desconfia dos nobres, o monarca torna-se fácil presa deles. Culturalmente era um homem avançado em relação ao seu tempo, denotando um pensamento liberal, mesmo em matéria de religião onde imperavam atavismos. O retrato que dele nos traça Ruy de Pina parece corresponder em absoluto à realidade. Escreve o cronista:

> Suas pallavras no que queria dizer eram sempre bem ordenadas, e entoadas com muy gracioso orgam, e per pena, de seu natural escrevia assy bem, como se per longo ensyno e exercicio d'oratoria arteficialmente o aprendera, foy amador de justiça, e de ciencia, e honrrou muyto os que a sabiam. Foy o primeiro rey destes reynos que ajuntou boons livros, e fez livraria em seus paços... Folgou muito d'ouvir musica e de seu natural sem algum artefício teve pera ella bom sentimento.[2]

Os últimos anos do seu governo foram extremamente difíceis na medida em que D. Afonso V alimentou o sonho de unir as coroas de Portugal e de Castela. O projecto passava pelo casamento entre o monarca português e Joana, a Beltraneja, filha de Henrique IV de Castela. Importante era conhecer o grau de adesão da nobreza castelhana, sendo enviado para o efeito Lopo de Albuquerque a inteirar-se da situação.

Entretanto o rei de Portugal, convencido da amizade que lhe dispensava Luís XI, seu homólogo da França, enviou-lhe uma carta a dar-lhe a conhecer a sua disposição de invadir Castela e a solicitar-lhe o apoio no sentido de alcançar de Sisto IV a dispensa papal para o seu casamento. Dúplice, o rei francês revelava-lhe estar interessado no bom resultado do pretendido, mas ao mesmo tempo procedia em sentido inverso em relação ao rei de Aragão, Fernando, o Católico, dando-lhe a entender precisamente o contrário.

Plenamente convencido do bom resultado do seu propósito o monarca português convocou as cortes de Évora, em 1475, tendo solicitado aos concelhos um avultado empréstimo com a finalidade de organizar o exército que interviria militarmente em Castela. Num reino em estado técnico de falência não poderia ser mais desfavorável a reacção dos procuradores concelhios, os quais encaravam o empreendimento com as mais sérias reservas. Determinado, contudo, a prosseguir nos seus intentos o monarca português penetra no território castelhano através da região de Zamora e solicita o auxílio militar de seu filho o príncipe D. João, que mais tarde lhe sucederia no trono de Portugal. O confronto entre os dois exércitos verificou-se na veiga de Toro, em 2 de Março de 1476, tendo o resultado da batalha ficado indeciso. Enquanto a ala comandada pelo filho do rei levou a melhor sobre o seu adversário, D. Afonso V foi derrotado pelos Reis Católicos. Concomitantemente com as operações militares em solo castelhano, os homens às ordens de Isabel, a Católica não se cansavam de fustigar de norte a sul as terras portuguesas. Um total de 28 localidades, das quais 23 no Alentejo, foram alvo de destruição e sucessivos ataques do adversário.[3]

Desmoralizado e convencido da sua incapacidade de levar por diante o seu projecto D. Afonso V resolveu regressar a Portugal. Mantendo algumas ilusões sobre a amizade de Luís XI da França resolveu partir para esse reino em busca de um hipotético auxílio a favor das suas pretensões. Antes de empreender viagem, o rei, por carta de 27 de Agosto de 1476, concedeu plenos poderes a seu filho, o príncipe D. João, o qual ficava autorizado a proceder a doações em benefício da nobreza castelhana que aderisse à causa de D. Afonso V e de D. Joana, a Beltraneja.

A digressão do monarca português pôr terras de França traduziu-se no maior fracasso, devido sobretudo às atitudes comportamentais do rei da França. Desiludido o rei português escreveu a Luís XI, desde Arras, em 23 de Setembro de 1477, manifestando-lhe a sua incapacidade de alcançar o trono castelhano unindo as duas coroas. Cansado de tantos insucessos apenas tinha em pensamento o desejo de abdicar em favor de seu filho, entrando de imediato em estado de religião.[4]

Durante a ausência de D. Afonso V em França, seu filho o príncipe D. João reuniu cortes em Montemor-o-Novo, no mês de Janeiro de 1477. As queixas apresentadas pelos procuradores denunciam o estado calamitoso em que se encontrava o reino. Desde os abusos dos fidalgos, passando pela protecção que se dispensava aos criminosos e às nomeações irregulares que se operavam nos concelhos, tudo era colocado em causa. O príncipe através da sua conduta dava a ideia de querer proceder a modificações profundas no respeitante à administração do reino.

Efectuada a auscultação do estado da nação o príncipe D. João mostrou interesse em ir mais longe. Assim, em 28 de Abril de 1477 reuniu o conselho real no Espinheiro, cerca de Évora, com a finalidade de proceder a uma rigorosa avaliação das finanças em que se encontrava o reino, como do modo se processava a justiça e se cuidava da defesa do território. Uma das preocupações fundamentais do príncipe regente consistia em obter o *placet* de seu pai, ausente em França, para deste modo poder salvar o que fosse possível remediar. A reforma das instituições passou a ser a palavra de ordem cuja discussão se impunha nas cortes de Santarém-Lisboa que vieram a reunir-se em 1477. Durante a reunião o príncipe deu-se conta da oposição concertada entre a nobreza e o alto clero, que se opunham tenazmente a qualquer reforma. A necessidade de constituir comissões paritárias que colocassem os procuradores dos concelhos em pé de igualdade com a nobreza, provocou mal-estar nesta poderosa estrutura da sociedade. Curiosa a este respeito é a expressão usada por alguém ao dirigir-se ao príncipe: "Vossa Alteza olhe quanto receio de vós foi metido em esta gente [os fidalgos] no começo, destes feitos". Ao aperceber-se D. João com toda a clareza que os privilegiados representavam uma força de bloqueio mais se acentuava no seu íntimo a necessidade de assumir o poder e proceder a um conjunto de reformas imperiosas.[5]

Um problema que se colocava ao príncipe regente: a necessidade urgente de reformar as instituições públicas sob pena em contrário do Estado e a nação, por arrastamento, entrarem em colapso. Modernizar o país, ultrapassando os velhos hábitos anquilosantes e regressivos, passou a ser a ideia dominante que para o príncipe era indispensável desencadear.

De facto, era muito grave o estado de Portugal. Enquanto o reino se desintegrava devido à ausência de uma economia e dumas finanças saudáveis, a guerra de fronteiras prosseguia com Castela. O golpe mortal nas frustres pretensões de D. Afonso V ao trono de Castela deu-se quando se realizou um tratado de paz e amizade entre os Reis Católicos e Luís XI, celebrado em Saint-Jean-de-Luz a 9 de Outubro de 1478 e ratificado em 10 de Janeiro do ano seguinte em Santa Maria de Guadalupe.

O príncipe D. João foi aclamado rei de Portugal em 11 de Novembro de 1477 em virtude de seu pai D. Afonso V haver abdicado em seu favor. Mas o reinado de D. João apenas durou quatro dias, pois ao regressar de França, seu pai, em 15 de Novembro de 1477, ao desembarcar no solo pátrio mudou subitamente de ideias e prontificou-se a reaver o trono. Conhecedor D. João da psicologia do progenitor, marcada por uma instabilidade caracterial, acedeu prontamente ao seu desejo. D. Afonso V durante as suas andanças por França gastou ao depauperado tesouro público a impressionante quantia de 38 mil dobras de ouro.

Reunidas as cortes de Lisboa, em Abril de 1478, D. Afonso V conseguiu negociar um empréstimo avultado, que consistiu na votação duma contribuição pública orçada em 60 milhões de reais brancos que se destinavam a custear as despesas de guerra com Castela. Apesar do êxito negocial do monarca, em parte devido ao seu tacto diplomático, ouviram-se queixas contra o modo como D. Afonso v contemplava com benesses os fidalgos, com grave prejuízo dos interesses concelhios conforme o estatuído nos foros e costumes municipais.[6]

Face à evolução dos acontecimentos não restava ao monarca português outra alternativa que não fosse negociar a paz com os Reis Católicos. Esta veio a ser assinada na vila de Alcáçovas em 4 de Setembro de 1479. Devido à recusa de Joana, a Beltraneja em se matrimoniar com o príncipe D. João de Castela, optou por ser religiosa clarissa nos mosteiros dessa ordem sediados em Santarém e Coimbra. Também o monarca português viveu os seus derradeiros anos num permanente estado de depressão e melancolia, mostrando-se retraído e taciturno até o dia da sua morte ocorrida em 28 de Agosto de 1481.[7]

A subida ao poder de D. João II representa um ajuste de contas com a nobreza, que teria necessariamente de produzir os seus efeitos. O chefe da contestação à política régia foi o duque de Bragança D. Fernando. Um dos primeiros actos governativos de o novo rei consistiu em convocar as cortes para Évora durante o mês de Novembro de 1481, as quais devido à peste que entretanto se declarara na cidade tiveram de ser transferidas em Janeiro para Montemor-o-Novo e Viana. As cortes estiveram reunidas pelo período excepcional de seis meses. D. João II não tinha pressa. Para ele era necessário que tudo fosse feito com o máximo rigor. Apesar de apenas ter 26 anos tinha um perfeita noção do sentido de Estado, o que fez dele o Príncipe Perfeito.[8]

Nas mencionadas cortes um dos primeiros actos políticos consistiu em examinar a legitimidade da posse dos bens detidos pelos nobres. Em reforço da sua actuação os procuradores queixavam-se do modo como os donatários das terras exerciam a sua jurisdição, que tantos prejuízos trazia ao povo. Outra das reclamações consistia na entrada dos corregedores nas terras dos fidalgos com a finalidade de coartar os permanentes abusos praticados. Nesta reunião de cortes foram tomadas importantes medidas que respondiam a petições que o povo vinha apresentando desde 1472. Suspendiam-se todos os privilégios e isenções até que se verificasse face ao direito a sua legitimidade. Limitavam-se os privilégios de foro consignados aos rendeiros das sisas e suspendiam-se alguns cargos que resultavam odiosos às populações, como era o caso dos governadores e regedores da justiça ou ainda dos adiantados. Perante um sem-número de reclamações o rei demonstra autoridade e preocupação em salvaguardar os supremos interesses do Estado.[9]

A adesão de D. João II às suas reivindicações fez com que o povo visse nele um aliado. Entretanto a nobreza começa a conspirar apostada na sua queda. Em circunstâncias ainda mal esclarecidas, foram parar às mãos do rei umas cartas que o duque de Bragança guardava num cofre em Vila Viçosa. Através da correspondência em apreço o monarca tomou conhecimento de que o referido fidalgo mantinha relações epistolares com os Reis Católicos, que constituíam uma ameaça para a soberania popular. Submetido a uma cuidadosa vigilância o duque veio a ser detido em Évora em 30 de Maio de 1483.

A acusação constava de 22 quesitos, aos quais o acusado teria de responder. Um tribunal formado por dezanove juízes procedia ao julgamento. A acusação de traição veio a ser proferida ao inculpar-se o duque de atentar contra a soberania ao pretender uma absorção de Portugal na Península Ibérica. Desde a recusa em obedecer ao rei até ao desvendar do segredo da Mina, todos estes foram os motivos que conduziram os magistrados a declarar, por unanimidade, a culpabilidade do réu. Procedeu-se à execução em Évora, em 20 de Junho de 1483, na praça pública.[10]

Um dos irmãos do duque de Bragança, o marquês de Montemor, conseguiu escapar à morte. O outro irmão, o conde de Faro, morreu na prisão, dois anos mais tarde. Apesar de pertencer ao grupo de conspiradores, o rei perdoou ao duque de Viseu, irmão de sua mulher a rainha D. Leonor. Mas como reincidisse no seu comportamento contra o monarca, decidiu este, no dizer de Garcia de Resende, fazer justiça por suas próprias mãos. Assim, tê-lo-ia assassinado em Setúbal em 22 de Agosto de 1484. Diversa foi a sorte dos asseclas do duque de Viseu. Uns fugiram para Espanha, outros morreram degolados e os restantes acabaram seus dias enclausurados em masmorras.[11]

Dando mostras de governar com mão de ferro, passou desde então a exercer o poder absoluto, em todo o seu reinado, que termina em Monchique, em 25 de Outubro de 1495. Embora os historiadores se dividam nas suas opiniões parece ser admissível que tenha morrido envenenado. Em catorze anos de férreo governo apenas reuniu cortes mais duas vezes. As primeiras em Santarém, em Novembro de 1482 e as segundas em Évora, em 1490, iniciadas em Março, com uma duração de dois meses e meio. A finalidade principal das cortes de 1482 consistia na implementação do mecanismo de cobrança de 50 milhões que iriam ser recuperados pelos povos, para satisfação das dívidas contraídas por D. Afonso V e pelo próprio monarca. Já as de 1490, terceiras e últimas do reinado, destinavamse à obtenção de dinheiro para as festas de casamento do príncipe D. Afonso. Os procuradores concelhios acordaram proceder a uma outorga de 100 mil cruzados. Assentou-se nestas derradeiras cortes que se confirmassem os privilégios das cidades, vilas e lugares e que os capítulos outorgados nos parlamentos fossem escrupulosamente cumpridos pelas autoridades judiciais.[12]

No âmbito da política ultramarina, logo que D. João II ascendeu ao poder um dos seus principais objectivos consistiu na construção duma feitoria na Guiné onde pudesse concentrar todo o comércio do ouro. No sentido de concretizar este empreendimento, em fins de 1481, partiu de Portugal uma expedição comandada por Diogo de Azambuja, que procedeu ao levantamento duma fortaleza no ano seguinte. O cronista Garcia de Resende, que exerceu as funções de secretário de D. João II, revela-nos que a acção do monarca se norteou pelo propósito de impedir que os navios castelhanos pudessem frequentar as costas do golfo da Guiné.[13]

Outros dos grandes planos de D. João II consistiu na descoberta do caminho marítimo para a Índia. Malograda a segunda viagem de Diogo Cão no seu intento de dobrar o cabo da Boa Esperança, o rei concebeu em 1487 um plano com duas vertentes: incumbir Bartolomeu Dias de prosseguir a exploração marítima iniciada pelo explorador do rio Zaire — Diogo Cão — e encarregar Pero da Covilha de ir por terra até ao mar Vermelho, de onde seguiria rumo ao Índico para melhor conhecer as relações entre a Índia de as especiarias e a África aurífera, onde se encontrava o reino de Monomotapa. Por sua vez Afonso de Paiva tinha a missão de enviar notícias do reino do Prestes João, que os mapas localizavam na Índia etiópica.

Segundo o cronista João de Barros o rei D. João II preocupou-se com a exploração do sertão africano. O achamento do reino de Manicongo verificou-se em 1485, abrindo-se um campo de relações entre a Coroa Portuguesa e essas gentes africanas, que viriam a traduzir-se na conversão do seu monarca ao cristianismo decorridos seis anos dos primeiros contactos.[14]

Após haver registado a proposta de Cristovão Colombo de atingir a Índia pelo Ocidente, D. João II convenceu-se, ao que parece, quando este navegador passou por Lisboa em 1493, no regresso da primeira viagem, "que esta terra descoberta lhe pertemcia". Para fazer valer os seus direitos o rei de Portugal organizou uma armada sob o comando de Francisco de Almeida, o que de imediato provocou uma queixa de Fernando, o Católico.[15]

São várias as embaixadas trocadas entre Portugal e a Espanha, resultando destes encontros o Tratado de Tordesilhas, assinado em 7 de Junho de 1494. A sua aplicação resultou extremamente difícil quando se estabeleceu o critério das 370 léguas a leste de Cabo Verde. Parece que nenhumas diligências se efectuaram para determinar a linha combinada. Ninguém protestou contra a violação quando Pedro Álvares Cabral encontrou a Terra de Vera Cruz, à qual D. Manuel enviou outras expedições. Não existe ainda a mínima alusão ao tratado na carta que o rei D. Manuel envia aos Reis Católicos para dar-lhes a conhecer o descobrimento marítimo para a Índia. Mais tarde, em 1522, quando surgiram as pretensões dos espanhóis à titularidade das Molucas, Carlos V escreveu uma carta a D. João III no sentido de que fossem cumpridas as regras estabelecidas entre as duas coroas. Para que o tratado fosse aplicado propunha que cada uma das partes enviasse duas caravelas para proceder à demarcação. Solicitava ao papa Adriano VI para que mandasse outra caravela que pudesse arbitrar a contenda. Nada seria feito enquanto não houvesse uma decisão, comprometendo-se o imperador a restituir as terras cuja ocupação fosse indevida.[16]

Uma das questões que mais tem dividido a historiografia portuguesa situa-se à volta da teoria do sigilo, que com tanto ênfase defendeu o historiador Jaime Cortesão. Alguns proeminentes historiadores contemporâneos aduzem provas em que contestam a validade do sigilismo, como é o caso de Luís de Albuquerque, embora devamos observar que na crónica de Garcia de Resende se colham dados que apontam no sentido duma preocupação por parte de D. João II em não divulgar certos feitos ocultando-os dos castelhanos. Apenas uma única vez aparece quebrado o segredo das viagens levadas a efeito pelos portugueses.

Quando em Roma a 11 de Dezembro de 1485, o doutor Vasco Fernandes de Lucena profere perante o papa Inocêncio VIII a sua oração de obediência e anuncia a intenção do rei de Portugal de explorar o golfo Arábico, de cujos povos os navegadores portugueses se encontravam a poucos dias de distância.[17]

A morte trágica de D. Afonso, filho de D. João II, ocorrida em 12 de Julho de 1491, quando o príncipe ficou debaixo do cavalo que montava, o qual caíra, deixou o grande monarca em profundo estado de choque. Conta Garcia Resende que ao retirar-se o rei, dominado pelo desespero, apenas pôde pronunciar a frase: "Ahi vos fica o Principe meu filho". No seu íntimo o monarca desejava que D. Jorge, seu filho natural e de Ana Mendonça, lhe sucedesse no trono. A esse desiderato se opunha a rainha D. Leonor que defendia a todo o transe a candidatura de seu irmão D. Manuel, duque de Beja. Apesar do seu voluntarismo e da sua força inquebrantável D. João II não conseguiu levar a melhor face à obstinação da rainha.[18]

D. Manuel iniciou o seu reinado em 17 de Outubro de 1495. Filho do infante D. Fernando, era neto do rei D. Duarte. Pelo lado materno sua mãe D. Isabel era filha do infante D. João, irmão dos notáveis infantes D. Pedro e D. Henrique. Submisso perante o seu cunhado o rei D. João II, suportou sem o mínimo queixume a morte violenta de seu irmão o duque de Viseu. Antes pelo contrário. Recebeu silenciosamente os títulos e honras que haviam pertencido a esse irmão. Apenas com 26 anos era um jovem tranquilo e obediente. Segundo Damião de Góis era "homem de muito negocio e muito continuo no despacho das coisas que passavam pela sua mão".[19]

D. Manuel herda um poder forte em marcha ascendente e encontra-se na firme disposição de conservá-lo. Exercer a autoridade suprema vai constituir a principal preocupação do novo rei. Logo que subiu ao trono reuniu cortes em Montemor-o-Novo. Significativamente enviou a Castela um emissário com a missão de informar aos foragidos de D. João II que poderiam regressar ao reino. Entre ele figuravam D. Jaime e D. Dinis, filhos do justiçado duque de Bragança. Em todo o seu governo que se prolonga até 13 de Dezembro de 1521, apenas reuniu cortes umas três vezes no início, e todas elas em Lisboa; concretamente, nos anos de 1498, 1499 e 1502. As decisões políticas que assume nas primeiras cortes denunciam com clareza um sentido de centralização da administração pública. Outra das medidas postas em prática consistiu na nomeação duma comissão encarregada de examinar os forais existentes. A reforma apresentada pela comissão nomeada acabou por não ser seguida pelo monarca, mais interessado em actualizar os valores monetários e determinado em impor um modelo único e burocrático à administração local.[20]

No início do seu reinado uma das preocupações de D. Manuel consistiu em restituir à liberdade os judeus castelhanos que D. João II reduzira à escravatura por não terem abandonado o reino no prazo de oito meses. Expulsos por édito dos Reis Católicos de 31 de Março de 1492, apenas dispuseram de quatro meses para sair da Espanha sob pena de morte e confiscação dos bens. Reconhecidos os judeus castelhanos a D. Manuel, conjuntamente com os judeus de Portugal, quiseram doar-lhe uma contribuição extraordinária, o que o monarca recusou.[21] Entretanto D. Manuel negociava o seu casamento com D. Isabel, filha dos Reis Católicos e viúva do infante D. Afonso, filho de D. João II. Uma das exigências impostas pela noiva consistia na expulsão de todos os judeus e mouros forros existentes em Portugal, o que teve como consequência o édito da expulsão dictaminado em princípios de Dezembro de 1496. A saída teria de efectuar-se até 31 de Outubro de 1497.[22]

A decisão de D. Manuel não foi consensual. Antes pelo contrário. Gerou divisão. Alguns conselheiros do rei eram de opinião que com a sua saída do reino a Coroa perderia tributos, além de muitos deles serem talentosos artífices. Um dos opositores foi D. Fernando Coutinho, futuro bispo de Silves, o qual nas suas alegações declarava que no baptismo recebido com violência faltava o essencial do sacramento. Seguiram-se cenas indescritíveis de maus-tratos. Uns 20 mil judeus concentraram-se no porto de Lisboa, roubando-se os filhos dos pais. Arrastados pelos cabelos, a maior parte foi obrigada ao baptismo pela força. Para obrigá-los à conversão D. Manuel concedia-lhes uma moratória de vinte anos, período durante o qual ninguém poderia proceder contra eles, do mesmo modo que ficariam desonerados do uso de distintivos identificativos.[23]

Em 1496 o rei D. Manuel toma a iniciativa da partida para a Índia duma armada. Vasco da Gama é incumbido dessa missão. Filho de Estevão da Gama, anteriormente desempenhara algumas acções na guerra de corso contra os franceses. A frota constituída por três naus e uma embarcação de mantimento deixa Lisboa em 8 de Julho de 1497. Passado o cabo da Boa Esperança a 22 de Novembro tomam a direcção de Quelimane e seguem para a ilha de Moçambique, onde encontram mercadores asiáticos. Vasco da Gama entra em mares onde o comércio era uma prática corrente. Em Melinde entra um natural de Guzerate que irá conduzir os navios portugueses a Calecut, onde chegam em 20 de Maio de 1498.[24]

A chegada dos portugueses suscitou a maior desconfiança, tanto mais que havia um enorme desconhecimento do que se passava na Ásia. A modéstia das oferendas feitas pelo rei de Portugal ao samorim, suscita em sua opinião um sentimento de desagrado. Também chegara ao referido samorim a notícia de que os portugueses haviam utilizado artilharia em Moçambique, Mombaça e Melinde. Sentindo a reacção do samorim, Vasco da Gama desculpa-se dizendo que não tinha a certeza de encontrar o caminho para a Índia, mas que numa próxima viagem não faltariam o ouro, a prata e outras riquezas. A carga que embarcou na frota portuguesa limitou-se apenas a umas pequenas quantidades de pimenta e outras especiarias.[25]

Apesar do relativo insucesso da primeira viagem, D. Manuel não desistiu do propósito de preparar uma nova expedição à Índia. Assim, sob a direcção de Pedro Álvares Cabral organiza-se uma armada de 1500 homens embarcados em dez naus e três caravelas. A segunda viagem de Vasco da Gama, em 1502, destinava-se a pôr em prática relações comerciais e amigáveis com os asiáticos. Integravam a frota vinte navios, dos quais na Índia deveriam ficar cinco a proteger as feitorias de Cananor e Cochim. A 12 de Julho chegou Vasco da Gama a Quiloa, tornando tributário do rei de Portugal o soberano desta terra. Ao aproximar-se da costa da Índia o almirante português lançou o terror por aquelas terras, afundando navios mouros que por ali comerciavam. Ameaçou o rei de Cananor e partiu para Cochim. Ao chegar a Calecut ordenou o bombardeamento da cidade com o propósito de castigar o samorim. Ali foram enforcados 32 mouros, para que os outros perdessem as veleidades. A 7 de Novembro entrou em Cochim, impondo a sua autoridade e desfeiteando a aliança estabelecida entre seu monarca e os reis de Calecut e de Cananor. Regressado a Portugal em Setembro de 1503 entregou ao rei D. Manuel as párias do rei de Quiloa.[26]

A chegada ao Brasil deu-se em 23 de Abril de 1500, quando a esquadra de Pedro Álvares Cabral se dirigia à Índia. Numa primeira fase que vai do ano da descoberta a 1534 estamos perante um sistema de feitorias e de exploração do pau-brasil. Encontramo-nos num período de intensas prospecções na costa, como é o caso de João da Nova em 1501, Américo Vespúcio em 1502 e Gonçalo Coelho em 1503. Particularmente relevante é o papel de Fernão de Noronha com o seu compromisso de enviar três navios ao Brasil para descobrir trezentas léguas da costa, pagar o quinto da madeira cortada e construir fortalezas incumbidas da defesa da colónia. Ao conceder-lhe o monarca o monopólio da exploração dos recursos naturais brasileiros, comprometia-se D. Manuel a suspender a importação das madeiras das Índias Orientais.[27]

O fascínio do Oriente, fortemente motivado pelo comércio das especiarias, condicionou numa primeira fase o interesse pelo Brasil, o qual irá merecer sobretudo a particular atenção da administração de D. João III. Os assinaláveis resultados alcançados pelos portugueses não obstaram ao aparecimento de manifestações de xenofobia e de intolerância, quando não de surtos de violência. Os desacatos contra os cristãos-novos deramse em Lisboa, em 25 de Maio de 1504, quando um grupo de jovens os atacou. Decorridos dois anos, em Abril de 1506, a cidade de Lisboa era assolada pela peste. Na capela de Jesus da Igreja de São Domingos um pequeno receptáculo guardava uma hóstia consagrada. Alguém gritou por milagre ao ver uma luz. Bastou que um converso exprimisse a sua incredulidade para que o matassem e o seu cadáver fosse queimado. Aos gritos de heresia os frades dominicanos açulavam a multidão que sedenta de vingança matou cerca de 2 mil conversos, não tendo escapado alguns cristãos-velhos que haviam assumido a sua defesa.[28]

Uma das reformas executadas por D. Manuel prende-se com a questão da legislação em vigor. Entre as *Ordenações Afonsinas* e o início do século XVI distanciava meio século. A par de inúmeros problemas novos outras tantas leis tinham surgido. Perante a prolixidade reinante D. Manuel encarregou em 1505 a Rui Boto, chanceler-mor da Coroa, coadjuvado por outros dois legistas, Rui de Grã e João Cotrim, de procederem ao exame da revisão das leis afonsinas. Em 1512 sai do prelo o livro I das *Ordenações*, publicando-se no ano seguinte o livro II. Outros regimentos como o dos contadores das comarcas e as ordenações da Fazenda, publicadas em 1514 e 1516, respectivamente, inserem-se na actividade reformadora manuelina. Do mesmo modo a reforma dos forais durou de 1497 a 1520. As *Ordenações Manuelinas* não representam já uma compilação de leis, com raras excepções; todos os títulos são redigidos como leis novas. Estamos, por conseguinte, perante um Código, embora a maior parte das vezes as leis conservem a essência e a linguagem dos diplomas que lhe serviram de fonte.[29]

Por morte de D. Manuel, em 13 de Dezembro de 1521 sucedeu-lhe seu filho D. João III. Estamos perante uma das personalidades mais discutidas e controversas da história. A seu respeito Alexandre Herculano escreve que em vida de D. Manuel era tido por "intelectualmente imbecil" e que devido à sua notória incapacidade nunca aprendera os rudimentos das ciências e da língua latina.[30]

Diferente, contudo, é a ideia que nos apresenta frei Luís de Sousa sobre D. João III. Traça-nos um outro retrato quando escreve que

> para tudo teve o principe bom natural, acompanhando de grande memória, que é ũa das partes que mais se requerem nos que estudam qualquer ciência, que, se assi tevera a aplicação, que lhe tolhiam os passatempos que costumam senhorear a ideia juvenil ou os mestre se atreveram a usar com ele de ũa pouca mais de jurdição, pudera ficar com perfeito conhecimento da latinidade e de outras artes, que el-rei seu pai desejou que soubesse: principalmente as matemáticas.[31]

Numa breve síntese sobre o seu reinado, o saldo apresentado, talvez com excepção do Brasil, apresenta contornos claros-escuros com prevalência para esta última tonalidade. Do ponto de vista militar a situação do império pautava-se por um aumento crescente de dificuldades. Deste modo, a presença portuguesa em Marrocos aparece ameaçada. No reinado de D. Manuel a conquista de Safim (1508) e de Azamor (1513) representou um enorme esforço financeiro e militar. Os insucessos no Oriente, com sucessivos desastres no campo das armas e a constante drenagem financeira, obrigaram D. João III a abandonar em 1542 as praças de Safim e Azamor e no biénio de 1549-50 as fortalezas de Arzila e Alcácer-Ceguer.[32]

Dando seguimento ao governo absoluto encetado por seu avô, D. João III apenas convocou cortes três vezes em todo o seu reinado. As de Torres Novas, em 1525, as de Évora, em 1535,[33] e finalmente as de Almeirim em 1544.[34] Um ordenamento de 1526, no respeitante à instrução dos processos, deu origem a um dispositivo legal que cumpriria aplicar na fase instrutória do julgamento e ainda durante o seu decurso e leitura das sentenças.[35]

O processo do estabelecimento da Inquisição em Portugal, no ano de 1536, que irá apenas terminar com a bula de 16 de Julho de 1547, constitui uma das manifestações mais negativas do governo de D. João III na medida em que representa um instrumento de repressão contra os cristãos-novos e todos aqueles que professavam ideias contrárias à ordem estabelecida. Cria-se um clima de delação e exerce-se uma intensa censura sobre os livros, que se irá traduzir em termos intelectuais num autêntico desastre devido ao policiamento das consciências.[36]

Sensivelmente a partir dos anos 30 o Brasil passou a merecer um maior interesse por parte da Coroa Portuguesa. Paulatinamente vão-se constituindo as primeiras capitanias, em porções de cinquenta léguas medidas da costa, as quais foram doadas a fidalgos, reservando-se os direitos da Coroa. A Martim Afonso de Sousa fizeram-se concessões excepcionais. Assiste-se nesta fase a uma forte complementaridade entre a economia do pau-brasil e a do açúcar. Tendo-se apercebido D. João III da necessidade de imprimir uma unidade política no território brasileiro, revoga em 1549 os poderes concedidos aos capitães-donatários e nomeia Tomé de Souza governador-geral de todas as capitanias, com a incumbência de fundar a cidade do Salvador. A designação desta localidade parece estar ligada ao desenvolvimento do Norte e aos problemas do Sul. Era ainda um importante porto de abrigo da armada contra os corsários e um centro regulador de todo o comércio.[37]

A entrada de Portugal na modernidade não se realiza sem antinomias e contradições. Se o progresso se apresenta com nitidez em alguns casos, a par do reforço do aparelho do Estado, algumas formas comportamentais denunciam atavismos que perduram no povo português. Obscurantismo e primarismo são sintomas preocupantes numa sociedade que pretende ser aberta e plural. Manifestações de sectarismo geram fenómenos de exclusão e marginalidade. O anti-semitismo constitui uma das expressões mentais mais negativas que acabará por criar as condições favoráveis ao surgimento do Tribunal do Santo Ofício, que lançou o anátema sobre os suspeitos de ideias contrarias à ordem vigente. Apesar destas e outras contradições o país abriu-se a novos mundos e gerou uma pluralidade de experiências com peso significativo nas mudanças que se operam no seio da sociedade portuguesa. Com estes contornos, em que nem sempre se observam sintonias, caminha-se para uma transição não isenta de problemas e duma fenomenologia que confere aos Portugueses particularidades que lhe são peculiares.

NOTAS

(1) Manuel Paulo MERÊA, "As teorias político-medievais no tratado Da Virtuosa Benfeitoria, Revista de História", 1919, nº 29, p. 21.

(2) Ruy de PINA, *Chronica del senhor rey D. Affonso V*, Lisboa, Academia de Ciências, 1790, t. I, cap. CCXIII, pp. 607-9.

(3) Humberto Baquero MORENO, "A contenda entre D. Afonso V e os Reis Católicos: incursões castelhanas no solo português de 1475-1478", *Anais da Academia Portuguesa da História*, Lisboa, 1979, série II, vol. 25, pp. 296-326.

(4) Joaquim Veríssimo SERRÃO, *Relações históricas entre Portugal e a França (1430-1481)*, Paris, 1975, pp. 108-38.

(5) Armindo de SOUSA, *As cortes medievais portuguesas (1385-1490)*, Porto, Instituto Nacional de Investigação Científica, vol. I, 1991, pp. 408-16.

(6) Idem, ibidem, pp. 416-20.

(7) Humberto Baquero MORENO, "Morte de D. Duarte. Luta pela regência", em José Hermano SARAIVA (dir.), *História de Portugal*, Lisboa, Alfa, 1983, vol. III, pp. 123-35.

(8) Ruy de PINA, *Croniqua delrey Dom Joham II*, Coimbra, Atlântida, 1950, cap. V, pp. 16-20.

(9) Garcia de RESENDE, *Chronica delrey Dom Joham II*, Coimbra, 1789, cap. XXVI, pp. 32-3.

(10) Humberto Baquero MORENO, "A conspiração contra D. João II: o julgamento do duque de Bragança", Arquivos do Centro Cultural Português, Paris, 1970, vol. II, pp. 47-103.

(11) G. de RESENDE, *Chronica delrey Dom Joham II*, caps. LII e LIII, pp. 75-81.

(12) A. de SOUSA, *As cortes medievais portuguesas (1385-1490)*, pp. 426-31.

(13) G. de RESENDE, *Chronica delrey Dom Joham II*, cap. XXV, pp. 30-1.

(14) João de BARROS, *Década I*, Lisboa, 1778, livro III, cap. II.

(15) R. de PINA, *Croniqua delrey Dom Joham II*, caps. LVII-LXIII, pp. 148-78.

(16) Fortunato de ALMEIDA, *História de Portugal*, Coimbra, 1924, t. II, pp. 45-81.

(17) Jaime CORTESÃO, "Do sigilo nacional sobre os descobrimentos", [revista] *Lusitânia*, Lisboa, 1924, fasc. 1, pp. 45-81.

(18) G. de RESENDE, *Chronica delrey Dom Joham II*, cap. CXXXII, pp. 192-200.

(19) Damião de GÓIS, *Crónica do felicissimo rei D. Manuel*, Coimbra, 1949, parte I, caps. II-VI, pp. 9-15.

(20) Alfredo PIMENTA, *Subsídios para a história de Portugal*, Lisboa, 1937, pp. 464-6.

(21) D. de GÓIS, *Crónica do felicissimo rei D. Manuel*, caps. X e XI, pp. 23-5.

(22) Idem, ibidem, cap. XVIII, pp. 38-40.

(23) Idem, ibidem, cap. XX, pp. 41-3.

(24) Alvaro VELHO, *Roteiro da primeira viagem de Vasco da Gama (1497-1499)*, Lisboa, 1969.

(25) José Manuel GARCIA, "Quinhentos anos depois", *Jornal de Letras*, Lisboa, 27/8/1997, pp. 17-8.

(26) D. de GÓIS, *Crónica do felicissimo rei D. Manuel*, caps. XLVIII e XLIX.

(27) Max Justo GUEDES, *O descobrimento do Brasil*, 2ª ed., Lisboa, Vega, 1989.

(28) D. de GÓIS, *Crónica do felicissimo rei D. Manuel*, cap. CII, pp. 253-5.

(29) Marcelo CAETANO, *Lições de história do direito português*, Coimbra, 1962, pp. 263-5.

(30) Alexandre HERCULANO, *História da origem e do estabelecimento da Inquisição em Portugal*, Lisboa, 1879, t. I, p. 182.

(31) Frei Luís de SOUSA, *Anais de D. João III*, 2ª ed., Lisboa, Sá da Costa, 1951, vol. I, cap. II, pp. 10-1.

(32) Francisco de ANDRADE, *Crónica de D. João III*, Porto, Lelo, 1976, parte IV, caps. XXXIV-LII, pp. 978-1024.

(33) *Capitolos de cortes e leys que sobre algũus delles fezeram*. [Por ordem de D. João III], Lisboa, 1539.

(34) A. PIMENTA, *Subsídios para a história de Portugal*, p. 468.

(35) *Ordenação da Ordem da Juyzo*. [Por ordem de D. João III], Lisboa, 1539.

(36) A. HERCULANO, *História da origem e do estabelecimento da Inquisição em Portugal*, 3 vols.

(37) Federic MAURO, *Do pau-brasil ao açúcar. Estruturas económicas e instituições políticas (1530-1580)*, Lourenço Marques, 1972, pp. 197-203.

DESCOBRIMENTOS PORTUGUESES E RENASCIMENTO EUROPEU

José V. de Pina Martins

1

A palavra *descobrimento* significa "acto de pôr à vista o que se encontra escondido, de revelar à luz do conhecimento o que antes estava oculto". Já foi observado que as palavras *descobrir* e *descobrimento* aparecem em textos portugueses até pouco depois de meados do século XVI mais de 3 mil vezes, enquanto as palavras *conquistar* e *conquista*, até 1507, não são adoptadas senão umas escassas dezenas de vezes.[1] Pesquisas deste género revestem uma importância não secundária já que penetram na própria consciência de uma mentalidade colectiva expressa nos textos, a qual talvez possa identificar-se, dentro de certos limites, com a vocação histórica de uma comunidade nacional.

Pelo que concerne ao conceito de "Renascimento", já consagrado há muito, aceita-se que a realidade cultural por ele designada tenha surgido no século XIV com Francesco Petrarca, preenchido que foi, na sua primeira fase histórica, pelo culto das letras humanas, pelo Humanismo. Depois do interesse pelo homem como microcosmo vem o interesse pela natureza e pelas leis que regem o mundo macrocósmico, o Universo. Os humanistas primeiro, os cientistas depois. A Lorenzo Valia, Marsilio Ficino, Ermolao Bárbaro, Angelo Poliziano, Giovanni Pico della Mirandola, Pietro Bembo, Lefèvre d'Étaples, Guillaume Budé, Thomas More, Nebrija, Vives, Erasmo e Clenardo, sucedem Giordano Bruno, Tommaso Campanella, Galileo Galilei, Bacon e Descartes.

Nas suas viagens marítimas, os portugueses atingem o cabo Bojador em 1434. Só meio século depois, em 1483, chegam à foz do Congo e apenas em 1487 dobram o cabo da Boa Esperança. Ao serviço dos Reis Católicos, Cristóvão Colombo descobre a América em 1492. Tiveram de passar ainda mais alguns anos para que Vasco da Gama aportasse à costa do Malabar e para que Pedro Álvares Cabral descobrisse terras de Vera Cruz. Mas a partir de 1500, por obra e graça dos caracteres móveis, toda a Europa vai seguir apaixonadamente o progresso dos Descobrimentos ibéricos e das ciências novas que dela dimanam. As cartas em latim escritas pelo rei de Portugal e enviadas à corte de Roma são traduzidas e editadas em várias línguas, de Lisboa a Roma e a Paris. Os italianos publicam os relatos de navegações logo nos inícios do século, servindo-se das descrições de Vespúcio dando conta de viagens verdadeiras e algumas talvez fabulosas.

Pouco depois aparecerá, em 1507, a "raccolta" *Paesi nuovamente retrovati*, logo vertida para latim e editada em Milão em 1508 com o título *Itinerarium Portugalensiun*. Depois de meados do século, os relatos de Ramúsio difundem textos hispânicos, nomeadamente portugueses, em língua italiana, alguns dos quais, como o *Livro de Duarte Barbosa*, só mais tarde, no século XIX, viriam a ser publicados em português.[2] De 1510 até 1543 os portugueses estabeleceram-se em Goa, em Malaca, em Samatra, na China e chegaram ao Japão. Os humanistas referem estes factos, sobretudo com a menção das novas terras e dos novos mundos desvendados. Aldo Manuzio, na carta a Leão X inserta nas páginas preliminares da sua edição em grego do *corpus* platónico, no ano de 1513, sublinha a importância das navegações portuguesas e da acção de D. Manuel I para a expansão do cristianismo.[3] Lefèvre d'Étaples, em 1522, considera que os horizontes geográficos onde vivem as sociedades gentílicas achadas por portugueses e espanhóis, são susceptíveis de representar outros espaços para estabelecer *regnum Christi*.[4] Erasmo é mais reticente: receia que, em nome de Cristo, os descobridores e os conquistadores desejem principalmente impor a exploração e o primado dos seus interesses económicos, embora no *Ecclesiastes*, editado em Agosto de 1535, acabe por aceitar que os povos descobertos possam escutar a mensagem novitestamentária.[5]

O humanista Angelo Poliziano, mestre de filologia do Humanismo, julga tão importantes as viagens através da costa africana, de Marrocos ao cabo da Boa Esperança, que se propõe, numa epístola a D. João II, celebrálas num poema escrito em latim ou em grego:[6] não são tais gestas as dos argonautas modernos? Pouco depois, porém, o humanista Paolo Giovio não hesitará em criticar a expansão portuguesa, especialmente em virtude da venda de especiarias deterioradas, já que as venezianas, exigindo menos tempo de transporte, eram vendidas mais frescas do que as portuguesas. Damião de Góis, o amigo de Erasmo — que já antes, numa carta de 1527, tinha estigmatizado, ainda que em termos moderados, o monopólio português das especiarias — tomara a pena contra Giovio, empenhando na disputa um dos próprios cardeais da corte de Paulo III, Pietro Bembo, representante do humanismo ciceroniano.[7]

Entretanto, o mesmo Damião de Góis revela à Europa a existência de uma prestigiosa comunidade cristã africana, a etíope, cuja ortodoxia, para ele, não oferece dúvidas.[8] Bate-se ao mesmo tempo por que o nome de Cristo seja pregado aos Lapões.[9] Textos latinos e vernáculos de humanistas portugueses como Góis, João de Barros, Fernão Lopes de Castanheda e Jerónimo Osório são traduzidos em francês, italiano e noutras línguas e editados em Paris, Genebra, Veneza, Bolonha, Colónia e Londres.

Descobrimentos e Renascimento associam-se, assim, na mesma concepção do homem e da cultura; interdependem-se, estão profundamente relacionados, não raro, até, numa conexão de causa e efeito. A *Respublica Christiana* não tem fronteiras: humanistas portugueses ensinam em Paris, em Bordeus, em Toulouse, em Montpellier, em Grenoble, em Roma, em Siena, em Turim, em Salamanca. Humanistas espanhóis, italianos, flamengos, franceses e germânicos ensinam em Portugal nessa primavera efémera que foi o florescimento do erasmismo no Colégio das Artes, na Universidade de Coimbra, mas mesmo depois, durante o florescimento da chamada "Segunda Escolástica" coimbrã.

2

Os Descobrimentos identificam-se, então, com o Renascimento português. Este, sobretudo na Itália, também é feito de pequenas e grandes descobertas. É, antes de mais, a descoberta dos códices considerados perdidos, com textos da Antiguidade greco-latina. Numa primeira fase, o movimento é caracterizado pelo culto das *humaniores littterae*, pelas letras humanas: o Humanismo propriamente dito. É o reconhecimento histórico, em termos de cultura, do *Regnum hominis*. Se as ciências da Natureza não progridem muito, tal se deve à preocupação primordial dos letrados: o estudo do homem, com a sua glorificação, como podemos documentar pela *magna charta* do Humanismo, o discurso *De hominis dignitate* de Giovanni Pico della Mirandola.[10] Virá depois a segunda fase, caracterizada pela filosofia naturalista que levará Galileo Galilei e logo após a Descartes. Antes, porém, o Renascimento tinha continuado a acentuar aspectos já modernos da cultura medieval, através de uma evolução diferenciada.

Uma concepção monista do Mundo e do Homem evolui para uma concepção dualista mais consentânea com a liberdade individual. Não se trata, como alguns críticos já pensaram, de uma dicotomia. O corpo e o espírito, o tempo e o eterno, distintos na vida e na *praxis,* não se excluem nem colidem entre si. Reconhecem-se como essenciais, até para uma integração humano-divina, as exigências da realidade corpórea e temporal.

É esta realidade, a do homem no seu condicionalismo de ser completo, espírito mas também corpo, que o humanista Thomas More respeita, ao imaginar o mundo ideal da Utopia, revelado pelo navegador português Rafael Hitlodeu. Os utopianos vivem *secundam naturam et rationem,* isto é, de acordo com a lei natural. Eram felizes, tanto quanto se pode sê-lo na vida terrena. Estavam convencidos de que seis horas de trabalho por dia são quanto pode bastar para o progresso social e para criar novos bens de que todos participam, já que, na terra de Nenhures, não há lugar para ociosos e parasitas. As leis, simples e claras, limitadas ao estritamente indispensável, estabelecem que os valores fabricados pela inteligência humana pertencem a todos os membros da mesma comunidade.[11] Platão, na *República* — texto inspirador da *Utopia* —, admitira que só os intelectuais estavam à altura de compreender a abolição da propriedade privada. Thomas More, quer o seu texto seja uma escrita lúdica de exegese espiritual superior, quer seja mesmo um livro muito sério inspirado nas comunidades primitivas dos tempos apostólicos, vai mais longe do que Platão. Se aceitarmos que o capítulo primeiro da *Utopia* visa, como parece indiscutível, uma crítica da sociedade ocidental e dos seus males e injustiças, então teremos de reconhecer que Rafael Hitlodeu, o marinheiro português, meio filósofo, meio filólogo, exprime em profundidade as próprias ideias do humanista naquilo que elas têm de mais generoso e de mais excelso. A *Utopia* não existiria sem os Descobrimentos portugueses. É verdade que Thomas More tinha lido obras do *Quattrocento* que são precursoras do seu pensamento, da autoria de Leon Battista Alberti, de Matteo Palmieri e até, remontando mais longe, do próprio Petrarca. Pretendeu, contudo, com a sua personagem, recordar que os nautas lusíadas estavam a revelar à Europa uma nova Humanidade de cujo exemplo poderia talvez advir, para o Ocidente, uma lição de bom governo.[12]

3

Francesco Petrarca já foi chamado o primeiro homem moderno. No seu *Canzioniere* exprime-se uma inquietação profunda em termos de fidelidade da palavra à realidade experiencial. A mulher, celebrada pelo amor, deixa de ser divinizada como o fora na poesia provençal e no *Dolce stil nuovo*: ela é já uma companheira num mundo terreno, embora subtilmente idealizada no fio da invenção poética. Na sua obra latina sentimos palpitar todos os anseios da consciência moderna e é bem difícil encontrar, nos escritos dos humanistas, do próprio Erasmo, uma ideia que não tenha sido tratada ou pelo menos abordada se não esboçada nos seus diálogos e nas suas epístolas.

Uma das características da nova mentalidade do Renascimento é o desejo de conciliar o pensamento greco-latino com a doutrina cristã. De Petrarca a Marsilio Ficino, de C. Salutati a Platina, os humanistas interessam-se pela organização da sociedade. O pacifismo, a sátira da corrupção eclesiástica, a preconização de um ideal harmonioso de vida em que os direitos da *humanitas* sejam reconhecidos, eis alguns dos temas, entre tantos outros, que afloram a obra imensa de Desidério Erasmo.

O século XV assistira a polémicas intermináveis entre os partidários de Aristóteles e de Platão.[13] O Humanismo, pelo tratado *De ente et uno* de Giovanni Pico della Mirandola, propõe-se conciliar o pensamento dos dois grandes filósofos.[14] Em 1484 surgira, em latim, o *corpus* platónico, vertido por Marsilio Ficino e com os seus comentários; em 1492 o *corpus* plotiniano, traduzido também por ele em latim;[15] em 1497, ainda no idioma latino, alguns textos herméticos, numa estupenda edição aldina; nos finais do século XV, também numa edição de Aldo Manuzio, é criticamente editado em grego o *corpus* aristotélico.[16]

A nova filologia vai agora dar os seus frutos também no domínio dos textos bíblicos. É a versão latina, feita directamente sobre o texto grego, das Epístolas de S. Paulo, na edição levada a bom termo por Lefrève d'Étaples, no mosteiro parisiense de Saint-Germain-des-Prés.[17]

É a lição textual desse insigne monumento, o Novo Testamento da Poliglota Complutense, terminado em 1514, glória do Humanismo hispânico, precedendo a versão latina feita por Erasmo em 1516 do *Novum Instrumentum*, ainda que a publicação efectiva da Bíblia de Alcalá de Henares tenha só aparecido em 1522.[18]

Os humanistas, porém, não são apenas filólogos, mas também letrados, pensadores, filósofos, teólogos. Nesse mesmo ano de 1516 é editado pela primeira vez o texto *Utopia*. *Il principe* de Machiavelli — que já foi considerado como uma anti-Utopia — tinha sido escrito por volta de 1513, mas só apareceu, já póstumo, em 1532. *Il cortegiano* de B. Castiglione, onde se retomam os temas platónicos da origem e natureza do amor, assim como se define a linha de conduta do perfeito homem civilizado, publica-se em 1528, dedicado ao cardeal português D. Miguel da Silva.[19] Em 1529 surgem os *Comentários da língua grega* da autoria de Guillaume Budé, obra que ia assinalar, por efeito da carta a Francisco I, a fundação do Collège des Lecteurs Royaux, mais tarde Collège de France. Em 1535 o mesmo Budé dá à estampa um livro de importância capital para provar que do estudo das letras gregas se pode chegar aos áditos da revelação cristã, o *De transitu Hellenismi ad Christianismum*.[20] Em 1543, ano em que os portugueses atingem o Japão, aparece em Nuremberga o *De reuolutionibus orbium caelestium* de Copérnico, *magna charta* da ciência astronómica moderna. O Renascimento europeu está na origem do progresso científico em todos os domínios, desde o da dissecação dos corpos com vista à obtenção de um conhecimento tanto quanto possível perfeito da anatomia do corpo humano, por Vesalius, até à ciência do mundo celeste que pouco depois irá dar passos de gigante com a luneta astronómica de Galileu.

Entretanto, os portugueses, que não chegam então a ser 1,5 milhão de almas, continuam a navegar, na faina dos seus tráfegos comerciais, enquanto missionários pregam o Evangelho, para isso procurando conhecer mais rigorosamente as línguas exóticas.

Fora de Portugal, o Renascimento começa sob o signo do Humanismo. Afirmou-se já que outro tanto ocorre entre nós. Parece-me que não. Se a atitude fundamental do homem do Renascimento é a curiosidade (em relação a si mesmo, em relação aos textos literários cuja escrita procura aperfeiçoar por um trabalho técnico visando a fidelidade e, depois, em relação ao mundo exterior), não foi a curiosidade, empírica primeiro, mais tarde organizada e exacta, no que respeita às novas terras, a novas gentes e a novos horizontes geográficos, que levou os portugueses à empresa dos Descobrimentos? Se se pudesse demonstrar com o apoio de textos náuticos, geográficos e históricos, que existe um novo espírito, caracterizado pelo desejo de completar o conhecimento tido então do Universo através do acesso a novos horizontes da Terra, talvez não fosse inexacto sustentar que o infante D. Henrique foi de facto, como já opinou um historiador britânico, mais do que o precursor, o autêntico paladino do Renascimento português. Nesse sentido, o Infante teria sido, em Portugal, o nosso primeiro homem moderno.

Se acreditarmos num passo da *Crónica da Guiné* de Zurara, segundo o qual D. Henrique teria exortado Gil Eanes a desvendar o Oceano que a imaginação antiga tinha povoado de monstros,[21] essa seria já uma atitude de espírito esclarecido, verdadeiramente renascentista. É sabido que o *Livro das Maravilhas* de Marco Polo, que D. Pedro, irmão do Infante, teria trazido de Veneza, circulava em Portugal: foi, com efeito, editado em 1502 em Lisboa, por Valentim Fernandes, escudeiro da rainha D. Leonor, viúva de D. João II.[22]

No início das navegações atlânticas seguia-se ainda prudentemente a costa, o que permitia o reconhecimento da sua configuração reproduzido em desenhos cartográficos. Já no século XV os portugueses se encontram em condições de poder praticar a navegação astronómica, tendo bem consciência do que tal representava como progresso, de acordo com o que se escreve num dos sete documentos, existentes em Portugal, sobre a viagem de Cabral ao Brasil. Esta viagem pode considerar-se como o acme ou o ponto cimeiro do Renascimento português, isto é, dos Descobrimentos lusíadas. Descrições de terras, diários de bordo, roteiros. A experiência adquirida e os conhecimentos armazenados e confrontados com a realidade, controlados por uma inteligência vigilante e crítica — pelo entendimento — estão na origem do progresso das navegações. O estabelecimento da situação no lugar pela observação astronómica, a cautela resultante do conhecimento concreto das correntes marítimas e do regime dos ventos, tudo isso, mesmo que o ponto de partida tenha sido puramente empírico, é já do domínio da técnica e da ciência. Pedro Nunes sustenta, num passo célebre, que os portugueses procediam, nas suas viagens, com método, com rigor e conhecimento exacto, servindo-se de instrumentos que os ajudavam a navegar.[23]

João de Barros, na *Ropicapnefma*, observa que a ciência de Ptolomeu tinha sido superada e revolucionada pelos navegantes lusos.[24] Os pilotos serviam-se de guias manuscritos e de manuais de navegação, como se atesta pelo *Esmeraldo de situ Orbis* de Duarte Pacheco Pereira. A técnica da construção das naus aperfeiçoa-se com base na experiência. Os textos falam constantemente dessa experiência como mãe e lição da vida, justaposta à razão e ao entendimento, que dela se serve para mover e guiar os homens em empreendimentos importantes.

4

Esta curiosidade, fundada na experiência, é, de início, por consequência, apenas empírica. Mas o agir a que ela conduz corresponde ao avanço de um conhecimento crítico, organizado, em domínios os mais diversos do saber.

Longe de mim a pretensão de aproximar os conhecimentos que levaram os portugueses a obstinar-se sem pausa nas suas navegações da ciência moderna criada por Galileu e por Descartes! Mas um saber adquirido traz consigo outros, não já simplesmente "de experiência feitos", antes fundados em noções cada vez mais estruturadas. Os objectivos a atingir definem-se com maior clareza, os meios a adoptar dominam-se com mais agilidade. Das tentativas empíricas passa-se para empresas planificadas, organizadas. Isso representou uma conquista no plano científico. As consequências das navegações foram-no também.

Numerosos documentos dos séculos XV e XVI, de grande valor, dão testemunho, em Portugal, desses aspectos não incidentais do primeiro Renascimento: o *Almanaque perpétuo* de Abraão Zacuto, editado em Leiria em 1496, com as tábuas utilizáveis pelos pilotos; o *Esmeraldo de situ Orbis* de 1504; o manuscrito de Valentim Fernandes a que se atribui a data de 1507; o *Livro da marinharia* de João de Lisboa, de 1514; os Regimentos de Munique e de Évora (de 1509 a 1517); o *Livro de Duarte Barbosa*, composto provavelmente em 1516; o *Repertório dos tempos* de Valentim Fernandes, de 1518, cujo êxito terá a duração do seu século; o *Roteiro de Lisboa a Goa* de D. João de Castro, sobre viagens realizadas por volta de 1530.

Em meados do século de Quinhentos, o *Livro da fábrica das naus* de Fernão de Oliveira atesta o progresso alcançado pela técnica da construção naval; em 1563, os *Diálogos dos simpres e drogas* de Garcia da Orta, impressos em Goa, assinalam iguais avanços no domínio dos conhecimentos botânicos e farmacêuticos, que a Europa havia de consagrar através de numerosas edições em várias línguas. Já antes, porém, Pedro Nunes tivera jus à admiração dos matemáticos e astrónomos seus contemporâneos, que juntam o seu tratado do nónio (designação tirada do seu nome vertido em latim) ao texto de Sacrobosco; e Antonio Luís, mais conhecido pela sua *Panagyrica oratio* de 1539, de elogio dos Descobrimentos, mas que escreveu também livros de medicina publicados logo no ano seguinte[25]. Não é fácil, em Portugal, distinguir as fronteiras entre ciência e humanismo, pois que, se até 1530 é principalmente o conhecimento técnico que prevalece, o conhecimento humanístico virá a adoptar os métodos da nova filologia, depois dos nossos contactos internacionais, sobretudo italianos e franceses.

A historiografia portuguesa, por outro lado, pôs de parte frequentemente a orientação retórica que caracteriza a historiografia humanística italiana e francesa. Os historiadores portugueses, mesmo os que escrevem oficialmente a crónica dos feitos operados em nome do rei, atêm-se antes de mais a uma documentação menos erudita do que factual. João de Barros, Fernão Lopes de Castanheda e até Duarte Galvão não sofrem desprestígio se comparados com os representantes estrangeiros da historiografia retórica fabricada pelo Humanismo, em que a mitologia grego-latina continua a ser privilegiada, sem uma destrinça crítica entre o histórico e o fabuloso.

Talvez convenha agora focar um outro aspecto da cultura do Renascimento português, com frequência esquecido: o esforço por conciliar ideias ecuménicas e pacifistas do Humanismo com propósitos proselíticos de expansão. No espírito de humanistas como João de Barros, Damião de Góis e mesmo Antonio Luís, a expansão era legitimada pelo objectivo da evangelização: tratava-se, para eles, de uma missão civilizadora, assumida pelos que se davam como projecto levar o Evangelho a povos que o não conheciam. Erasmo não podia compreender este esforço de concordância que lhe parecia, na própria lógica dos preceitos evangélicos, inexequível por contraditória. É verdade que os humanistas sabiam distinguir as viagens dos empreendimentos guerreiros, os Descobrimentos dos actos de pirataria ou de conquista. O humanismo não estava tão embotado por uma cultura "livresca" que não tivesse consciência do que representava o alcance universal do achamento de novas gentes e de novos mundos. Mas o que o espírito humanista não podia aceitar é que se fizesse a guerra, mesmo aos infiéis, em nome de Cristo, príncipe da paz. Erasmo chegou a escrever que a melhor maneira de converter os Turcos ao cristianismo seria dar-lhes o exemplo de mansidão e amor fraternos. Os humanistas portugueses, mesmo os mais profundamente erasmianos, tinham sobre a expansão ideias diferentes das que eram professadas pelos paladinos do Renascimento humanístico europeu.[26]

O magistério de Angelo Poliziano ecoa na *Epistola Plinii* de Martinho de Figueiredo, em 1529, em cujos comentários figura encomiasticamente o nome de Erasmo.[27] Nas obras de frei António de Beja contra a astrologia e acerca da doutrina e ensinança de príncipes (de 1523 a 1525), cujo estilo se não afasta muito do de uma *forma mentis* escolástica, repercute-se a influência temática e doutrinal de Giovanni Pico della Mirandola.[28] Na *Ropicapnefma* de João de Barros sentimos, ainda que em surdina, a predicação da palavra de Erasmo, mas nela descobrimos também o sulco do averroísmo aristotélico italiano, representado pelo nome de Pomponazzi, que tem no seu *De immortalitate animae* um texto basilar do materialismo renascentista. Em André de Resende, o panegirista de Erasmo, podemos documentar a intenção de harmonizar a *pietas* com as letras humanas, num estilo menos sóbrio do que o do seu mestre.[29] No poema *Antimoria* editado em Coimbra no ano de 1536, Aires Barbosa ostenta um anti-erasmismo mais táctico do que autêntico.[30] Os humanistas que descem de Bordeus à cidade de Mondego em meados do século XVI fazem soprar em Coimbra a aragem purificante de um pensamento livre. Mas logo depois o vento da repressão tudo arrebatará enquanto as aves migradoras do erasmismo procuram céus mais clementes e horizontes mais largos. Na *Imagem da vida cristã* e nos tratados latinos de D. Jerónimo Osório respira-se o perfume discreto dos diálogos morais de Francesco Petrarca.[31]

Gil Vicente representa a transição da literatura medieval para a moderna e pode ilustrar o que já havia de modernidade livre na sátira social quatrocentista. Sá de Miranda, o mais insigne pioneiro da literatura nova, continua fiel, como o havia de continuar Camões, aos metros antigos e aos temas da poesia popular, cujo sabor genuíno se não deixa penetrar pela tentação de sabores estéticos mais subtis e requintados. O petrarquismo, nestes poetas, coexiste com um *stilnovismo* renovado, imposto por um desejo de regresso à frescura de uma temática que Petrarca não conseguiu totalmente postergar.[32]

Este traço característico não pode ser tido como significando um enxerto do novo no velho, mas um aproveitamento do que de mais puro nascia da tradição popular arcaica ou arcaizante e da revolução formal importada da Itália. A crítica à expansão é feita em nome da recusa de um presente prospectivo, voltado para um futuro digno de ser vivido, mas do que essa expansão já mostrava nos germes que haviam em breve de ser fatais à integridade do povo português. O poeta torna-se profeta. Voltado para o antigo, elogiador dos Provençais ("de que Petrarca fez tão rico ordume", como escreve[33]), Sá de Miranda abandona a corrupção da corte e compõe, em contacto com a gente humilde e com a natureza simples, a sua obra marcada por um sinete de genuinidade poética incomparável. O Renascimento não cortara os laços que o prendiam ao que de mais alto existira na Idade Média. Angelo Poliziano desejara celebrar as viagens dos portugueses ao longo das costas de África. Um outro Angelo, Angelo Colocei, oferece às letras de Portugal, através da cópia de códices desaparecidos, a sobrevivência da antiga poesia medieval lusíada, nos cancioneiros da *Vaticana* e no *Colocci-Brancuti*.[34]

Enfim, Camões, o autor de *Os Lusíadas*, no propósito de identificar a vocação histórica do povo português com os feitos das viagens intercontinentais e especialmente da viagem de Vasco da Gama, sublinha, a cada passo do seu discurso épico, o que de mais universal se consubstancia no agir dos heróis imperfeitos, submetidos ao risco da morte nos mares em cólera.[35] Talvez que isso possa simbolizar o que o Renascimento representa de mais sintonizado com um destino histórico: desejo, para o homem, de escolher o seu próprio caminho; curiosidade insaciável, de mistura com uma ambição imensa de glória (não raro de vangloria) e de bens materiais; meios técnicos que, de empíricos, se tornam rigorosos no domínio de um conhecimento amadurecido, perante os mistérios de uma natureza terrivelmente fascinante que ora se oferece no encanto irresistível de toda a sua beleza, ora se recusa e expõe os que a desafiam aos perigos que acabam por aniquilar esse "bicho da terra tão pequeno" de que fala o Poeta.[36]

5

Na história da cultura europeia, e primeiramente em Itália, o Renascimento é constituído na sua primeira fase pelo culto das letras humanas, pela pesquisa dos textos exemplares que pouco a pouco se descobrem; pela exaltação do homem; pela procura da beleza na imitação dos clássicos da Antiguidade (e essa procura, uma vez cumprida, deixou-nos também monumentos insignes nas artes arquitectónicas, figurativas e plásticas); pelo aperfeiçoamento de métodos filológicos com vista a restituir aos textos a sua pureza original. Os letrados entregam-se ao estudo das ciências humanas, ao aprofundamento do mistério do Homem em si mesmo e nas suas relações com os seus semelhantes, membros da mesma comunidade. Os humanistas elaboram programas de governação utópica, esboçam modelos de convivência harmoniosa na relação associada, propõem soluções que lhes parece poderem vir a ser desejáveis, estigmatizam a guerra, cantam com entusiasmo os benefícios da paz, geradora da felicidade material e espiritual, cornucópia da Idade de Ouro, apoiando-se sobre argumentos dimanados do simples bom senso ou dos grandes textos clássicos, bíblicos e patrísticos.

O Humanismo só se desenvolve, em Portugal, a partir de finais do primeiro quartel do século XVI. Mas o país está voltado para o Atlântico. Lançara-se antes na aventura das viagens marítimas, esforçando-se por conseguir o aperfeiçoamento técnico dos seus limitados meios, aptos, porém, a dar-lhe o domínio das navegações. A técnica é, de início, rudimentar, mas com a experiência torna-se rigorosa. Os conhecimentos experimentalmente adquiridos são disciplinados pela razão e tornam-se sistemáticos, transformando-se, deste modo, em ciência. Surgem textos em que esta ciência se constrói, coerente, embora, na sua génese, fundando-se numa observação primária. Depois aparecerão obras literárias e filológicas. Nada disso é fruto de uma curiosidade gratuita. Em primeiro lugar porque o país tem as suas vias no campo e no mar. Depois porque os seus habitantes procuram os tráfegos, adaptam-se a outros climas, transfundem-se noutras humanidades, sob outros céus. Da experiência ao saber metódico, do contacto com o real à ciência rigorosa, eis como poderia enunciar-se uma definição exacta dos Descobrimentos portugueses que são historicamente o Renascimento em Portugal, precedendo o Humanismo renascentista.

Pioneiro, com a Espanha, dos Descobrimentos marítimos, Portugal é, segundo julgo, um dos dois países europeus que, antes de ser culto e letrado, foi camponês, viajante e marinheiro. Nos textos que ilustram a sua vocação própria, o mar foi o caminho invariável da sua história. Nos textos literários que os portugueses, polidos pelo Humanismo renascentista europeu, escreveram então e mesmo mais tarde, respira-se ainda o perfume delicado de flores campestres e o odor acre das fortes marés atlânticas.

NOTAS

(1) J. BARRADAS DE CARVALHO, *O Renascimento português (em busca da sua especificidade)*, Lisboa, 1980, pp. 14-5.

(2) *L'Utopie*, "Catalogue de l'Exposition Bibliographique au Centre Culturel Portugais", Paris, 1977, pp. 23-4: "D'après la traduction italienne de ce texte que l'on trouve également dans les *Navigationi et Viaggi* de Ramúsio, Duarte Barbosa écrit, à la fin de sa préface, que son livre a été achevé en 1516, c'est-à-dire l'année même de la parution de la première édition de *l'Utopie*. Sebastião Francisco de Mendo Trigoso la publia pour la première fois en 1812, mais dut la confronter avec la traduction de Ramúsio, le manuscrit qu'il avait à sa disposition étant apographe".

(3) Nesta carta-dedicatória a Leão X, Aldo Manuzio interpreta a expansão do cristianismo na Ásia por parte dos Portugueses como um sinal talvez precursor da união de todos os cristãos, por ironia da sorte quatro anos antes das "95 teses de Lutero" que assinalaram, em 1517, a ruptura da Reforma protestante...

(4) A referência de Lefèvre d'Étaples, na introdução dos seus comentários ao Novo Testamento, aos Descobrimentos portugueses e espanhóis é breve, mas sem ambiguidade.

(5) O passo do *Ecclesiastes* erasmiano, porventura inspirado pelo *Legatio magni Indorum Imperatoris* de Damião de Góis, reconhecendo embora o estabelecimento de novos espaços para a expansão do cristianismo, não deixa de ser muito crítico para os soberanos cristãos ocidentais que não renunciavam à guerra contra os infiéis invocando como finalidade a sua conversão a Cristo.

(6) A epístola de Angelo Poliziano inicia o Livro X dos *Opera Omnia* do humanista em todas as edições, a partir da aldina de 1498.

(7) Ver a esse respeito e ainda pelo que concerne aos textos de Góis sobre o cristianismo do Prestes João, os *Damiani a Goes equites lusitani Opuscula quae in Hispania illustrata continentur*, Coimbra, 1791.

(8) *Fides, Religio Moresque Aethiopum* de 1540 e, na edição conimbricence dos *Opuscula*, pp. 161-286.

(9) *Deploratio Lapplanae Gentis* inserto na edição de *Fides* de 1540 e, nos *Opuscula*, pp. 287-96.

(10) Ver edição primorosa de E. GARIN, *De hominis dignitate, Heptaplus, De ente et uno e scritti vari*, Florença, 1942.

(11) J. V. de PINA MARTINS, *L'Utopie de Thomas More et l'Humanisme*, Paris, 1978, p. 27: "Le renoncement à la propriété individuelle est une condition fondamentale pour atteindre autant que possible le bonheur de tous".

(12) O historiador português João de Barros (c. 1496-1570) escreveu na introdução da sua *Década III* que Thomas More, com a sua *Utopia*, procurou ensinar aos ingleses a arte do bom governo.

(13) Uma das mais célebres foi a polémica entre Jorge de Trebizonda e Bessarion, que contra o seu compatriota escreveu o famoso texto *In calumniatoren Platonis*, que Aldo Manuzio editou em 1503 e, pouco depois da sua morte, os seus herdeiros publicaram em 1516.

(14) O *De ente et uno* não é senão um esboço da grande síntese que Giovanni Pico della Mirandola se propôs escrever acerca da sua concepção unitária de pensamento platónico e aristotélico. Este texto, que Eugenio Garin sabiamente editou em 1942, figura em todas as edições dos *Opera Omnia* da Fenice degli Ingegni a partir da *princeps* de 1496.

(15) A edição florentina do *corpus* plotiniano editada em 1492, de que existe um exemplar na Biblioteca Nacional de Lisboa, é um incunábulo precioso que foi editado a expensas de Lorenzo de' Medici.

(16) O *corpus* aristotélico na edição aldina dos fins do século XV é um verdadeiro cimélio cuja importância é criticamente tão grande que dela escreveu Michelet, no volume *Renaissance da histoire de France*, que o seu valor iguala o do descobrimento da América... Erasmo, na sua edição do *corpus* do filósofo do Liceu, dedicada a John More, filho do autor da *Utopia* (1533-50), seguiu de perto a sua lição textual.

(17) Ver o que escrevemos na apresentação da edição *princeps* no nosso catálogo sobre *L'Utopie*, cit. na nota 2, p. 26: "Il s'agit probabiement de l'oeuvre théologique la plus importante de Lefèvre d'Étaples. Le livre est un vrai chef-d'oeuvre de la typographie d'Henri Estienne".

(18) A edição do *Novum Instrumentum* de Erasmo em 1516, com o texto grego e a sua versão latina, não pôde assim beneficiar da edição do Novo Testamento da Poliglota Complutense, apesar de a sua conclusão ser de 1514. A segunda edição do *Novum Testamentum* erasmiano em 1519 é talvez mais importante do que a *princeps*, um tudo-nada apressado.

(19) D. Miguel da Silva, humanista muito distinto nomeadamente nas suas poesias latinas, fixou-se em Roma, onde se prestigiou pelo seu mecenatismo e pela sua cultura, contra a vontade do rei de Portugal D. João III, que o perseguiu.

(20) Além da sua beleza gráfica na edição *princeps*, o livro pode ser considerado como o verdadeiro testamento espiritual de Guillaume Budé.

(21) *Chronica do descobrimento e conquista da Guiné* de Gomes Eanes de Azurara, transladada do manuscrito original pelo Visconde de Carreira, com introdução e notas pelo Visconde de Santarém, Paris, 1841, p. 57.

(22) Ver a edição moderna *Marco Paulo*, conforme a impressão de Valentim Fernandes, por F. M. Esteves PEREIRA, Lisboa, 1922. Foscolo BENEDETTO, na introdução à sua edição do *Milione*, intitulada *La tradizione manoscritta del* Milione *di Marco Polo*, Florença, 1928, reimpressa pela Bottega d'Erasmo, Turim, 1962, refere-se, nas pp. CXLVII-CXI e VIII, à beleza gráfica e à perfeição textual da edição portuguesa de 1502.

(23) Ver, acerca de Pedro Nunes, o que nos ensina com ciência e rigor L. de ALBUQUERQUE na sua *Introdução à história dos Descobrimentos Portugueses*, Lisboa, 1983, pp. 187-9.

(24) *Ropicapnefma*, edição fac-similada com notas e um estudo por I. S. RÉVAH, Faculdade de Letras, 1952.

(25) O problema que se põe acerca da *Panagyrica oratio*, exaltação da expansão portuguesa por parte de um humanista processado pela Inquisição, não deixa de ser interessante. J. S. da Silva DIAS tratou-o na sua ampla monografia "A política cultural da época de D. João III", Coimbra, 1969, vol. I, pp. 228-39.

(26) Não deixa de ser interessante verificar que, de Resende a Góis, de Barros a Teive — humanistas que seguiram mais ou menos fielmente o sulco do pensamento de Erasmo e do seu irenismo —, os humanistas portugueses procuraram conciliar uma concepção irénica da expansão portuguesa, atendo-se principalmente a interpretar o império como um meio para expandir o Evangelho e postergando o entendimento das Descobertas de novas terras como uma forma de imperialismo político e económico.

(27) Embora a menção do nome de Erasmo não signifique, em 1529, nada de extraordinário como novidade — em Espanha já se publicavam traduções de seus textos desde 1516 —, importa salientar principalmente o significado do magistério de Angelo Poliziano.

(28) Ver o nosso estudo "L'astrologie au Portugal. António de Beja est-il disciple de Pic de la Mirandole", em *Humanisme et Renaissance de l'Italie au Portugual — Les deux regards de Janus*, Paris, 1988, pp. 571-618.

(29) Ver a nossa contribuição "Aspects de l'érasmisme d'André de Resende", em *Humanisme et Renaissance de l'Italie au Portugal — Les deux regards de Janus*, pp. 493-553.

(30) Aires Barbosa critica o *Moriae encomium* de Erasmo pela sua desenvoltura satírica que põe em causa os representantes da autoridade eclesiástica, mas, nas suas ideias essenciais, não se afasta um ápice do programa cristocêntrico erasmiano.

(31) Ver o nosso ensaio "La répression contre l'érasmisme: Jerónimo Osório et la fin de l'érasmisme au Portugal", em *Humanisme et Renaissance de l'Italie au Portugal — Les deux regards de Janus*, pp. 555-63.

(32) No seu *Canzioniere*, Petrarca inova no estabelecimento de uma fidelidade rigorosa da palavra poética ao sentimento experiencial do amor, mas a sua linguagem e o seu léxico são ainda, pelo menos em parte, *stilnovistas*.

(33) *As obras do celebrado lusitano o doutor Francisco de Sá de Miranda*, Lisboa, Manuel de Lira, 1595, fl. 51 r.

(34) Sobre alguns problemas essenciais que se põem acerca da tradição textual e da elaboração deste cancioneiro, hoje na Biblioteca Nacional de Lisboa, ver o estudo fundamental de A. FERRARI, *Formazione e struttura del Canzoniere Portoghese della Biblioteca Nazionale di Lisbona (Cod. 10991: Colocci-Brancuti)* que muito nos honramos em ter publicado em "Arquivos do Centro Cultural Português", 1979, vol. XIV, pp. 27-142.

(35) Os heróis de *Os Lusíadas* são, com efeito, homens de carne e osso, com defeitos que o poeta não hesita pôr em destaque, o que nem por isso abaixa o nível da inspiração épica.

(36) *Os Lusíadas*, I, 106, v. 8.

1. Mapa-múndi de Henricus Martellus, c. *1489, em* Insularinus Illustratem. *Londres, British Library.*

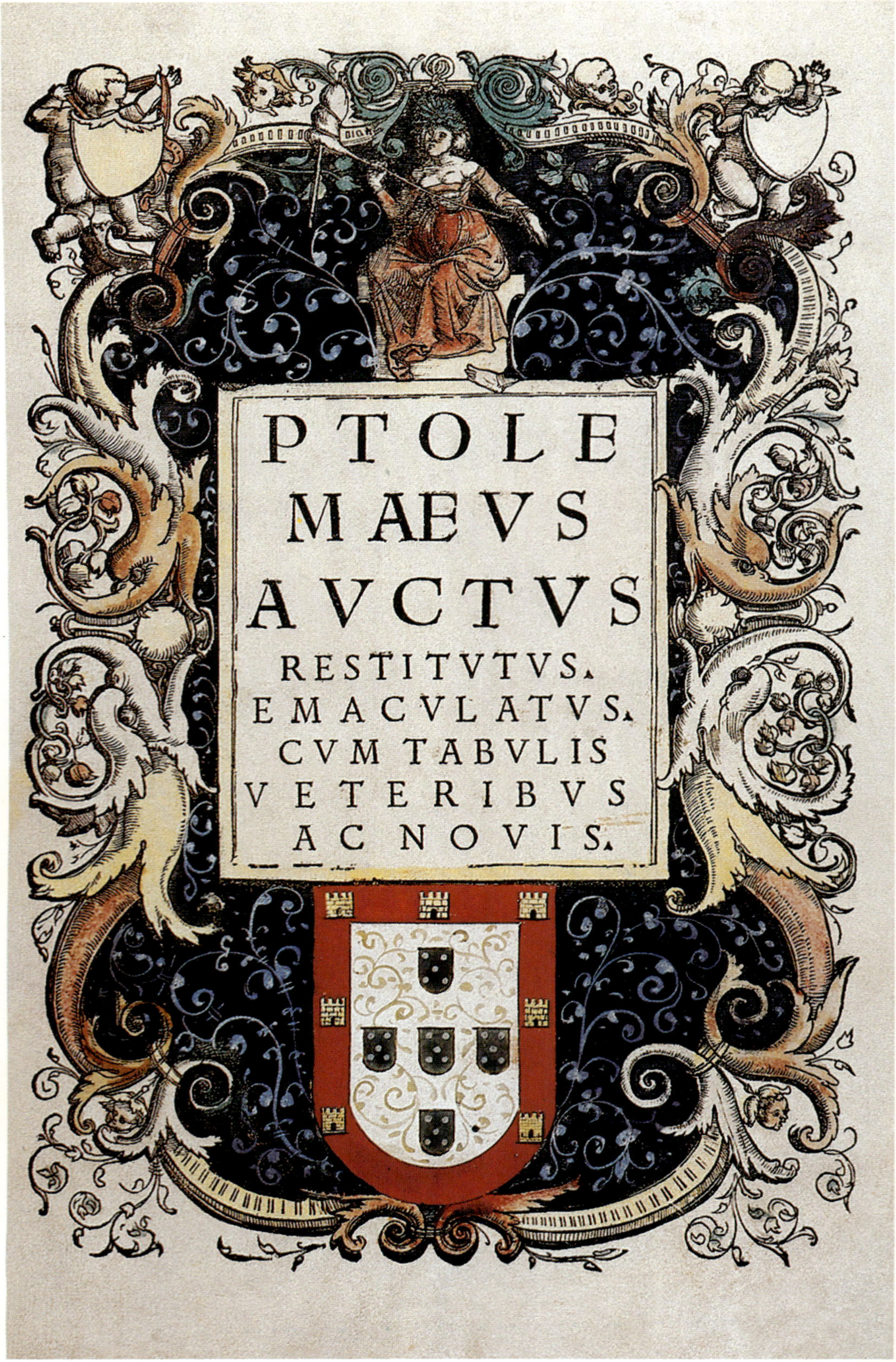

PTOLE
MAEVS
AVCTVS
RESTITVTVS.
EMACVLATVS.
CVM TABVLIS
VETERIBVS
AC NOVIS.

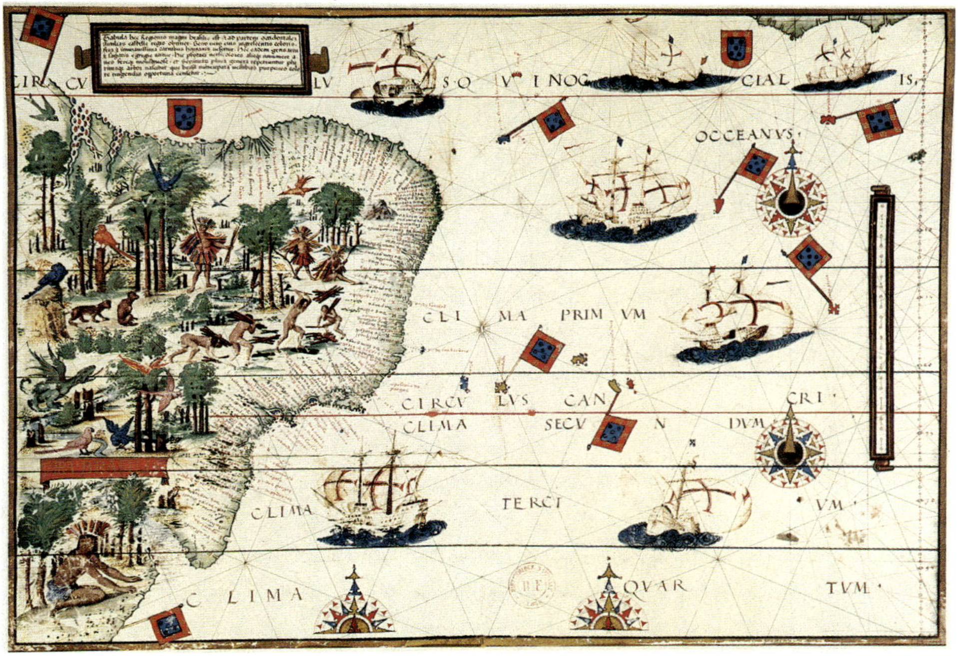

2. Geografia, *Ptolemaeus Auctus,* c. *1520. Nova York, The New York Public Library.*

3. Mapa-múndi português, c. *1519, carta de Lopo Homem-Reineis, em* Portugaliae Monumenta Cartographica, *vol. 1. Atlas Miller, Paris, Biblioteca Nacional.*

4. Planisfério anônimo, atribuído a Martin Waldseemüller, c. *1507. Dos arquivos da Casa Waldburg zu Wolfegg-Waldsee.*

AMERICI VESPVC
ASIA
ET AMERICI VESPVCII ALIORV QVE LVSTRATIONES

5. *Carta* Marina Navigatoria Portugallen Navigationes, c. *1516. Dos arquivos da Casa Waldburg zu Wolfegg-Waldsee.*

6. Planisfério de Sebastião Cabot, c*. 1544, gravado em Londres em 1553. Paris, Biblioteca Nacional. Nele aparece um detalhe do Brasil* (*pela primeira vez é mostrada a bacia do rio Amazonas*).

OCEANº OCCIDE TAL
Rio delas amazonas descubrio francisco de orillana
Tito prouincia
Peru prouincia
V
S
C
TERRA

7. Monstros imaginários: Colombo se decepcionou por não encontrar nenhum, século XVI, gravura.

8. Nas páginas seguintes, *Johan Froschauer*, Cena de cerimônia canibal, c*. 1589, gravura.*

e figur anzaigt vns das volck vnd insel die gefunden ist durch den christenlichen künig zů P
arm. scham. füß. frawen vnd mann ain wenig mit federn bedeckt. Auch haben die mann
nd die mann habendt weyber welche in gefallen. es sey mütter. schwester oder freündt. darjn
en. vnd hencken das selbig fleisch in den rauch.

von ſeinen vnderthonen. Die leüt ſind alſo nacket hübſch. braun wolgeſtalt von leib. ir hei
ſichten vnd bruſt vil edel geſtain. Es hat auch nyemantz nichts ſunder ſind alle ding ge
kain vnderſchayd. Sy ſtreyten auch mit einander. Sy eſſen auch ainander ſelbs die erſch

9. Theatrvm mvndi. *Mundo conhecido pela Europa em 1400. Planisfério do Atlas, Cosmografia de João Baptista Lavanha e Luís Teixeira,* c. *1597-1612. Turim, Biblioteca Reale.*

10. Planisfério, *na* Cosmografia *de Cláudio Ptolomeu. Ulma, 1482.*

11. *Ilustração da* Bíblia hebréia *da Biblioteca Nacional de Lisboa, 1299.*

12. Pescadores, *autoria desconhecida, século XIV. Lisboa, Arquivo Nacional da Torre do Tombo.*

13. Mapa-múndi, *em* Ethimologiarum Libri Viginti, *de Santo Isidoro de Sevilha, cópia do final do século XIII. Lisboa, Biblioteca Nacional.*

14. Mapa de Pedro Reinel, c. *1485. É o mapa português do século XV mais antigo que se conhece. Bordeaux, Archives Départementales de Gironde.*

15. Esboço da Terra, *atlas anônimo de* c. *1560 do* Livro de marinharia de João de Lisboa. *Lisboa, Arquivo Nacional da Torre do Tombo.*

16. Gênios soprando os ventos, *s.d.*

ASIA
PERSIA
INDIA
CHIS
INDICVM MARE

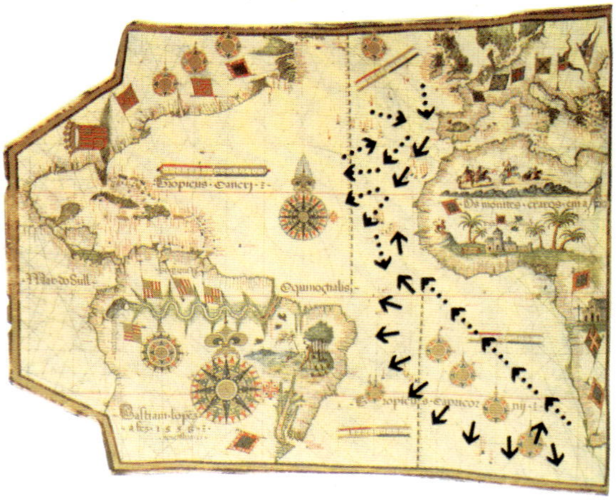

17. Grandes viagens marítimas.

18. Carta das linhas costeiras de parte da Europa, África e América, *de Sebastião Lopes, 1558. Londres, British Library.*

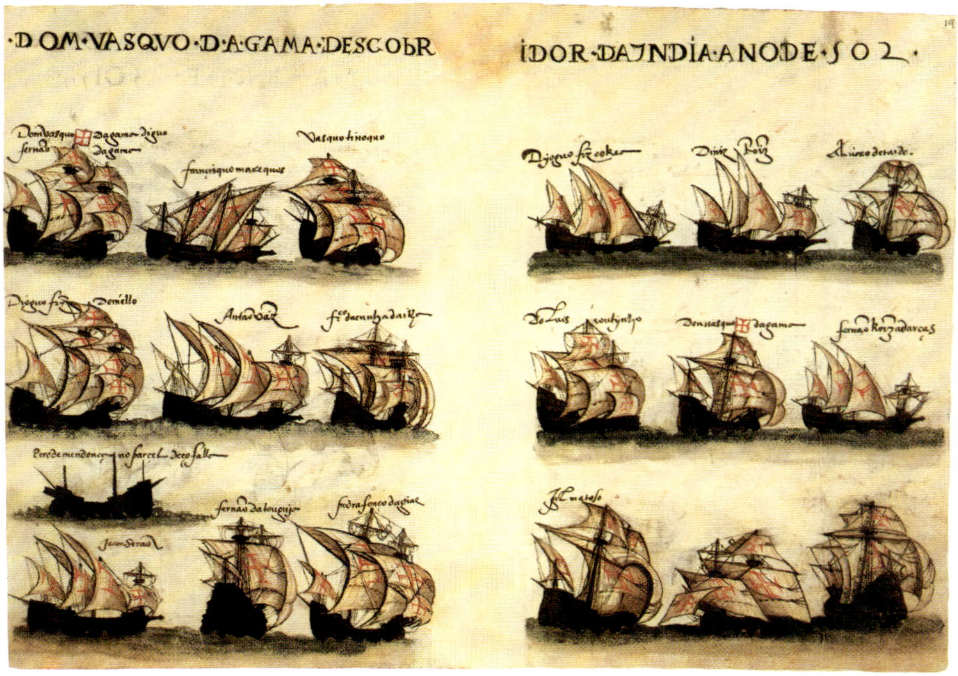

19. Armada da segunda de Vasco da Gama à Índia, *1502, no livro de Lusiarte de Abreu,* c. *1558-64. Nova York, Pierpont Morgan Library.*

Guaspar de lemos D
de santa cruz tra do bra
zil tornou a portugal
cõ nova do descobrimeto
della
Pero diaz D
cõ a tormenta esgarrou
e foy ter a Magadaxó junto
do cabo de guarda fuy, e
á tornada se encontrou c
pedralvez cabral no cabo
Pero de thayde D
há tornada se perdeo nos bayxos
de S. lazaro e toda a gente salua foy
ter a Melinde
Vasq̃ da thayde D
perdido com a tormenta
Pedralvez cabral D
Nicolao coelho D
Nuno leytão D
Simão de miranda D
na tormẽta cõ pedralvez ca
al, e milagrosa mente se saluarão
Ayres gomez da silua D
perdido com a tormenta,
Simão de pina D
perdido cõ a tormẽta
Sancho de thoar D
pera portugal se perdeo cõ vento rijo
em hũ bayxo perto da costa de Melinde e
poys de toda a gente ser salua e se poserão fogo
bertolameu diaz D
perdido cõ a tormenta

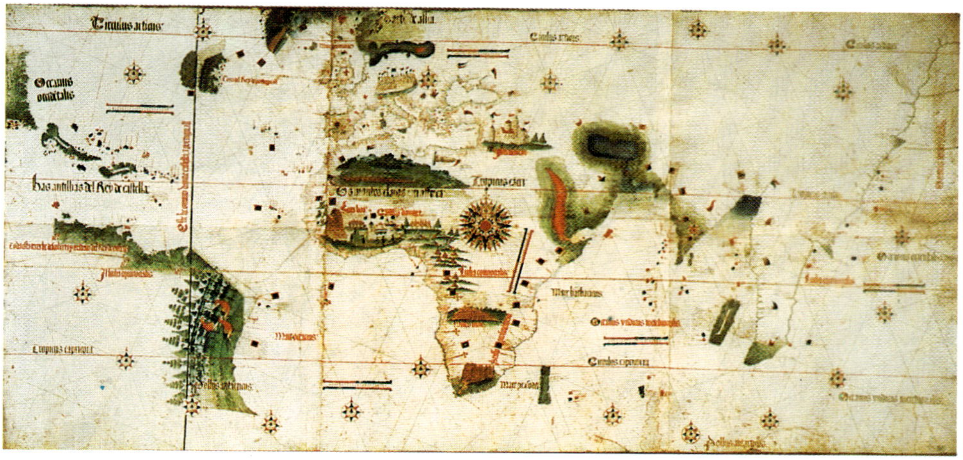

20. Armada de Pedro Álvares Cabral, *em* Mémorias das armadas, c. *1568. Academia de Ciências de Lisboa.*

21. Planisfério anônimo português, dito de Cantino, *1502. Modena, Biblioteca Estense.*

22. Embarcação portuguesa da primeira metade do século XVI, *atribuída a Cornelis Antoniszoon. Greenwich, National Maritime Museum.*

23. Representação de observações com o astrolábio e a balestilha, *gravura de Hans Staden,* Warhaftig Historia, *Madburgo, 1557.*

24. *Naus portuguesas, pormenor dos* Painéis de santa Auta, c. *1517-23. Lisboa, Museu Nacional de Arte Antiga.*

25. Rosa-dos-ventos.

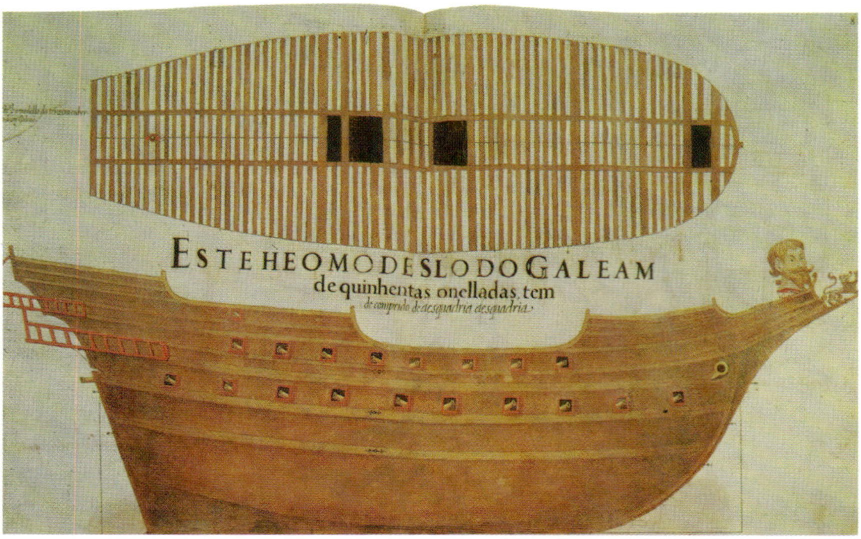

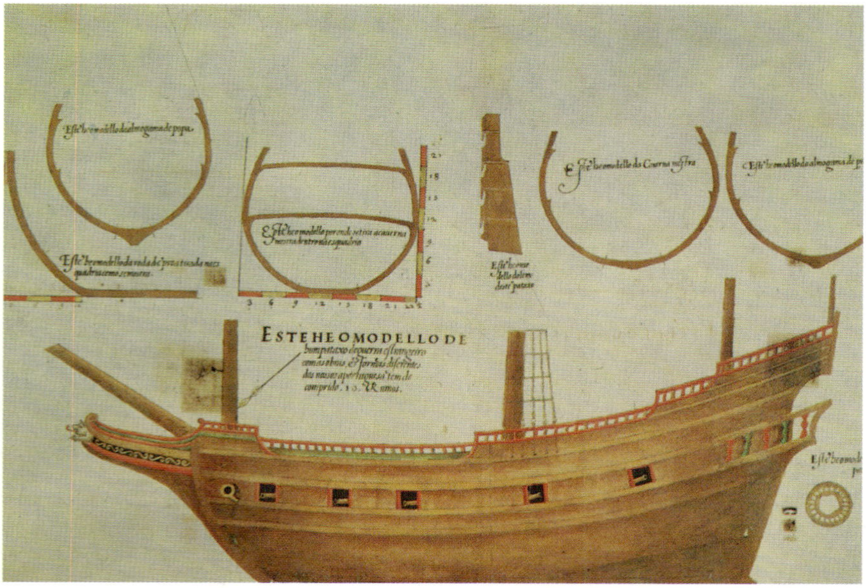

26. Representações de modelos de galeões e patacho, *no* Livro de traças de carpintaria de Manuel Fernandes, *1616. Lisboa, Biblioteca da Ajuda.*

27. Ao lado, *Francis Bacon,* Novum Organum, *frontispício de* Multi pertransibunt & augebitur scientia. *Londres, 1620.*

FRANC. BACONIS
DE VERULAMIO
Summi Angliæ
CANCELLARII
Novum Organum
Scientiarum.
Editio Secunda

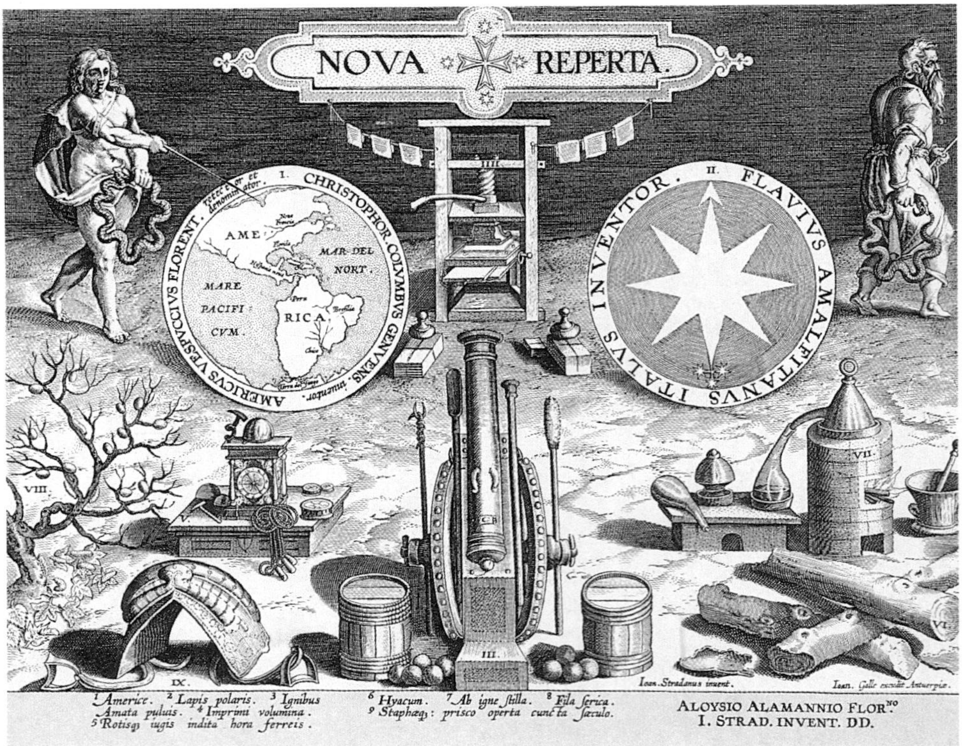

28. *Jan Van der Straet* [*Stradamus*] *gravado por Théodor Galle, 1589.* Nova Reperta, *1589.*

29. *Alegoria de* orbis christianus. *Gaspar de San Agustín*, La conquista de las Filipinas. *Madri. 1698. Frontispício.*

Laus eius ab extremis terræ. Isai. 42.
IHS
Luce splendida fulgebis, & omnes fines terræ adorabunt te. Tob c. 13. v. 13.
Ite Angeli Veloces ad gentem conuulsam, et dilaceratam ad populum, quem non est alius. Isai. c. 18.
Dedi te in lucem gentium, vt sis salus mea, vsque ad extremum terræ. Isai. c. 49.
Per me Reges regnant. Parb. c. 8.
A solis ortu vsque ad occasum, laudabile nomen Dni. Psal. 112
china
Siam
Borney
Mindanao
Philippus. II.
D. Augustinus.
eas Vrdaneta
inus de Rada
In doctrinis glorificate Deum, in Insulis maris nomen Domini Dei Israel: a finibus terræ laudes audiuimus gloriam iusti. Isai. cap. 24.
Lumen ecce cunctas lustrasti lumine gentes
Sed tamen in tenebris vltima terra manet.
Dum celer occultas Fidei fers lumen in oras,
Augustine tuum crescit vbique decus.
Vltima regna, quibus reseratur finibus orbis
Dat Deus arbitrio, magne Monarcha tuo.
Subditur Hispanis dum totus mundus, Iber

MANVM MEAM, ET AD POPVLOS EXALTABO
I·N·R·I
ELEVABO AD GENTES
SIGNVM MEVM
ECCE
Isai 49
L. Gaultier incidit

30. Ecce levabo ad gentes manum mean et ad populos exaltabo signum meum. *R. P. Claude d'Abbeville,* Histoire de la mission des peres capvcins en l'isle de Maragnan et terres circunvoycines. *Paris, 1614.*

31. *Théodore de Bry, sem título, em* Historia Americae sive novi orbis, Pars Qvinta, *Frankfurt, 1590-1634.*

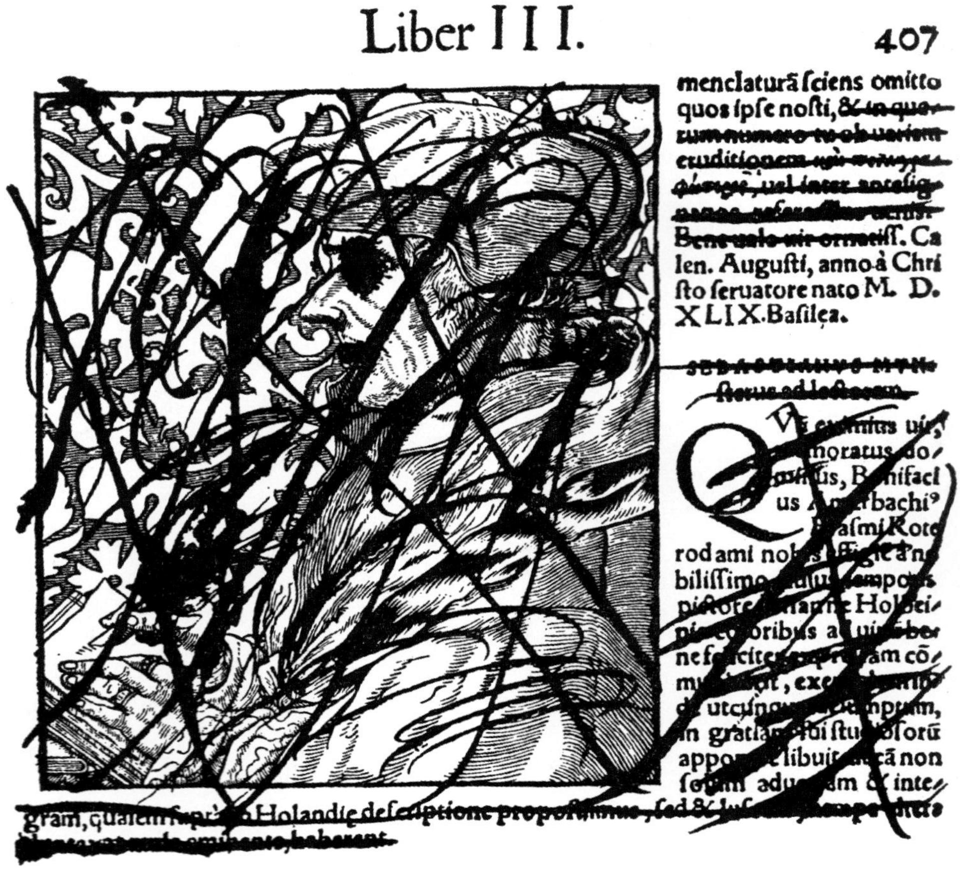
Liber III. 407

menclaturã sciens omitto quos ipse nosti,

ciss. Calen. Augusti, anno à Christo seruatore nato M. D. XLIX. Basileæ.

28. *ERASMO, TACHADO POR LA CONGREGACIÓN DEL ÍNDICE*

32. Erasmo censurado pela Congregação do Índex.

33. Velasquez, Cena da Inquisição, 1851. Paris, Museu do Louvre.

34. *Sandro Botticelli,* O nascimento místico, c. *1500, têmpera sobre tela, 108,5 x 75 cm. Londres, The National Gallery.*

35. *Victor Meirelles,* Primeira missa no Brasil, *1861. Rio de Janeiro, Museu Nacional de Belas-Artes.*

36. *Horace Vernet*, Premiére messe en Kabilie, *1855. Bélgica, Museu de Lausanne.*

37. Desembarque de Cristóvão Colombo, *de Jean-François de Troy* (*1679-1752*).

38. Humberto Mauro, fotograma do filme O descobrimento do Brasil, *1937.*

39. *Cândido Portinari, painel* A primeira missa no Brasil, *1947. São Paulo, Banco Boavista.*

40. *Pedro Peres,* A elevação da cruz em Porto Seguro, *1879.*

A ECONOMIA POLÍTICA DOS DESCOBRIMENTOS

Luiz Felipe de Alencastro

Retomando o tema da obra magistral de Vitorino Magalhães Godinho, e nela se inspirando, esse texto busca resumir a problemática política e econômica dos Descobrimentos.[1] O período abordado se refere aos anos 1450-1640, o "longo século XVI", cobrindo o lapso de tempo iniciado com as primeiras descobertas ibéricas e concluído no final da Guerra dos Trinta Anos (1618-48), quando os "velhos países capitalistas", Portugal e Espanha, são suplantados no comércio ultramarino pelos "novos países capitalistas" do Norte da Europa, Inglaterra e Holanda.

Têm sido extensamente estudadas as motivações religiosas e econômicas que impulsionaram os descobrimentos lusitanos. Entretanto, os objetivos geopolíticos, decorrentes da rivalidade luso-espanhola, não foram alvo da mesma atenção. Sobretudo na perspectiva do debate historiográfico sobre o caráter não econômico do colonialismo lusitano.[2]

O EXPANSIONISMO PREEMPTIVO

A expansão ultramarina portuguesa brota no seio de um reino periodicamente posto em risco. Num Estado submetido à pressão política espanhola e, mais tarde, à coerção econômica inglesa. Neste contexto, a Coroa lusitana engendra um expansionismo preventivo — "preemptivo" —, engatilhado para ganhar territórios do além-mar que poderiam vir a ser ocupados por Madri,[3] donde a extraordinária abstração geopolítica negociada entre as duas capitais ibéricas no tratado de Alcáçovas (1479), reconhecendo a soberania de Lisboa sobre Madeira, Açores e toda a África negra, e no tratado de Tordesilhas (1494), pactuando fronteiras comuns ainda por existir, em lugares remotos, inatingidos, "do que até agora está por descobrir no mar oceano", como especifica um dispositivo deste último texto, partilhando domínio e império sobre mares, territórios e povos ignotos.[4]

O "expansionismo preemptivo" se manifesta desde o começo das Descobertas. Terá sido a expedição franco-espanhola de 1402, em direção à Madeira, que levou Portugal a ocupar preventivamente aquela ilha nos anos 1418-26, encetando as travessias descobridoras das Canárias (1424), dos Açores (1431-39), e de Cabo Verde (1456-62).[5] Da mesma forma, o avanço proporcionado à Espanha no oceano Pacífico pela primeira circunavegação de Fernão de Magalhães (1520-21) e, sobretudo, pela descoberta da rota Leste—Oeste, do México às Filipinas, por Álvaro de Saavedra (1527-28), leva os portugueses a se precaverem, ocupando portos e fixando feitorias ao longo da rota Goa—Macau, principal artéria do comércio asiático. Foi ainda o expansionismo preemptivo que soprou as velas portuguesas sobre toda a extensão do litoral atlântico sul-americano, convertendo, desde a segunda metade do século XVI, o estuário do Prata num dos pontos críticos da tensão fronteiriça luso-espanhola que dividia o planeta.[6]

O mapeamento da rota Portugal—Açores, no segundo quartel do século XV, havia solucionado o problema crucial do torna-viagem dos navegadores no Atlântico: a partir do arquipélago açoriano, uma verdadeira auto-estrada marítima, formada pelos ventos variáveis e os ventos dominantes de sudoeste, leva os navios de volta à costa portuguesa. Anteriormente, e fora dessa rota, os barcos que navegavam para o sul, enfrentavam ventos contrários no regresso, e acabavam se perdendo ao arribar no litoral africano da zona sahelo-saariana, dominada pelos inimigos muçulmanos.[7] Na circunstância, a posse dos Açores se configura, ontem e hoje, como um trunfo decisivo no espaço atlântico. Significativamente, a expansão portuguesa nos séculos XV e XVI se apodera de pontos-chaves das vias de comunicação mundiais do passado e do presente. Açores, Cabo Verde, São Tomé e Mina (no bolsão do golfo de Guiné), Luanda e o Brasil (nos dois lados do Atlântico Sul), Goa, Ormuz (no gargalo do golfo Pérsico), Mascate (no golfo de Omã), Malaca (vizinha da atual Cingapura, no estreito de Malaca, via de acesso ao Extremo Oriente), Macau (no litoral de Cantão, no sul da mar da China), se situam no entroncamento das rotas estratégicas do planeta.

Balizando as grandes rotas marítimas de comércio, a constelação de feitorias portuguesas deixa evidente o escopo globalizante dos Descobrimentos. Sobressai ainda o caráter essencialmente marítimo e mercantil de uma política que, excetuando o caso de Madeira e Açores, quase extensões continentais lusitanas, só toma feição propriamente colonial e povoadora numa determinada área, e bem mais tarde: no Brasil, e no decurso do século XVIII. Desse ponto de vista, a tipologia distinguindo "colônia de povoamento" e "colônia de exploração" — bastante difundida na historiografia brasileira — não alcança a especificidade do quadro político e mercantil que cobria os dois primeiros séculos do sistema colonial. Formulada por Leroy-Beaulieu no final do século XIX, tal conceituação se aplica à segunda expansão européia — sucedida entre 1870 e 1956 (expedição anglo-francesa no canal de Suez) —, quando a supremacia militar do Ocidente, potencializada pela Revolução Industrial, já assegurava às metrópoles colonizadoras o domínio efetivo dos territórios e dos povos nativos do ultramar, e não à primeira expansão (séculos XV a XVII).[8]

Ao inverso, a análise de Karl Polanyi referente ao "port of trade" [o porto de trato] apresenta maior consistência histórica com a rede de enclaves e feitorias que caracteriza o ultramar português até a Restauração (1640), antes de o império do Atlântico (Brasil e Angola) sobrepujar o império luso do Oriente (Índia, Insulíndia e China).[9]

Macau, estabelecimento português desde 1557, e último enclave europeu na Ásia contemporânea, nunca foi colônia de povoamento gozando de domínio pleno sobre seu território, ou colônia de exploração baseada numa atividade produtiva local. Em vez disso, sempre respondeu às funções de porto de trato, de feitoria, de praça *offshore* de intermediação comercial tolerada por Pequim. "A paz que temos com o rei da China é conforme ele quer", escrevia em 1635 o cronista da Índia, Antônio Bocarro. Um século e meio mais tarde, o bispo-governador de Macau reiterava: "Não podemos resistir com força a qualquer ordem [do imperador da China] [...] o imperador num instante meterá nesta cidade, de improviso, tantos chinas, que lançando cada um neste rio [de Macau] só um sapato, faria entupir a barra".[10]

Nada resume melhor as dessemelhanças existentes nos quadrantes do império português do que os destinos opostos da cidade de Deus de Macau e de São Paulo de Piratininga, fundada na mesma época que a praça chinesa: na véspera da retrocessão do enclave à China, prevista para 1999, e ao cabo de quatro séculos e meio de "colonização" lusitana, apenas 3% de macaenses falam o português e somente 20% deles têm a nacionalidade portuguesa.

Malgrado o peso relativo do governo-geral da Bahia, não obstante toda uma tradição de estudos brasileiros que busca elaborar uma história territorial "nacional" a partir da primeira missa rezada em Porto Seguro, a América portuguesa — formada por um arquipélago de zonas econômicas dispersas no Estado do Brasil e no Estado do Maranhão, com pouca ou nenhuma comunicação entre si — constitui apenas uma expressão geográfica nos séculos XVI e XVII. Em virtude do sistema de ventos, das correntes e do comércio predominantes no Atlântico Sul, a Amazônia propriamente dita, o Maranhão, o Pará e o Piauí, permanecem dissociados do restante do Brasil, enquanto Angola se agrega fortemente a ele. Longe de qualquer desacerto da burocracia reinol, o estabelecimento, em 1621, do Estado do Pará e Maranhão, com um governo separado do Estado do Brasil, responde perfeitamente ao esquadro da geografia comercial da época da navegação a vela. Propagandista do Maranhão, ou seja, da Amazônia, por ele considerada como a terra prometida para "os pobres de Portugal", aos quais dedica seu livro publicado em 1624, o capitão Symão da Sylveira afiança: "O Maranhão é o Brasil melhor, e mais perto de Portugal, que todos os outros portos daquele Estado, em derrota muito fácil à navegação [de Lisboa] [...] E por ser esta terra tal, a fez S. M. governo separado do Brasil".[11]

Por causa da não-integração econômica do seu território, o Brasil apareceu muito tempo como um território insular. Mesmo quando os mapas já haviam, de muito, registrado os contornos continentais da América portuguesa, algumas chancelarias seiscentistas da Europa ainda se referiam à colônia como se fora uma ilha. *Île Brésil*, ilha Brasil, tal é o nome dado ao domínio lusitano na América num documento apresentado em 1659 por diplomatas franceses que negociavam, em Paris e noutras capitais européias, as relações internacionais após a Guerra dos Trinta Anos.[12]

Em conclusão, cabe lembrar Fernand Braudel e, antes dele, Lucien Febvre: o primordial é a realidade que está sendo enquadrada, e não o quadro territorial.[13] Só após a exploração do ouro em Minas Gerais começa a emergir, no interior dos domínios portugueses da América do Sul, uma verdadeira territorialidade, uma divisão inter-regional do trabalho em torno de um mercado em que os vendedores são dominantes (*sellers' market*).

Dado este quadro internacional, convém apontar os fatores internos que impulsionaram o expansionismo português.

A COLONIZAÇÃO MONÁRQUICA

No elenco de receitas tributárias da monarquia portuguesa, se destaca a "sisa", imposto geral sobre a compra e a venda de qualquer espécie de bem e de mercadoria.[14] A importância deste imposto nos séculos XV e XVI demonstra que as receitas régias se baseiam na circulação, e não na produção de riquezas.[15] Com o advento das Descobertas, os rendimentos das trocas ultramarinas se sobrepõem às receitas obtidas na tributação do comércio interno do reino. Por volta de 1520, as receitas fiscais captadas no trato d'além-mar já ultrapassam um terço os tributos e taxas recolhidos na metrópole pelo Erário Régio.[16] Além disso, tirando proveito das feitorias levantadas nos três continentes, a família real e a nobreza lusitana também investem nas empreitadas ultramarinas, participando diretamente do grande comércio oceânico e dele retirando lucros.[17]

Procurando evitar os impostos diretos de contribuição, antagonizados pela aristocracia e o clero, a monarquia desenvolve um sistema fiscal de atribuição, vendendo concessões de comércio e a arrematação tributária nos seus domínios do ultramar. Esse processo econômico se insere no contexto doutrinário da época. Com efeito, a venda do monopólio régio a contratadores e arrematadores privados não se apresenta como um ato unilateral do poder monárquico, mas como uma contrapartida dos direitos consagrados da monarquia: o rei evangeliza os pagãos das terras distantes, abrindo, ao mesmo tempo, novas áreas de comércio para a Europa. Desde logo, o monarca tem o "direito e dever", segundo a fórmula das bulas papais concedidas à Coroa portuguesa, de conservar para si o monopólio oceânico ou de cedê-lo aos negociantes mediante retribuição.

Tais características do Estado lusitano foram bem estudadas pelos historiadores portugueses. A propósito do reino de d. Dom João II (1481-95) e da transição da "monarquia agrária" para o "império oceânico", João Lúcio de Azevedo escreve: "O dono da nação era a partir desse momento negociante, como antes tinha sido agricultor".[18] Sobre a concentração de riquezas nas mãos do rei, no século XVI, Manuel Nunes Dias estuda a emergência de um "capitalismo monárquico".[19] Tomando também em conta a influência da aristocracia fundiária, cujos interesses vão pesar, mais tarde, no acordo econômico anglo-português selado pelo tratado de Methuen (1703), Magalhães Godinho define "um império oceânico, comercial, mas também fundiário e agrícola".[20] No total, os impostos indiretos sobre a circulação interna de mercadorias e, mais ainda, sobre o comércio externo, garantem os fundos do Tesouro Real desde o século XVI. Note-se que a Inglaterra e a França só introduzem um imposto similar às sisas, as *accises*, em meados do século XVII.[21]

Esses traços históricos do aparelho de Estado lusitano devem ser correlacionados com esferas políticas definidas em três níveis distintos.

No primeiro nível, desenham-se as relações de força que se cristalizam na metrópole. Evitando um enfrentamento com a classe senhorial e as ordens e confrarias religiosas no terreno decisivo da tributação, o poder monárquico extrai renda e se associa ao comércio externo. Desse modo, ao estimular a expansão marítima, a realeza consegue aumentar seus ganhos sem prejudicar poderes e funções dos grupos sociais privilegiados do Antigo Regime.[22]

Outro fator, decorrente da composição da burguesia mercantil lusitana, acentuou o movimento ultramarino. É certo que a venda da arrecadação fiscal aos arrematadores absorvia capitais dos negociantes, tirando-os do circuito econômico. Mas também é verdadeiro que a Inquisição agia poderosamente em sentido contrário, facilitando, de maneira involuntária, a cristalização do capital mercantil. Freqüentemente de origem judaica, a burguesia mercantil portuguesa estava impedida — pelo veto inquisitorial — de adquirir títulos, terras, encargos e funções administrativas ou honoríficas. Desse modo, não podia "desviar" seus capitais do circuito comercial e bancário para "esterilizá-los" em atividades improdutivas e de prestígio, a exemplo do que sucedia com as burguesias mercantis de outros países europeus. Dando cobertura aos privilégios aristocráticos, aos "cristãos-velhos", a Inquisição entravava a "refeudalização" do capital mercantil cristão-novo em Portugal. Conseqüentemente, observa Frédéric Mauro, "a burguesia portuguesa permaneceu, no século XVII, uma burguesia de negócios, muito mais ativa do que as outras burguesias mediterrânicas ou européias".[23]

Nesta ordem de idéias, a expansão marítima e a emigração aparecem como causa e efeito do descompasso entre a rigidez das estruturas metropolitanas e a dinâmica da mobilidade social. Nos anos 1520, Portugal tem perto de 1 400 000 habitantes, a Espanha cerca de 7 milhões, a França 16 milhões, a Itália 11 milhões.[24] Da rala pátria portuguesa, poucos homens, muito poucos, não mais de 2 mil por ano, saíram, no século XVI, para pelejar nos cinco mares. Madeira, Açores, Cabo Verde. Bissau, Cacheu, Bisiguiche. Mina, São Tomé. Luanda, Benguela. Quelimane, Moçambique. Goa, Diu, Ormuz, Colombo, Malaca, Macau. Laguna, Piratininga, Rio de Janeiro, Salvador, Pernambuco, Maranhão. Os desclassificados do reino — deserdados, marginais urbanos, comerciantes cripto-judeus, bastardos da pequena nobreza, funcionários, militares, baixo clero secular — se deslocavam até a periferia para colonizar as conquistas, enquanto cativos asiáticos, americanos e, sobretudo, africanos, eram deslocados para o centro para serem explorados colonialmente nos campos e cidades metropolitanas.[25] De fato, no século XVI, o número de escravos introduzidos no reino se aproxima do número de portugueses partindo para os três continentes.[26]

A saga trágico-marítima dos andarilhos lusitanos desenrola-se nas páginas antológicas de *Peregrinação* (1614), que os brasileiros deveriam ler ou reler, em contraponto a *Os lusíadas*, no contexto contemporâneo de derrocada do colonialismo português na África. Fernão Mendes Pinto e seus companheiros saem, no ano de 1544, das fronteiras da China. Levados ao rei da Tartária, os aventureiros narram ao soberano nativo sua atribulada jornada de três anos, das lonjuras da Europa até aquele ponto do Extremo Oriente. Trava-se então um dos mais surpreendentes diálogos da literatura renascentista: "Por que vos aventurais a tamanhos trabalhos?", pergunta o rei dos tártaros aos portugueses. Retomando o fio da narrativa, Fernão Mendes Pinto explica:

> [...] declarando-lhe então a razão disto, pelas melhores e mais bem enfeitadas palavras que então ocorreram, esteve ele um pouco suspenso, e bulindo três ou quatro vezes com a cabeça, disse para um homem velho que estava junto dele: "Conquistar esta gente terra tão alongada da sua pátria, dá claramente a entender que deve haver entre eles muita cobiça e pouca justiça". A que o velho, que se chamava Raja Benão, respondeu: "assim parece que deve ser. Porque homens que por indústria e engenho voam por cima das águas todas, para adquirirem o que Deus não lhes deu, ou a pobreza neles é tanta que lhes faz esquecer a sua pátria, ou a vaidade e a cegueira que lhes causa a sua cobiça é tamanha que por ela negam a Deus e a seus pais".[27]

Peregrinação revela a prosaica realidade encoberta pelas "melhores e mais bem enfeitadas palavras" do discurso colonial: a cobiça da Coroa em busca de novos rendimentos, assim como a pouca justiça e a pobreza da metrópole, impulsionam a expansão ultramarina.

Num segundo nível desenrola-se a problemática envolvendo o estatuto das colônias e as relações entre os colonos e a metrópole.

Na Ásia, a exploração colonial se apóia numa rede de feitorias e portos, terminais de zonas de comércio e de produção situadas, no mais das vezes, fora da soberania efetiva de Lisboa. Nesse sistema, aqui chamado de tipo "asiático", devem também ser incluídos os portos de trato da Senegâmbia e do golfo da Guiné, bem como os enclaves do Estado do Grão-Pará e Maranhão, tributários do extrativismo. Como se sabe, durante o século XVII, os portugueses serão dominados nestas regiões por outras potências européias. Bem diversa será a situação no Estado do Brasil e em Angola. Além dos efeitos aglutinantes induzidos pelo tráfico negreiro e pelo intercâmbio com a metrópole — efeitos que dão porosidade às economias do Atlântico Sul e consolidam o poder imperial na região —, estas duas possessões de tipo "atlântico" ligam-se ainda à metrópole por conexões características.

No Brasil, por ordem régia, os engenhos são concebidos como uma estrutura ambivalente, sendo ao mesmo tempo unidades de produção e unidades fortificadas de ocupação territorial.[28] Em Angola, a marcha da conquista e as mudanças sociais suscitadas pelo tráfico negreiro proporcionam um duplo esteio aos portugueses: o controle da rede de trocas terrestres desembocando nos portos de tráfico (Luanda e Benguela); o domínio sobre uma camada de mercadores itinerantes nativos, os "pombeiros", subordinados aos negociantes portugueses do litoral.

O contraste entre o sistema de exploração das possessões asiáticas e atlânticas de Portugal fica patente durante o conflito luso-holandês. Batendo em retirada no Atlântico Sul, os holandeses ocupam partes inteiras dos domínios asiáticos de Portugal. Protegidos pela economia de produção e de trocas, onde se engatam as malhas mais resistentes do Atlântico português, colonos e mercadores do Brasil e de Angola devem, contudo, prestar tributo à sua metrópole: o aparelho de Estado lhes assegura o monopólio sobre a oferta de mercadorias exportadas dessas duas colônias. Situação já justificada por Diogo Lopes Rebelo, teórico do absolutismo português, o qual sentencia, em 1496: "somos obrigados a dar tributos ao rei porque ele milita em defesa da Pátria, e nos defende dos inimigos e ladrões, mantém a paz e a justiça entre os homens, fortifica e reedifica as fortalezas e, em poucas palavras, tem do povo inteiro, como seu rebanho, o máximo cuidado".[29] Doutrina que as cortes de 1641 e o Conselho de Estado adaptarão às novas realidades políticas.[30]

A continuidade da presença do Estado português na América do Sul, e em algumas partes da África e Ásia, favorece colonos e comerciantes ultramarinos portugueses: a administração metropolitana exterioriza a violência, canalizando-a para fora de seus domínios. Ao descrever, em 1620, as capitanias de Pero Lopes de Sousa e as de seu irmão, Martim Afonso de Sousa, cujas fronteiras se tocavam no Sul, frei Vicente Salvador nota que os litígios de terras entre os donatários surgiram depois que os colonos das quatro capitanias [Rio de Janeiro, Santo Amaro, São Vicente e Sant'Ana], unidos, haviam vencido indígenas e invasores franceses. Por isso, continua o frade historiador: "[...] se verifica [no Brasil] o que Cipião Africano disse no senado de Roma, que era necessário continuar-se com as guerras de África porque, faltando estas, as haveria civis entre os vizinhos, como as houve entre estes [dois donatários], ainda que irmãos, depois que venceram os gentios".[31]

No terceiro nível se destacam questões internacionais decorrentes da inserção do Estado português no concerto das nações européias.

Pondo fim à Guerra dos Trinta Anos, os tratados de Westphalia (1648) consagram o fim da hegemonia católica na Europa. Três religiões cristãs — luterana, calvinista e católica — são desde então institucionalizadas no espaço do Sacro Império Germânico. A Espanha reconhece em 1648 a independência das Províncias Unidas, mas prossegue a guerra contra a França até 1659 e contra Portugal até 1668. Enquanto as potências católicas continuam divididas, a Reforma se afirma de pleno direito na política européia. Senhor do Reino de Nápoles e da região de Milão, Felipe IV de

Espanha mantém tropas na ilharga dos territórios pontificais. Desta sorte, a aliança madrilena é propriamente irrecusável para a Santa Sé. Declarado rebelde pela Coroa espanhola, o Portugal de d. João IV (1640-56) é assaltado por terra e mar. Dois terços da marinha portuguesa são destruídos entre 1640 e 1649. O Alentejo continua até 1668 sendo teatro de conflitos entre os dois países. Num despacho de Haia, onde se achava em 1648 como enviado diplomático de d. João IV, o padre Antônio Vieira desenha o lancinante cerco mundial sofrido por Lisboa:

> Temos guerra em cinco províncias de nossas fronteiras [européias], e em mais de 100 léguas de costa, sem haver um palmo de mar ou terra, no circuito de todo o reino, que não esteja exposto à invasão do inimigo e necessite de defesa: e, além desta guerra tão interior, temos guerra em Pernambuco, guerra na Bahia, guerra em Angola, guerra nas fronteiras de África, e, segundo já se diz aqui [em Haia] — o que se não é hoje será amanhã — guerra em Goa, em Ceilão, em Malaca, na China, enfim, em todas as partes do mar e do mundo, ou com os castelhanos, ou com os holandeses, ou com os mouros e turcos.[32]

Tantas e tamanhas eram as tribulações da Coroa portuguesa que Vieira propõe o abandono de Pernambuco e de Angola à Companhia das Índias Ocidentais, e uma paz em separado com os holandeses, para que Portugal pudesse concentrar suas forças militares na guerra fronteiriça contra a Espanha.

Guerreado por Madri e pela Holanda, posto em quarentena pela Santa Sé, Portugal busca o apoio de Londres, preferindo a aliança com os distantes hereges à associação com os vizinhos católicos. Dando seguimento a vários tratados bilaterais, os portugueses facilitam o acesso dos mercadores e das mercadorias inglesas às zonas sob seu controle na Ásia, África e América. As negociações globais entre Lisboa e Londres são seladas por três pactos bilaterais. O primeiro, de 1642, funda "a dependência econômica e política de Portugal" [S. Sideri]. O segundo — "um diktat" [C. R. Boxer] —, assinado em 1654, transforma o país em "um vassalo comercial da Inglaterra" [A. K. Manchester]. O terceiro, datado de 1661, marca o "ponto mínimo" [V. Magalhães Godinho] da soberania portuguesa.[33]

Dada a distinção apontada acima entre a exploração lusitana na Ásia e na África Ocidental, por um lado, e no Atlântico Sul, por outro lado, as vantagens obtidas pela Inglaterra têm implicações diferentes. Na Ásia, e principalmente na Índia, os ingleses embolsam ganhos comerciais e territoriais. Adquirem o direito de manter mercadores em Goa, Cochim e Diu, mas também o controle de Bombaim. Junto com Madras e um enclave no Hughli, ocupados nessa mesma época, Bombaim constitui o núcleo regional a partir do qual se estende a East India Company e, posteriormente, o império britânico na Índia. Para Londres, o endosso português na Ásia era tanto mais necessário que a East India Company, fundada em 1635, parecia desprovida de capitais e de navios quando comparada à sua rival holandesa, a Companhia Reunida das Índias Orientais (VOC).[34] Incapacitada para fincar pé na Ásia por sua própria força a companhia inglesa tinha que tratar diretamente com régulos asiáticos, ou recorrer a Lisboa para infiltrar-se nos circuitos comerciais e políticos que os portugueses haviam tecido nesta parte do mundo.[35] Na África do Norte, os ingleses recebem a praça de Tânger. Um trunfo decisivo também é obtido por Londres na praça de Lisboa, onde negociantes ingleses desfrutarão do direito de extraterritorialidade e de franquias facilitando a introdução de mercadorias no Brasil, por intermédio de portos e comerciantes portugueses. A partir de então, o comércio de reexportação e o contrabando ganham um papel importante na continuidade da presença portuguesa no ultramar.

Na negociação global entre Londres e Lisboa, duas situações se apresentavam. Onde o interesse residia no acesso a mercadorias produzidas fora do controle metropolitano, como na Ásia e no golfo de Guiné, a Inglaterra procura obter a livre circulação de seus mercadores. Ao inverso, nas regiões como o Brasil e, em menor medida, como Angola, onde a organização da produção colonial enrijecia o núcleo ultramarino lusitano, os ingleses reivindicam apenas a livre circulação de suas mercadorias.

Apesar do julgamento severo proferido pelos historiadores citados acima, os tratados de 1642, 1654 e 1661 também embutiam algumas vantagens políticas para Lisboa. A aliança luso-britânica abre a via ao tratado de paz luso-espanhol de 1668 e à normalização das relações entre Portugal e a Santa Sé. Destarte, consolida-se a soberania portuguesa na Europa e fundam-se novas bases jurídicas e diplomáticas para o domínio português no Brasil, nas ilhas atlânticas, na Senegâmbia, Angola, Moçambique e em certos enclaves do Oriente. Perdeu-se boa parte da Ásia, mas o que restava no Atlântico Sul estava amarrado pela "Pax Lusitana".[36]

Desfalcando-se de sua soberania imperial, em benefício da Inglaterra, Portugal restaura a autonomia de seu território metropolitano, em detrimento da Espanha: a inalienabilidade do domínio metropolitano é assegurada pela alienabilidade de parte do domínio colonial.

Numa carta dirigida, em 1672, a d. Rodrigo de Meneses, fidalgo influente junto ao infante d. Pedro, o padre Antônio Vieira — fino diplomata e pensador político que uma tradição literária brasileira insiste em apresentar apenas como orador sacro e estilista barroco — ressalta a utilidade eminentemente política das conquistas:

Inglaterra, França e Holanda, todos têm os olhos postos em conquistas, e não têm outras para onde olhar senão as nossas, que só com armadas prontas no rio de Lisboa se podem defender, e, ainda que aí se apodreçam ao parecer inutilmente, só elas são os muros das conquistas. E não nos envergonhamos de se saber no mundo que consta a nossa armada de três fragatas! A razão de as nações sobreditas se empregarem com tanto cabedal no poder marítimo é principalmente a utilidade dos comércios, tendo conhecido todas as coroas e repúblicas, por experiência, que só comerciando se podem fazer opulentas [...] Mas, senhor, o nosso caso [de Portugal] não é este. Não quero que sejamos ricos; quero somente que conheçamos a nossa fraqueza e o nosso evidente perigo, e que tratemos de prevenir o precisamente necessário para conservar a liberdade, o Reino e as Conquistas; e, suposto que estamos conhecendo e padecendo com tantos descréditos a impossibilidade dos quatro palmos de terra que Deus nos deu na Europa, porque nos não havemos de valer da nossa situação, dos nossos portos, dos nossos mares e dos nossos comércios, em que Deus nos melhorou e avantajou às nações do mundo?[57]

Para Antônio Vieira, a expansão ultramarina devia garantir bens muito mais preciosos que a evangelização dos pagãos ou as rendas do Erário Régio. "A liberdade, o Reino, as Conquistas." Tais eram os bens essenciais dos lusitanos ameaçados pela ameaça internacional gerada pela Restauração. Tal era sua ordem hierárquica: em primeiro lugar, a liberdade; em segundo, o reino; e em terceiro lugar, e como garantia dos dois primeiros, vinham as conquistas, as colônias. As colônias servem para sermos livres, não para sermos ricos, parece dizer, em resumo, o padre Antônio Vieira.

Duzentos anos depois, pela voz de João da Ega, Eça de Queirós ironiza em *Os maias* (1888) o jogo reiterativo, mas eficaz, que ainda pautava a política externa portuguesa:

> Ninguém consentiria em deixar cair em mãos da Espanha, nação militar e marítima, esta bela linha de costa de Portugal. Sem contar as alianças que teríamos a troco das colônias — das colônias que só nos servem, como a prata de família aos morgados arruinados, para ir empenhando em casos de crise...[58]

Fecha-se assim o círculo de ferro que demarca o horizonte lusitano após a Restauração. Circunavegando o poder dos grupos privilegiados metropolitanos, o Estado extrai suas receitas do comércio exterior, estimulando, por sua vez, a expansão marítima (a); esta lhe assegura territórios e mercados além-mar, os quais, cedidos ou entreabertos ao comércio inglês, servem de penhora à aliança luso-britânica (b); garantida desta forma, a independência de Portugal legitima por sua vez a monarquia, permitindo que o aparelho de Estado se sobreponha às instituições e às estruturas metropolitanas e coloniais (c).

Esta série de relações assimétricas, esboçadas no gráfico abaixo, definem as bases do colonialismo monárquico e da "Pax Lusitana" no ultramar após a Guerra dos Trinta Anos.

DINÂMICA DO COLONIALISMO PORTUGUÊS

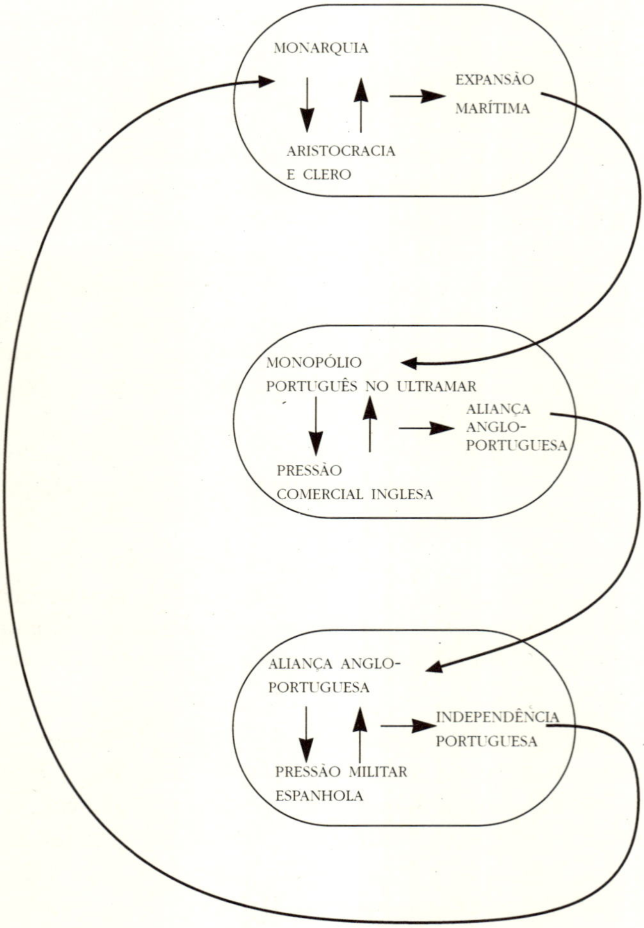

NOTAS

(1) Vitorino Magalhães GODINHO, *Os Descobrimentos e a economia mundial*, Lisboa, 1981-83, 4 vols.

(2) Veja-se, por exemplo, o livro de Richard HAMMOND, *Portugal and Africa 1815-1910, a study of uneconomic imperialism*, Stanford, 1966, e, defendendo a tese contrária, Gervase CLARENCE-SMITH, *The Third Portuguese Empire 1825-1975*, Manchester, 1985.

(3) Os estrategistas contemporâneos utilizam o conceito de "guerra preemptiva" para designar a guerra antecipatória, preventiva, desencadeada na presunção de que o inimigo levará inapelavelmente a termo um ataque, segundo determinados parâmetros geográficos. É nesse sentido que emprego aqui a expressão "expansionismo preemptivo".

(4) João Martins da Silva MARQUES (org.), *Descobrimentos Portugueses, Documentos para a sua história (1461-1500)*, Lisboa, 1973, vol. III, pp. 432-40.

(5) Harold B. JOHNSON, "The Portuguese Settlement of Brazil 1500-1580", em L. BETHELL (org.), *The Cambridge History of Latin America* (CHLA), Londres, 1986, v. I, pp. 250-1.

(6) Idem, ibidem, pp. 257-8.

(7) Jaime CORTESÃO, *Os Descobrimentos pré-colombinos dos Portugueses*, Lisboa, 1997, pp. 87-168.

(8) Paul LEROY-BEAULIEU, *De la colonisation chez les peuples modernes*, Paris, 1874. Introduzida no Brasil por Caio Prado Júnior, a análise de Leroy-Beaulieu foi retomada por Fernando Novais, *Portugal e Brasil na crise do antigo sistema colonial (1777-1808)*, São Paulo, 1979, pp. 69-72 e nota 31.

(9) Karl POLANYI, "Ports of Trade in Early Societies", em G. DALTON (org.), *Primitive, Archaic and Modern Economies — Essays of Karl Polanyi*, Boston, 1971, pp. 238-60.

(10) C. R. BOXER, "Dares-e-tomares nas relações luso-chinesas durante os séculos XVII e XVIII através de Macau", em *Estudos para a história de Macau*, Lisboa, 1991, t. I, p. 183.

(11) Symão Estácio da SYLVEIRA, *Relação sumária das cousas do Maranhão dirigida aos pobres deste reyno de Portugal (1624)*, Lisboa, 1911, p. 36. No quadro das reformas setecentistas as duas capitanias, reunindo os atuais estados do Pará, do Maranhão e do Amazonas, Rondônia e Amapá reintegram-se no Estado do Brasil em 1752.

(12) Documento diplomático francês datado de 1659, *Recueil des Instructions données aux Ambassadeurs et Ministres de France depuis les Traités de Westphalie jusqu'à la Révolution Française*, visconde De Caix de SAINT-AYMOUR (org.), Paris, 1886, "Portugal" — vol. III, p. 84, nº 1.

(13) Lucien FEBVRE, *La Terre et l'évolution humaine*, Paris, 1922, p. 336.

(14) João Cordeiro PEREIRA, "O orçamento do Estado português no ano de 1527", *Nova História*, Lisboa, 1984, nº 1, pp. 27-65; José Manuel SUBTIL, "A administração central da Coroa", em J. MATTOSO (org.), *História de Portugal*, Lisboa, 1993, v. III, pp. 78-105, sobretudo pp. 99-103.

(15) Para a especificação das receitas da Coroa portuguesa entre 1477 e 1619, ver Vitorino Magalhães GODINHO, *Ensaios, II, Sobre história de Portugal*, Lisboa, 1978, pp. 55-69.

(16) Vitorino Magalhães GODINHO, "Portugal do começo do século XVI: instituições e economia — o relatório do veneziano Lunardo da Cá Masser", *Revista de História Econômica e Social*, 1979, nº 4, pp. 75-88.

(17) Vitorino Magalhães GODINHO, "Finanças Públicas e estrutura do Estado", em J. SERRÃO et alii, *Dicionário de história de Portugal*, Lisboa, 1963-71, v. II, pp. 244-64.

(18) João Lúcio de AZEVEDO, *Épocas de Portugal Econômico (1928)*, Porto, 1978, p. 82.

(19) Manuel Nunes DIAS, *O capitalismo monárquico português 1415-1549. Contribuição para o estudo das origens do capitalismo moderno*, Coimbra, 1963-65, 2 vols.

(20) V. M. GODINHO, *Os Descobrimentos e a economia mundial*, v. I, p. 47.

(21) Gabriel ARDANT, "Financial Policy and Economic Infrastructure of Modern States anda Nations", em Charles TILLY (org.), *The formation of National States in Western Europe*, Princeton, 1975, pp. 164-242.

(22) Margarida SOBRAL NETO, "A persistência senhorial", em J. MATTOSO (org.), *História de Portugal*, pp. 165-75.

(23) F. MAURO, "La bourgeoisie portugaise au XVIIème siècle", em *Études economiques sur l'Expansion Portugaise*, Paris, 1970, pp. 15-36. Apoiado nas análises seiscentistas do padre Antônio Vieira, Armando Castro escreve que as atividades da Inquisição *enfraquecem* a burguesia mercantil e principesca em proveito da aristocracia. Mas seu argumento não contradiz o enfoque de Mauro sobre os cristãos-novos (A. CASTRO, *Doutrinas econômicas em Portugal, séculos XVI a XVII*, Lisboa, 1978, pp. 78-80). A favor da análise da Inquisição no quadro das lutas de classe do Portugal moderno, veja-se Antônio José SARAIVA, *Inquisição e cristãos-novos*, Lisboa, 1985. Para um enfoque mais amplo e comparativo, que discorda pontualmente da interpretação de Saraiva, Francisco BETHENCOURT, *História das Inquisições, Portugal, Espanha e Itália*, Lisboa, 1994, p. 128.

(24) "Demografia portuguesa na época dos Descobrimentos e da Expansão", em Luís de ALBUQUERQUE (org.), *Dicionário de história dos Descobrimentos Portugueses*, Lisboa, 1994, v.I, pp. 342-52; Vitorino Magalhães GODINHO, *Mito e mercadoria, utopia e prática de navegar, séculos XIII-XVIII*, Lisboa, 1990, p. 375.

(25) Por volta de 1550, os escravos, sobretudo africanos, constituíam 10% da população em Lisboa e Évora, assim como no Algarve. No nível nacional, os escravos representavam de 2,5% a 3% da população. A. C. de C. M. SAUNDERS, *A social history of black slaves and freedmen in Portugal 1441-1555*, Londres, 1982, pp. 47-60.

(26) Vitorino Magalhães GODINHO, "L'émigration portugaise XVe-XXe siècles", *Revista de História Econômica e Social*, 1978, v. I, pp. 5-33.

(27) Fernão Mendes PINTO, *Peregrinação & Cartas (1614)*, Lisboa, 1989, cap. CXXII, p. 451.

(28) Notadamente pela obrigação imposta aos senhores de engenho de dispor de armamento e de fortificar seus imóveis. "Primeiro Regimento que levou Tomé de Souza, Governador do Brasil" (1548), *Revista do Instituto Histórico e Geográfico Brasileiro*, 1898, t. LXI, pp. 46-50.

(29) J. C. PEREIRA, "O orçamento do Estado português no ano de 1527", pp. 27-65; Diogo Ramada CURTO, "A formação dos agentes", em J. MATTOSO (org.), *História de Portugal*, pp. 115-47.

(30) Vitorino Magalhães GODINHO, "Restauração", em J. SERRÃO et alii, *Dicionário de história de Portugal*, v. III, pp. 609-27.

(31) Frei Vicente do SALVADOR, *História do Brasil 1500-1627* (1627), 7ª ed., São Paulo, 1982, pp. 104-5.

(32) *Cartas do Pe Antônio Vieira*, em J. L. de AZEVEDO (org.), Lisboa, 1925, v. I, p. 144.

(33) Sandro SIDERI, *Trade and Power, informal colonialism in Anglo-Portuguese relations*, Rotterdam, 1970 (trad. port., Lisboa, 1978, p. 39); C. R. BOXER, "Vicissitudes of the Anglo-Portuguese Alliance 1660-1700", *Revista da Faculdade de Letras*, 1958, Lisboa, v. III, p. 16; Alan K. MANCHESTER, *British preeminence in Brazil*, 1933 (trad. bras., São Paulo, 1973, p. 30); V. M. GODINHO, "Restauração", op. cit., p. 625.

(34) Sobre a estratégia e as dificuldades da VOC, Mark VINK e George WINIUS, "South India and the China Seas: how the V. O. C. Shifted its Weight from Chine & Japan to India around A. D. 1636", em Artur Teodoro de MATOS e Luís Filipe F. Reis THOMAZ, *As relações entre a Índia Portuguesa, a Ásia do Sueste e o Estremo Oriente*, Macau, 1993, pp. 125-40.

(35) D. K. BASSET, "Early English Trade and Settlement in Asia 1602-1690", em J. S. BROMLEY e E. H. KOSSMAN (orgs.), *Britain and the Netherlands in Europe and Asia*, Londres, 1968, p. 100.

(36) Ver a esse respeito, L. F. de ALENCASTRO, *Le commerce des vivants: Traite d'esclaves et "Pax Lusitana" dans l'Atlantique Sud, XVIème-XIXème siècles*, Universidade de Paris X (Nanterre), 1985-86, 3 vols.

(37) *Cartas do Pe Antônio Vieira*, v. II, pp. 104-5.

(38) Eça de QUEIRÓS, *Os maias* (1888), Lisboa, Europa-América, s. d., pp. 141-2.

ARTE E TÉCNICA NAS NAVEGAÇÕES PORTUGUESAS: DAS PRIMEIRAS VIAGENS À ARMADA DE CABRAL

Francisco Contente Domingues

A ARTE DE NAVEGAR NO SÉCULO XV

O título "Arte e técnica nas navegações portuguesas: das primeiras viagens à armada de Cabral" remete-nos directamente para um aspecto particular da empresa marítima portuguesa no século de Quatrocentos: o dos meios e conhecimentos náuticos que permitiram a exploração do Atlântico durante o século XV, desde o início das primeiras viagens de descobrimento, feitas a partir de 1421 sob a égide do infante D. Henrique,[1] até à armada que inaugurou a Carreira da Índia — a ligação anual entre Lisboa e o Oriente — e no seu percurso sul atlântico descobriu o Brasil.[2]

A história das navegações portuguesas de Quatrocentos é, sob este ponto de vista, a de um longo processo de adaptação de um conjunto de soluções herdadas da prática de navegar mediterrânica, perfeitamente funcionais para resolver os problemas suscitados pela travessia de um mar interior (que praticamente o podemos considerar assim, para este efeito), mas que se revelaram insuficientes para singrar no alto mar. O pioneirismo português na criação e aperfeiçoamento de novos processos de navegação decorreu com naturalidade dos aspectos específicos dos descobrimentos marítimos indicados por D. Henrique.

A arte de navegar mediterrânica assentava no processo conhecido pelo nome de rumo e estima (ou, mais rigorosamente, era um processo de navegação estimada): o piloto seguia o rumo previamente definido com o auxílio da bússola, socorrendo-se das conhecenças para auxiliar a correcção da sua rota e em simultâneo estimava a progressão do navio; na indisponibilidade de instrumentos que permitissem determinar valores, era a sua experiência e as condições de navegação no momento que contavam. No século XIII os pilotos do Mediterrâneo já dispunham da mais importante parte dos instrumentos requeridos por esta prática: os portulanos, instruções de navegações escritas, eram acompanhados de cartas-portulano, a sua expressão gráfica; a bússola foi conhecida nesta altura; e as sondas, tábuas de marés e similares completavam a panóplia dos recursos existentes — e suficientes.[3]

No processo de avaliação dos conhecimentos e das soluções técnicas ao dispor dos navegantes portugueses pelos finais do século XV, portanto na altura em que a armada de Cabral zarpa de Lisboa em direcção à Índia, há, neste aspecto, duas considerações a fazer.

Em primeiro lugar, é de todo indiscutível que por essa altura a navegação astronómica era prática corrente e fora aperfeiçoada por esses mareantes. Pelo menos a partir do momento em que a progressão sistemática para sul ao longo da costa ocidental africana os levou a defrontar condicionalismos físicos adversos no regresso — que tornavam excessivamente difícil o retorno continuando a bordejar a costa para que essa opção pudesse ser encarada como rotineira —, os pilotos portugueses foram obrigados a levar os seus navios para o largo na procura dos ventos que os trouxessem de volta à costa portuguesa. A navegação à bolina (isto é, o curso em ziguezague, por bordadas sucessivas, contra o sentido dominante do vento)[4] fazia-se muito no Mediterrâneo, e foi usada durante todo o século XV na exploração do Atlântico; mas era solução de recurso, apenas. Para longas viagens em mar aberto tornava-se imprescindível conhecer os regimes de ventos que permitissem aos navios singrar com vento pela popa. Quando tiveram de se internar no alto mar os pilotos foram forçados a buscar meios para determinar a posição em que se encontravam pelo recurso à observação de estrelas, a qual lhes permitia determinar depois a latitude através de um processo relativamente simples. Continuava-se a estimar a longitude, mas a navegação astronómica já era um facto; e, do ponto de vista técnico, foi sem dúvida o mais importante das navegações quatrocentistas.[5]

Por outro lado, cumpre reconhecer que subsistem fundadas dúvidas quanto à calendarização das diversas etapas por que passou a navegação astronómica, uma vez que o próprio decurso das navegações parece sugerir que pelo menos uma fase embrionária deverá ser antecipada em relação aos testemunhos de que dispomos. Isto tem sobretudo a ver com a navegação para os Açores e com a chamada "volta da Guiné". O descobrimento em 1427 daquele arquipélago, localizado no meio do Atlântico Norte, bem longe das rotas normalmente seguidas pelos navegadores henriquinos, não constitui problema sob este ponto de vista, pois deverá ter sido meramente acidental; outro tanto não se pode dizer das expedições subsequentes, levadas a cabo na década de 30, pois é deveras difícil aceitar que pudessem atingir o arquipélago e voltar a Portugal apenas pelo recurso à navegação estimada. Quanto ao segundo caso: "Não se sabe quem pela primeira vez ensaiou a 'volta da Guiné', mas por 1440-50 ela era praticada, embora decerto inicialmente com todas as incertezas de uma experiência nova".[6]

Há de resto um passo da *Crónica da Guiné* de Gomes Eanes de Zurara, referente a uma viagem realizada nesta altura, que por si só nos autoriza a pensar na regularidade de tal prática: morto Nuno Tristão e cerca de vinte dos seus companheiros numa emboscada em terra, a caravela em que tinham ido à Guiné voltou para Portugal pelo largo, andando dois meses sem ver terra, com apenas cinco tripulantes capazes, entre os quais um moço da câmara do infante, que ia por escrivão, no comando do navio.[7] O feito seria impossível, tem-se apontado, devido à pura sorte, ou, por outras palavras, se não tivesse já sido observado por quem foi levado pelas circunstâncias a dirigir a empresa, não estando à partida de todo qualificado para o efeito.

A primeira notícia da utilização de um instrumento náutico surge-nos apenas nos inícios da década de 1460;[8] é hoje consensual que não se pode extrair daí a conclusão de que data da mesma altura o início da prática da navegação astronómica entre os navegadores portugueses.

Se portanto a navegação astronómica se vulgarizou pelo decorrer do segundo quartel do século XV, como tudo parece indicar, é evidente que o lapso de tempo que vai decorrer até ao ano de 1500 será de constante aperfeiçoamento e sofisticação de procedimentos que eram a princípio de grande simplicidade. Disso mesmo têm dada conta os estudiosos que versaram a matéria, em capítulo que é aliás dos mais relevantes da historiografia portuguesa; a prolixidade e o alcance dos estudos publicados permite-nos dispensar a tarefa que seria de esperar nestas circunstâncias, a de uma descrição da náutica portuguesa de Quatrocentos; outros já o fizeram, e ser-nos-ia impossível cumprir melhor.[9]

Será todavia de notar nesta circunstância que pode ter havido um compasso de espera entre o que eram as possibilidades do tempo e aquilo que se manifestava na prática corrente. Quer dizer, uma coisa é atentarmos no conhecimento de ponta ou naquilo que seria possível fazer aos melhores e mais experimentados profissionais; outra é assumirmos que *todos* os pilotos estavam a par e praticavam a navegação astronómica segundo os procedimentos mais avançados que eram permitidos pela sua época.

Quando se fala no descobrimento cabralino do Brasil vem-nos necessariamente à mente esse extraordinário documento que é a *Carta* de Pero Vaz de Caminha. A *Carta* reforça a convicção dos defensores do descobrimento em 1500: não estando tanto em causa a questão da primazia na chegada a um novo território, mas antes a do seu registo no património geográfico da época, para o que este tipo de documentos têm relevância de monta.

Do ponto de vista da arte de navegar, porém, interessar-nos-á muito mais atender ao que escreve na mesma altura um outro embarcado na frota, mestre João [Faras]. Ido para cumprir uma missão de claros contornos técnicos, deixou-nos um testemunho preciso do que efectivamente se passou então a bordo; e resulta dele que a observação dos astros com instrumentos apropriados para a determinação da latitude não seria ainda, nesse findar do século, um dado corriqueiramente adquirido. Depois de dizer que descera em terra com o piloto do capitão-mor e o da nau de Sancho de Tovar, para tomar a altura do Sol com o astrolábio — ou então todos se fiaram nas "regras do astrolábio" —, aparece escrito um passo revelador:

> [...] saberá Vossa Alteza que todos os pilotos vão tanto adiante de mim, que Pero Escolar vai adiante 150 léguas, e outros mais, e outros menos, mas quem diz a verdade não se pode certificar até que em boa hora cheguemos ao cabo da Boa Esperança e ali saberemos quem vai mais certo: *eles com a carta, ou eu com a carta e o astrolábio.* [10]

Pelo menos a alguns pilotos mais valeriam as cartas, segundo o testemunho de mestre João. Mas que cartas?

A muito comentada passagem sobre o mapa de Pero Vaz Bisagudo ["Quanto, Senhor, ao sítio desta terra, mande Vossa Alteza trazer um mapa-mundi que tem Pero Vaz Bisagudo e por aí poderá ver Vossa Alteza o sítio desta terra"[11]] não significa necessariamente, por nós, que o litoral brasileiro estivesse já cartografado, mesmo que de forma incipiente, como resultado de navegações anteriores. Ela pode bem aludir à cartografia do Atlântico, onde nessa época pululavam as ilhas imaginárias que terão porventura tido um papel mais decisivo do que normalmente se afirma no conjunto de factores que motivaram as navegações de exploração marítima. E com efeito não custa a crer que o desejo de encontrar as míticas (e ricas) ilhas de S. Brandão, Antília ou Brasil, tivesse animado algumas expedições, como comprovadamente aconteceu com Fernão Dulmo em 1486.

A questão não é pacífica, pois por igual não podemos abstrair da possibilidade de efectivamente haver alguma sorte de registo de avistamentos anteriores, muito embora a expressão "é mapa-mundi antigo" reporte, parece-nos, à tradição daquelas representações imaginárias. Cremos que é essa a leitura mais correcta da continuação da frase citada acima: "porém aquele mapa-mundi não certifica esta terra ser habitada ou não; é mapa mundi-antigo...".[12] Mas se a arte de navegar portuguesa tinha já chegado a um ponto ímpar de desenvolvimento para a época, apesar de poder não ser praticada por todos os mestres do ofício no seu grau mais sofisticado, outro tanto não acontecia no domínio da cartografia náutica.

Contraponto essencial da observação dos astros, a carta náutica característica do Mediterrâneo tornou-se rapidamente num dos mais valiosos instrumentos auxiliares dos profissionais do mar, o que se atesta bem pelo volume remanescente da sua produção.[13] E compreende-se que assim seja: a carta náutica dava ao piloto a noção do espaço por onde se movimentava e permitia-lhe traçar a rota e marcar a posição do navio.

Provindos de um país situado no extremo da Europa, mas num ponto central das rotas marítimas que ligavam o Sul ao Noroeste e Norte da Europa, verdadeiro cadinho onde se cruzaram homens, mercadorias e informações em trânsito, e também técnicas e procedimentos de uma outra parte — o que terá resultado numa das razões que mais poderosamente contribuíram para a precedência das explorações marítimas portuguesas sobre os restantes países oeste-europeus —, seria de esperar que os navegadores portugueses pudessem desde cedo recorrer a este novo instrumento.

E assim deve ter sido, sem dúvida, pois não é de crer que os pilotos dos navios que demandavam o Mediterrâneo ou a Inglaterra e a Flandres permanecessem de todo em todo alheios ao que se passava com os seus colegas de ofício, com os quais contactavam seguramente. Zurara põe na boca do infante D. Henrique uma exortação a Gil Eanes, quando este volta da sua primeira e frustada tentativa de passar o Bojador, em 1433, que mostra bem o quadro instrumental de que se serviam os pilotos que faziam as rotas costumeiras: "os quais, como são tirados de carreira da Flandres ou de alguns outros portos para que comummente navegam, não sabem mais ter agulha *nem carta para marear*".[14]

Não temos razão para duvidar de que, sob este aspecto, se fizesse em Portugal o mesmo que por outras paragens (mediterrânicas). Valha a verdade, não há também nada que o afirme explicitamente, ou seja, não se encontra suporte documental para afirmar o uso continuado de cartas náuticas antes, justamente, de podermos recorrer a Zurara.[15] O que queremos dizer é que não nos parece aceitável crer que antes desta altura os meios náuticos portugueses se alheavam de tal maneira dos procedimentos corriqueiros da navegação que não pudessem sequer dispor das cartas-portulano vulgares no Mediterrâneos, originárias das escolas maiorquina, catalã e italianas.

Em 1317 o rei D. Dinis firmou um contrato com Manuel Pessanha, genovês, entregando-lhe logo de seguida o comando da frota das galés reais; muito se tem discutido o verdadeiro propósito desta iniciativa, que quanto a nós se liga ao que a evidência sugere: o rei de Portugal contratou homens ligados à tradição marítima mediterrânica para operar as galés da sua frota — ou seja, a sua marinha de guerra. Com Manuel Pessanha, além dos homens a que estava contratualmente obrigado a ter prestes a servir no mar, vieram seguramente as mais avançadas técnicas de navegação da época e, com elas, as cartas-portulano, talvez até já conhecidas em Portugal antes disso.

O que revela para o nosso propósito é notar que o início da cartografia portuguesa datará dos meados da década de 1440, segundo Charles Verlinden;[16] isto quer dizer que apenas nesta altura se terão começado a fazer cartas náuticas (cartas-portulano) em Portugal. Sem dúvida tardiamente, face à experiência mediterrânica, o que não parece muito congruente, mas não muito depois, ou quase em simultâneo com o início da navegação pelos astros — e isso já faz todo o sentido.

O curso posterior de evolução da cartografia náutica portuguesa é todavia algo surpreendente; poder-se-ia esperar que as cartas portuguesas se multiplicassem, cartografando extensões cada vez mais longínquas do Atlântico, acompanhando a passo a continuação e intensificação das navegações. A exploração ao longo da costa africana não tardará de resto a entrar num período de relativa acalmia (antes dos dois impulsos decisivos dados, respectivamente, pelo contrato de D. Afonso V com Fernão Gomes, primeiro, e pelas viagens de Diogo Cão e Bartolomeu Dias, sob a iniciativa de D. João II, depois), o que se deve mais às perspectivas abertas pelo comércio do que a qualquer sorte de desinteresse. Tudo se passa num espaço de tempo relativamente curto: as inovações na navegação, a chegada a locais de comércio promissores, a multiplicação das viagens promovidas pelos privados, a chegada em força dos interesses do capital comercial italiano, ele próprio propiciador de novas empresas; como não pensar que, a par, se multiplicariam os testemunhos da supostamente crescente produção de cartas náuticas em Portugal?

A avaliar pelas remanescentes não foi isso que aconteceu. Conhece-se hoje tão-só uma escassa meia dúzia de cartas portuguesas ou fragmentos, do século XV,[17] onde avultam a carta anónima genericamente datável do último quartel da centúria, a de Pedro Reinel, assinada mas não datada, que se considera ter sido manufacturada cerca de 1485,[18] e a primeira datada e assinada, saída do engenho de Jorge de Aguiar em 1492.[19]

Nem todos estes espécimes têm necessariamente a ver com a cartografia prática que servia aos profissionais do ofício. As cartas que chegam aos nossos dias são quase sempre de um outro género, objectos sumptuários que eram guardados por proprietários alheios ao meio. Podiam ser encomendadas por pessoas interessadas, até directamente, no progresso das navegações, e que pretendiam manter-se informadas; ou, tal como livros em bibliotecas, eram um património cultural que importantes casas senhoriais, livrarias conventuais e similares procuravam possuir. Conhecemos vários casos em que era assim para não termos dúvidas que estas foram condições que ajudaram a garantir a preservação das cartas náuticas que chegaram até aos nossos dias. Quanto aos pilotos e homens do mar, esses serviram-se de espécimes muito menos elaborados (por exemplo, sem os riscos motivos decorativos que se tornarão tão vulgares no século XVI) que tinham um carácter sobretudo utilitário: uma carta que deixava de servir era mais facilmente posta de lado e substituída por outra de melhor qualidade do que guardada, além das que se gastavam com o uso.

Há todavia que reconhecer que a cartografia portuguesa do século XV encerra um mundo de questões por responder; e o ser tão parca no que remanesce é uma delas.

OS NAVIOS DOS DESCOBRIMENTOS

O propósito essencial das técnicas de navegação é conduzir os navios a bom porto. E sem navios não há navegações.

A primeira fase dos descobrimentos marítimos portugueses foi feita com recurso a uma embarcação que é deveras difícil de caracterizar: a barca. Zurara conta-nos que Gil Eanes foi com a sua barca, e podemos presumir que as viagens anteriores à costa africana, e provavelmente as que resultaram no descobrimento dos arquipélagos da Madeira e Açores, se realizaram em embarcações similares.[20]

O termo aparece com muita freqüência até ao século XV designando embarcações utilizadas na pesca, na navegação fluvial e de cabotagem. As suas dimensões eram bastante variáveis, embora as de maior porte não devessem ultrapassar os trinta tonéis.[21] Poderiam ter uma coberta, ou então apenas tilhas (coberturas) à popa e proa.

O aparelho das barcas tem sido objecto de controvérsia. Supôs-se sem contradita que armavam pano redondo, num único mastro, mas é bem possível que pelo menos em algumas delas fosse latino, não só dada a predominância da influência mediterrânica em Portugal, mas também pelas evidentes facilidades que poderia oferecer nas viagens de navegação então empreendidas na costa ocidental africana.[22]

Logo depois da passagem do cabo Bojador, a barca cedeu o passo a navios de maior porte.

Quanto à *barcha*, uma grafia que também aparece na época, as opiniões dividem-se entre os que consideram que a designação diz respeito a um tipo distinto da barca, sendo de origem nórdica (Lopes de Mendonça e Pimentel Barata), ou os que pensaram tratar-se simplesmente de designações diferentes da mesma embarcação (Quirino da Fonseca e Maria Alexandra Tavares Carbonell Pico).[23] A nosso ver, a primeira destas hipóteses carece de melhor e mais afundada informação concreta para poder ser realmente levada em linha de conta.

De concreto, pois, sabemos muito pouco sobre a barca com que se iniciaram as viagens de exploração de descobrimento. E nem valerá a pena enfatizar o carácter hipotético, quando não cede completamente o passo à liberdade de expressão artística, da iconografia antiga e moderna que a reproduz.

O barinel foi por seu turno a maior das embarcações até então empregues nas viagens de descobrimento, e, como no-lo informa João de Barros, surge a elas associado a partir do momento em que se verificou serem infundados os receios de que os baixios que se supunha existirem a sul do Bojador impedissem a navegação de embarcações com maior porte que a pequena barca de Gil Eanes. Diz Barros:

> O Anno seguinte de trinta e quatro, como o Infante estava informado por Gilianes da maneira da terra, e da navegação ser menos perigosa do que se dizia, mandou armar hum barinel, que foi o maior navio, que té então tinha enviado, por já estar fóra de suspeita, que se tinha dos baixios, e parcel, que diziam haver além do Cabo [Bojador]. A capitania do qual deo a Afonso Gonçalves Baldaya seu Copeiro, e em sua companhia foi Gilianes em sua barca, os quaes com bom tempo, além do Cabo já descoberto, correram obra de trinta léguas.[24]

Tal como a barca, e em comum com os navios de pequeno porte, o barinel podia mover-se a remos em ocasiões de recurso. Arvorava dois mastros, também provavelmente com pano latino, mas pouco mais se conhece: são muito escassas as referências documentais de que dispomos, e dizem apenas respeito ao século XV em documentos portugueses.[25] Esta ausência de informações deve-se porventura ao facto de o barinel ter quase de imediato cedido o lugar à caravela latina nas viagens de exploração e reconhecimento.

O termo *caravela* ocorre entre os séculos XIII e XVIII em referência a embarcações portuguesas, e mais não seria preciso para se subentender a sua grande variedade de tipos arquitectónicos e funcionais. De facto, a caravela pescareza do século XIII nada tem a ver com a caravela redonda ou de armada do século XVI, e isto apenas para citar dois casos em que a própria designação deixa à partida clara a distinção entre os tipos.

Tratamos aqui da caravela latina do século XV, que protagonizou grande parte das viagens de exploração atlântica. Segundo Pimentel Barata, houve mesmo uma paragem nestas viagens depois de ter sido atingida a Pedra da Galé (1436), justamente devido à necessidade de se aperfeiçoar o instrumento técnico que iria permitir a sua continuação em condições adequadas, o que sucedeu a partir dos inícios da década seguinte.[26]

A caravela latina de um mastro era um tipo comum (dizem-lhe seguramente respeito as referências documentais do século XIII e XIV), mormente na navegação fluvial e costeira, mas houve que a aperfeiçoar e habilitar a cumprir os requisitos exigidos pela duração e obstáculos inerentes à progressiva extensão das viagens. É assim que surge a caravela latina de dois mastros, a caravela dos descobrimentos ou caravela de descobrir, como é por vezes conhecida e citada nas fontes.

A crença de que se preparou especialmente — ou até em moldes científicos, como já foi afirmado — um navio para estas viagens, tem levado a exageros que amiúde passam por cima do suporte documental de que dispomos. Em função da situação particular da arquitectura naval portuguesa, que pôde apreender e absorver experiências diversas, ter-se-á de reconhecer que o êxito da caravela latina de dois mastros radicou por igual na optimização de soluções técnicas que lhe são anteriores. O problema é apurar a justa medida da incorporação da novidade.

E isto porque novos circunstancialismos, como os então presentes, resultam freqüentemente em modificações mais ou menos profundas que podem inclusive dar origem a alterações importantes no traçado do navio e, decorrentemente, nas suas características e aptidões; a experiência adquirida pelos mareantes portugueses foi sem dúvida um factor de peso que não deve ser subestimado. Veremos adiante que foi sensivelmente idêntica a situação que, entre outras, levou ao intervalo de tempo que medeia entre a chegada a Lisboa de Bartolomeu Dias (1488) e a saída de Vasco da Gama (1497), este último à frente de uma armada de navios de maior porte.

Muito controversa é porém a determinação da influência dessa prática adquirida no processo que levou a um eventual novo traçado da caravela latina, e pensamos não haver fundamento para crer que no século XV a construção naval portuguesa obedecesse estritamente aos ditames de uma Junta Técnica que nela superintendesse, como entidade coordenadora encarregue de compilar e planear os conhecimentos técnicos da época, e bem assim a sua execução. Até por uma razão simples: a existência de tal Junta não tem comprovação documental senão depois de entrado o século XVII, e a ideia de que pudesse manter-se em funcionamento durante quase dois séculos, como organismo secreto, sem que desse período tivesse chegado até nós o mínimo indício da sua existência, parece ser francamente improvável. Foi João da Gama Pimentel Barata que avançou a hipótese em apreço — a da existência da Junta e do seu funcionamento secreto —, como parte de uma concepção global da empresa dos descobrimentos em que esta aparece como produto de uma direcção antecipadamente planeada (cientificamente planeada, mesmo) e de uma execução abrangida pelo mais rigoroso segredo de Estado, o que por sua vez radica na tese do sigilo de Jaime Cortesão.[27]

Não é hoje em dia aceitável a formulação do sigilo tal qual aparece na obra de Cortesão: depois da crítica de Duarte Leite (ela própria merecedora de reparo), veio Damião Peres a terreiro esclarecer definitivamente a questão.[28] E não se afigura igualmente verosímil a ideia do planeamento técnico rigoroso do traçado dos navios portugueses desde o tempo do infante D. Henrique.[29] Nada ficou escrito, que tenha chegado até nós, quanto ao traçado da caravela latina quatrocentista. Ao invés de tomarmos o facto como consequência do sigilo, notemos antes o que se passou na náutica ou na cartografia: as medidas de sigilo que, aí sim, podem ser documentadas (mas apenas pontualmente), de maneira nenhuma impediram a circulação do saber português pela Europa: os técnicos viajavam e trabalhavam ao serviço de outros países; os estrangeiros nunca se viram coibidos de obter em Portugal as informações que buscavam; e se não o faziam às claras encontravam meios subreptícios de chegar onde queriam. A compra do planisfério anónimo português de 1502 (dito de Cantino), por um espião italiano ao serviço do duque de Ferrara, é disso um bom exemplo.

No capítulo concreto da construção naval, esse pretenso sigilo de Estado é desmentido pelo facto de sabermos que carpinteiros navais portugueses estiveram na Flandres a construir caravelas, oficialmente, ainda no decorrer da primeira metade do século XV.

Não conhecemos desenhos técnicos da caravela latina do século XV, repita-se, e só numa miscelânea documental compilada pós 1630 encontramos o regimento para uma caravela de 25 tonéis de arqueação.[30] Esta situação deixa-nos uma larga margem de imprecisão na tentativa de determinar rigorosamente as suas características principais.

Tanto quanto podemos saber, a caravela latina de dois mastros era um navio robusto, bom veleiro, podia ser movida a remos se necessário, e tinha um calado relativamente pequeno em função do seu porte, permitindo-lhe vantagens evidentes na navegação de alto mar, costeira ou fluvial, em relação às embarcações suas precedentes nas viagens portuguesas de longo curso.

Como características morfológicas principais podemos apontar a existência de uma coberta, tilha à proa e tolda e chapitéu à popa. Regra geral, a arqueação devia andar pelos quarenta a sessenta tonéis. Graças ao seu aparelho latino navegava à bolina com facilidade (comparando-a uma vez mais com as embarcações que a precederam), o que tudo junto a indicava para singrar em mares com regimes de ventos e correntes desconhecidos. Era artilhada com bocas de fogo de pequeno calibre, falcões e berços. O adequado desenho e proporções do casco conjugava-se com uma particularidade notável: a superfície vélica andaria pelo dobro do que era então usual nos navios similares do Mediterrâneo, e, provavelmente, era isto o que mais distinguia a caravela portuguesa.[31] O reconhecimento deste conjunto de qualidades não torna pois surpreendente a abundância de representações iconográficas que nos chegaram, embora devamos ter presente a ideia de que em geral não são muito fiáveis para a análise destas ou de outras particularidades técnicas.[32]

Sem apresentar dissemelhanças notáveis, surge mais tarde uma caravela latina de três mastros, desta feita um porte de cerca de sessenta a oitenta tonéis. Data-se aproximadamente do último quartel de Quatrocentos.

Por seu turno, a caravela redonda ou de armada (ou ainda caravela armada) arvorava três ou quatro mastros com pano redondo no traquete (o mais chegado à proa). Insere-se numa outra tipologia, iniciada em finais do século XV ou inícios do XVI. Os tratados de arquitectura naval dão-nos dela uma noção mais precisa, e no *Livro de traças de carpintaria* de Manuel Fernandes (1616)[33] deparamos com os primeiros desenhos técnicos conhecidos desta caravela — a qual, vale a pena repeti-lo, nada tem a ver com a caravela latina dita dos descobrimentos. Tinha onze ou doze rumos[34] de quilha, segundo os regimentos do *Livro náutico*[35] e do *Livro* de Manuel Fernandes, cerca de 150 a 180 tonéis, e podia comportar duas dezenas de peças de artilharia, com predominância de falcões e berços.

Aplica-se-lhe a designação de caravela de armada porque era incorporada nas frotas como navio de segunda linha, ou tida em geral como tal. Usada como navio militar, aviso ou escolta, dizem quase de certeza respeito às caravelas redondas as múltiplas indicações que encontramos nos livros de armadas ou nos relatos dos cronistas de armadas de caravelas, ou armadas com caravelas, que se dirigiam à Índia durante o século XVI.

Dobrado o cabo da Boa Esperança e cumprido o reconhecimento do Atlântico no que interessava para a navegação em direcção ao Oriente, impôs-se a utilização de embarcações capazes de suportar a dureza de uma viagem longa de meses, entre Lisboa e o Oriente. Que os mareantes tiveram desde logo consciência disso mesmo di-lo Gaspar Correia, nas *Lendas da Índia*;[36] se a armada de Bartolomeu Dias era composta por caravelas latinas (além de um navio auxiliar), veremos navios de maior porte na de Vasco da Gama, quase dez anos mais tarde.

Este lapso de tempo tem sido motivo de longa discórdia entre os autores que se debruçaram sobre a questão, e suscitou a atenção particular dos defensores da política de sigilo: segundo estes, nada justificaria uma "paragem" tão longa nos preparativos e na execução da viagem que havia de ligar pela primeira vez Lisboa à Índia, se não se considerar que o tempo foi aproveitado para complementar a recolha de informações através do recurso a viagens secretas posteriores à de 1487-8. Armando Cortesão, defensor paradigmático desta tese, chegou a dedicar-lhe um livro a que apôs o sugestivo título de *O Mistério de Vasco da Gama*.[37]

Se se viu confirmada a suspeita (ou reconfirmada a certeza) de que havia ligação marítima entre os oceanos Atlântico e Índico; se, decorrentemente, se se pôde acreditar que a rota mais curta para ligar Lisboa ao Oriente era a seguida até então pelos navegadores portugueses; por que esperar desde 1488, data do regresso de Bartolomeu Dias, até 1497, ano que em partiu a armada capitaneada por Vasco da Gama? Por que não se enviou desde logo a armada que, como diríamos hoje, havia de descobrir o caminho marítimo para a Índia, quando o essencial já estava feito?

Se o problema é apaixonante, não é todavia este o local para o tratar devidamente, sob pena de nos afastarmos irremediavelmente dos nossos objectivos. Digamos apenas que comprovar a exequibilidade de uma rota não bastava; era necessário assegurar simultaneamente um conjunto de factores que na altura não estavam garantidos. Acrescente-se ainda que o espantoso seria ter visto partir de imediato a armada de Gama; não há de facto necessidade de construir hipóteses mais ou menos fantasiosas para justificar o que se explica por razões e circunstâncias normais.[38]

As caravelas de Diogo Cão e Bartolomeu Dias tinham-se revelado navios apropriados para as explorações oceânicas, e o seu sucesso nessa missão fez com que a caravela latina viesse a ser justamente considerada a embarcação emblemática dos descobrimentos. Mas deixaram claro, ao mesmo tempo, as suas limitações: falta de porte para viagens muito longas, falta de capacidade de carga para assegurar o embarque dos provisionamentos indispensáveis para tripulações que permaneciam longos meses a bordo, fazendo-as debaterem-se com a necessidade de reabastecimentos frequentes (sobretudo por causa da água potável, que não podia ser embarcada em grande quantidade). É significativo que qualquer daqueles dois navegantes tenha tido problemas de abastecimento.

Urgia resolver o problema, que, como se disse acima, fora identificado de imediato:

> ElRey Dom João, com seu grande desejo, falou com hum Janinfante homem estrangeiro tratante, que muitas vezes vinha a Lisboa, que muito sabia d'arte de nauegar, e fez com ele concerto que lhe daria nauios e gente, e todo o necessario sem elle gastar mais que o trabalho, e que lhe fosse correr a costa de Benim, e corresse por ella quanto mais podesse [...] E de todo bem concertado se partio [...] e tanto andou até que a costa foi voltando pera o mar, achando os ventos contrarios, e aporfiando em voltas, ora pera terra, ora pera o mar, com grandes temporaes, e tão grandes mares que lhe comião os nauios; e quando vio que os ventos erão geraes, sem nunqua fazerem mudança, auendo quatro mezes que aly andauão voltando ao mar, e a terra, e que indo pera o mar achaua os mares tão grandes que os não podia nauegar com as carauelas [...] arribou, e se tornou a ElRey, e lhe deu conta da sua viagem e dixando que se leuara nauios altos com que fora mais ao mar, que fora muito auante, porque quando tornaua a ver a terra achaua terras que não tinha visto; mas que com nauios grandes que sofressem o mar, que assi em voltas corresse a costa, até lhe descobrir o cabo, sem duuida tinha certa esperança, que alem delle, acharia grandes terras [...] Polo que logo ElRey mandou cortar madeira em charnecas e mattos, que os carpenteiros e mestres mandauão cortar, que se trouxe a Lisboa, onde logo se começarão tres nauios pequenos, da grandura que Janinfante mandou [...][39]

Este longo trecho das *Lendas da Índia* coloca uma série de questões: quer porque Gaspar Correia não cita Bartolomeu Dias, quer porque a sua visão dos acontecimentos quanto aos preparativos da armada de Vasco da Gama não é concorde com outros testemunhos. Duarte Pacheco Pereira, por exemplo (que pode bem tê-los acompanhado de perto), afirma que foi D. Manuel a organizar a armada: quatro navios pequenos, com não mais de cem tonéis porque não se requeria que fossem maiores, havendo particular cuidado em levar velas, aparelhos e cordoalha "tres e quatro vezes dobrada aleem do que custumam trazer"; e a "louça dos tonees [...] toda foy arqueada com muitos arcos de ferro, que cada peça leuaua por segurar o que dentro tinha".[40]

Quer dizer: independentemente de tudo o resto, tornou-se patente que as caravelas não serviam já para enfrentar sucesso a dureza da viagem; que ela impunha cuidados especiais quanto aos abastecimentos; e que foi necessário preparar uma armada com navios de características diferentes e maior robustez. Não se pode pensar que tudo se faria de um instante para o outro. O compasso de espera que se seguiu deu origem à entrada em cena, nas navegações portuguesas, da nau oceânica, do primeiro navio de vela europeu que provou nas viagens de longo curso.

A rota seguida por Vasco da Gama torna evidente que tinham já sido reconhecidos os regimes de ventos e correntes no Atlântico Sul: em vez de procurar o cabo da Boa Esperança descendo penosamente junto à costa ocidental africana, a armada, como fariam depois as da Carreira da Índia, seguiu até Cabo Verde na rota usual da Carreira da Mina — integrava-a uma embarcação que para lá se dirigia — e depois do reabastecimento efectuado em Santiago navegou pelo largo a partir do momento em que atingiu a latitude da Serra Leoa, descrevendo então um largo arco que a aproximou da costa do Brasil para contornar os ventos gerais dominantes (alísios do sueste) e as correntes que dificultavam a progressão.[41] Como sucede amiúde na navegação à vela, a rota mais longa pode ser a mais rápida e segura.

Nestas condições era possível empreender a viagem com navios de pano redondo, assim chamados por causa do efeito visual provocado nas velas pelo vento, que se chegavam menos que as caravelas à linha do vento. Por outras palavras, dadas as dificuldades que tinham em navegar "contra o vento", como é usual dizer-se, tornavam-se navios eficazes a partir do momento em que o conhecimento prévio dos condicionalismos físicos a que estavam sujeitos lhes permitia ter o vento pela popa, ou tanto quanto possível perto disso. A nau vai obedecer a esses ditames, juntando-lhes outras vantagens: é um navio de maior porte que a caravela, com maior resistência à dureza das viagens de longo curso, maior capacidade de carga, fundamental para a actividade comercial, e também guerreira — era susceptível de ser artilhada com peças de grosso calibre, e sofria menos as injúrias do fogo inimigo.

As naus de Quinhentos tinham três ou quatro cobertas, castelos de popa e de proa cuja arquitectura estava perfeitamente integrada na estrutura do casco, e três mastros com pano redondo nos de vante (traquete e grande), e latino no de ré (mezena). Os construtores navais ainda no século XVIII disputavam sobre a vantagem das naus de três cobertas sobre as de quatro, e vice-versa, o que quer dizer que não foi pacífica a determinação da sua morfologia ideal.[42]

No tempo de Vasco da Gama as naus não atingiram mais que 120 tonéis de porte, para chegarem aos quatrocentos no decurso do reinado de D. Manuel, em valores médios, e depois aos oitocentos ou mais tonéis.[43] O seu exagerado gigantismo levou D. Sebastião a determinar que as naus da Índia não ultrapassassem os 450 tonéis.[44]

Não há muito a dizer sobre a armada de Cabral, que foi objecto de estudos tão pormenorizados quanto possível, avultando entre eles o texto em que Moacyr Soares Pereira escalpelizou a sua composição à luz dos elementos conhecidos.[45] O que se justifica é voltar à armada de Vasco da Gama.

Dissemos atrás que era composta por naus — no tocante aos navios de grande porte —, tal como tem sido em geral aceite, por se reconhecer que inaugura uma nova etapa das navegações, exigindo em conseqüência novos meios. Mas seria assim?

Os testemunhos contemporâneos são algo evasivos, e não permitem chegar a tal conclusão de forma insofismável, como vem de mostrar C. A. Encarnação Gomes.[46] A armada era composta por navios de alto bordo, à vela, cabendo porém nessa designação bem mais que a típica nau portuguesa da Carreira da Índia.

Do que não existem dúvidas é que o grosso da armada cabralina era composto por naus. A viagem de Vasco da Gama completou o reconhecimento do caminho marítimo para a Índia; a polémica em torno das circunstâncias que envolveram a fase final da exploração do Atlântico Sul (houve ou não viagens secretas, ou simplesmente por nós ignoradas, entre 1488 e 1497?) desvia amiúde a nossa atenção de um facto evidente: por muito que soubessem navegar no Atlântico, os Portugueses não o sabiam fazer no Índico antes de 1497. Vasco da Gama completou um ciclo. Cabral inaugurou o seguinte, o da Carreira da Índia.

Uma armada poderosa, de treze velas, dez das quais naus (de acordo com a opinião maioritariamente aceite). As maiores das naus teriam de 250 a trezentos tonéis, já um valor importante, representando um aumento significativo em relação aos meios que Gama tivera ao seu dispor. As caravelas seguiam como navios auxiliares: serviam como elemento de ligação entre os vasos de maior porte e para missões de exploração, sobretudo. Era uma armada compósita formada para responder a situações várias, que dispunha dos melhores meios de navegação do seu tempo, capitalizando por outro lado os conhecimentos cartográficos e náuticos reunidos pela experiência das navegações quatrocentistas portuguesas.

Por volta da década de 1440, como vimos, a navegação portuguesa conheceu uma profunda transformação com os primórdios da arte náutica, da cartografia náutica e o aparecimento do navio ideal para as explorações marítimas, a caravela latina. Na viragem para o século seguinte dava-se início a uma nova transformação, menos visível mas não menos significativa: sem haver alterações de fundo no concernente à arte de navegar, tornava-se patente a capacidade de Portugal organizar uma armada de alto bordo para a navegação interoceânica continuada. Talvez não tenha sido por acaso que justamente nesta altura se descobriu o Brasil.

NOTAS

(1) Diz-nos Gomes Eanes de Zurara, a propósito das viagens de Gil Eanes ao cabo Bojador, que havia doze anos que o infante mandava explicações com o propósito de ultrapassar aquele ponto da costa ocidental africana: "Com grande paciência recebia sempre o Infante aqueles que assim enviava por capitães de seus navios, em busca daquela terra [...] E, finalmente, *depois de doze anos*, fez o Infante armar uma barca, da qual deu a capitania a um Gil Eanes [...] o qual, seguindo as viagens dos outros, tocado de aquele mesmo temor não chegou mais que às ilhas de Canária [...]. E foi isto no ano de Jesus Cristo de *1433*". Gomes Eanes de ZURARA, *Crónica dos feitos de Guiné*, Lisboa, Alfa, 1989, cap. IX (sublinhados nossos).

Devemos nesta altura esclarecer que não procuraremos documentar todas as afirmações deste texto, que reflecte sinteticamente os nossos pontos de vista; por isso as referências bibliográficas são reduzidas e tentam sobretudo sugerir pistas de leitura ao leitor ou indicar a origem das citações feitas. Quanto à citação das fontes, pelo mesmo critério procuramos usar as edições mais acessíveis e com versões em português moderno.

(2) A longa discussão historiográfica sobre o descobrimento do Brasil só faz sentido se partirmos do princípio — aliás óbvio para quem a quiser acompanhar — de que se reporta a diferentes significados do termo "descobrimento".

Por nós cremos ser muito plausível a ideia de que o território que hoje se chama Brasil foi de facto visitado por navegadores portugueses antes de 1500, o que não significa que não se deva continuar a afirmar o descobrimento cabralino, pois é apenas depois da viagem de 1500 que o território passa a fazer efectivamente parte do património geográfico europeu: e é nesse preciso sentido que podemos falar de "descobrimento". Mas abandonemos desde já a questão, lateral ao nosso objectivo: ela vem de ser extensa e perspicazmente tratada por Jorge COUTO, *A construção do Brasil*, Lisboa, Cosmos, 1995, pp. 119-82.

Consideramos por outro lado que é a armada de Cabral que inicia a Carreira da Índia, pois a viagem de Vasco da Gama é de exploração, resultando no estabelecimento dos procedimentos que depois se tornarão rotineiros.

(3) Há uma abundante bibliografia sobre a arte de navegar medieval no Sul da Europa. Para uma introdução adequada à questão ver Luís de ALBUQUERQUE, *Introdução à história dos Descobrimentos*, 3ª ed. rev. Europa-América, 1983; Francisco Contente DOMINGUES, *História da náutica e da hidrografia. Bibliografia das Reuniões Internacionais I-VI*, sep. de *Studia*, Lisboa, 1992, nº 51.

(4) Esta técnica de navegação é excelentemente apresentada por Max Justo GUEDES, "Toleta de marteloio", em Luís de ALBUQUERQUE (dir.), *Dicionário de história dos Descobrimentos Portugueses*, Lisboa, Círculo de Leitores-Caminho, 1994, vol. II, pp. 1037-39.

(5) O facto de os navios portugueses cursarem o Atlântico no sentido Norte—Sul tornou-se na causa determinante para o aperfeiçoamento da navegação astronómica: era esta a condição que tornava imprescindível a determinação mais ou menos apurada da latitude. Em ponto algum do globo, que seja do nosso conhecimento até agora, se tinham com efeito realizadas viagens marítimas nas mesmas condições. No Índico, por exemplo, a técnica de navegação encontrada por Vasco da Gama respondia sobretudo a percursos feitos sobre

a mesma latitude. Ver Luís de ALBUQUERQUE, *Curso de história da náutica*, Rio de Janeiro, Serviço de Documentação Geral de Marinha, 1971 (2ª ed. rev., Coimbra, Livraria Almedina, 1972); Luís Jorge Rodrigues Semedo de MATOS, "As navegações árabes e portuguesas no oceano Índico, durante os séculos XV e XVI", *Mare Liberum*, Lisboa, 1995, nº 10, pp. 565-82.

(6) Luís de ALBUQUERQUE, *Dúvidas e certezas na História dos Descobrimentos Portugueses*, 2ª parte, Lisboa, Vega, s. d., p. 37.

(7) G. E. de ZURARA, *Crónica dos feitos de Guiné*, cap. LXXXVI.

(8) Reporta-se ao emprego do quadrante por Diogo Gomes, um dos chamados "caravelistas do infante".

(9) A melhor panorâmica geral sobre a arte de navegar portuguesa do século XV é o livro de Luís de ALBUQUERQUE citado atrás, *Curso de história da náutica*. Do mesmo autor ver-se-á também a última grande síntese que escreveu sobre a matéria da sua especialidade: *Historia de la navegación portuguesa*, Madrid, MAPFRE, 1992.

(10) "Carta de João [Farras]", em *Viagens dos Descobrimentos*, org., introd. e notas de José Manuel Garcia, Lisboa, Editorial Presença, 1983, p. 279 (sublinhado nosso).

(11) Idem, ibidem.

(12) Idem, ibidem.

(13) Para uma perspectiva geral ver Michel Mollat du JOURDIN e Monique da LA RONCIÈRE, *Les portulans. Cartes marines du XIIIe au XVIIe siècle*, Friburgo, Office du Livre, 1984.

(14) G. E. de ZURARA, *Crónica dos feitos de Guiné*, cap. IX.

(15) Ao contrário do que afirmou repetidamente Armando Cortesão, citando apenas o autor mais qualificado na matéria de entre quantos procuraram antecipar o emprego e fabrico de cartas de marear em Portugal, de resto baseando-se no seu "convencimento" (para a crítica deste ponto de vista ver a obra de balanço de Luís de ALBUQUERQUE, *Dúvidas e certezas na história dos Descobrimentos*).

(16) Charles VERLINDEN, *Quand commença la cartographie portugaise?*, Coimbra, Agrupamento de Estudos de cartografia Antiga, sep. CXVIII, 1979.

(17) Alguma polémica tem acompanhado a revelação da existência de novas cartas e fragmentos de cartas portuguesas, achadas quer em Portugal quer em Espanha. Mesmo que sejam todas de fabrico português, o que dificilmente se confirmará, não deixam de ser apenas mais uns poucos exemplares num universo que permanece surpreendentemente pequeno.

Para uma visão geral da cartografia portuguesa do século XV ver Alfredo Pinheiro MARQUES, *Origem e desenvolvimento da cartografia portuguesa na época dos Descobrimentos*, Lisboa, Imprensa Nacional — Casa da Moeda, 1987; "Adenda de actualização", em *Portugaliae Monumenta Cartographica*, 2ª ed., Lisboa, Imprensa Nacional — Casa da Moeda, 1987, vol. VI, bem como as obras citadas nas duas notas seguintes.

(18) Em livro recente Joaquim Ferreira do AMARAL levanta a hipótese de dever ser antes datada dos inícios do século XVI, pelo menos em parte, com uma linha de argumentação a seguir atentamente: *Pedro Reinel me fez. A volta de um mapa dos Descobrimentos*, Lisboa, Quetzal, 1995.

(19) Inácio GUERREIRO, *A carta náutica de Jorge de Aguiar*, Lisboa, Academia de Marinha, 1992, com reprodução fac-símile.

(20) Muito provavelmente o descobrimento da Madeira foi fortuito: uma embarcação ida ao corso na costa africana e desviada do seu destino pelas condições do tempo, por exemplo. Ora, neste tipo de empresa empregavam-se amiúde embarcações ligeiras a remos, com velame auxiliar, do tipo da fusta (uma sorte de galé pequena). Poderá bem ter sido uma fusta a avistar a Madeira.

Avistar ou descobrir? O arquipélago está cartografado desde os meados do século XIV, com razoável proximidade. Não se põe em causa que tivessem sido os navegadores portugueses os primeiros a "descobrir" a Madeira. Mas é depois dessa viagem fortuita que se sucedem outras, continuadamente, e as ilhas são exploradas, mais rigorosamente cartografadas e finalmente povoadas. Descobrimento pois, por entrarem no património do conhecimento geográfico da época e passarem a constituir local de destino conhecido.

(21) Henrique Quirino da FONSECA, *Os navios do infante D. Henrique*, Lisboa, Comissão Executiva das Comemorações do Quinto Centenário da Morte do Infante D. Henrique, 1958; Maria Alexandra Tavares Carbonell PICO, *A terminologia naval portuguesa anterior a 1460*, Lisboa, Sociedade de Língua Portuguesa, 1963, pp. 41-2.

O tonel era um recipiente para transporte de géneros líquidos e sólidos com diâmetro de altura e cerca de um metro e meio, respectiva e aproximadamente. Servia também como medida de arqueação, pois se dizia que um navio era de trinta tonéis quando era este o número dos que podia acomodar no espaço de carga que se contava, nos navios de maior porte, até ao convés (isto é, até ao mais importante e elevado dos pavimentos corridos de popa à proa), excluindo-o.

(22) Ver João da Gama Pimentel BARATA, "A navegação à vela no litoral brasileiro. Parte I: Os navios", em Max Justo GUEDES (dir.), *História brasileira*, Rio de Janeiro, Ministério da Marinha, 1975, vol. I, pp. 55-101 (reimpresso em *Estudos de arqueologia naval*, Lisboa, Imprensa Nacional — Casa da Moeda, 1988, 2 vols.).

(23) O ponto da situação encontra-se feito no estudo citado na nota anterior.

(24) João de BARROS, "Ásia", *Década I*, liv. I, cap. V.

(25) M. A. T. C. PICO, *A terminologia naval portuguesa anterior a 1460*, pp. 55-8.

(26) João da Gama Pimentel BARATA, "A caravela. Breve estudo geral", *Studia*, Lisboa, 1987, nº 46, pp. 157-92 (reimpresso em *Estudos de arqueologia naval*).

(27) Jaime CORTESÃO, *A política de sigilo nos Descobrimentos*, Lisboa, Comissão Executiva das Comemorações do Quinto Centenário da Morte do Infante D. Henrique, 1960.

(28) Para uma visão geral do problema, e sua discussão historiográfica, ver Francisco Contente DOMINGUES, "A política de sigilo e as navegações portuguesas no Atlântico", *Boletim do Instituto Histórico da Ilha Terceira*, Angra do Heroísmo, 1987, vol. XLV, pp. 189-220.

(29) Intentei ponderar os aspectos mais polémicos dos trabalhos deste autor no opúsculo *Problemas e perspectivas da arqueologia naval portuguesa dos séculos XV-XVII: a obra de João da Gama Pimentel Barata*, Lisboa, Academia de Marinha, 1989.

(30) *Coriosidades de Gonçallo de Sousa fidalgo da casa de sua magestade, seu capitão e gentil homem da boca. Comemdador da ordem de Christo*, Biblioteca Geral da Universidade de Coimbra, Reservados, ms. 3074.

(31) J. G. P. BARATA, "A navegação à vela no litoral brasileiro. Parte I: Os navios", p. 69. Sobre a caravela latina em geral ver ainda a série de cinco opúsculos publicada por António Tengarrinha PIRES, *Caravelas dos Descobrimentos*, Lisboa, Academia de Marinha, 1980-90.

(32) Ver o arrolamento desta iconografia em Henrique Quirino da FONSECA, *A caravela portuguesa e a prioridade técnica das navegações henriquinas*, reedição preparada por João da Gama Pimentel Barata, Lisboa, Ministério da Marinha, 1978, 2 vols.

(33) *Livro de Traças de Carpintaria com todos os Modelos e medidas pera se fazerem toda a navegação, assy d'alto bordo como de remo Traçado por Manoel Frz official do mesmo officio*, Biblioteca do Palácio da Ajuda, ms. 52-XIV-21. Reedição fac-similada: Lisboa, Academia de Marinha, 1991.

(34) Rumo: unidade de medida utilizada na construção naval, equivalente a cerca de 1,5 m no sistema métrico decimal. Um rumo era igual a duas goas e cada goa, por sua vez, a três palmos de goa (75 e 25 cm, respectivamente, na mesma equivalência).

(35) *Livro nautico, ou meio pratico de construcção de navios, e galés antigas*, Lisboa, Biblioteca Nacional, Reservados, cod. 2257.

(36) Gaspar CORREIA, *Lendas da Índia*, ed. preparada por Manuel Lopes de Almeida, Porto, Lello, 1975, vol. I, p. 8.

(37) Lisboa, Junta de Investigações do Ultramar, 1973.

(38) Procurei fazer a síntese do problema em "A disputa pela posse do Atlântico e a política de D. João II. O tratado de Tordesilhas", em Luís de ALBUQUERQUE (dir.), *Portugal no mundo*, vol. I, s/1, Selecções do Reader's Digest, 1993, pp. 371-87. Trata-se da reimpressão da obra publicada em seis volumes por Publicações Alfa, em 1989; o capítulo citado saiu amputado das últimas páginas, por lapso do Editor, no volume II da edição original.

(39) G. CORREIA, *Lendas da Índia*, pp. 8-9.

(40) Duarte Pacheco PEREIRA, *Esmeraldo de Situ Orbis*, reprodução anastática da edição crítica anotada por Augusto Epifânio da Silva Dias (Lisboa, 1905), Lisboa, Sociedade de Geografia de Lisboa, 1975, p. 153.

(41) De entre a numerosa bibliografia que se pode usar para o estudo das rotas da Carreira da Índia, avultam os excelentes trabalhos de Luís de Albuquerque, Max Justo Guedes, Avelino Teixceira da Mota ou Gago Coutinho, entre outros; se estes autores são bem conhecidos, outro tanto não se pode dizer de Joaquim Rebelo Vaz Monteiro (1917-81), desaparecido antes sequer de poder defender a tese de doutoramento entretanto concluída, e que veio a ser publicada postumamente: *Uma viagem redonda da Carreira da Índia (1597-1598)*, Coimbra, Biblioteca Geral da Universidade de Coimbra, 1985. Anteriormente a esta obra modelar (na opinião autorizada de Luís de Albuquerque), dera à estampa outros estudos de relevo para a história da náutica portuguesa, nomeadamente os publicados na Série Separatas do Centro de Estudos de História e Cartografia Antiga (nºs 49 e 91).

(42) Sobre as características da nau ver principalmente Jaime Martins BARATA, *O navio "São Gabriel" e as naus manuelinas*, Coimbra, Agrupamento de estudos de Cartografia Antiga, sep. XXXIX, 1970 (Sep. da *Revista da Universidade de Coimbra*, vol. XXIV) e João da Gama Pimentel BARATA, *O traçado das naus e galeões portugueses de 1550-80 a 1640*, Coimbra, Agrupamento de Estudos de Cartografia Antiga, sep. XXXVIII, 1970 (Sep. da *Revista da Universidade de Coimbra*, vol. XXIV; reimp. em *Estudos de arqueologia naval*. Também nesta obra outros estudos do autor e as bibliografias respectivas, assinalando os principais trabalhos sobre a nau portuguesa de século XVI).

(43) Convirá todavia notar que o valor médio das naus quinhentistas que faziam a Carreira da Índia andava por valores mais baixos: uns quinhentos a seiscentos tonéis, segundo a documentação técnica de que temos conhecimento.

(44) "Regimento do trato da pimenta, drogas e mercadorias da Índia", em *Leys, provisões que el rey Dom sebastião nosso Senhor fez...*, Lisboa, Francisco Correia, 1570, pp. 217-8.

(45) Moacir Soares PEREIRA, *Capitães, naus e caravelas da armada de Cabral*, Lisboa, Centro de Estudos de História e Cartografia Antiga, sep. CXV, 1979. Ver também Rubens Viana NEIVA, "Organização da Expedição...", em *História naval brasileira*, pp. 146-52.

(46) Em texto ainda inédito, apresentado no IV Simpósio de História da Marinha organizado pela Academia de Marinha, de Lisboa, cujas actas deverão vir a ser publicadas em breve.

DIA-A-DIA NO MAR
Viagem e naufrágio da nau São Paulo

Paulo Miceli

1

A história também pode ser — entre outras e infinitas coisas — a tentativa de se pôr certa ordem no espaço de caos em que os homens dispõem suas ações cotidianas, construindo casas e cidades ou edificando impérios, a partir das guerras que travam com suas armas e motivações econômicas, além de criar obras de arte, evidentemente. A ordem, sabe-se, mesmo à força, é impossível de ser estabelecida fora dos ambientes recriados pela produção historiográfica, quando o que se quer — mesmo ao se tratar das crises — é, antes de tudo, compreender e explicar, reter e organizar, analisar e definir; em suma, abrir para poder fechar.

Por isso, quanto mais evidenciado e nítido for o viés positivista do texto historiográfico, maior é a ilusão que é capaz de provocar. É função da crítica historiográfica, portanto, explicitar as limitações dessa arquitetura tosca, levando ao sacrifício todo o conhecimento que almeja o bronze: pedras e sentimentos, sem prioridades, oferecem-se à arte historiográfica como matéria-prima para seus pergaminhos.

Assim, fragmentos ordenados do caos, a história pode estar em qualquer lugar onde a imaginação e a suspeita lançarem dúvidas ou sentirem vultos que o trabalho historiográfico pode animar, puxando fios para simular o movimento de marionetes que têm de vida a exata extensão da corda que lhes puder dar o historiador.

2

Sobre um navio, por exemplo, é possível saber o tamanho, as partes que o compõem, a que tempo pertence, sua proveniência, o porto de destino... É possível conhecer sua carga, o valor das coisas que transporta, o nome de quem o comanda, a relação dos comandos e, até, quanto vale cada uma dessas vidas, avaliadas a partir da rigorosa hierarquização que tenta disciplinar a sociedade embarcada.

É possível, também, imaginá-lo navegando, silencioso, a projetar suas formas contra a luz do crepúsculo e tentar uma aproximação para ouvir as vozes que orientaram e assinalaram a vida cotidiana dos mareantes: palavras de comando, blasfêmias e palavrões, nomes, apelidos, risos e pedidos de ajuda, rezas noturnas ou suspiros e sussurros escapados de amores e desejos sempre vigiados, ladainhas, gemidos de agonizantes, delírios, desvarios ou gritos de desespero nas horas de perigo, tempestade e naufrágio.

O navio que se enxerga, já o sentiu Lucien Febvre,[1] é o navio cujas vozes e ruídos podem ser ouvidos, superando os sons do mar: vindo de todos os rumos de cada rosa-dos-ventos, acaba por mostrar-se, na história, em sua última derrota.[2]

3

A nau *São Paulo* partiu de Lisboa para a Índia num sábado, 25 de abril de 1560, integrando uma esquadra de seis velas. Dez dias antes, prontos para iniciar viagem, os navios desceram o Tejo até Santa Catarina de Ribamar, aguardando aí condições favoráveis para sair da barra. O tempo de espera foi aumentando porque ratos, ao que parece, romperam uma das amarras do navio, entregando-o à mercê dos ventos, que ameaçavam jogá-lo contra a costa. O socorro, pedido com disparos de bombardas durante toda uma noite, acabou vindo de Belém. Este mau começo parecia anunciar infortúnios para a viagem da esquadra de 1560: a nau *Cedro* arribou ao reino, a *São Paulo* acabou invernando no Brasil, antes de encontrar-se com seu trágico destino, e as demais, por conta das dificuldades da viagem, dobraram com atraso o cabo da Boa Esperança, sendo obrigadas a seguir a derrota por fora da ilha de São Lourenço, o que custou um número sem conta de vidas e sacrifícios. A nau *Rainha* chegou a Cochim somente no início de novembro, o galeão *São Vicente* atingiu *Penane* em meados do mesmo mês, e apenas o galeão *Drago* conseguiu tornar a salvamento em 6 de janeiro de 1665, depois de chegar à Índia a 9 de fevereiro de 1561, de onde voltou a Portugal a 14 de fevereiro de 1564. Quanto à nau capitânea (*Castelo*), as informações pouco precisas que ficaram registradas em alguns raros documentos nada esclarecem sobre seu destino.

Entretanto, sobre a nau *São Paulo* e os sucessos de sua fatídica viagem sobraram registros e testemunhos mais extensos.

Construída nos estaleiros da Índia,[3] até aquele ano de 1560 a *São Paulo* fizera uma viagem para Lisboa (1554-55) e outra para a Índia, em 1556, quando também arribou à Bahia. Ao voltar a Portugal, em data não sabida, talvez tenha tido por piloto Antônio Dias, que, em 1560, fazia sua primeira viagem para o Oriente.

O primeiro texto conhecido sobre essa viagem de 1560 é a *Relação da viagem, e do naufrágio da nau São Paulo que foi para a India no ano de 1560. De que era Capitão Ruy de Mello da Camera, Mestre João Luis, e Piloto Antônio Dias*, escrita por Henrique Dias, "criado do prior do Crato", e editada por Bernardo Gomes de Brito, em 1735, no primeiro volume da *História trágico-marítima*. O segundo relato, de autoria do jesuíta Manuel Álvares, foi escrito em Goa no ano de 1562. Esse texto já era conhecido parcialmente no início do século XVIII, mas foi o padre Serafim Leite quem o reproduziu no Arquivo da Companhia de Jesus, em Roma, para apresentá-lo no Instituto Português de Arqueologia, História e Etnografia, em 1943, cedendo-o depois a Frazão de Vasconcelos que o editou em 1948.

Pouco se sabe sobre Henrique Dias, além das escassas referências que ele próprio fez no relato da *História trágico-marítima*,[4] havendo mais dados sobre Manuel Álvares, o "padre pintor", que, segundo o catálogo de 1556 da Companhia de Jesus, foi "recebido a 2 d'Outubro de 1549; hé de idade de 30 anos. Aprende latim em casa. Hé mui bom pintor e escrivão. Hé de boa habilidade".[5] Como pintor, além dos raros e preciosos desenhos a pena deixados na própria carta onde contou a viagem e naufrágio da *São Paulo*, "há notícias de obras suas em Coimbra e Goa",[6] havendo igualmente breves referências a essa sua atividade numa carta que o jesuíta Diego Laynes recebeu da Bahia, escrita em 1º de setembro de 1561 pelo p. Antonio Blazquez, onde, na referência aos preparativos para a Semana Santa, se diz que "en las grades de la capilla estava um frontespicio, que el Pe. Manuel Álvares, yendo para la India, hizo para este effeito".[7] Manuel Álvares deixou ainda uma carta escrita em 4 de setembro de 1560,[8] sabendo-se — e é tudo — que morreu na Índia a 2 de junho de 1571.

4

Os dois relatos sobre a viagem e naufrágio da nau *São Paulo* completam-se e esclarecem, reciprocamente, algumas situações, mas há entre eles interessantes divergências. A principal delas refere-se ao piloto Antônio Dias que, convém lembrar, concentrava em suas mãos nem sempre hábeis o destino do navio, estando sob seu mando direto todos os assuntos ligados à navegação propriamente dita.[9] Desse modo, ganha importância a avaliação discrepante que os dois autores fizeram do piloto da nau.

Para o padre Manuel Álvares, Antônio Dias "deu grande ordem para tudo por ser homem muy engenhoso E prudente".[10] Henrique Dias, entretanto, considerou que o desastre da *São Paulo* teve como único e principal responsável justamente o piloto:

> Assim que tornamos a desfazer o caminho, e para trás como um caranguejo, não por míngua em verdade, nem falta do nosso piloto não trazer cartas, nem astrolábios, todos dourados e mui diferentes dos outros, que trazem suas cartas rotas e seus astrolábios mui ferrugentos e cheios de azinhabre, assim com sua simplicidade, os leva Nosso Senhor à Índia e a Portugal muitas vezes, porque têm conta consigo e com o que sabem, sem lançar pé além da mão, porque todo o tempo se foi este nosso [piloto] em contemplação dos movimentos dos Céus e curso dos planetas, tudo filosofia mera, em que parece que queria exceder a Platão, Aristóteles e a todos os filósofos naturais, sendo tão rústico e não havendo aprendido nem cursado nada nas escolas de Atenas; até que veio dar conosco à costa, causa de tantos infortúnios, males e mortes.[11]

Mas por que entregar a nau ao comando de piloto sem qualquer habilidade? A resposta de Henrique Dias é expressiva: "[...] só o dinheiro que de Malaca e Maluco levou a Portugal lhe deu crédito para lhe darem esta nau e ser piloto desta carreira",[12] afirmando com isso que era possível comprar o direito de pilotar um navio da carreira da Índia.[13]

5

E foi sob o comando desse Antônio Dias que a nau *São Paulo* começou a navegar na direção da Índia. A viagem deveria ter começado em meados de março, em obediência ao calendário habitualmente respeitado pelas armadas.[14] Contudo, a partida teve de ser adiada "por suscederem ventos contrários à navegação".[15] No dia 3 de abril, "cuydando yá os navegantes e armadores que tinhão yá tempo [bom], mandarão tocar as trombetas e atambor pera fazer o alardo,[16] e pello tempo se tornar logo a mudar o não fizerão".[17] No dia 6, nova tentativa, e o embarque acabou sendo feito no dia seguinte, Domingo de Ramos. Truncado neste passo o documento, a referência seguinte do padre Manuel Álvares, de 17 de julho, trata da longa permanência na Guiné, onde os embarcados na *São Paulo* andavam "de huma parte pera a outra, morrendo e asando-nos com quentura".[18] É que depois da conturbada partida, desfeita a conserva,[19] a *São Paulo* andou à deriva por longo período na costa da Guiné,

> sem poder dobrar a linha do Equador que ouvemos ahy de adoecer quasi todos, dos quaes alguns morrerão avendo eu tanta parte na enfermidade que ao meu quinhão ouve dez sangrias e estive por duas vezes ha morte, tão fraquo e gastado que somente fiquei nos ossos. Donde nos determinamos a tomar a Baia de Todos os Santos, que he terra do Brazil [...] [20]

Durante esses longos períodos em que os navios ficavam ao pairo, seja pela calmaria, pela imperícia do piloto ou por qualquer outro problema de navegação, as dificuldades de bordo surgiam, juntamente com a fome, a sede e as doenças.

Quase sempre, uma contabilidade cobiçosa criava desproporções entre a quantidade de pessoas embarcadas e os víveres necessários à sua sobrevivência. Além disso, a superpopulação nos navios apresentava-se como problema de difícil solução, como se pode ler na correspondência trocada entre o rei d. João III e d. João de Castro, a quem o monarca escreveu que "a poucos dias de viagem, foi avisado o governador, que na sua nao hião quasi duzentas pessoas que recebião ração sem assentarem praça; huns que por inúteis não forão recebidos, e outros que por delictos se embarcarão escondidos",[21] acrescentando que "sempre em todas as armadas vão mais homens do que se assentão".[22]

D. João de Castro, por sua vez, informou ao rei que "de tanto avante como a ilha da Madeira escrevy a Vossa Alteza com quoantas bonanças pasamos nesta sua armada o golfão chamado Vale das eguoas, e a muyta gente que se achou nas naos alem da que assentarão na casa da India".[23]

Em alguns casos, como ocorreu na nau *São Paulo*, essas dificuldades geravam protestos. Assim como na carta do padre Manuel Álvares, aparecem destacadas no relato de Henrique Dias:

> [...] faltava já quase a todos o [que] comer, por não haver aí vinho de el-rei, nem o bebiam os soldados que saíram do Brasil. E tomavam à custa de el-rei do que ia na nau, das partes, para a gente do mar, que se queixava e não queria trabalhar [...] com que aos pobres soldados ficavam os trabalhos multiplicados em dobro [...], comendo o biscoito da regra todo podre das baratas e com bolor mui fedorento, sem haver outro, nem quem o tivesse para si, senão muito poucos, nem carne nem vinho, nem pescado, nem com que poderem sustentar e alimentar corpos tão debilitados.[24]

O biscoito, principal alimento de bordo em situações regulares, era servido à razão de quatrocentos gramas ou pouco mais por pessoa, acompanhado de uma canada (1,4 litro) de vinho por dia, reduzindo-se essa quantidade para cerca da metade ao final do século XVI. A água também era distribuída na mesma quantidade do vinho, e sua armazenagem precária invariavelmente provocava infecções e diarréias. Da carne, além de rara, pouco uso se fazia, já que cerca de metade dos dias de viagem era cumprida em dias de abstinência, recomendada por motivos religiosos. Quanto ao peixe, abundante nas proximidades do cabo da Boa Esperança, escasseava em alto-mar.

> Por tudo isso, a alimentação dos viajantes dependia quase somente dos gêneros embarcados à partida, dependendo a sorte de cada um de sua própria condição social. O controle dos alimentos e sua distribuição eram estabelecidos em regimentos, e apenas o capitão e um despenseiro por ele indicado tinham a chave dos paióis de mantimentos, sempre submetidos a rigorosa vigilância. A manutenção de despensas individuais ou capoeiras para criação também era privilégio de capitães e oficiais, o que acabava transformando as naus em um confuso amontoado de capoeiras, jarras e despensas, além de caixaria, fardagem e até canastras a que tanto aludem as restrições das ordenanças.[25]

Assim, excetuados os privilégios decorrentes das diferenças sociais que (também) assinalavam a vida de bordo, o que mais ressalta nas relações de gêneros embarcados é a ausência de alimentos frescos, prejudicados os demais pelas condições em que eram armazenados e conservados. Além disso, considerando que muitos passageiros já subiam doentes aos navios, é fácil perceber que ali as enfermidades encontravam caminho sempre aberto para avançar, dia após dia. "Fosse o escorbuto — ou mal das gengivas ou mal de Luanda — provocado pela carência de ácido ascórbico (vitamina C); fossem as doenças pleuropulmonares (prioris), freqüentes nas regiões mais frias; fosse o mal das calmarias, habitual na costa da Guiné, ou toda uma infinidade de doenças das quais nem o nome se guardou, o fato é que elas foram sempre passageiras sinistras a cobrir de sombra a vida de bordo. Apesar do sol que tantas vezes orientava os viajantes."[26]

E foi assim com a *São Paulo*, durante os quase três meses em que ficou ao pairo próximo à costa da Guiné:

> Havia já neste tempo [19 de maio de 1560] na nau duas dúzias de doentes de febres e alguns de inchações; e as febres eram tão rijas, que em dando à pessoa a desatinava, de maneira que falava e fazia mil doidices e desatinos, uns muito para rir e outros de muita lástima e para chorar; e assim houve muitos que com a frenesia se iam deitar ao mar se os não tiveram e ataram uns com outros. Era coisa lastimosa e de compaixão ver os pobres soldados, sangrando quatro e cinco vezes, deitados no convés da nau ao sol e à chuva, que quase nenhum dia, nesta paragem, deixamos de ter contínuas trovoadas.[27]

Para os passageiros da *São Paulo*, essa longa espera durou quase quatro meses, pois foi somente nos últimos dias de julho que, afinal, o navio conseguiu passar o Equador. Dobrado o cabo de Santo Agostinho, na primeira semana de agosto, no dia 17 a nau aportou à Bahia.

6

No dia 2 de outubro de 1560, 47 dias após chegar ao Brasil, a *São Paulo* abriu novamente as velas na direção do mar. O desafio, agora, era tentar a travessia "desta costa do Brasil à terra do cabo da Boa Esperança, que é o maior golfo do descoberto, nem navegado de nenhuma nação fora da portuguesa, tão calejada e costumada a estas más fadas, caminho deserto na carta, de terra em terra, sem nenhum rodeio de mil e cento e trinta léguas".[28] No início de novembro, o navio aproximou-se das ilhas de Tristão da Cunha, mas o piloto parecia ignorar os evidentes sinais de proximidade de terra, desafiando os riscos crescentes de acidente e naufrágio num local onde navegava-se sempre "ao longo da costa com o prumo na mão [para evitar os baixos], sem nunca atravessarem golfo de mais de cem léguas".[29] Antônio Dias, contudo, teimava em conduzir o navio sem dar atenção às "muitas murmurações e clamores", indo e vindo desnorteado, pondo em quase desespero os navegadores mais experimentados. Por ignorar, talvez, as coisas e perigos da navegação, o padre Manuel Álvares desfrutava, encantado, das visões que a *São Paulo* lhe descobria. De uma ilha deixou pequeno desenho, acompanhado de palavras de admiração.

Passada a ilha, foi a vez do mau tempo: "[...] tivemos muy grandes ventos e muita chuva e faziamos nosso caminho tendo neste tempo bem de sobresaltos e caminhavamos pelo maior golfão que ha em todo o Oceano. [...] E day a muito tempo não vimos terra até que a vimos para grande tristeza e desconsolação de todos".[30] Depois disso, longo hiato, e o relato do jesuíta vai direto a 20 de janeiro de 1561:

> Segunda feira as tres hora[s] indo correndo com grande temporal sem velas nenhumas vimos hua Ilha que dizem ser a Ilha do Ouro que está na linha 30 legoas da grande Ilha de Samatra. Tanto que a vimos quiseramos dobrar hua ponta que demorava a Nornordeste e não podemos. Viramos na volta do Sul e a quarta do Sueste e o vento era Oessueste, e tanto, que falava, e a chuva que parecia que nos queria alagar os mares tão grandes e espantosos que pareciam que queriam nos absorver; a nao hya tao desinquieta que nos não podiamos ter. Os ventos eram taes que em nenhuma maneira lhes podiamos ter o rosto. Era a cousa de maneira que os mareantes e todos hiam asombrados da hora da morte aynda o Mestre que era hum robustissimo homem, con-

fessando todos que nunqua taes tempos virão nem tão espantosos mares. E caminhando neste bordo e com éstes tempos começavam nos a quebrar os aparelhos da nao e costeiras e amantilhos do mastro grande e os braços grandes. E rompeose nos a moneta grande e o papafigo da proa dalto a baixo. E levou-nos o vento a cevadeira sem ficar pano na verga. Metemos então outro traquete e com os papafigos fomos trinquando toda a noite com ventos e mares grandissimos. Andamos com esta tromenta parece me que dous dias e duas noites. As noites não pareciam senão imagens do inferno.[31]

Forma-se, assim, no relato quinhentista de um padre pintor o quadro comum aos acidentes que pontuaram as viagens da carreira da Índia, composto por cenas de desespero e medo, desvarios e confissões em alta voz, pedidos públicos de perdão, gestos de egoísmo, enfim, tudo aquilo que a "vida solta" dos navegadores, acreditava-se, conseguia produzir para atrair o pesado castigo divino, principalmente pela cobiça e cupidez que assinalava e orientava suas condutas.

Pelo desenvolvimento dos fatos, é necessário repor em cena o piloto, a quem Henrique Dias, mais do que aos céus — seja por Deus, seja pela tormenta —, responsabilizou pela perdição da nau. Segundo ele, Antônio Dias, a quem subordinava-se o destino do navio e dos navegantes, foi dos primeiros a sucumbir ao caos que antecedeu os lances mais dramáticos que prenunciaram o naufrágio. E o piloto, se "antes filosofava, não prestou mais para coisa alguma, e logo lhe morreu o coração, nem falou mais palavra, parece compreendido no erro e culpa, ou, mais certo, não ser nada marinheiro".[32]

7

Enquanto Antônio Dias entregava o navio a seu destino sem comando, o padre Manuel Álvares usava o camarote do piloto para confessar os viajantes:

> Destas duas noites a ultima me pus a confessar no camarote de Antonio Dias o Piloto; ay confessei ao capitão E a outros homens fidalgos E a outra muita gente confessei ao Mestre; E ao Piloto sendo necessario acudir elle. Depois deci abaixo do chapiteo a confessar algumas molheres que estavam ja meas defuntas. E erão tantas as confissões que não pudia acodir a tantos porque hus me chamavão de hua parte E outros de outra e não sabia a quem acudisse apertandome também a desconsolação de não ter com quem me podesse confessar vendo a morte tão propiqua diante dos olhos.[33]

Nesses momentos de caos, os navegadores

> se pedião perdão huns aos outros porque havia entre eles muitos ódios de que se não podião apartar. Era a maior parte desta gente dura e indomita. Havia também outros males grandes de que eu me temia muito antes que de Lisboa me partisse; E a causa dalguns destes sabe Deus se são os oficiaes del Rey que têm por oficio saber que gente he a que se embarca nestas naos. O padre Doutor Torres me entenderá melhor porque enfim ca nestas naus não pode ninguém com eles.[34]

Mas, quem era, afinal, essa "gente dura e indomita" de quem se queixava o padre Manuel Álvares? Sobre isso, o relato de Henrique Dias é mais detalhado. Para ele, os marinheiros "são tidos [...] em mui pouco, e valem menos e são bem diferentemente estimados que em Portugal, coisa por certo mui bem merecida neles e por ser gente mui sobre si, de pouco amor e caridade e de muito menos verdade, e nos maiores perigos e tormentas não têm conta com Deus e seus santos".[35] Reagindo com frieza diante das dores alheias, os próprios marinheiros pareciam alimentar a visão pouco elevada que se tinha deles, sendo

> por certo coisa muito miserável de contar a diversidade das condições humanas; e muito mais para chorar suas cobiças e misérias, porque indo a nau caindo sobre o ilhéu, em que apenas havia tocado, já a gente do mar andava escalando arcas e arrombando câmeras, e fazendo fardos e trouxas, como se estiveram em terra habitada e de muitos amigos, comarcãos e vizinhos de sua pátria e natureza, e tivessem mui seguros e certos caminhos e direitas estradas por onde caminhassem, e embarcações boas em que navegassem. Desta maneira andavam uns roubando e destruindo tudo, assim os que estavam na nau como outros que estavam em terra, abrindo barris, arcas e caixões, que o mar já de si deitava; mas quem se espantará ou haverá por novidade achar-se isto em gente do mar, tão inumana, se os conhecer, e lhe souber suas más inclinações, e quão pouca lei têm com Deus, nem caridade com o próximo?[36]

A descrição do acidente coincide, em seus pontos essenciais, nos dois relatos, harmonizando-se, igualmente, com outros textos quinhentistas dedicados à história trágico-marítima. Ao entardecer, "tudo foram trovoadas e chuveiros grandíssimos, e cerrações, com que sobreveio a noite escuríssima e espantosa, porque a cada trovoada ficávamos soçobrados e debaixo d'água, no rolo das ondas, que nos comiam e desfaziam com as trovoadas, e todas iam para terra, e nos lançavam e chegavam o mais que podiam a ela".[37]

O medo e as dificuldades dilataram o tempo de espera, e a noite se fez mais longa, enquanto o navio caminhava, sem comando, de encontro à terra:

andando toda esta noite de maneira que digo que parecia hum ano quando veo a madrugada antes que rompesse a manhã achamonos entre huas restinguas aonde arrebentava o mar em grande maneira E muito junto de nós que foi causa de grandíssima perturbação de todos. Os escovens hião abertos E a nao arfava muito E tomava muita agoa E de hua parte e da outra aparecião terras não havia ja quem soubesse dar se a conselho. E assim começando a amanhecer nos achamos muito juntos à terra. A tormenta não cessava. Os homens estavam de maneira que metiam medo uns aos outros. Chamei pela manhã meu companheiro e confessou-se. Os outros eram muitos aos quaes ja não podia acudir, por andar ja a coisa muito confusa E não havia ja quem pudesse dar conselho. E assim aturando a braveza dos ventos sem ter remédio nem socorro E pelos altos juizos de Deus deu a triste da nau a costa com tão grande alarido e clamores da gente que parecia que chegavam ao céu e não havia quem se ouvisse.[38]

Era 21 de janeiro de 1561 quando a nau *São Paulo*, quase nove meses depois de deixar Lisboa, foi de encontro a uma pequena ilha, próxima de Samatra. Além das valiosas impressões do naufrágio registradas pelos autores dos dois documentos que vimos acompanhando, o jesuíta Manoel Álvares incluiu em sua carta um preciosíssimo desenho, exemplo único na literatura de viagens e naufrágios, registrando as imagens que lhe ficaram da portentosa nau, no momento de seu choque contra a costa.

8

Quando o navio encalhou, muitos homens atiraram-se apressadamente às águas tentando alcançar a terra, morrendo muitos deles por nem sequer saberem nadar, matando-se "porque quiseram", já que a nau *São Paulo* "sendo muito forte esteve sem se desfazer de todo ahi muitos dias".[39]

Nesse ponto, Manuel Álvares abre em seu relato um pequeno e significativo espaço para tratar das mulheres embarcadas. Masculino por excelência, o mundo das viagens da expansão e da conquista esconde avaramente das narrativas sobre a vida cotidiana a bordo dos navios as mulheres que adentravam as esquadras da carreira da Índia: "Era cousa de piedade ver as molheres que neste tempo estavão meas mortas huas em hua parte e outras em outras a[s] quaes erão muitas que foi o maior estorvo que nesta viagem tivemos, o que *em estremo se devia deffender de virem molheres em naos da india. Specialmete molheres solteiras*".[40]

Nos documentos que de algum modo detiveram-se na descrição das viagens, são raras e extremamente breves as menções à presença feminina nos navios. Salvo quando destacadas como "fidalgas e honradas",[41] as mulheres eram consideradas invariavelmente como problema adicional ao se tratar de disciplinar a vida de bordo, especialmente para os jesuítas. Assim,

> à exceção de poucas viúvas virtuosas, um número nunca precisado de escravas, algumas jovens órfãs que, sob vigilância, viajavam à Índia para desposar portugueses lá residentes ou dos raríssimos casos em que acompanhavam seus maridos, as mulheres raramente se atreviam a *invadir* o universo masculino das naus. Quando o faziam, eram imediatamente incluídas na categoria de mulheres *sospeitosas*, como aparecem referidas na correspondência dos religiosos embarcados, que viam no seu combate uma de suas principais missões, ao lado do tratamento dos doentes, do combate ao jogo, às blasfêmias e à leitura de livros *profanos*, além dos ofícios da religião propriamente ditos, como as missas, procissões e confissões.[42]

Exemplar nesse sentido é uma carta do padre Fernando da Cunha, de 3 de dezembro de 1562, dando conta a seus superiores dos procedimentos que adotou imediatamente depois da partida de Lisboa, a 16 de março daquele ano: "[...] logo trabalhei [para saber] se ia na nau alguma mulher de que se tivesse alguma suspeita; logo soube do capitão e doutras pessoas que não havia nenhuma mas que nisso se tivera muita conta".[43] Pouco antes, outro jesuíta escrevera que "logo no primeiro dia procuramos botar fora a peçonha que o diabo costuma introduzir para perdição dos navegantes, e assim botamos fora duas mulheres *sospeitosas*".[44] Outra mulher que viajava no mesmo navio também despertou suspeita dos religiosos, "e andava tão aceso nisso o irmão Vicenzo, que [...] me perguntaram se tinha aquele irmão alguma doença [...] dizendo-lhe eu que o irmão fazia aquilo com zelo de virtude".[45]

Trinta anos antes de padre Vicenzo caçar implacavelmente a pobre suspeita, o bispo d. Fernando Vaqueiro dirigiu-se ao rei, denunciando o armador Vicente Gil, da nau *Graça*, "por vir publicamente amancebado, e consentir que assim viessem alguns oficiais da nau".[46] O bispo dizia ao rei que repreendera o armador várias vezes, "até pelo escrivão da nau lhe fazer requerimento de que se apartasse e fizesse apartar os outros. Não deu nada por isso nem pelas penas que V. A. pôs nos que trouxessem mulheres".[47]

Quando apanhadas, as mulheres que despertassem suspeitas eram trancadas e entregues à vigilância de pessoas "virtuosas".[48] Algumas foram abandonadas pelo caminho, uma sorte talvez preferível à que deve ter tido a anônima personagem referida pelo padre João Batista de Ribeira: "Saídos do porto, fizemos inquisição [...] se ia alguma mulher desmandada na nau, e havendo antes da saída descoberto uma que se já ia fugindo de seu marido e a levava um homem que tinha uma excomunhão em cima [...] havendo-se a ele feito uma boa repreensão fraterna por um de nós, a deixou de seu aposento e fizemo-la logo desembarcar".[49]

Desse modo, apesar de escassas — o que se deve principalmente à natureza da documentação disponível —, as referências às mulheres de "mau viver" (ou àquelas de que se tivesse qualquer suspeita) são freqüentes o suficiente para se poder afirmar que o desenvolvimento de todo o vasto e complexo conjunto de técnicas e saberes que concederam a Portugal a preeminência da navegação oceânica foi acompanhado por uma espécie de prostituição flutuante, praticada quem sabe nos intervalos dos duros trabalhos do mar, tantas vezes acidentados e tempestuosos, pelos cantos e esconderijos que a caixaria amontoada não entupia de todo. Contudo, o pudor e as referências apenas condenatórias na correspondência dos religiosos foram seguidos pelo silêncio da historiografia, numa espécie de obediência tardia ao que recomendava o padre Henriques, na carta escrita em Goa, a 12 de dezembro de 1546: "[...] os que vieram com a ajuda do Senhor sempre tenham aviso nas naus em que eles vêm, se há aí mulheres, para as fazer deitar fora, porque quase sempre as trazem escondidas. Duas se acharam na nossa [nau] quando entramos, e fizemos com o capitão que logo as enviasse. Assim o fez. Pelo caminho adiante achamos outras duas, mas nunca pudemos apartá-las de quem as levava, não faltou diligências para isso".[50]

9

Durante os dias em que a nau *São Paulo*, encalhada, resistiu ao embate das ondas, foi saqueada pelos sobreviventes, que disputavam a carga que tornaria mais difíceis ainda suas chances de escapar do ilhéu contra o qual se chocou o navio. Enquanto isso, como aconteceu em outras inumeráveis situações de naufrágio, armou-se um motim contra o capitão. Assustadas, "as molheres neste tempo (como tem de costume) não cessavam de falar nestas cousas com o temor que tinham de lhes parecer que as deixarião em terras tão estranhas".[51]

As brigas opunham os sobreviventes, talvez pela percepção que tinham de que lhes faltariam mantimentos com que pudessem sobreviver o tempo necessário para tentar escapar de um lugar que temiam e desconheciam. O padre Manuel Álvares, a se acreditar no seu relato, desempenhou aqui importante papel, conseguindo apaziguar os sobreviventes e demover o mestre de encabeçar o motim contra o capitão do navio, para o que valeu-se, além de certa aptidão para a diplomacia, de alguns sermões e ladainhas, chegando até a ordenar a construção de uma pequena igreja coberta de folhas de palmeira.

Mas, em tempos tão difíceis, a paz era quase impossível. As dificuldades e padecimentos cresciam, sucedendo-se atos de violência e egoísmo, agravados pelas doenças, pela fome e pelo temor de inimigos que pareciam espreitar de cada canto. Assim é que, às voltas com seus problemas, chegaram notícias de que alguns homens teriam avistado uma pequena embarcação de negros.

Era o primeiro sinal, ao qual seguiram-se outros, até que as suspeitas se confirmaram e à fome, que já era grande, somou-se o pânico, o que levou os náufragos a apressar o trabalho da construção de embarcações com que pudessem sair da ilha, cabendo a alguns deles erguer uma pequena fortaleza para proteger-se dos negros, enquanto outros se arriscavam a vasculhar as praias e matas próximas à busca de alimentos.

Os contatos com os negros, a princípio, pareceram amistosos, mas acabaram em conflito. A fome empurrava os portugueses cada vez mais para longe do arraial, tornando-os presa fácil de abater:

> E assim espantados como animais, descuidados E com apetite de comer se tornaram a alongar muito do arraial por essas praias uns por uma parte E outros por outra sem nenhuma ordem E os negros com grande desejos de nos atormentar estavão entre os matos espreitando E vendo os nossos, desordenados e apartados como faziam sempre saltaram com eles de repente E os matavam, assim aconteceu daí a poucos dias que indo alguns dos nossos ao longo da praia E afastando-se dois deles, saíram os negros dentre as árvores, remetendo-se a eles como animais bravos, um deles percebeu e escapou, o outro que estava algum tanto mal disposto não pôde, e assim cruelmente o matarão.[52]

Ante as ameaças, os portugueses recolhiam-se assustados, mas

> day a poucos dias como gente sem memoria do passado se iam muitos a buscar mantimentos E deixavam-se a dormir descuidadamente E sem nenhuma vigia de suas pessoas e assim andando com murrões acesos ao longo da praia a buscar peixes e mariscos estavam os negros (como disse) entre as arvores espreitando-os. E uma noite destas vendo alguns dos nossos que se apartavão dos outros saltarão com tres E a dois delles matarão logo. E o outro se acolheo de entre eles E muy maltratado e fugindo por entre os matos veio dar novas aos outros, E assim todos juntos remeterão aonde estavão os negros os quaes havião ja fugido e chegando acharão os dous portugueses mortos com as cabeças cortadas e as mãos e outras muy grandes feridas pelos corpos.[53]

A rede de privações e perigos acercava-se cada vez mais dos portugueses, exacerbando-lhes ainda mais a cobiça e cegando-os à evidência de que as embarcações que estavam sendo feitas para os devolver ao mar eram insuficientes para todos. Manuel Álvares, enquanto isso, pregava e confessava durante o dia, a noite e até a madrugada "que quase me não ficava tempo de repousar". Nos sermões, procurava alertá-los para

> que olhassem bem de longe se as embarcações que fazião se bastarião para toda a gente, de que eu muito dantes duvidei, por que no tempo do embarcar não houvesse confusão. E alvoroso como eu temia E que se visse o que cada um tinha determinado de levar por que eu via a gente muy ocupada E embaraçada com as cousas da nao apanhando E escondendo para si cada um o que podia como que a nao tornara a ressuscitar E que olhassem bem que eu lhe ficava que ao tempo da partida havia de haver muitas trouxas E não somente de panos [...] E se lhes parecesse bem que eu lhes fezesse que todos pusessem Em um lugar os panos para que se repartissem igualmente por todos os pobres E necessitados da maneira que melhor E conforme parecesse para que desembaraçados E também desenganados polo capitão E por mim muitas vezes (aynda que sempre temi o contrario) que ninguém cuidasse haver de embarcar mais que sua pessoa quando muito vestidos E aynda os que havião salvado sua própria fazenda pois as embarcações se não fazião se não para salvar gente.[54]

De novo, o jesuíta apelou para a devoção dos portugueses, ordenando ladainhas, seguidas de procissão, em que não faltaram alguns disciplinantes, como era praxe em Portugal. Com isso, conseguiu que alguns abandonassem os produtos do saque. Entretanto, como também era comum em situações semelhantes, voltaram rapidamente a "estar pegados com o alheo", não só os mais pobres, mas principalmente "os maiores", inclusive o capitão, de quem ele esperava apoio. "Em fim são homens e não ha que confiar neles", desabafou desconsolado o religioso,[55] advertindo-os de que as cargas alheias que tomavam "não lhes fosse causa por ventura de os carregar ate o inferno".[56]

10

Prontas as embarcações, confirmaram-se as suspeitas e temores do padre Manuel Álvares: não havia lugar para todos os sobreviventes, que, àquela altura, deveriam somar 350 pessoas, entre as quais cerca de trinta mulheres.

Além do *excesso* de náufragos, o jesuíta queixava-se por haver entre eles "certas pesoas de roim edificação em suas vidas com as quaes eu ja na nao havia pasado muito trabalho E por ventura antes que de Lisboa me partisse como disto sera testemunha o doutor Torres, pelo qual como ja la escrevi na outra carta que do Brasil mandei quanta conta se havia de ter com as molheres que a estas partes vem".[57]

Com algumas dessas pessoas o religioso gastava mais tempo nas confissões, suspeitando que o peso de prováveis excomungados fora a verdadeira causa da perdição da nau, para o que teria contribuído também a presença das mulheres embarcadas.

Enquanto Manuel Álvares conjeturava sobre as causas morais do naufrágio — no que se punha de acordo com um sem-número de narradores de seu tempo —, o dilema afinal se mostrou em toda a sua clareza: "O que nos seria milhor fazer para remedio de tanta gente para os quais todos não havia embarcações?".[58]

Para o capitão, deveriam avançar com alguns escolhidos até um rio, distante quatro léguas, onde decidiriam definitivamente o que fazer. Manuel Álvares teria sugerido desembarcar as mercadorias que ocupavam o navio recém-concluído para acolherem mais gente, ouvindo em resposta que esses produtos serviam de lastro para a embarcação... Afinal, resolveu-se que os mais bem-dispostos fossem por terra, armando-se grande alvoroço na praia, com os náufragos lançando-se em desespero à água para tentar lugar em alguma das três embarcações que se pôde fazer com os restos da grande nau *São Paulo*. Vendo isso, o capitão se pôs, armado, à entrada do navio, impedindo a passagem; mas percebendo que a espada não era suficiente para proibir a invasão, mandou levantar âncora deixando na ilha um grande número de náufragos, dentre os quais Manuel, um jovem pajem moribundo, e muitos doentes e meninos.

Era 28 de março de 1561, 66 dias depois da perdição da *São Paulo*, ocorrida em 21 de janeiro. Na embarcação maior, onde estava Manuel Álvares com o capitão, iam 120 pessoas, viajando outras trinta no barco comandado por um certo Pedro Álvares e dezessete no esquife, seguindo por terra os restantes 183 náufragos.

Depois de um dia de viagem, ancoraram numa baía, onde travaram luta com os negros, matando alguns deles e aprisionando outros. Trazidos ao navio, os prisioneiros foram degolados, preservando-se um deles para se tentar obter informações sobre o lugar onde estavam. No dia seguinte, os portugueses conseguiram aprisionar outras duas embarcações carregadas de víveres.

Após uma pouco explicada hesitação, o capitão mandou um grupo de portugueses encontrar os que vinham por terra, entre os quais estava o jesuíta João Roxo, companheiro de Manuel Álvares. Todos reunidos, novamente, no domingo de Páscoa, a pequena frota deixou a baía, atravessando um grande golfo que ali faz a ilha de Samatra. À noite, em meio a uma tempestade, a conserva se desfez, refazendo-se apenas no dia seguinte, quando os portugueses toparam mais uma vez com alguns negros que disseram-se seus amigos e os orientaram a tomar um grande rio que acabaram adentrando com grande dificuldade. Nesse rio, uma das embarcações menores foi destruída ao chocar-se contra a costa, perdendo-se outra logo a seguir, resolvendo os portugueses deter-se um tempo para aparelhar-se e consertar seus barcos.

Quanto mais entravam no rio, mais negros apareciam, para preocupação do padre Manuel Álvares que, neste passo, enriqueceu com detalhes valiosos sua narrativa, acrescentando-lhe um último desenho para que

> melhor se entenda o que aqui nos aconteceu [...] E assim chegou logo um homem principal destes que eles chamam xevandar que he como guarda do mar e veio este ao nosso navio dar ao nosso capitão os agradecimentos por elRey de hum adiá[59] que lhe havia mandado para reconhecimento de sermos portugueses E homens de paz E que nos havíamos perdido E assim falou com nosco pacificamente E que elRey estava dai perto E que ele nos daria todo favor que ouvessemos mester para nossa viagem por quanto ele era amigo dos portugueses, E ao outro dia mandou algumas coisas de comer ao capitão e o capitão mandou dizer que lhe mandaria um adiá muito bom que o que lhe havia mandado somente era para reconhecimento.
>
> Aos 13 dias do mesmo mês de Abril veio ElRey pelo rio abaixo com tangeres de atabalinhos, E campainhas E buzinas com obra de 70. ou 80. almadias carregadas de negros armados com seus crises E azagaias E rodelas. E veio-se elRey asentar em um baleu destes que aqui [estão] debuxados com todos os seus principaes E logo o capitão antes que lhe fosse falar lhe mandou um presente em que lhe mandava um pedaço de grão e um pedaço de veludo cramisim E humas copas de vidro cristalino E um espelho riquo E foi dar este recado um Antonio Soares criado delRei que vinha por feitor desta nau, E elRei lhe mandou dizer que para que era aquilo por que de homens perdidos não esperava nada, E o capitão logo dai a pouco foi aonde estava el rei com alguns homens, E el rei se ofereceu dizendo-lhe que era o que queria E o que havia mester para salvação daquela gente porque ele estava prestes para lhe dar todo remédio, E que ele era filho delRey de Monacabo E muito amigo dos portugueses. E assim concertarão o modo que para isso haviam de ter. E que ele mandaria ao Xavandar que nos mandasse dar todos os mantimentos que houvessemos mester por nosso dinheiro ou a troco do que trazíamos E acabado este reconhecimento E amizade entre si começou logo a gente que com elRey vinha a espalhar-se por entre os nossos com mantimentos que traziam para nos vender e galinhas, aros, iguhames, E outras fruitas da terra, E aynda que o capitão tinha mandado nossa gente que não passasse de um certo lugar E que não comprasse nada que ele compraria para todos da prata delRey que ali vinha, mas era tão grande o apetite que

> os homens traziam das coisas de comer pelas grandes fomes que até ali haviam passado que não tendo conta disso, antes cada um dava o que tinha pelas coisas do comer assim dinheiros como panos. E facas pregos pedaços [de] espadas vidros e outras coisas, finalmente que nada ficava que não dessem para comer. E vendo isso o capitão E que não deixavam de passar o termo que lhe pusera deixou-os, a verdade por isto houve grande desconcerto havia entre eles tantas amotinações E desconcertos dizendo uns umas cousas E outros outra, sem ter nisto uma determinação certa do que haviam de fazer nem como haviam de vigiar E resguardar suas pessoas estando em terra de infiéis dos quaes se não pode confiar, não por que eu não sentia muito não se ajuntarem todos em um parecer E determinação porque lhes não acontecesse algum desastre porque eu os sentia muy aparelhados para isso para muitos danos de suas almas E vidas, como acharão de comer E lhes parecia que estavão em terra segura não fazião ja conta do que lhes dizia E assim os deixava a natureza não sem grande magoa que disso tinha porque nenhuma prudência nem modo tinham de tratar com gente que tanta dúvida se havia de ter confiando-se deles como que foram portugueses.[60]

Uma semana depois, "recrescião de cada vez mais negros com tantas cousas de comer que ja não queriamos tantas", enquanto os portugueses, que aguardavam a lua nova para poder partir, "comendo e bebendo como esterão em Lisboa", acabaram surpreendidos numa madrugada de fortíssima tempestade. O jesuíta foi despertado subitamente:

> Ouço uma grita E alarido muito grande de gente E campainhas E assim espantados sem saber o que era ainda que logo me deu no coração que havia de ser traição dos negros E levantando a ver o que seria E o alarido E grita crescia de cada vez mais e coisa lastimosa para contar mas muito mais espantosa para quem na viu specialmente aqueles a que tão subitamente tomou a morte E alguns não sei em que estado, E vendo eu muita gente que corria me cheguei a borda do rio defronte donde estava o navio que ja ia de largo porque toda noite esteve pegado a terra E esta[ndo] assim embrulhado em um cobertor veo muita [gente] que parecia da nossa E vinham correndo E chegando junto ao rio se arremessavão assim vestidos como vinhão com temor da furia dos quaes danados que se haviam fingido nossos amigos E quando vi a coisa assim tão perturbada sem haver quem falasse nem pelejasse largo o cobertor em que estava embrulhado E assim vestido como estava e calçado me lancei ao rio a nado para o navio que se ia alargando quanto podia.[61]

Enquanto fugia a nado, Manuel Álvares quase se afogou ao ser puxado para baixo, talvez por algum companheiro desesperado ante a morte iminente. Já no navio, o religioso ainda teve tempo de assistir à fuga de um fidalgo e sua infeliz mulher, que acabou ficando para trás. Impossibilitada de seguir o marido, "em fim que ela ficou la".

Em terra, o quadro era desolador: "cousa miserável de ver quantos dos nossos corrião ao rio alanceados como touros que se acolhem e agoa muitos dos quaes não sabião nadar E bradando E gritando lastimosamente não havia quem lhes pudese valer uns se afogavão outros as lançadas os atravesavão E alguns asi feridos se vierão ao navio. E ali matarão um fidalgo chamado Antonio de Rofroios quem vinha por capitão de uma fortaleza, E outros homens honrados".[62]

Entre esses homens honrados, Manuel Álvares destacou um "mancebo casado que levava aquy sua mulher sobre a qual correrão os negros", conseguiu salvar a companheira, mas acabou ferido com gravidade, morrendo poucos dias depois. Duas outras mulheres, igualmente, acabaram percebidas pelo jesuíta. Uma delas, "moça que não trazia ora muito boa fama metendo-se pela agua dizem que caiu e assim miseravelmente se afogou", tendo "outra pobre mulher que entrou no Brasil a qual vindo muito doente se não pode alevantar. E ali me parece que ficou não sei se a mataram algumas outras pessoas me disseram que se foram meter pelo mato não sei que fim tiveram".[63]

Finalmente, no dia 18 de abril de 1561, conseguiram fugir em quatro embarcações. No navio grande amontoaram-se 182 pessoas, "pouco mais ou menos que era uma piedade de ver [...] iam uns sobre outros como sardinhas com imenso trabalho e especialmente por irem muitos feridos". Pelos outros barcos, espalhavam-se cerca de cem portugueses:

> [...] indo-nos assim para fora do rio tomamos alguma pouca d'agua de que estávamos muy desapercebidos E muita gente vinha nua Era cousa lastimosa de ver como dali saímos, com o tempo muy aspero E costa de mar bravo E em conjunção de lua sem mantimentos, sem vestido, E sem nada víamos os negros que depois que se cevaram nos corpos dos míseros homens andavam a quem mais levaria do que lhes ficava, parece-me que acharam por conta que mataram neste rio 50 pessoas ou mais. Saídos ja fora deste rio todos os que puderam tristíssimos E desconsolados quanto se pode crer demos a vela para irmos correndo.[64]

11

Depois de muitos dias de difícil navegação — "quase sem saber para onde havíamos de ir" —, os portugueses encontram algumas embarcações. À desconfiança, certamente aumentada por tudo quanto haviam passado, seguiu-se o contentamento de encontrar numa delas alguém de sua própria língua:

> [...] e chegando ao nosso navio foi tão grande o alvoroço E alegria que com ele tivemos E ele conosco que não havia quem pudesse reter as lágrimas com alegria E perguntando-lhe pelo lugar donde estávamos nos disse que aquela era a Sunda que estava defronte de nós E que estava ali uma boa armada de portugueses E por capitão mor um fidalgo chamado Pero Barreto com a qual nova se alegrou muito o capitão por dizer que era aquele seu parente.[65]

No dia 24 de abril de 1561, chegaram a Sunda, tendo Manuel Álvares passado para a nau de Gonçalo Vaz, onde recebeu

> tanta caridade e gasalhado que me parecia estar eu entre os Irmãos da Companhia E tanto que me fazia [...] E depois de ter agasalhado na sua nau aquela noite todos os que pode se foi ao navio aonde ficaram ainda algumas pessoas E mulheres[66] E lhes mandou levar de comer em grande abundância como se na sua nau com todos que foram muitos e por muito tempo E não somente mas em terra tinha duas mesas a sua custa mandando ter muy bons cuidados dos doentes fez este homem tantas cousas dignas de louvor para conosco que não posso deixar de fazer esta memória dele merecendo ele muito mais mil vezes.[67]

Ficaram alguns dias em Sunda, onde nunca haviam estado padres da Companhia de Jesus, tendo Manuel Álvares feito sermões e muitas confissões, "porque andam cá estes homens muito alongados de Deus e das coisas de sua alma por viverem cá nestas partes muy soltamente, davam alguns muitas graças a Deus de me trazer por ali para tanto bem de suas almas".[68]

De Sunda para Malaca, Manuel Álvares viajou na nau de Gonçalo Vaz que, mesmo carregando para a China, ofereceu-se para prestar mais esta ajuda aos portugueses que lá detiveram-se para aguardar a monção pequena de setembro, quando, afinal, seguiram para a Índia.

NOTAS

(1) "A tempestade rabeliana se passa em gritos, em urros, em assobios de vento e em estalos de navios. Só é visível porque pode ser ouvida." Lucien FEBVRE, "O homem do século XVI", *Revista de História*, São Paulo, 1950, p. 15.

(2) *Derrota* é o caminho (ou rota) percorrido por uma embarcação.

(3) "Refere Diogo do Couto que o Vice-Rei D. Pedro de Mascarenhas determinou negociar alguma nau mais para trazer pimenta ao Reino, pelo que contratou com um Antão Martins, casado em Goa, que tinha naquele porto uma mui formosa nau chamada *São Paulo*, construída no rio de Ancola, e que era grande e nova. O Vice-Rei deu-lhe todas as cousas que lhe foram necessárias, e Antão Martins, senhorio da nau, mandou por capitão dela um genro seu chamado António Fernandes." Ver *Naufrágio da nau "S. Paulo" em um ilhéu pró-*

ximo de Samatra, no ano de 1561. Narração inédita, escrita em Goa em 1562 pelo Padre Manuel Álvares. S. J., prefácio e notas de Frazão de VASCONCELOS, Lisboa, 1948.

(4) "Boticário, e nesta arte vim a servir a Elrey à Índia no Hospital, e Misericórdia de Goa." Ver Bernardo Gomes de BRITO, *História trágico-marítima*, Lisboa, Europa-América, vol. I.

(5) *Archivum Romanorum Societatis Iesu, Lus.* 43-1, f. 32r, cit. por Serafim LEITE, S. J., *Monumenta Historica Societatis Iesu*, v. 81, *Monumenta Brasiliae — III (1558-1563)*, Roma, p. 92.

(6) Idem, ibidem.

(7) Idem, ibidem, p. 411.

(8) Idem, ibidem, p. 38.

(9) Sobre a hierarquização das funções a bordo, ver Paulo MICELI, *O ponto onde estamos — viagens e viajantes na história da expansão e da conquista (Portugal, séculos XV e XVI)*, 2ª ed., Campinas, Universidade Estadual de Campinas, 1997, pp.100 e ss.

(10) *Naufrágio da nau "S. Paulo"*, p. 26.

(11) B. G. de BRITO, "Relação da viagem e naufrágio", em *História trágico-marítima*, v. I, p. 85.

(12) Idem, ibidem, p. 205.

(13) Gil Vicente, no *Triunfo do inverno*, trata com profunda ironia o piloto *aderente*, de que é exemplo Antônio Dias. A *aderência* era uma espécie de *pistolão*, ou seja, a obtenção de favores e postos graças às relações de parentesco e amizade, além, evidentemente, da compra pura e simples de postos e posições de privilégio.

(14) Ver carta de 4 de setembro de 1560, em Serafim LEITE, p. 273.

(15) Idem, ibidem.

(16) Extensivo a todas as forças combatentes, o alardo não se aplicava apenas à cavalaria, significando, no caso aqui tratado, da convocação e revista das pessoas que fossem seguir viagem.

(17) Ver carta de 4 de setembro de 1560, em Serafim LEITE, p. 274.

(18) Idem, ibidem.

(19) Viajar *em conserva* significa viajar em formação; todas as naus de uma esquadra, por razões de segurança e até de orientação, deveriam manter-se juntas durante as travessias.

(20) Serafim LEITE, pp. 15-6.

(21) Carta de D. João III a D. João de Castro, 5 de fevereiro de 1545. Ver Elaine SANCEAU (org.), *Cartas de D. João de Castro*, Lisboa, Agência-Geral do Ultramar, 1954.

(22) Idem, ibidem.

(23) Idem, ibidem.

(24) *História trágico-marítima*, v. I, p. 191.

(25) Paulo MICELI, *O ponto onde estamos*, p. 143.

(26) Idem, ibidem.

(27) B. G. de BRITO, *História trágico-marítima*, p. 174.

(28) Idem, ibidem, p. 183.

(29) Idem, ibidem, p. 185.

(30) *Naufrágio da nau "S. Paulo"*, pp. 17-8.

(31) Ibidem, p. 18.

(32) B. G. de BRITO, "Relação da viagem e naufrágio", op. cit., p. 206.

(33) *Naufrágio da nau "São Paulo"*, p. 19.

(34) Ibidem.

(35) *História trágico-marítima*, p. 185.

(36) *Ibidem*, pp. 210-1.

(37) Ibidem, p. 207.

(38) Ibidem, pp. 210-1.

(39) *Naufrágio da nau "S. Paulo"*, p. 21.

(40) Ibidem.

(41) Ibidem, pp.21-2.

(42) Paulo MICELI, "O zelo da virtude contra a peçonha do diabo — *sospeitosas*, virtuosas e impudentes: a visibilidade feminina nas viagens portuguesas à época dos descobrimentos", em *Anais do Congresso Internacional "O rosto feminino da expansão portuguesa"*, Comissão para a igualdade e para os direitos das mulheres, Lisboa, 1994, p. 187.

(43) Idem, ibidem, p. 188.

(44) Idem, ibidem.

(45) Idem, ibidem, p. 187.

(46) Idem, p. 188.

(47) Idem, ibidem.

(48) Idem, p. 189.

(49) Idem, ibidem.

(50) Cit. por Paulo MICELI, *O ponto onde estamos*, p. 149.

(51) Idem, ibidem, p. 23.

(52) *Naufrágio da nau "S. Paulo"*, p. 28.

(53) Ibidem, p. 29.

(54) Ibidem, p. 30.

(55) Ibidem, p. 32.

(56) Idem, ibidem.

(57) Ibidem, p. 33.

(58) Ibidem.

(59) *Adiá*, ou odiá, vocábulo asiático com que se designa o presente oferecido aos reis.

(60) *Naufrágio da nau "São Paulo"*, pp. 42-3.

(61) Ibidem, pp. 45-6.

(62) Ibidem, pp. 46-7.

(63) Ibidem, p. 47.

(64) Ibidem, pp. 49-50.

(65) Ibidem, p. 50.

(66) De notar a forma peculiar de referir-se às mulheres: "pessoas e mulheres"...

(67) *Naufrágio da nau "S. Paulo"*, p. 51.

(68) Ibidem, p. 54.

CRISTÃOS-NOVOS, JUDEUS PORTUGUESES E O PENSAMENTO MODERNO

António Borges Coelho

JUDEUS E CRISTÃOS-NOVOS E MARRANOS

Na senda dos séculos XVI e XVII

A ruptura em 1496 com o passado de coexistência religiosa, embora com uma religião dominante, ocorre no momento em que os portugueses abriam a Rota do Cabo e davam os primeiros passos na exploração da terra brasileira. Vasco da Gama partia do Restelo no mesmo ano em que os judeus eram arrastados pelos cabelos até à pia da água benta. No rasto do navegador e capitão seguiriam na aventura dos mares os mais incomodados e mais ávidos de fortuna. Portugal mantinha o seu pequeno corpo europeu mas estendia uma cauda impressionante de cidades, feitorias, fortalezas e navios pelos oceanos Atlântico, Índico e Pacífico. As receitas do Estado multiplicavam-se muitas vezes cabendo ao império cerca de 60% do total. Cresciam as fortunas individuais. Abriam-se novas possibilidades de fuga ao controle ideológico e social.

Os continentes não tinham a moldura humana que hoje apresentam. Na viragem para o século XVII, a América teria 8 a 13 milhões de habitantes para 100 milhões da Europa e também da África e os 250 a 330 milhões da Ásia.

Para chegar à Europa, os portugueses ou se faziam ao Oceano, ao mar do Norte, ao estreito de Gibraltar, ou teriam de atravessar toda a Espanha para alcançar a França e daí os outros países europeus. Esta situação periférica retirava Portugal das zonas mais quentes das guerras religiosas europeias e pela hegemonia política mas atirava-o para a primeira linha das guerras marítimas de comércio que passaram a incendiar diferentes oceanos.

No século XVII, o Brasil foi o grande destino dos portugueses, mas no XVI era a Ásia. Camões e Fernão Mendes Pinto foram acompanhados na peregrinação pelos três grandes oceanos por mais de três centenas de milhares de portugueses contra uns escassos milhares que se voltaram para a Europa sem deixar de olhar e tecer laços com o Oriente. A diáspora portuguesa para a Ásia quase se pode medir. Em 130 anos partiram de Lisboa 768 naus e navios. Multiplicando cada unidade pelo índice razoável de trezentos passageiros obtemos um total de 390 mil almas. Somemos os que chegaram pela Ásia Menor. Mesmo que retiremos ao cômputo muitos milhares, obtemos números fantásticos para um país que contava pouco mais de 1 milhão de habitantes.

Além da Ásia, a diáspora seguia para as ilhas atlânticas, o golfo da Guiné, o Brasil, a América Espanhola, a Europa do Norte e o Mediterrâneo. Esta hemorragia aliviava a pressão interna mas implicava também uma mobilidade social tremenda. O mais avançado de Portugal estava em Lisboa, nas naus e nas cidades oceânicas. Em todos os poros da diáspora portuguesa se encontravam cristãos-novos.

Em Portugal, no século XV, as contradições internas explodiram por vezes de forma muito violenta, mas depois do massacre dos cristãos-novos em 1506 corroem a fogo lento o corpo social, até que vêm à tona no final da década de 80 e a partir da segunda década do século XVII. Durante anos, à superfície, como que se sublimam as contradições quando a Coroa, a gente da governança dos concelhos, o clero e a nobreza, a de espada na mão ou a sentada nas fraldas da alfândega e nos livros del-rei, se envolveram num projecto político nacional, não escrito, mas realizado a par e passo durante cinco séculos, o projecto que dia a dia se desdobrava mobilizando os mais audazes e inconformados, o projecto da expansão marítima e colonial.

Os cristãos-novos participaram entusiasticamente neste projecto. Apesar da proibição régia, chegaram ao Oriente, pela Rota do Cabo e por terra, pelo velho caminho dos Balcãs e da Ásia Menor.[1] Os cristãos-novos estiveram na primeira linha da colonização do Brasil. Estabeleceram-se em Luanda, S. Tomé, Cabo Verde e rios de Guiné. Nos meados do século XVI, segundo Duarte Gomes Solis, o Conselho de Estado discutiu mesmo um projecto que abria amplamente as portas do Brasil aos cristãos-novos que viessem povoar o território sob a direcção do infante D. Luís.[2] Integraram largamente a expansão ibérica, da América Espanhola a Manila.

Entretanto, na matriz europeia, as guerras religiosas alastravam por toda a Europa Central e do Norte enquanto a França, entalada pelo Império hispano-alemão de Carlos V, se opunha aos seus sonhos de império universal. Em 1527, as tropas cristianíssimas entravam em Roma, prendiam o papa e os cardeais, pilhavam as igrejas, jogavam bispos aos dados e roubavam o rico pontifical que D. Manuel enviara ao papa na célebre embaixada de 1514.

As guerras de religião ensanguentaram a Europa durante todo o século e explodiram no conflito maior da Guerra dos Trinta Anos. Quarenta por cento da população dos campos e 30% dos habitantes das cidades teriam perecido nas batalhas, nos matagais, nas praças ou nas forcas. E, desde 1567, estalara nos Países Baixos uma larga convulsão religiosa e social que culminaria na criação da República das Províncias Unidas.

Na sua luta contra o governo dos Habsburgos, os holandeses abriram as portas aos estrangeiros, permitiram a liberdade de consciência e, segundo Duarte Gomes Solis, puseram em ciência o comércio, a navegação e a guerra e tornaram-se senhores do crédito. Era uma lástima, escreve, ver os reinos de Portugal e Castela ficarem "os mais pobres que há no mundo", não oprimidos por grandes impérios mas "por um vassalo seu e da ilha mais pequena e de frutos menos substanciais", a Holanda, pois "pelas armas e pelo trato, nos têm ganho em poucos anos".[3]

As naus portuguesas contactavam com os grandes impérios da Ásia, o do xeque Ismael na Pérsia, o do Grão Mongol, os potentados indianos e a Insulíndia, o grande império da China e a misteriosa "Pestana do Mundo", o Japão. As armas portuguesas faziam frente na Ásia e nos mares ocidentais ao poderio dos turcos que avançavam na Europa Oriental, no Mediterrâneo e abriam as portas aos judeus fugitivos.

Se nos ativermos ao movimento profundo, o determinante era a abertura progressiva para a economia-mundo. Durante o século XVI, as naus e galeões portugueses e espanhóis foram os grandes recoveiros e vigias dos oceanos, mas no século XVII esse papel é progressivamente assumido pelos navios holandeses, ingleses e de outros países do Norte europeu.

Nessa economia-mundo, o Estado era o principal empresário e simultaneamente um cliente importantíssimo para os homens do comércio. Como empresário principal, o Estado era igualmente o maior empregador, logo seguido pelo peso omnipresente da Igreja.

Esta economia-mundo processava-se com uma Europa predominantemente rural, entremeada de pequenas e médias cidades. Os caminhos terrestres eram lentos e difíceis ante a explosão das vias fluviais e marítimas. "A maior grandeza de um Estado consiste nas Armadas e forças marítimas", escreveu em 1641 o cristão-novo Manuel Fernandes Vila Real.

> Elas são as que adquirem as riquezas e conservam a reputação, quer pelas conquistas, quer pelo comércio. Quem há que ignore os admiráveis e quase incríveis progressos das armadas portuguesas até ao mais remoto do orbe fazendo da insigne Lisboa um empório e abreviação de toda a grandeza humana?[4]

As guerras de religião e a imposição de uma religião obrigatória desenvolviam toda uma sabedoria da ocultação. Nos países ibéricos manifestava-se por fora o grande espectáculo da fé, típico da época maneirista e barroca, multiplicavam-se os amuletos, as cruzes, os retábulos, as relíquias. O rosto ficava oculto nas vastas cabeleiras e nas máscaras adaptáveis a todas as circunstâncias. Mas, nos meados do século XVII, fazem-se ouvir distintamente as vozes que atribuíam ao poder laico não só o papel de guardião e intérprete do direito civil mas também do direito sagrado.[5]

Judeus e cristãos-novos e marranos

Todos julgamos saber, e a nosso modo sabemos, o significado de judeu, cristão-novo, mundo moderno. A própria palavra *advento* pode sugerir que num dado momento se abriu a porta e entraram no futuro, que agora é passado, os avatares do Mundo Moderno.

Fixemo-nos apenas nos dois primeiros vocábulos. Muitas vezes são usados como sinónimos e, no entanto, mantendo embora relações estreitas, o segundo não se esgota no primeiro.

O conceito *judeus portugueses* parece de conteúdo claro reunindo no seu todo, ontem como hoje, os homens e mulheres de religião judaica nascidos em Portugal ou que, pela origem e vida, se sentem e encontram vinculados a este país.

A conversão forçada de 1497 rompeu dramaticamente a prática de um longo passado. Nos finais do século XV, espalhadas por todo o território, havia cerca de 136 comunas judaicas que poderiam somar uns 30 mil judeus. Em Lisboa viviam junto à Ribeira num bairro fechado, encostado às ricas freguesias da Madalena, de S. Julião e de S. Nicolau. Dispunham de sinagogas, um Estudo, banhos, biblioteca, cemitério.[6]

Com a entrada dos judeus expulsos de Espanha esse número aumentou para o dobro. Sem referir os cálculos avançados pelos vários autores, o total dos judeus pode ter atingido cifras entre 60 mil e 100 mil, ou seja, entre 6% e 10% da população portuguesa. A hemorragia da fuga e a integração progressiva irão baixar largamente estes números. Por razões políticas, entre elas o programa de centralização e de unidade interna, D. Manuel abria, com a conversão forçada, um conflito subterrâneo que corroeria a sociedade portuguesa até ao último quartel do século XVIII.

Na boca dos inquisidores e não só, a imensa maioria dos cristãos-novos, condenados ou não, eram judeus. Por outro lado, quando eram condenados em Espanha por judaísmo, mesmo nascidos em território espanhol, eram designados como judeus portugueses. Lembro o mercador mártir Pedro Álvares, executado em Évora no auto-de-fé de 1543. Prestes a padecer, exclamou, segundo o registo dos inquisidores: "[...] se morresse e com sua morte fenecesse a tribulação do Regno e da Nação que tal morte seria bem-aventurada".[7] Pedro Álvares não se esquecia do reino. Também muitas famílias cristãs-novas, fugidas de Portugal e de Espanha, ao assumirem lá fora o seu judaísmo secreto ou reencontrado, mantinham a ideia de uma identidade portuguesa, visível em alguns nomes das comunidades que integraram: Portugal, Évora, Lisboa.[8]

Ao longo deste texto, reservaremos a designação de judeu português apenas para aqueles que assumiram publicamente a religião judaica, oriundos de Portugal ou de famílias que dele fugiram ao longo dos séculos XVI, XVII e XVIII. Mesmo sabendo que nalguns cristãos-novos ainda se acendia a espaços uma pequenina luz judaica, a verdade é que as vestes ideológicas que assumiram na sociedade não eram judias. Socialmente integraram-se no campo da cristandade.

Vejamos agora o vocábulo *cristão-novo*. Foi criado por aqueles que, nos finais do século XV e primeiros anos do século XVI, após a conversão forçada de judeus e mouros, os designaram como cristãos-novos reservando para si a qualidade de cristãos-velhos. Os dirigentes políticos obrigavam cristãos e mouros a integrarem a comunidade cristã mas também esta comunidade resistia à integração, baptizando e isolando os novos conversos com o nome de cristãos-novos.

Novamente tudo parece claro mas o vocábulo esconde uma longa história. Primeiramente, judeus houve que como tais não foram identificados e, num terreno hostil, adoptaram exteriormente as práticas cristãs e acabaram por ingressar e se perder no seio dos cristãos-velhos. Outros, poderosos pelo seu dinheiro, alguns deles convertidos já no tempo de D. João II, entraram, para lá dos motejos, pagando com dinheiro ou com serviços, na comunidade dos cristãos-velhos. O tesoureiro-mor Fernão Álvares de Andrade, que em 1535 investiu com João de Barros na primeira grande armada privada que se destinava a colonizar a capitania do Maranhão, assumia-se como cristão-velho e conseguiu casar a filha Violante numa das mais poderosas casas fidalgas aparentadas ao rei, a dos condes de Linhares. Por outro lado, Diogo de Castro, sócio do contratador de escravos Manuel Caldeira, conseguiu, mediante serviços e dinheiro, obter o estatuto simultâneo de fidalgo e de cristão-velho, tudo preto no branco, e fundar uma casa titular.

Em segundo lugar, com o embarque consentido da maioria dos mouros para o Norte de África, o vocábulo cristão-novo ficou a designar os judeus convertidos ou conversos. Com o andamento do século, a palavra começa a identificar-se, na boca dos inquisidores e dos adversários dos mercadores portugueses profissionais, com os homens da nação ou simplesmente homens de negócio. Evidentemente, nesta identificação não cabem todos os cristãos-novos nem todos os homens de negócio mas isola o núcleo duro dos contratadores e do capital financeiro.

Em suma, o vocábulo, inicialmente usado para resistir à integração e identificar os novos conversos, entrava abertamente no território económico, social e político, sem perder a matriz religiosa que isolava e tornava suspeitos alguns dos elementos mais dinâmicos da sociedade portuguesa.

E o que se passava, do ponto de vista religioso, no coração e na mente destes conversos ou cristãos-novos? Através da conversão forçada, os cristãos-novos tornavam-se automaticamente cristãos? Nem o rei D. Manuel acreditava em tal coisa porquanto proibia durante vinte anos qualquer devassa sobre as crenças dos novos conversos.

Nos primeiros anos, alguns dos cristãos-novos assumiram militantemente as crenças e os ritos cristãos, não hesitando mesmo em denunciar antigos correligionários, mas a imensa maioria praticava exteriormente alguns ritos e no coração e no segredo da casa mantinha as velhas crenças. Durante mais de três dezenas de anos, certos núcleos de cristãos-novos continuavam a guardar livros hebraicos e a praticar cerimónias.

Com a introdução da Inquisição portuguesa, porém, a prática dos ritos, mesmo no segredo do lar, quase desapareceu. Duvidando das sentenças do Santo Ofício, o padre António Vieira interrogava-se como seria possível alguém judaizar durante longos anos sem ser apanhado em flagrante, particularmente em terras tão pequenas "donde não se abre uma porta, nem se diz uma palavra que o não saiba toda a terra". E acrescentava: "Em Portugal não há apartamentos separados, senão em casas de senhores grandes, e tudo se reduz a duas ou três instâncias, aonde não pode haver cheiro bom nem mau que não se sinta em toda a casa".[9] Por outro lado, como experimentou o heterodoxo Gabriel da Costa, a religião cristã, praticada desde o berço pelos cristãos-novos, deixava marcas muito profundas.

Mesmo assim, ao longo deste tempo, não faltaram marranos, isto é, homens e mulheres que nos sinais exteriores e nas obras se mostravam cristãos devotos mas cujo coração continuava judeu. Mas a repressão mergulhou tão profundamente que muitos pais, que no coração ainda se consideravam judeus, passaram a vida toda ocultando a crença secreta aos filhos. A fazer fé nalguns processos das inquisições, só na hora da morte, no momento de abençoar os filhos que ficavam, se abriam finalmente: a lei boa, a lei da salvação era a Lei Velha.[10]

A crença judaica ou mais rigorosamente a recusa à integração e a consciência da diferença assumiam por vezes práticas extravagantes, denunciadas às inquisições: colocar uma cruz no sapato para a calcar todos os dias; açoutar o crucifixo com uma vara molhada em vinho; rezar padre-nossos a Moisés.

Não faltaram fugitivos, não faltaram famílias de cristãos-novos em trânsito por esse mundo de Cristo, e também de Maomé e outros profetas e sem profetas, cumprindo o mito do judeu errante. Uma massa considerável dos que saíram perderam-se nos vastos mundos que como ibéricos colonizaram. Na Flandres e outras partes voltaram em grande número à religião dos antepassados que reaprendiam. Mas numerosos cristãos-novos fugitivos, condenados embora como judaizantes pelo autoproclamado Santo Ofício, ao alcançarem a Europa e outras partes onde se praticava a liberdade de culto, mantiveram-se publicamente como cristãos até à hora da morte. Escreve o padre António Vieira que, desta gente, "depois que estou em Roma conheci dous bispos, três arcebispos, um senador e títulos e domínios seculares". Com o dinheiro dos cristãos-novos se reconstruiu no século XVII o Hospital e a Igreja dos Portugueses em Roma que alguns destes benfeitores escolheram para sepultura.[11]

Os inquisidores tudo faziam para que se não perdesse a lembrança da origem religiosa e social diferente. Todos os anos na pregação do Édito da Fé e nos autos-de-fé, celebrados nas praças grandes de Lisboa, Évora, Coimbra e Goa, os cristãos-novos eram tratados como judeus ou hebreus. O poder eclesial-aristocrático necessitava de um inimigo interno e de um território de caça.

Por outro lado, muitos cristãos-novos também ofereciam resistência a casar as filhas com cristãos-velhos, mas o movimento principal dos mais poderosos corria no sentido de favorecer esses casamentos para uma fusão completa entre os cristãos-novos e os cristãos-velhos. Este movimento era apoiado em Lisboa e Madrid por altos quadros da Companhia de Jesus[12] mas tinha a oposição feroz dos inquisidores e do partido ultramontano que, além das leis de limpeza de sangue, obtiveram uma determinação régia filipina, sempre violada, que mandava riscar do livro dos fidalgos todos aqueles que casassem com cristãs-novas.

Em síntese, houve cristãos-novos que foram cristãos, por dentro e por fora, alguns bem mais militantes do que os cristãos-velhos; houve cristãos-novos judeus no coração, os marranos; houve cristãos-novos que se tornaram novamente judeus públicos. Não é, pois, legítimo nem verdadeiro usar os dois vocábulos, cristão-novo e judeu, como se de sinónimos se tratasse. Ao longo do tempo, boa parte dos historiadores portugueses usaram esta identidade para segregar os cristãos-novos, como judeus, da comunidade portuguesa. Segregação absurda quer como judeus quer como cristãos-novos. Também autores judaicos usam muitas vezes estes dois vocábulos como sinónimos para trazer ilegitimamente todos os cristãos-novos para a sua crença. Podem reivindicar um tronco comum, só que um dos ramos ficou em boa parte submerso no corpo dos católicos apostólicos portugueses, muitos dos quais não professam hoje qualquer das religiões.

A partir da segunda metade do século XVI, integrarei na comunidade cristã, segregados embora, os cristãos-novos que não sejam provadamente identificados como marranos. E os judaizantes que morreram como católicos? A face pública é quase sempre a face martirizada do absurdo.

Homens da nação

Mas não eram só os inquisidores que identificavam os cristãos-novos como o núcleo mais duro dos homens de negócio. Também eles se consideravam e actuavam como grupo organizado e de pressão junto da Coroa portuguesa e da Coroa filipina, procurando influenciar por cima os rumos da economia e da política. Mercadores da "mercadoria superior", ligados por laços de família, de actividade mercantil e laços culturais, fariam gala da sua cristianidade dotando igrejas e misericórdias, participando na direcção de confrarias, disputando hábitos de Cristo e simultaneamente defendendo um programa económico, social e político que só triunfará no tempo do marquês de Pombal. Em síntese, o programa pretendia a abolição da distinção entre cristãos-novos e cristãos-velhos, o acesso pleno às honras dos mercadores profissionais e a valorização do comércio.

Alexandre Herculano, na *História da origem e do estabelecimento da Inquisição em Portugal*, descreveu longamente a actuação dos procuradores dos cristãos-novos em Roma e da sua luta contra o estabelecimento e, depois, contra os estilos da Inquisição portuguesa. Foi um longo combate, em que se usaram as mais variadas armas, incluídas a corrupção e a traição. O suporte económico e social desse combate político-religioso era assegurado pelo dinheiro recolhido em Portugal pelos cristãos-novos.

Depois, já nas vésperas de Alcácer Quibir, através dos seus procuradores e mediante o pagamento de 250 mil cruzados, os cristãos-novos obtiveram a promessa da isenção do confisco dos bens por dez anos e ainda licença para abandonar o reino e vender a fazenda. Foi sol de pouca dura. Depois da batalha marroquina, o novo rei, o inquisidor geral cardeal D. Henrique, não devolverá o dinheiro recolhido e revogará, no essencial, o contrato estabelecido com D. Sebastião.

Em 1600, Jorge Rodrigues Solis, "que entrou na Corte com 300 mil cruzados", e Rodrigo de Andrade, reconhecidos pela Coroa como procuradores da gente de negócio do reino de Portugal, negociam em Madrid perdão geral, mediante o pagamento de 1 700 000 cruzados. Outros homens de negócio estiveram envolvidos na matéria: Heitor Mendes de Brito, o Rico, Diogo Duarte Ximenez, Manuel Gomes de Elvas, Tomás Ximenez.[13] Todos eles tinham acesso directo ao monarca e seus colaboradores mais próximos. Pelo seu lado, a Igreja portuguesa, intimamente unida à Inquisição, tudo fez para impedir o perdão geral, enviando à Corte uma delegação presidida pelo arcebispo de Lisboa e em que participava o poderoso jesuíta e inquisidor do Conselho Geral, Martim Gonçalves da Câmara. Contra o perdão, avançava, também ela, com a ideia de adiantar dinheiro à Coroa. Derrotada, não será alheia aos motins que ocorrem em Lisboa e Coimbra.

No *Memorial* que a gente da nação apresentou a Filipe IV em 1629, os procuradores mostram um conhecimento largo dos processos e das vítimas da Inquisição, de norte a sul do país, o que inculca um grau mínimo de informação e organização. A luta principal era agora contra os estilos da Inquisição, defendendo a necessidade de "abertas e publicadas", isto é, de conhecimento por parte do réu não só dos seus acusadores como do crime de que era acusado.[14]

Em 1643 o padre António Vieira identifica a gente de nação portuguesa com um poderoso grupo de mercadores e financeiros que traziam em suas mãos a maior parte do comércio e das riquezas do mundo. Para lá da hipérbole, é inquestionável que os homens da nação que actuavam nas praças de Lisboa, Porto, Viana, Algarve, Elvas, Brasil, Índia mantinham ligações comerciais abertas e clandestinas com os seus familiares residentes na Europa do Norte, em Itália, no Mediterrâneo, no Brasil, em Angola, na Índia. O banqueiro da Restauração Duarte da Silva representa de modo significativo esta gente da nação detentora de crédito e de capitais.

Todavia o Poder estabelecido não permitia a organização específica dos mercadores. Duarte Gomes Solis queixava-se que era mais fácil a Coroa atribuir o hábito de Cristo a um piloto que trazia a bom porto a nau que lhe sustentava a vida, do que a um mercador da mercadoria superior que financiava toda uma armada. Ainda entre 1592 e 1598, Filipe II reconheceu aos grandes mercadores de Lisboa a direcção do Consulado que então funcionou como um tribunal dos feitos entre mercadores, como organizador das armadas para a Índia e outras partes e como administrador da bolsa de 3% cobrada de todas as cargas. Mas, em 1598, a Inquisição promoveu uma devassa ao Consulado. Não encontrou qualquer irregularidade, mas Filipe II decidiu retirar da direcção os homens de negócio, retirando ao Consulado o papel de instrumento organizativo de classe.[15] Nada mais lhes restava que tentar influenciar o governo municipal e encostarem-se aos ministros mais poderosos.

Mais tarde, num escrito de 1629 sobre a expulsão ou não dos cristãos-novos, escrevem os inquisidores: é impossível fazer-se a expulsão universal porque os cristãos-novos estão

> incorporados em todas as famílias deste reino, e alguns postos em lugares de muita importância, com casas e morgados alevantados, muitos clérigos, beneficiados, e religiosos e seculares, *liados na correspondência da fazenda com toda a gente do trato.*[16]

Em Portugal travava-se um terrível combate social e político cujo rasto se perde em milhares de documentos por classificar e analisar. Deste combate ressentiu-se fortemente a economia portuguesa. A fazer fé nas palavras do padre António Vieira, quando D. Sebastião organizava a Jornada de África, o "orçamento" da fazenda dos cristãos-novos de Lisboa foi calculado em 50 milhões de cruzados — em 1646, não chegaria a 2 milhões todo o cabedal que se manejava no reino.[17]

Os cristãos-novos, em particular o núcleo poderoso dos homens de negócio, não foi um sector fraco e acobardado. Travou alguns dos combates políticos mais importantes durante os séculos XVI e XVII e os seus capitais desempenharam um papel não inteiramente conhecido, primeiro no financiamento das armadas, mais tarde na recuperação da segurança na navegação atlântica, no financiamento e no combate da restauração portuguesa. E se muitos cristãos-novos, tornados judeus, investiram antes no inimigo modelo, a República dos Países Baixos, é que em Portugal os mercadores profissionais continuavam marginalizados. Uma espada de segregação social barrava-lhes o acesso às honras, só lhes deixava entreaberta uma pequenina porta de favor para o poder político.

Os sectores clericais dirigentes designavam os mercadores profissionais como cristãos-novos e chegaram mesmo a pedir ao rei que lhes proibisse o acesso à actividade mercantil. Esta política dos que dominavam a máquina do Estado, que jogava na fé espectáculo e cujas receitas principais provinham das alfândegas espalhadas pelos vários continentes, foi uma política de desastre. E enquanto se impedia a organização própria e se expropriavam os mercadores nacionais, o Poder favorecia os mercadores ingleses, franceses e outros estrangeiros, que desalojavam os mercadores portugueses de bases estratégicas fundamentais, enquanto os seus navios substituíam progressivamente os nossos nas rotas europeias e nas próprias rotas atlânticas.

RASTO CRISTÃO-NOVO JUDAICO NO UNIVERSO DA ESCRITA

A polémica religiosa

Aparentemente quase não há polémica religiosa. Em muitos escritos fala-se com escárnio dos judeus e aponta-se o dedo acusador aos cristãos-novos. O pensamento dominante na Corte portuguesa de D. João III é muito bem sintetizado por Gil Vicente: "crer na Igreja assim junta/ com paredes e telhados/ alicerces e furados/ e não curar de pergunta/ e dar ó demo os pecados". Também na *Barca do purgatório* não tinham salvamento *tafuis e renovadores.*

Nada de perguntas, nada de renovadores. O caminho era abafar as dúvidas na prática dos ritos. No entanto, inicialmente e mesmo depois, o judaísmo secreto marcava algumas franjas dos cristãos-velhos. A primeira bula que estabelece a Inquisição em Portugal, *Cum ad Nihil Magis*, de 17 de Dezembro de 1531, invoca como razão o facto de

> alguns convertidos da infidelidade hebraica à fé cristã, chamados cristãos-novos, voltando ao rito judaico que haviam abandonado, e outros que nunca professaram a seita hebraica, mas nasceram de pais cristãos, observando aqueles ritos judaicos, bem como outros seguindo a Luterana ou outras heresias e erros condenados e feitiçarias...[18]

Os que nunca professaram a seita hebraica são já os filhos conversos de 1497 mas também alguns cristãos-velhos como o desembargador Gil Vaz Bugalho ou os cristãos-velhos da chamada "conjuração de Beja".

Enquanto a Europa se dividia entre católicos e reformados, em Portugal, com excepção de alguns intelectuais que conviveram na Europa com reformados, a pressão ideológica e até algumas ideias da Reforma apareciam envolvidas na questão judaica. Assim, a primeira tradução de alguns livros do Velho Testamento para linguagem portuguesa deve-se não a luteranos mas ao judaizante cristão-velho Gil Vaz Bugalho. A tradução foi feita a partir de textos latinos e hebraicos e contou com a participação de mestres judeus. O texto foi provavelmente queimado com o corpo do seu autor no auto-de-fé, realizado em Évora em 1551.[19]

Por outro lado, o judaísmo saduceu inoculava aqui e ali no universo mental ideias que subvertiam o sistema social: a de que os castigos bíblicos não saíam da esfera terrena, a de que uma mesma alma era a dos homens e a dos brutos, a de que Deus era o deus único do sol, das estrelas e das areias.

Antes do século XVI, a literatura apologética antijudaica reunia em Portugal quatro obras: *Tratado teológico em que se prova a verdade da religião de Jesus Cristo, a falsidade da Lei dos judeus e a vinda do Messias*, escrito no tempo do rei D. Dinis; o *Speculum Hebraeorum* de frei João de Alcobaça, do tempo de Afonso IV; o *Livro da Corte Imperial* na viragem para o século XV; e a *Ajuda da fé*, escrito pelo doutor mestre António, judeu converso, físico e cirurgião-mor de D. João II. Das quatro a mais notável, no pensamento e na expressão literária, é o *Livro da Corte Imperial*. Polemiza não só contra os judeus mas contra cristãos orientais, contra os mouros, os pagãos e contra os que não têm religião alguma.

Depois da conversão forçada, o primeiro texto onde aflora a problemática judaica é a *Ropica Pnefma* de João de Barros, publicada em 1532. Neste diálogo filosófico, a Vontade castiga com sarcasmo a actividade económica dos judeus e a sua prevalência de riqueza, riqueza que os tornava aborrecidos aos cristãos mas enaltece também a força da sua organização e da sua Lei. Desta Lei têm cristãos e muçulmanos o seu fundamento e a maior parte. O sacerdócio hebraico observa com mais rigor os preceitos e estão menos sujeitos à simonia dos benefícios. Todos esperam "rei novo, a que chamam Messias".

Em 1541, Clenardo, então incompatibilizado com o cardeal D. Henrique, advogava a conversão dos judeus pela palavra e não pela repressão pública. "Se em Espanha tanto se despendesse em conservar os cristãos-novos como em exterminá-los, cuido não se refugiariam aqui tantos, todos os dias".[20]

Nesta linha de conversão pacífica se inscrevem duas outras obras: o *Espelho de cristãos-novos e convertidos* do monge alcobacence Francisco Machado, começada em Agosto de 1541 e o *Diálogo evangélico* de João de Barros. O primeiro detém-se no problema central da vinda ou não vinda do Messias e defende a obrigatoriedade por lei do casamento entre cristãos-novos e cristãos-velhos.

O segundo, *Diálogo evangélico sobre os artigos da fé contra o Talmud dos judeus*, escrito pouco depois de 1542, também se insere na ideia de que a conversão deverá ser pela via pacífica e não pela repressão. Segundo Révah, o diálogo assume um conflito de crenças e não de pessoas ou raças e é "o livro de um cristão, sinceramente preocupado com a fuga em massa de cristãos-novos portugueses, de um cristão que quer ainda acreditar na superioridade dos argumentos espirituais". O cardeal D. Henrique, a quem a obra é dedicada, não deu luz verde para a sua edição.

Para podermos sentir pulsar o riacho da polémica teremos de nos envolver nos documentos conservados pelo Conselho Geral da Inquisição portuguesa. Boa parte dos escritos insistem na crença secreta e sobretudo na riqueza e poder dos cristãos-novos. Num documento de 1605, publicado por Lúcio de Azevedo, os inquisidores queixam-se não do judaísmo dos cristãos-novos mas de possuírem casas de 100 mil cruzados nas melhores ruas de Lisboa, de ostentarem os melhores cavalos e liteiras com cortinados de damasco, de arrendarem a alfândega, o contrato dos negros da Guiné e os contratos régios. O nível chegou a tal ponto que o doutor João de Quiñones escrevia em 1632 ao inquisidor geral de Espanha, frei António de Sotomayor: por terem perseguido o verdadeiro Messias, muitos judeus padeciam todos os meses de fluxo de sangue como as mulheres.[21]

Nalguns processos inquisitoriais, há judeus, principalmente entre os que regressam do estrangeiro, que assumem a defesa das crenças e das cerimónias judaicas. É o caso do jovem Isaac de Castro que, com o falso nome de Isaac de Lis, entrou clandestinamente no Brasil, vindo de Holanda. Declarava que na Lei de Moisés não achava "cousa repugnante à razão e verdade natural". Deus não o podia condenar por crer na Lei Velha porquanto, para haver pecado, isto na hipótese, que não aceitava, da Lei de Moisés estar revogada, tinha que ter perfeito conhecimento do erro que cometia. E mesmo que acreditasse que o Messias era Cristo, nenhuma razão nem lei o obrigavam a crer que era Deus, que é um só e indivisível. Mas Cristo não era o Messias porque, quando veio ao Mundo, não estavam cumpridas todas as profecias. Por outro lado, o Salmo 107 mostrava que o pacto celebrado por Deus com Abraão, Isaac e Jacob "havia de ser eterno". Com as perseguições o povo de Israel multiplicava-se. E não era a Lei de Moisés a mesma em que Cristo viveu e morreu? Isaac de Castro foi queimado vivo na Lisboa restaurada no auto-de-fé de 1647.[22]

Babel e as saudades de Sião

Alguns escritores portugueses dos séculos XVI e XVII são cristãos-novos: Fernão Álvares do Oriente, Gaspar Frutuoso, Jorge de Montemor, Tomé de Jesus, Tomé Pinheiro da Veiga, Francisco Rodrigues Lobo.

A historiografia contou com homens da nação, alguns vestidos já de cristãos-velhos, como é o caso do cronista de D. João III, Francisco de

Andrade. Diogo do Couto tinha falha no seu nascimento. Duarte Nunes de Leão era cristão-novo.

Na matemática e na astronomia notabilizaram-se Pedro Nunes e ainda António Luís e André do Avelar; na medicina Amato Lusitano; na botânica e medicina Garcia da Orta; na economia Duarte Gomes Solis; no ensaio político-filosófico o jesuíta padre Henrique Henriques, Gabriel da Costa e o filho de cristãos-novos portugueses Bento de Espinosa.

Não é minha intenção estabelecer um catálogo de autores, dividir o que na criação aparece unido. Mas não será despiciendo identificar qualquer matriz, uma maneira de ver e sentir atribuível à fonte judaica cujas águas se misturam no rio cristão. Nas palavras que se seguem pretende-se tão-só abrir uma pequeníssima janela.

O rasto de queixume das *Tribulações do povo de Israel* de Samuel Usque percorre a obra de Bernardim Ribeiro, a quem com boas razões se atribui a qualidade de cristão-novo. Nas éclogas e na *Menina e moça ou Livro das saudades*, encontra António José Saraiva uma meditação mística, pessimista e panteísta, que envolve o amor humano e a portuguesa saudade, meditação aprofundada nos *Diálogos de amor* do lisboeta fugitivo Leão Hebreu, livro que fará parte da biblioteca do panteísta Bento de Espinosa. Também ao longo do texto da *Peregrinação*, onde aventureiros e mercadores peregrinam pelos mares orientais, ouvimos choros e lamentações contra as perseguições da ventura.

Na lírica, é frequente o tema de Babel e Sião ou, no verso camoniano, a comparação de "Babilónia ao mal presente/ Sião ao tempo passado". Não se trata de fazer Camões cristão-novo. Mas há um rasto de matriz judaica nos *Sôbolos rios que vão*, inspirados no Salmo 136, extremamente popular entre os marranos, acusados de o rezarem sem o *Gloria Patri* inicial. Aliás, na minha leitura, duas estrofes há que visam veladamente a própria Inquisição:

No grão dia singular
Que na lira o douto som
Jerusalém celebrar
Lembrai-vos de castigar
Os ruins filhos de Edon

Aqueles que tintos vão
No pobre sangue inocente
Soberbos co poder vão
Arrasai-os igualmente
Conheçam que humanos são.

A popularidade da astrologia, da cabala e principalmente a ideia de Quinto Império, enunciado por Manuel Bocarro Francês e tão popular na Restauração, em particular nos escritos do padre António Vieira, constitui um traço vincado do rasto judaico-cristão na cultura portuguesa de Seiscentos.

Os problemas de ruptura mental, que na Europa ficam conhecidos como movimentos da Reforma, estão em Portugal profundamente ligados às crenças judaicas e à sua influência sobre os cristãos-velhos.

"E o que vos parece destes homens errarem?"

A Universidade lia os livros que eram de ler e de crer e entretinha-se a adornar o Palácio da Memória. Era uma universidade de clérigos em que 75% dos alunos cursaram direito canónico. Dali saíram os pilares da Igreja e da administração. Crentes, clérigos, familiares, auto-acusadores denunciavam regularmente ao Santo Ofício proposições que consideravam suspeitas de heresia. Este submetia-as aos qualificadores, doutores em teologia e em direito canónico.

Pedro Nunes era professor universitário mas os seus pares queixavam-se ao rei que não dava aulas e residia o mais tempo em Lisboa. Os mercadores do Porto opunham-se ao estabelecimento de um colégio de jesuítas na cidade porque entendiam que, se Coimbra queria ser a lusa Atenas, o Porto queria ser Tiro de Portugal. Por isso ensinava aos filhos os Livros de Aritmética e os Livros de Razão e não, nas palavras de Duarte Gomes Solis, a geringonça e as loas que a Universidade ensinava.

É verdade que os jesuítas influenciaram profundamente o desenvolvimento de conhecimentos que hoje agrupamos sob a designação de linguística, de história das línguas, de antropologia. Alguns deles, como autores e professores universitários, casos de Pedro da Fonseca, Francisco Suarez e o Soares Lusitano, marcaram com os seus livros, traduzidos nas línguas europeias em dezenas de edições, o pensamento da Nova Escolástica europeia.

Mas o novo irrompia fora do sistema. Crescia nos passos da vida, na viagem, na economia, na guerra. A crescente matematização do real respondia à pressão das necessidades da navegação marítima e do desenvolvimento da actividade mercantil e militar.

O discurso literário, epistemológico e científico manifestava uma consciência aguda da mudança. "Continuamente vemos novidades." Mas essas novidades e mudanças inscreviam-se numa ordem. "Toma as regras universais da Natureza e verás a verdade que deves seguir", escrevia João de Barros na *Ropica Pnefma*. Segue a "desordenada ordem da Natureza".

As leis naturais deram ao homem a posse dos frutos comuns mas a força e o poder reservaram esses frutos para alguns poucos. Só o Sol escapou porque estava alto demais para o poderem alcançar.

Nesta linha das leis naturais, identificáveis pela Razão, se inscreve o pensamento do cristão-novo Gabriel da Costa. "Existiu desde sempre e sempre há-de exisitir" uma lei primitiva, "comum a todos os homens e neles inata pelo próprio facto de serem homens". É a lei natural ou Lei da Natureza. Esta lei é a "mestra da moral, estabelece a distinção do justo e do injusto, do feio e do belo. Tudo quanto há-de excelente na lei de Moisés ou em qualquer outra, a lei natural encerra-o em si integralmente na perfeição". A lei natural apreende-se com a recta razão que nos ensina a nortear os nossos actos e vida na conformidade com a Natureza.

Noutra direcção, João de Barros, cuja aprendizagem se fizera no Paço de D. Manuel junto de mestres, alguns deles cristãos-novos, valoriza o conhecimento sensível, em particular o ver e o ouvir. Para ele o saber é uma construção colectiva, longa e trabalhosa: "todo o marítimo que os nossos viram". Noutro passo: sabemos por nossas *navegações* que a Insulíndia é mar e terra retalhada em muitas mil ilhas.

Para Luís de Camões, o ver dos olhos não é igual pois fala em "olhos cristãos". Em versos muito célebres de *Os Lusíadas* anuncia Descartes com o ver *claramente* visto e contrapõe o conhecimento sensível e empírico dos rudes marinheiros ao conhecimento dos que julgam por puro engenho e por ciência. Sem negar o segundo, inclina-se para a maior validade do primeiro porque foi alicerçado na experiência. Em versos dirigidos ao rei D. Sebastião clarifica melhor o seu pensamento: "Não se aprende, Senhor, na fantasia,/ Sonhando, imaginando ou estudando,/ mas vendo, tratando e pelejando". Ver, comerciar, pelejar. Mas não despreza o estudo nem o engenho: "Não me falta na vida honesto estudo/ Com longa experiência misturado/ Nem engenho que aqui vereis presente/ cousas que juntas se acham raramente".

Garcia da Orta está no mesmo caminho. "E o que vos parece destes homens errarem?", pergunta Ruano. "Parece-me que o *trato e navegação* não era tão usado por onde haviam as informações falsas e curtas". Saber exige o trato e a navegação que permite o ver-verificar. O saber implica, pois, um imenso trabalho colectivo.

Saber é dizer o que é, ou dito de outra maneira: "Todos estes erraram? Sim, se chamais errar a dizer o que é". Por outro lado, o saber constitui a herança das gerações, acumulada nos silos das diferentes línguas, herança que dia a dia aumenta: "O que hoje não sabemos amanhã saberemos".

Para usufruir do saber verdadeiro, temos, primeiramente, de conhecer a língua original e verificar e corrigir as diferentes traduções do texto, pois muitos erros provêm de traduções incorrectas. Acresce que as línguas não são fixas nem imutáveis. No discurso científico escolhe o português por ser a língua mais geral.

Mas há diferentes modos de saber: "Como sabeis?", pergunta Ruano, "por livro ou por vo-lo dizerem algumas pessoas?" Temos assim um modo indirecto de saber com duas alternativas, uma o do testemunho dos livros, a outra por ouvir dizer, o *ex auditu* de Espinosa no *Tratado sobre a emenda do entendimento*. Mas sempre que possível, os dois modos indirectos devem ser corrigidos pelo ver: "Não duvido pois já o vejo com os olhos".

Ao definir o saber como dizer o que é, Garcia da Orta aponta caminhos que Bento de Espinosa trilhará largamente um século mais tarde: uma coisa é Pedro, outra a nossa ideia de Pedro. O ser não se esgota no conhecer. Por outro lado, ao consciencializar a necessidade de dominar a língua em que os textos são escritos e confrontar as diferentes traduções, Garcia da Orta abre caminho para a análise do discurso que Espinosa abordará magistralmente no *Tratado teológico-político*.

Na sua linguagem cerrada e pitoresca, também Duarte Gomes Solis se pronuncia sobre esta matéria: "Podemos dizer que sabemos enquanto conhecemos pela experiência o efeito das causas".

Há um movimento profundo no sentido das construção teórica dos fundamentos epistemológicos da ciência moderna. Neste movimento vamos encontrar alguns dos vultos maiores dos cristãos-novos.

A ciência da mercadoria

Em 1615, Antoine de Montchréstien publicava em Paris o *Tratado de economia política*, baptizando assim a nova ciência do económico. A vida social tinha um fim, o fim económico da riqueza, só alcançável por meios económicos. Fora do percurso das universidades e ligadas aos homens de negócio, triunfavam as ideias a que hoje chamamos mercantilistas.

Duarte Gomes Solis, cristão-novo, homem da mercadoria superior, genro de Heitor Mendes de Brito, o Rico, correspondente na Índia dos contratadores da pimenta, revela-se nos *Discursos sobre los comercios de las dos Indias* e na *Alegacion en favor de la Compañia de la India Oriental*, revela-se um alto representante do novo pensamento europeu.

"O dinheiro é o rei de todas as coisas." Se houvesse minas de prata às portas do inferno, aí a iriam os homens buscar. Mas na monarquia ibérica, embora senhora da prata, as finanças e a economia iam de mal a pior por falta de um bom governo político. Numa nação mercantil como era a portuguesa, o governo da economia devia ser entregue à experiência dos mercadores, que são "os olhos da república", e não a gente que se pretendia "limpa". O rei podia e fazia nobres titulares com uma simples assinatura mas não podia dar experiência em matérias de que nada sabia. Era lástima ver que Portugal nunca tivera um ministro que soubesse os pontos da mercadoria.

"Todas as ciências e artes liberais têm suas teorias e práticas, mas esta da mercadoria quem mais pensa que sabe dela menos tem alcançado e sabido." Fazia falta na Corte uma universidade de mercadores, não a universidade em sentido clássico, mas um Estudo e organização específica de mercadores da mercadoria superior.

Sem bolsa de mercadores, no sentido de local físico de encontro onde se trocavam as notícias e se estabeleciam os contratos, onde se julgavam os litígios dos mercadores; sem feiras francas; sem bancos, cujas dívidas fossem cobradas como se cobram as dívidas do Estado, não era possível sair da grave ruína.

A China era o centro da prata do mundo e não tinha minas de prata. Atraía-a como um íman com os seus lavores e artes mecânicas. A Holanda, além de pôr em ciência a navegação, o comércio e a guerra, fizera-se senhora do crédito, o que constituía o golpe mais demolidor assestado sobre a monarquia dos Filipes.

As leis políticas têm que ter em conta a força das leis económicas e não prevalecem contra elas. Os Filipes proibiram o comércio com a Holanda mas este prosseguia debaixo da capa com a agravante de não pagar direitos. Afinal o ouro e a prata eram mercadorias. Os preços subiam e desciam segundo a quantidade das coisas.

Primado do político

Nas ruas, nas igrejas e nas praças decorre permanentemente o teatro da fé. "Umas por casar e outras por lhes Deus trazer os maridos, de cuja vinda elas fogem, nunca lhes escapam as quartas-feiras em Santa Bárbara, as sextas em Nossa Senhora do Monte, os sábados em Nossa Senhora da Graça, dias do Espírito Santo", escrevia Camões na "Carta III de Lisboa a um amigo". Sucediam-se as missas, rezadas e cantadas, as novenas, os passos, as procissões, os sermões com lançamento reservado da alcatifa, os autos-de-fé.

Tempo de denúncia, tempo de "não me meta em escrúpulos", tempo de auto-acusações que o pecado estava em toda a parte e revelava-se por pensamentos, palavras e obras.

"Tudo era mercadoria", escrevera João de Barros. Mas o mundo da mercadoria estava minado pelo pecado. O jesuíta Fernão Rebelo, no seu "Tratado do câmbio", considerava que, em si mesma, a profissão de mercador e banqueiro "encerra uma certa indignidade e é de facto ordinariamente desonrosa". E que "nada se receba, por pouco que seja, à conta de empréstimo ou demora em pagar, pois implica usura".[23] Os empréstimos a juros eram a realidade de todos os dias. No entanto, o caminho de licitude do crédito era tão estreito que o lançava permanentemente no pecado, pecado que reforçava a força dos que tinham nas suas mãos o infinito poder de perdoar e absolver.

Mas, para os que saltavam fora do círculo fechado, restava um tempo de clandestinidade e de risco, um tempo de máscaras e de ocultação. A popularidade do teatro profano e religioso expressa singularmente este viver partido ao meio. Anunciado pelas crenças dos saduceus de que a alma morria com o corpo e pela proposição, condenada nos Éditos da Fé, de que não havia mais que nascer e morrer, os teólogos faziam frente no século XVII ao ateísmo que ligavam à seita dos epicúreos.

O cristão-novo Manuel Fernandes Vila Real esconde-se mas trai o seu pensamento mais profundo quando escreve:

> A variedade de Religião, quando é oculta (se acaso há quem, pelas comodidades da vida que pode buscar em outra parte com mais liberdade, quer arriscar as da Alma) não deve castigar-se com tanto rigor nem com meios tão extraordinariamente cruéis. Não é do poder do Príncipe o esquadrinhar os segredos da Alma; basta que o vassalo obedeça às suas leis, observe os seus preceitos sem introduzir o seu império no mais oculto dos pensamentos, no mais íntimo do coração.

E acrescentava:

> O coração do homem está nas suas mãos, isto é, nas suas obras, se não quereis despenhar-vos em temeridades, excedendo os limites de vossa jurisdição, julgai por elas, pelo exterior, não segundo a vossa ignorância, ou por melhor dizer, a vossa malícia.[24]

Mais tarde, na Holanda, Bento de Espinosa escreverá:

> Se o direito estatal fosse de modo a que os factos fossem incrimináveis, mas as palavras fossem impunes, semelhantes conflitos não poderiam jamais invocar qualquer espécie de direito, nem as controvérsias se converteriam em sedições.

E no rosto do *Tratado teológico-político* desfraldava a bandeira moderna da liberdade:

> A liberdade de filosofar não só é compatível com a preservação da piedade e da paz, como, inclusivamente, não pode ser abolida sem se abolir ao mesmo tempo a paz do Estado e a própria piedade.

Desde o século XVI que na Europa se percorria um caminho no sentido de subordinar o poder religioso ao poder político. O jesuíta português cristão-novo padre Henrique Henriques, encarregado do ensino de filosofia e depois de teologia em Córdova e em Salamanca, publicou nesta última cidade em 1593 o tratado *De Pontificis Romani Clave.* O núncio apostólico considerou injuriosas para a Igreja as suas teses sobre as imunidades eclesiásticas que subordinava ao poder político. A obra foi condenada pelo Índex e seguidamente queimada em 7 de Agosto de 1603.[25]

Mas enquanto o Tratado de Westfália de 1648 assinalava na Europa o primado do político no Portugal restaurado a Igreja recuperava o seu poder. No acórdão de condenação de Manuel Fernandes Vila Real os inquisidores acusavam: pretendia ele que o político de uma república se conservasse vivendo na religião que quisesse, tinha por escandaloso não se admitir nos ofícios públicos os de religião diferente, e tirava ao papa totalmente o poder em direito sobre os príncipes *circa temporalia*, mesmo que o príncipe fosse herético e cismático.

D. João IV, ao publicar em 1649 o alvará que isentava o capital dos cristãos-novos do confisco inquisitorial, ousara sobrepor o político ao religioso mas foi sol de pouca dura. Após a sua morte, o Conselho Geral do Santo Ofício mandou afixar à porta das igrejas do reino um édito em que se declarava: não cabia do

> domínio do poder real a faculdade de isentar os hereges da pena de confiscação dos sagrados cânones, a cuja disposição não podiam contravir os príncipes temporais direita ou indireitamente por suas leis ou estatutos, por cair aquela pena sobre matéria espiritual e ser punitiva de pecado mortal.

E declaravam *Authoritate Apostolica* que todos aqueles que aconselharam, persuadiram, ajudaram ou moveram ou de qualquer modo concorreram na disposição do alvará tinham incorrido na pena de excomunhão maior.[26]

A rainha não resistiu à pressão do chamado Santo Ofício e revogou o alvará de 1649. Em Portugal, o religioso continuaria a sobrepor-se teórica e politicamente ao político.

NOTAS

(1) Ana Cannas da CUNHA, *A Inquisição no Estado da Índia. Origens (1539-1560)*, Lisboa, Arquivo Nacional da Torre do Tombo, 1995.

(2) Duarte Gomes SOLIS, *Alegacion en favor de la Compañia de la India Oriental*, Lisboa, 1955, p. 203.

(3) Idem, ibidem, p. 80.

(4) Manuel Fernandes VILA REAL, *Epítome genealógico do eminentíssimo cardeal duque de Richelieu e discursos políticos sobre algumas acções da sua vida*, Pamplona, 1641, p. 126.

(5) Bento de ESPINOSA, *Tratado teológico-político*, trad. portuguesa, Lisboa, Imprensa Nacional-Casa da Moeda, 1988, Prefácio.

(6) Maria José Ferro TAVARES, *Os judeus em Portugal no século XV*, Lisboa, Universidade Nova, 1982, vol. I, p. 256.

(7) Arquivo Nacional da Torre do Tombo, Inquisição de Évora, Processo nº 8628.

(8) I. S. RÉVAH, *Études portugaises*, Paris, Fundação Calouste Gulbenkian, 1975, p. 226.

(9) António Borges COELHO, *Inquisição de Évora*, Lisboa, Editorial Caminho, 1987, vol. II, p. 238.

(10) Idem, ibidem, vol. I, p. 423.

(11) Idem, ibidem, vol. II, p. 248.

(12) Idem, ibidem, p. 134.

(13) Idem, ibidem, p. 203.

(14) Idem, ibidem, p. 162.

(15) D. G. SOLIS, *Alegacion en favor de la Compañia de la India Oriental*, p. 68.

(16) A. B. COELHO, *Inquisição de Évora*, vol. II, p. 67.

(17) Pe. António VIEIRA, *Obras escolhidas*, Lisboa, Sá da Costa, 1951, vol. IV, p. 29.

(18) A. B. COELHO, *Inquisição de Évora*, vol. I, p. 200.

(19) I. S. RÉVAH, *Études portugaises*, p. 53.

(20) Manuel Gonçalves CEREJEIRA, *O Renascimento em Portugal. Clenardo e a sociedade portuguesa*. Coimbra, Coimbra Editora, 1974, vol. I, p. 326.

(21) Lúcio de AZEVEDO, *História dos cristãos-novos portugueses*. Lisboa, Clássica, 1921, p. 454.

(22) Arquivo Nacional da Torre do Tombo, Inquisição de Lisboa, Processo nº 11 550.

(23) Fernão REBELO, "Tratado do câmbio", em Virgínia RAU, *Estudos sobre história económica e social do Antigo Regime*, Lisboa, Editorial Presença, 1984, p. 119.

(24) M. VILA REAL, *Epítome genealógico*, p. 105.

(25) I. S. REVÁH, "Les origines juives de quelques jésuites hispano-portugais du XVIe siècle", *IV Congrès des Hispanistes Français*, Paris, PUF, 1968, p. 87.

(26) A. B. COELHO, *Inquisição de Évora*, vol. II, p. 258.

O ORIENTALISMO CONQUISTA PORTUGAL

Luís Filipe Barreto

[...] *cada um colhe a novidade da terra segundo o que nela semeou* [...]
João de Barros, 1553

Entre os finais do século XV e os inícios do século XVII começa a nascer uma estrutura de vida à escala mundial, uma rede de comunicações marítimas, regulares e contínuas à escala planetária.

Surgem as primeiras transferências ecológicas planetárias como, por exemplo, os portugueses e, em seguida, os espanhóis e outros europeus, a levarem da América para a Europa e a Ásia, o milho maís, o tabaco, o tomate, o feijão.

Nascem os primeiros elementos de um comércio marítimo mundial que articula as rotas, redes, produtos e homens do Atlântico Norte e Sul ao Índico, aos mares do Sul e ao Pacífico Americano. Redes de troca por onde circulam metais preciosos, especiarias e manufacturas, produtos de luxo e alimentos, mas também livros e tecnologias, línguas e ideias.

A expansão marítima dos portugueses na Ásia, a partir da armada comandada por Vasco da Gama, em 1497-99, abre uma era de contactos, regulares e contínuos, entre a Europa e as sociedades e culturas asiáticas.

Contactos entre grandes civilizações contemporâneas em que os cristãos europeus dos séculos XVI e XVII desafiam as Civilizações Islâmica, Hindu e Chinesa.

Desafios marítimo, mercantil, político e militar entre poderes tecnológicos e económicos equilibrados. Por isso, o europeu possui vantagens marítimo-militares que permitem a sua entrada no sistema mercantil asiático, mas não possui poder suficiente para impôr o total ou o essencial das regras do jogo. Na Ásia, os portugueses conseguem alcançar posições chave nos litorais do sistema do Índico, conseguem hegemonizar parte das redes marítimas do Índico Ocidental, mas estão obrigados, ao mesmo tempo (como todos os outros europeus até à civilização industrial), a acomodar-se às sociedades asiáticas, a obedecer a regras de jogo asiáticas pré-existentes.

Esta idade de concorrência, conflito e parceria entre civilizações contemporâneas da Europa e da Ásia produz uma revolução informativa no horizonte de saber europeu. Graças à expansão marítimo-mercantil e aos interesses e poderes do Estado, da Igreja e de grupos privados, começa a nascer um novo e mais profundo conhecimento europeu da Ásia. Os portugueses são, até cerca de 1630, o pólo central desta revolução no banco de dados europeu sobre a Ásia. Ao longo de século e meio, no quadro europeu do saber, a Ásia passa de um conjunto de terras distantes e mal conhecidas, enunciadas com os termos Índia-Índias, a uma realidade complexa e plural que se vai conhecendo já através de especialistas e de *europeus asiatizados.*

Na *Oração de obediência* de Vasco Fernandes de Lucena proferida em Roma, em 1485, perante o papa Inocêncio VIII, a Coroa Portuguesa, ao mesmo tempo que anuncia no palco político-diplomático europeu que está prestes a alcançar o Índico, reconhece que a Ásia é uma realidade mal conhecida.

Nos finais do século XV, na verdade, o conhecimento europeu da Ásia é bastante limitado. Assenta bem mais em informações indirectas que directas e numa herança clássica e medieval sem possibilidade de distinguir a informação verdadeira da falsa e fantasiosa.

O quadro europeu de conhecimentos é, então, fruto de viagens terrestres e marítimas dos séculos XIII e XV, pelo Levante — "rotas da seda". Viagens de missões diplomáticas, de missionários, de comerciantes feitas no quadro das rotas asiáticas. Viagens individuais ou de um restrito grupo que recolhe uma limitada informação. Informação reduzida e descontínua acumulada em Roma, Veneza e Génova, com circulação e aprofundamento limitados.

A rota atlântica cria entre a Europa e a Ásia relações directas, regulares e contínuas. Faz deslocar, anualmente, para os mares e os litorais asiáticos, centenas ou milhares de europeus que se movem a partir duma rota europeia (a Rota do Cabo) e a partir de estruturas de apoio e poder europeu (o Estado da Índia).

O Estado, a Igreja, os mercadores, os quadros burocráticos da Coroa, os técnicos de marinharia e, a partir de meados do século XVI, os missionários e os miscigenados luso-indianos, luso-malaios, luso-chineses e luso-nipónicos vão constituir núcleos e redes de ampla e diversa informação asiática.

Ao longo do século XVI e dos inícios do século XVII, a relação contínua entre os mundos asiático e europeu vai gerar, nos circuitos da élite europeia e em centros como Lisboa, Roma, Madrid, Veneza, Londres, Amsterdão, uma revolução do saber, uma nova idade no banco de dados europeu sobre a Ásia.

A geografia e a cartografia, as línguas e os sistemas sociais, as religiões e as farmacopeias asiáticas deixam de ser um vazio — "[...] obscurríssima fama [...]", diz, em 1485, Vasco Fernandes de Lucena —, as rotas das especiarias, manufacturas e metais preciosos são também rotas de dicionários, gramáticas, livros e mapas, línguas e tecnologias e toda uma imensa e regular actividade epistolográfica que liga Ormuz, Goa, Cochim, Malaca, Macau, Manila, Nagasáqui à Europa e à América.

O processo de crescimento da informação portuguesa e europeia sobre a Ásia está ligado à expansão marítimo-mercantil, por isso a recolha, o tratamento e a divulgação de todo este saber assenta em duas instituições chave: a Coroa Portuguesa e a Igreja católica de Roma, em especial através de missionários jesuítas, franciscanos e dominicanos, entre outros. A igreja missionária funciona como uma internacional europeia na Ásia. Sobretudo, como uma internacional do mundo latino com quadros portugueses, espanhóis, italianos, franceses e com obras nestas línguas e na língua da comunidade intelectual europeia da altura: o latim.

A nova informação ocidental sobre a Ásia pode ser agrupada em três andamentos. O primeiro, de 1498 a cerca de 1510, é uma fase de *encontro/desencontro* dos portugueses com o Mundo Asiático: período da recolha pontual e fragmentária de informação, muito orientada pela Coroa-Estado e os seus funcionários, para objectivos essencialmente de natureza mercantil e náutica.

Esta informação muito orientada para objectivos imediatos é também ainda muito assente em terceiros, na recolha de testemunhos asiáticos sem possibilidade de aferição dos dados. O horizonte da realidade asiática ao alcance dos portugueses está, por sua vez, centrado tão-só no Índico Ocidental e o clima de confronto com os canhões e as velas ainda não gerou um número e uma qualidade apreciáveis de parceiros asiáticos, de portugueses asiatizados e de luso-orientais. Os produtos culturais mais relevantes assentam, então, da faixa ocidental da Península Industânica, sobre a geografia das especiarias e das rotas, a língua malaiala e a náutica e cartografia do Índico.

A grande obra desta primeira fase é o *Planisfério anónimo português*, dito de Cantino, acabado de desenhar em Lisboa, em Outubro de 1502. É o primeiro planisfério moderno e, ao mesmo tempo, uma síntese dos conhecimentos e dos interesses concorrenciais da Europa e do Índico Ocidental. Apresenta as linhas do equador e dos trópicos com uma apurada visão de toda a África e a primeira representação europeia, não tradicional, ptolemaica da Ásia.

Com base na recolha de dados junto de pilotos, cartógrafos e mercadores árabes, indianos, provavelmente guzarates e persas, os portugueses que ainda não passaram da costa ocidental do Industão conseguem obter uma primeira visão das massas continentais e marítimas da Ásia.

Neste planisfério anónimo português de 1502 encontra-se a mais antiga referência cartográfica europeia à "terra dos chins" que existiria para além de Malaca, com abundância de sedas, laca, almíscar etc. A grande novidade sobre o mundo oriental reside no Golfo de Bengala, na Península Malaia e na orla marítima da China. São representações ainda imprecisas mas que possuem já uma toponímia sobre as mercadorias e as latitudes de maior interesse estratégico marítimo-mercantil. Ele é manuscrito, como a quase totalidade da cartografia portuguesa da época que estamos a abordar. No entanto, a sua divulgação europeia, a partir de Itália, foi bastante significativa. Inspira planisférios e mapas-múndi, manuscritos ou impressos, como os dos italianos Nicolau Cavério (1505) e Francesco Rosselli (1508) e dos alemães Gregor Reisch (1505) e Lorenz Fries (1531). Tem, acima de tudo, grande influência na cartografia impressa que acompanha as edições europeias de Ptolemeu, caso, por exemplo, do *Planisfério de J. Ruysch* (Roma, 1508) e dos *Planisférios de Martin Wadseemuller*, nas edições de Saint-Dié (1507) e Estrasburgo (1513).

A fechar este primeiro andamento cartográfico surge em Lisboa, em 1510, a *Carta do Congo à Ásia do Sueste* de Jorge Reinel que apresenta assinaláveis progressos diante da de 1502 na representação do Índico. Madagáscar está correctamente situada, a localização de Ceilão melhorou, "a rica ilha de Ceilão donde vem toda a canela do mar Índico", escreve Jorge Reinel. Melhorias acentuadas manifestam-se também na cartografia da Arábia, Golfo Pérsico-Ormuz e costa ocidental da Península Industânica. Ao mesmo tempo, procura-se representar o arquipélago das Molucas através de uma ilha com a legenda "nasce todo o cravo".

Ainda no domínio da marinharia destacam-se, nesta fase, os relatos de viagem marítima como o *Anónimo relato* da primeira viagem de Vasco da Gama à Índia (1497-99), a *Relação do piloto anónimo*, da viagem comandada por Pedro Álvares Cabral (1500-1), a *Navegação às Índias Orientais* de Tomé Lopes (1502-3), o *Relato anónimo*, de cerca de 1505-6, da viagem de D. Francisco de Almeida à Índia.

Uma vez mais, estes textos portugueses ficaram manuscritos, ou seja, tiveram uma circulação restrita na esfera da Coroa e da corte. Mas, tal como acontece com a cartografia, a condição manuscrita portuguesa não impede a impressão e a difusão europeias.

A relação de 1500-1 será impressa, em italiano, por Francanzano de Montalboddo, *Paesi novamente retrovati* (Vicenza, 1507), e o texto de 1502-3 por Giovanni Battista Ramúsio, *Delle navigationi et viaggi* (Veneza, 1550).

Esta constante atenção editorial italiana à produção cultural portuguesa sobre a Ásia está directamente ligada à concorrência entre as rotas do Levante e do Cabo, aos jogos diplomáticos de Lisboa, Roma, Veneza e à participação comercial e financeira italiana na expansão portuguesa. São estes vínculos económicos e políticos que possibilitam a aceleração e a divulgação do novo e melhor conhecimento europeu das sociedades e culturas asiáticas.

Ainda nesta primeira fase e sobre a sintonia entre a informação alcançada na Ásia pelos portugueses e em seguida enviada e divulgada por centros italianos como Florença, Roma e Veneza vale a pena destacar, tão-só, três outros casos.

A notícia da ligação marítima entre o Atlântico e o Índico, com a viagem de 1497-99, comandada por Vasco da Gama, é transmitida para Itália pelas "Cartas de Lisboa", de 10 de Julho e 28 de Agosto de 1499, de Girolamo Sernigi. Estas cartas serão editadas, em 1507, na colecção de novidades sobre a expansão portuguesa de F. de Montalboddo.

É também nos *Paesi novamente retrovati* que surge o relato do chamado padre José de Cranganor sobre o Oriente. José de Cranganor, um cristão do Malabar, viajou para a Europa em 1501, no regresso da armada comandada por Pedro Álvares Cabral, e a partir de Lisboa visitou Roma e Veneza onde as suas informações foram anotadas, e em seguida editadas, em italiano (Vicenza, 1507).

Em 1501, D. Manuel escreve uma carta aos Reis Católicos dando conta das "novidades orientais" e esta carta, juntamente com outros dados, surge em 1515 editada em Roma e Milão: *Cópia de una littera del re de Portugallo.*

Uma informação ainda que fragmentária e imediata vai-se acumulando na Europa ao longo dos primeiros anos do século XVI. Uma parte importante destes dados abandona a condição manuscrita e a circulação restrita nos círculos da Coroa e da corte portuguesa, disseminando-se em várias línguas e centros europeus a partir de uma primeira edição italiana.

Uma outra parte da informação sobre a Ásia mantém-se manuscrita nos círculos de élite portugueses. São, sobretudo, cartas-relatório oficiais, de natureza mercantil, mas algumas, como por exemplo a do feitor de Cochim, Gaspar Pereira, para D. Manuel (1505-6), quer já descrever e compreender parte da realidade política e estratégica da Índia.

O segundo andamento no conhecimento português e europeu sobre a Ásia dá-se entre cerca de 1511 e cerca de 1545. Esta segunda fase desenvolve a acumulação de conhecimentos pontuais e imediatos, graças, sobretudo, à frequência das cartas-relatório oficiais produzidas pelos quadros burocráticos do Estado da Índia.

Ao mesmo tempo, a quantidade de informação já disponível nos centros portugueses na Ásia e a frequência dos contactos interculturais com comunidades marítimas, mercantis, políticas, asiáticas (geradoras de conjunturas de parceria que aceleram a troca de informações) criam condições e necessidades para o surgimento das primeiras visões globais europeias da Ásia e das primeiras visões sectoriais-locais com fundamento informativo.

Sucedem-se as cartas-relatório que vão assegurando uma informação mais precisa sobre as condições mercantis do Índico e sobre os avanços na rede marítimo-mercantil da Ásia do Sueste e do mar da China.

Por exemplo, Malaca, a partir de 1511, começa a acumular informação precisa sobre as redes de comércio marítimo do Sueste Asiático e a actividade chinesa, casos da carta do feitor Rui de Araújo, preso em Malaca, para Afonso de Albuquerque, em 6 de Fevereiro de 1510 ou da carta, também escrita em Malaca, 1518, por Simão de Andrade a D. Manuel.

Cartas-relatório manuscritas que vão acumulando informação, em especial de natureza ou implicação marítimo-mercantil sobre a Ásia, tanto nos centros portugueses no Oriente como em Lisboa (por exemplo, a carta-relatório de Tomé Pires sobre as "boticas" para D. Manuel, de Cochim, a 27 de Janeiro de 1516).

No entanto, a sintonia informativa italiana matém-se e encontra-se agora no próprio terreno asiático, nos centos portugueses no Índico, transmitindo os dados para Itália. Acontecimentos e informações, manuscritas portuguesas de 1513-14, geram impressos italianos de 1516-17.

Em 1513, dois portugueses a bordo de um junco de Nina Chatu e da Fazenda real, acompanhando juncos chineses no regresso de Malaca a Cantão, fazem o primeiro comércio no litoral da China. A informação oficial para Goa e Lisboa sai de Malaca com base numa carta-relatório de Rui de Brito Palatim, capitão de Malaca, para o rei D. Manuel, a 6 de Janeiro de 1514.

De 1514 é também a carta que de Cochim escreve, sobre o mesmo assunto, o mercador florentino Giovanni da Empoli. Sobre a primeira viagem dos portugueses aos litorais da China é também a carta do mercador

Andrea Corsali, de Janeiro de 1516 para o duque de Medici, impressa em Florença em Outubro de 1516. Em Veneza, 1517, Alessandro Zorzi publica uma informação sobre a novidade do relacionamento marítimo com o "povo chinês".

O tempo político de Afonso de Albuquerque (1508-15) vai gerar condições para uma primeira visão global europeia da Ásia. São ainda visões essencialmente litorais, marítimas e mercantis, mas são já autênticas enciclopedias europeias com alguns dados firmes também sobre as línguas, as religiões e os reinos asiáticos.

O *Livro das coisas da Índia* do escrivão da feitoria Cananor, Duarte Barbosa, e a *Suma oriental* do vedor da Fazenda de Malaca, Tomé Pires, escritos, respectivamente, entre os anos de 1511-16 e 1512-15, são as primeiras geografias europeias sistemáticas e globais da Ásia. São obras de funcionários da Coroa e por isso ligadas a uma lógica do "Estado da Índia"; contudo, em Duarte Barbosa, intérprete-língua e conhecedor da língua malaia, é já patente a dimensão do asiatizado, do aculturado pelo mundo da Índia. Obras, uma vez mais, manuscritas em português, com uma circulação restrita de poucas cópias na corte de Lisboa e nos centros da Ásia. Obras que vão ter, ao longo da segunda metade de Quinhentos, uma larga difusão europeia graças à edição italiana de Tomé Pires, que é tão-só parcial, no primeiro volume de G. B. Ramúsio, *Delle navigationi et viaggi* (Veneza, 1550). As obras de Duarte Barbosa e Tomé Pires vão ter impacte em vários círculos de conhecimento europeu sobre a Ásia. São, antes de mais, altos instrumentos de informação para os centros de decisão e de risco político, comercial e financeiro. São, no entanto, também, enciclopedias para os humanistas e os quadros eruditos que produzem geografia e história.

Desta altura, o mais tardar de cerca de 1520-21, é também o primeiro exercício de uma história do relacionamento luso-asiático. Feita em Lisboa, por um anónimo que foi articulando as informações chegadas, na *Crónica do descobrimento e primeiras conquistas da Índia pelos portugueses*. Ainda nesta fase uma outra obra manuscrita sobre essa mesma história. Em Cochim, por volta dos anos de 1532, Gaspar Correia (c.1492-c. 1570) inicia a redacção das *Lendas da Índia* com base na informação que foi acumulando em Goa e Cochim.

O relacionamento intercultural com alguns centros e sociedades asiáticas, o grau de asiatização de alguns portugueses que possibilita a construção destas primeiras visões sistemáticas globais da Ásia, em especial da Ásia "das fraldas do mar" (D. João de Castro), vão impulsionar também o aprofundamento no conhecimento da pluralidade e da variedade locais da Ásia. Surgem então as primeiras descritivas regionais, com informações precisas sobre unidades asiáticas, não apenas como dimensão instrumental mercantil do europeus mas já como realidades geográficas e políticas próprias.

Neste horizonte de geografias locais da Ásia, produzidas pelos portugueses, podem apontar-se obras que na época ficam totalmente manuscritas, como por exemplo a *Relação de Bisnagar* (c. 1520) de Domingos Pais, que descreve o reino hindu do Vijayanâgar, a anónima *Lembrança de algumas cousas de Bengala* (c. 1521) ou as *Cartas* de Cristovão Vieira e de Vasco Calvo, escritas de Cantão, por volta de 1534-36, que constituem as primeiras descrições vivenciais de europeus na China desde o tempo de Marco Polo (c. 1254-1323).

Nos domínios da náutica e da cartografia europeia dos mares da Ásia, a revolução informativa é radical. Graças à regularidade dos contactos com as marinharias asiáticas, os portugueses passam a dispôr de um pormenorizado banco de dados sobre correntes, marés e rotas da Ásia. Vamos, tão-só, apontar alguns dos casos mais importantes. Cerca de 1512, o navegador e geógrafo Francisco Rodrigues compõe um *Livro de geografia oriental* com regimentos, roteiros, cartas-esboço hidrográficas e desenhos panorâmicos dos litorais de Banda e Malaca. A partir do contacto com os pilotos e cartógrafos indianos, malaios, javaneses e chineses, Francisco Rodrigues recolhe modelos e informações concretas e precisas. As suas cartas do litoral da China, desde o golfo de Tonquim ao litoral da Coreia, são as primeiras dessas regiões traçadas por um europeu. São mapas de tipo chinês mas com rumos e rosas-dos-ventos ao modo português. O seu roteiro, *Caminho da China*, é também o primeiro roteiro europeu sobre a navegação de Malaca a Cantão.

A acumulação de contactos e de trocas de informação com as marinharias asiáticas vai permitir uma cartografia náutica progressivamente mais rigorosa do Índico e da Ásia em centros europeus como Lisboa e Sevilha (a partir do planisfério de Jorge Reinel, de 1519). Essa melhoria, em especial na representação do Índico Oriental, do golfo de Bengala, Insulíndia, Molucas e litorais da China, é patente nas cartas de Pedro Reinel nos anos de 1517, 1518, 1522.

O mesmo sucede nos planisférios (1525-29) do português Diogo Ribeiro, cosmógrafo-mor da Casa das Índias de Sevilha a partir de 1523. No planisfério de 1529 é registada, pela primeira vez na cartografia europeia, a ilha de Tamão (Tunmen) na forma de "ilha da veniaga" (do comércio nos litorais de Cantão).

As décadas de 20 e 30 aumentam a precisão na cartografia portuguesa da Ásia bem como o número de cartas náuticas (só em Lisboa, em 1522, existiam seis oficinas de cartas de marear).

A anónima *Carta da Ásia Oriental*, de cerca de 1535, representa o arquipélago e a península malaias, o Sul das Filipinas e os litorais da China até à província de Fujian (zona de Chincheu). A costa da província de Guangdong está desenhada com grande atenção, muito em especial o estuário do Sikiang, com a legenda "rio de Cantão à China". Surge também o grupo das pequenas ilhas do Léquias (o reino de Ryú-Kyú).

Relevantes são também as cartas do Índico e da Ásia, nos dois *Atlas* de cerca de 1537, de Gaspar Viegas. Desde a costa oriental de África até aos litorais de Cantão, estamos diante de vinte cartas náuticas particulares com actualizada e abundante informação, em especial sobre a Ásia do Sueste.

A década de 30 é, no domínio da roteirística portuguesa do Índico, bastante produtiva, como vemos com os anónimos *Livro de rotas de Lisboa até à Índia*, de cerca de 1530 e *Regimento da navegação de Portugal para a Índia*, de 1530-35. De cerca de 1535 é também o *Roteiro de Lisboa à Índia* de Diogo Afonso e de 1538 o *Roteiro de Lisboa a Goa* de D. João de Castro.

Nos finais dos anos 30 e inícios de 40, surgem os primeiros roteiros particulares portugueses, hoje conhecidos, do Índico Ocidental: *Roteiro de Goa a Diu* (1538-39) e *Roteiro do mar Roxo* (1540-41), ambos de D. João de Castro.

Esta sabedoria do mar constitui um domínio técnico estratégico do ponto de vista económico e político. Por isso, são obras que ficam manuscritas em português, mas que o sistema europeu concorrencial de informações sobre a Ásia acabará por conseguir divulgar.

O grande pólo de divulgação impressa da cartografia e roteirística portuguesa da Ásia vai ser a Holanda dos finais do século XVI. Uma vez mais, a concorrência marítima e mercantil entre europeus, neste caso portugueses-holandeses, vai permitir uma divulgação e ampliação do conhecimento europeu sobre a Ásia.

A grande colecção impressa de cartas náuticas portuguesas da Ásia surge em Leida (1592), com o *Tresoor der Zeevaert* de L. J. Waghenaer e os roteiros portugueses, quer da Rota do Cabo quer particulares dos mares da Índia, da Ásia do Sueste ou da carreira Macau—Nagasáqui, surgem na colectânea de Jan Huygen van Linschoten (c.1563-1611) *Reysgheschrift van de Navigatien der Portugaloysers* (Amsterdão, 1595).

A partir de meados do século XVI, cerca dos anos de 1546, começamos a ver nascer um novo e mais profundo conhecimento europeu da Ásia. Este novo andamento resulta de um complexo conjunto de factores europeus e asiáticos.

Na Europa, a luta entre o Norte e o Sul e as Reformas protestante e católica criam condições para um projecto de divulgação sistemática do catolicismo também para fora do espaço europeu. A Companhia de Jesus instala um colégio em Portugal em 1540 e em 1542 chega à Índia o primeiro grupo de missionários jesuítas chefiado por S. Francisco Xavier (1506-52).

Na Ásia os portugueses começam a estabelecer e a sedimentar laços com a Ásia Oriental e as Civilizações Chinesa e Japonesa que vão ser, ao longo da época que estamos a abordar, os grandes pólos culturais asiáticos de fascínio e de desafio para os portugueses e os outros europeus (a grandeza cultural da Índia no horizonte do saber europeu é mais tardia).

O peso dos portugueses asiatizados e, em especial dos luso-orientais, vai naturalmente crescendo. Crescimento que no caso dos luso-orientais e graças às novas condições de incorporação no tecido do português se vai também manifestar em termos de produção cultural, em especial, nos finais do século XVI e nos inícios do século XVII.

Por outro lado, em Portugal e na restante Europa, o interesse das élites eruditas, laica e religiosa, pela compreensão das coisas asiáticas sofre um notável impulso. O crescimento da informação sobre a Ásia no horizonte cultural europeu, de cerca de 1550 a 1620, é contemporâneo do também crescimento dos produtos asiáticos no mercado europeu.

Importância económica crescente da Ásia para os europeus com a recuperação da Rota do Levante, a entrada dos holandeses e dos ingleses no Sistema do Índico com uma extraordinária expansão na venda da pimenta e doutras especiarias no mercado europeu até aos anos de 1630 e dos têxteis indianos, a partir de 1620-30, que leva à vitória da Rota Atlântica sobre a Levantina, bem como o crescimento dos metais preciosos europeus na Ásia, muito em especial, por via do Galeão de Manila. Nas décadas de 1580-90, a média anual de prata e de ouro europeus na Ásia é de cerca de treze toneladas, via Goa e Manila; nas décadas de 1600-10 e 1621 a 1630, atinge, respectivamente, cerca de quarenta e cinquenta toneladas.

Na primeira fase do conhecimento português da Ásia, a concorrência Levantina e, ao mesmo tempo, a parceria italiana na Rota Atlântica, são os responsáveis máximos pela difusão, à escala europeia, das novidades cartográficas, náuticas e mercantis asiáticas, a partir de uma primeira tradução-edição italiana que potencia as traduções-edições francesa, inglesa, alemã e holandesa.

Na segunda fase esta concorrência mantém-se e amplia-se com a entrada do pólo espanhol de recolha de informação asiática a propósito das Molucas.

Nesta terceira fase de expansão informativa, de especialização, reflexão e alta divulgação de dados sobre a Ásia, estamos diante de um alargamento do sistema concorrencial europeu na Ásia, a uma multiplicação dos centros de interesse de estratégia e de poder europeus nas vidas mercantil e política asiáticas. A multiplicação e a difusão culturais acompanham estes movimentos, e centros como Lisboa, Madrid, Roma, Veneza, Londres, Leida e Amsterdão vão-se formando pólos centrais da rede cultural europeia sobre a Ásia nos finais do século XVI e nos inícios do século XVII.

O interesse dos humanistas, élite cultural laica europeia, por uma reflexão e sistematização da informação sobre a Ásia, pensada em termos de relacionamento com a acção marítima europeia, acentua-se ao longo dos anos 50.

Em Lisboa, 1549, é editado o tratado de filosofia política *De Gloria* do humanista D. Jerónimo Osório (1506-80). Esta obra terá segunda edição em Florença (1552) e contará com mais seis edições no século XVI e três no século XVII. D. Jerónimo Osório é o latinista português com maior divulgação europeia na altura, sendo o latim a língua internacional de unidade da cultura erudita europeia, laica e religiosa. No *De Gloria*, livro V, surge o primeiro texto europeu impresso de grande elogio à dimensão cultural chinesa, à importância dos seus letrados e estudos literários e à antiguidade dos seus livros impressos "há séculos quase infinitos".

João de Barros (c. 1496-1570) publica em Lisboa, nos anos de 1522, 1553 e 1563, as três primeiras *Décadas da Ásia*, onde traça um panorama geográfico-civilizacional global da Ásia em articulação com a expansão portuguesa. A parte geográfica das *Décadas* de J. Barros surge traduzida e editada em italiano por G. B. Ramúsio na terceira edição do *Delle navigationi et viaggi* (Veneza, 1563). Por outro lado, as duas primeiras décadas serão traduzidas para italiano e editadas em Veneza (1565-72).

Em Coimbra, nos anos de 1551 a 1561 é editada a *História do descobrimento e conquista da Índia pelos portugueses* de Fernão Lopes de Castanheda, que viveu na Ásia, entre 1528 e 1538, recolhendo materiais que irá usar na sua *História*. Em Veneza (1578) surge a edição italiana com o título *Historia dell'Indie Orientali*.

Em Lisboa, entre 1602 e 1616 são editadas as primeiras quatro décadas da *Ásia* de Diogo do Couto (1542-1616), que parte para a Índia em 1559, vivendo aí quase o resto da sua vida como cronista e guarda-mor da Torre do Tombo de Goa.

João de Barros, Fernão Lopes de Castanheda, Diogo do Couto e Gaspar Correia, que embarcou para a Índia em 1512 e conclui as suas *Lendas* nos anos de 1550 a 1565, são as figuras mais salientes da historiografia portuguesa sobre a expansão marítimo-mercantil na Ásia.

Três destas quatro figuras vivem na Ásia, pelo menos uma década, e duas delas passam mesmo o essencial da sua vida na Índia, aí produzindo os seus livros. João de Barros, o único sem vivência asiática, terá, no entanto, condições excepcionais de contacto cultural com a Ásia que incluem, por exemplo, livros chineses e um letrado chinês de apoio.

À medida que avançamos no século XVI cresce o número e a variedade de histórias sobre os portugueses na Ásia. Histórias sectoriais que vão desde produções na Europa como *Os comentários do cerco de Goa e Chaul* (Lisboa, 1573) de António Castilho e a *História da Índia no tempo em que a governou o Visorey D. Luís de Ataíde* (Coimbra, 1617) de António Pinto Pereira, até às obras escritas na Ásia, com maior ou menor peso da condição de asiatizado, como vemos, por exemplo, na *História dos cercos de Malaca* (Lisboa, 1585) de Jorge de Lemos, um luso-indiano de Goa, ou na *História dos religiosos da Companhia de Jesus* (c. 1614, Goa) de Sebastião Gonçalves, S. J. (1556-1619), que partiu para a Índia em 1594.

A expansão na Ásia é o tema por excelência da historiografia portuguesa, até aos anos de 1620 a 1630, ocupando cerca de 65% a 75% da produção total. O impacte da experiência asiática em todos os outros domínios da literatura portuguesa (poesia, teatro, prosas literária e doutrinária) é também imenso e não pára de crescer, ao longo da segunda metade de Quinhentos, com obras como, por exemplo, *Desengano de perdidos* (Goa, 1573) de D. Gaspar de Leão e *Lusitânia transformada* (Lisboa, 1607) de Fernão Alvares do Oriente.

As duas maiores obras da literatura portuguesa, *Os Lusíadas* (Lisboa, 1572) de Luís Vaz de Camões (c. 1525-80) e a *Peregrinação* (Lisboa, 1614) de Fernão Mendes Pinto (1546-83), são sobre o Portugal asiático; formam enciclopedias e intertextualidades da imensa parede de livros, manuscritos e impressos sobre os portugueses na Ásia e os autores são portugueses com intensa vivência asiática de mais de uma década.

Na *Peregrinação* de Fernão Mendes Pinto, acabada de escrever entre, provavelmente, 1569 e 1578, e traduzida para espanhol em 1620 e francês em 1625, surge talvez, pela primeira vez numa obra ocidental, o efeito literário do asiático como sujeito que ajuíza um objecto que é o europeu. Avaliação crítica que coloca na boca do personagem asiático as denúncias da contradição da expansão portuguesa.

Neste campo de pensamento crítico, a Ásia vai acelerar em Portugal a reflexão polémica sobre a realidade e os valores portugueses. Desde as *Décadas* de João de Barros à *Peregrinação* de Fernão Mendes Pinto, passando pelos *Soldados práticos*, de cerca de 1570 a 1611, de Diogo do Couto, pelo anónimo *Primor e honra da vida soldadesca no Estado da Índia*, impresso em 1620 ou pela *Reformação da milícia e governo do*

Estado da Índia Oriental, de 1599, de Francisco Rodrigues Silveira (c. 1558-c.1638), a experiência asiática ou a comparação com as realidades asiáticas alimentam o pensamento político e a mentalidade crítico-reformadora.

O impacto asiático nestes domínios é difícil de medir, mas a literatura, as artes e a língua portuguesas do século XVI pulsam, no essencial, ao ritmo das monções.

Na Ásia, o número das cartas-relatório continua em crescimento tanto por parte do Estado como por parte da Igreja, em especial, dos missionários jesuítas.

Rede epistolográfica cada vez mais extensa e intensa que acelera a recolha, a troca e a difusão de informações como se vê, por exemplo, na carta de Goa (1546) de Henrique Henriques, S. J. com novidades sobre a China a partir de um mercador com experiência fidedigna dos mares da Ásia Oriental ou da carta de Francisco Xavier, S. J., de Cochim a 29 de Janeiro de 1552, para o P. Inácio de Loyola, Roma, com os primeiros elementos europeus de análise comparativa das línguas e escritas chinesa e japonesa.

Os jesuítas e os funcionários ou quadros ligados directa ou indirectamente ao Estado vão sistematizando a informação europeia sobre a Ásia. Vão, acima de tudo, alargando a base de recolha e de questionários, permitindo a emergência de uma geografia-antropológica ou de descritivas geográficas menos determinadas pelo regulador do imediatismo estratégico-mercantil.

Em 1548, o Estado da Índia organiza uma colecção das informações geográfico-antropológicas recentes da Ásia no *Livro que trata das cousas da Índia e do Japão*. Na mesma altura surge uma colecção de pinturas que traça um quadro de usos, costumes, vestuários de sociedades asiáticas, o hoje chamado *Livro das imagens do Oriente*.

Outros livros de desenho e de pintura manuscritos aparecem em meados de Quinhentos, procurando também retratar o movimento náutico-mercantil *na* e *para* a Ásia, como o *Livro de Lisuarte de Abreu*, de cerca de 1558-64 e a *Memória das armadas*, de cerca de 1568.

A iconografia europeia sobre a Ásia começa a criar um banco de dados relativamente seguro, que passará a impresso em obras como *Omnium pene* (Antuérpia, 1581) de A. de Bruyn e *Habiti antichi et moderni* (Veneza, 1598) de C. Vecellio, ou nas gravuras de 1595 de B. van Dentecum que acompanham as edições de J. H. van Linschoten.

As geografias antropológicas e os relatórios descritivos são cada vez mais espacialmente localizados e especializados, como vemos por exemplo com Galeote Pereira, *Tratado sobre algumas coisas sabidas da China*

(c. 1555), com a descrição da corte do *Bijapor* por Gonçalves Rodrigues, S. J., em 1561, com Gabriel Rebelo, *História das ilhas de Maluco* (c. 1561) e *Informação das coisas de Maluco* (c. 1569) e com inúmeros relatos de viagens terrestres-continentais, desde o *Itinerário* de Mestre Afonso (1565-66) até às *Cartas* de António de Andrade, S. J. (1581-1634) sobre o Tibete de 1624-26, passando pelas *Relaciones* (Antuérpia, 1610) de Pedro Teixeira e o *Itinerário da Índia por terra* (Lisboa, 1611) de frei Gaspar de S. Bernardino.

No entanto, a produção e a difusão das informações geográficas sobre a Ásia já não está centrada na Coroa Portuguesa, mas sim nos missionários jesuítas e na internacional latina de Roma. São agora os jesuítas quem mais recolhe, acumula e organiza a informação geográfica asiática dos mercadores privados e de quadros com relação directa ou indirecta ao aparelho mercantil-administrativo do Estado da Índia. O recuo do poder marítimo-mercantil do Estado da Índia, à medida que avançamos na segunda metade do século XVI, primeiro perante os interesses portugueses asiatizados e em seguida perante os concorrentes e parceiros asiáticos e europeus, manifesta-se também no plano cultural.

A Coroa tem cada vez menos um papel fundamental na recolha e tratamento da informação asiática. Goa, Cochim, Macau são ainda grandes pólos de acumulação de saber europeu sobre a Ásia mas a partilha com privados, com concorrentes europeus e com Roma e os missionários jesuítas, é cada vez mais a regra. A disseminação da informação sobre a Ásia por cada vez mais centros europeus é também uma consequência deste movimento.

Sobre a capacidade de recolha e de difusão da informação asiática dos mercadores e dos oficiais por parte dos jesuítas, apenas dois exemplos. Galeote Pereira é um comerciante prisioneiro na China até cerca de 1552 ou 1553. Em Malaca redige, nos círculos eclesiásticos, o seu *Tratado*, pois o dominicano frei Gaspar da Cruz vai consultar aí a obra, em 1555.

Uma das cópias do *Tratado* é enviada de Goa nos finais de 1561 e é impressa em Veneza (1561) nos *Nuovi avisi delle Indie di Portogallo*. A obra de Galeote Pereira quer ser uma visão global da sociedade chinesa e ao mesmo tempo uma apologia e elogio ao "Império do Meio". Teve uma larga difusão europeia a partir da edição italiana, surgindo em Londres (1577) a edição inglesa que constitui o primeiro texto moderno, em língua inglesa, sobre a China.

Do mesmo modo, a primeira descrição vivencial portugesa da China impressa na época é também fruto de um prisioneiro na China e recolhida em Malaca em 1554 pelo jesuítas. A anónima *Informação de algumas cousas acerca dos costumes e leis do reino da China* é impressa em Coimbra (1555), numa versão reduzida na *Cópia de unas cartas de algunos padres y hermanos de la Compañia de Jesus* e tem edição italiana nos *Avisi particolari delle Indie di Portugallo* (Roma, 1556).

Com base em informações recolhidas a terceiros ou a partir das suas próprias actividades, as cartas dos jesuítas publicadas constantemente na Europa, em Roma, Coimbra, Évora, Lovaina, Veneza etc. em línguas espanhola, italiana, latim, ao longo das décadas de 50, 60 ou 70, contribuíram para o alargamento do horizonte de conhecimento europeu da Ásia.

A acção cultural dos missionários jesuítas está regulada pelo objectivo da cristianização e por isso, muitas vezes, as cartas-relatório apresentam limitações na descrição da realidade asiática. No entanto, também as restantes cartas-relatório ligadas ao aparelho oficial político e mercantil apresentam esta fronteira sociológico-instrumental de utilidade para o poder europeu. A diferença essencial reside no alargamento do questionário europeu sobre a Ásia, na acentuação de campos como as línguas e as religiões asiáticas e na enorme divulgação europeia destes dados a partir das inúmeras edições.

Esta abundância de cartas-relatório dos missionários vai gerar a base das primeiras histórias globais de relacionamento jesuíta com a Ásia, como a famosa *Historiarum Indicarum Libri XVI* (Florença, 1588) de G. Maffei, baseada na obra manuscrita do jesuíta português Manuel da Costa, *História das Missões do Oriente até ao ano de 1568*, ou *História* de S. Gonçalves, S. J., já antes mencionada.

O sistemático conhecimento europeu de línguas orientais está ligado à acção e aos objectivos de evangelização dos missionários jesuítas. Exprime-se, antes de mais, na publicação de obras de doutrina cristã em línguas orientais, como a *Cartilha em línguas tamil e portuguesa*, impressa em Lisboa em 1554, da autoria de três indianos cristãos (paravás) de costa da Pescaria, o *Catecismo* de Henrique Henriques, S. J., editado em língua tamil em Coulão (1576), o *Catecismo em língua chinesa*, de impressão xilográfrica (Macau, 1581-82), ou os textos em língua japonesa começados a editar em Kasugai em 1591.

Estas obras, embora de propaganda religiosa, assentam num colectivo intercultural que articula os missionários aos quadros culturais asiáticos, como vemos, por exemplo, no caso do *T'ien-chu Sheng Chiao Shiu-lu* [Verdadeira história de Deus e da sagrada religião], impresso em Macau em Novembro-Dezembro de 1581, ou nos inícios de 1582, e reimpresso em Zhaoqing em 1584, por M. Ricci e M. Ruggiero.

Este impresso xilográfico em língua chinesa é uma obra colectiva de pelo menos três autores: os jesuítas, italiano e espanhol, M. Ruggiero (1543-1607) e Pero Gomes (1535-1600), e um letrado chinês de quem não sabemos o nome, ligado aos mercadores e missionários de Macau, que fez a redacção do texto em mandarim.

Estas parcerias intelectuais vão possibilitar o estudo das línguas asiáticas e a produção de gramáticas e vocabulários. Casos, por exemplo, da anónima (será de H. Henriques?) *Arte da língua malabar*, de cerca de 1549; das obras sobre o tamil de Henrique Henriques, S. J., *Arte da gramática da língua malabar* (c. 1561) e *Vocabulário da língua malabar* (c. 1570); da *Arte tamulica-portuguesa* (c. 1560), do natural de Goa Baltazar da Costa, S. J. (1538-80); do colectivo *Dicionário português-chinês*, Macau, anos de 1580-82, trazido para Roma em 1588; do *Dictionarium latino lusitanicum ac iaponicum* (Amacusa, 1595) e *Vocabulário da língua de Japan* (Nagasáqui, 1603-4), ambos compostos por uma equipe de missionários e eruditos nipónicos, bem como das *Gramáticas* de João Rodrigues Tçuzu, S. J. (1561-1633).

João Rodrigues, que participa e de certa forma coordena as equipes dos dicionários japoneses, publica em Nagasáqui em 1604-8 a *Arte da lingoa de Iapam*, a primeira gramática europeia da língua japonesa com um ensaio sobre a literatura, em especial a poesia japonesa, que constitui a primeira descrição ocidental de uma literatura da Ásia Oriental. Em Macau, 1620, surge uma nova gramática do mesmo autor, a *Arte breve da lingoa Iapoa*.

O estudo das línguas asiáticas implica uma certa aculturação dos missionários e uma certa abertura intercultural às élites intelectuais asiáticas, em especial perante as menos distantes-opostas ao círculo português-cristão. O primeiro dicionário de chinês numa língua europeia, feito em Macau, exemplifica esta condição ao envolver, entre outros, pelo menos um luso-chinês, macaense, Tchong Ming-Jen Nien-Kiang/Sebastião Fernandes (1561-1621).

Macau será aliás o grande centro produtor de élites locais ou mestiças de cultura erudita também europeia, como por exemplo, para além de S. Fernandes, outros companheiros de M. Ricci, como o luso-chinês Houang Fang-Tsi Ming-Cha/Francisco Martins (1569-1606) e o chinês Siu Pi Teng/António Leitão (1578-1611). Com os chineses K'ieu Leang-Heou Yong-Siew/Pascoal Mendes (1584-1640) e Tcheng Wei-Sin/Manuel de Siqueira (1635-73), formado na Europa (Roma, Coimbra, Lisboa), e com o, provavelmente luso-indiano, franciscano frei Paulo da Trindade (1570-1636), que em Goa (1619) vai escrevendo diversas obras como a *Conquista espiritual do Oriente*, concluída nos inícios da década de 30 do século XVII.

Esta progressiva acomodação de alguns missionários jesuítas a línguas e culturas asiáticas radica numa complexa teia de parcerias que envolve mercadores, religiosos, comunidades asiáticas, grupos de mestiços e de portugueses asiatizados. É este fundo de afinidades interculturais que permite o aparecimento do *Tratado da China* (Évora, 1569-70) do dominicano frei Gaspar da Cruz, que teve algum impacte indirecto, embora não traduzido, na imagem europeia da China.

É esta teia de cumplicidades, na base essencialmente mercantis e estratégicas, que alimenta o crescimento informativo dos trabalhos sobre as línguas, dos estudos de geografia-antropológica e de religiões orientais. Por vezes, fruto de parcerias euro-asiáticas, também no aparecimento das primeiras bibliotecas e colecções sistemáticas europeias de livros asiáticos em persa, tamil, chinês, japonês a partir dos anos de 1580-82 em centros como Goa e Macau.

Nesta idade de mais e melhor conhecimento europeu sobre a Ásia destacam-se geografias-antropológicas como o *De Missione Legatorum* (Macau, 1590) de Duarte de Sande, S. J. (1547-99) com a contribuição de A. Valignano, S. J. (1539-1606), a manuscrita *História da Igreja do Japão* concluída em Macau, nos anos de 1620-27, por João Rodrigues Tçuzu, S. J. e pelo japonês Martinho Hara, S. J., o hoje perdido *Atlas da Ásia* de J. Rodrigues Tçuzu de cerca de 1627 etc.

Nos inícios do século XVII é também maior o interesse pelo quadro cultural e religioso hindu, com obras como, por exemplo, a *História do Malavar* (c. 1615) de Diogo Gonçalves, S. J. (1561-1640) e o *Tratado sobre o hinduísmo* (c. 1616) de Gonçalo Fernandes Trancoso, S. J. (c. 1541-1621).

Nestes anos de 1580 a 1630 estamos, pois, diante de um crescente corpo de obras manuscritas ou impressas com directo ou indirecto efeito no crescimento do banco de dados europeu sobre a Ásia. Em torno desta circulação europeia apenas dois exemplos sobre o avanço no conhecimento da Civilização Chinesa.

Em Macau, a partir de 1579, M. Ruggiero começa a aprender a língua chinesa e a partir de 1581-82, com a ajuda de letrados chineses, inicia exercícios de tradução do *Xhuq-Tsi Syz-Shue*, os chamados quatro livros de Confúcio (551-479 a. C.).

Em Roma, 1593, na obra de António Possevino, *Biblioteca Selecta qua agitur de Ratione Studiorum*, surge a primeira tradução europeia dos inícios do *Ta-hsueh* [O grande estudo], o primeiro do chamado quadrivolume de Confúcio.

Em Macau, 1590, o jesuíta Duarte de Sande, aí residente já há cinco anos, dá forma ao *De Missione*, que é também uma actualizada informação sobre a China Ming, e esta parte do livro surge em Londres (1599) com o título de *Excellent Treatise of the Kingdom of China*.

A produção cultural laica sobre a Ásia vai também crescendo e especializando-se, em especial, ao longo das décadas de 60 e 70 de Quinhentos. Surgem então os primeiros levantamentos sistemáticos e problemáticos de farmacopeia-botânica médica asiáticos graças a Garcia de Orta (c. 1503-68) com os *Colóquios dos simples e drogas da Índia* (Goa, 1563) e ao caboverdiano Cristovão da Costa (c. 1525-93) com o *Tratado de las drogas y medicinas de las Indias Orientales* (Burgos, 1578). A obra de Garcia de Orta teve tradução latina resumida logo em 1567 (Antuérpia) e várias outras edições latinas (Frankfurt, 1593), o mesmo acontecendo com o *Tratado* de C. Costa que tem a primeira edição latina em 1582. As constantes reedições latinas destas farmacopeias asiáticas revelam a importância da matéria médica oriental na medicina europeia da época.

Em termos de náutica assiste-se a uma colecção sistemática da roteirística, geral e particular, do Índico e do Pacífico Asiático nos colectivos *Livros de marinharia*, desde os chamados livros de marinharia de João de Lisboa, André Pires e Manuel Álvares, de meados do século XVI, até ao de Gaspar Moreira do início do século XVII. Crescem, ao mesmo tempo, os levantamentos especializados dos litorais asiáticos como o anónimo *Correntes das águas da costa da China*, de cerca de 1580. Como já sabemos, o essencial deste corpo roteirístico asiático tem a sua primeira edição em língua holandesa (Amsterdão, 1595).

A cartografia náutica portuguesa da Ásia alcança o ponto culminante nesta época. Desde o *Planisfério anónimo*, de cerca de 1550, com a mais antiga representação europeia não fantasiosa do Japão até à cartografia do luso-indiano Fernão Vaz Dourado (c. 1520-81) e do luso-malaio Manuel Godinho de Erédia (1563-1622) surgem numerosas cartas que aperfeiçoam, cada vez mais, as linhas de costa da Ásia.

Os quadros mestiços de cultura prática sincretizam diferentes formações e informações cartográficas. Os *Atlas* de Fernão Vaz Dourado feitos em Goa uns e outros aí esboçados apresentam, por exemplo, em 1568, as primeiras cartas europeias particulares de Ceilão e do Japão, em 1570, o primeiro registo europeu de Macau influindo decisivamente na cartografia impressa europeia sobre a Ásia.

Cartografia impressa como o *Theatrum Orbis Terrarum* de Abraão Ortelius, que na edição de Antuérpia (1584) traz a *Carta da China* de Luís Jorge Barbuda, de cerca de 1575, uma carta com influências da cartografia continental chinesa e que é a primeira carta particular da China a ser impressa na Europa. Na edição de Antuérpia (1595) de A. Ortelius surge a *Carta do Japão* (c. 1591), de Luís Teixeira, altamente influenciada pela cartografia japonesa do tipo *gyogi*.

A cartografia portuguesa vai pois servindo, também, para divulgar as cartografias asiáticas e, ao mesmo tempo, a diáspora de cartógrafos portugueses por Espanha, Itália, Inglaterra acelera ainda mais a explosão informativa europeia em torno da imagem da Ásia.

Nos finais do século XVI e nos inícios do século XVII, graças à ligação regular e contínua entre as sociedades, economias e culturas do Atlântico, Índico e Pacífico, a Ásia não é mais uma questão "obscuríssima" (Vasco Fernandes de Lucena, 1485) para a cultura europeia.

Está a nascer um saber relativamente preciso das paisagens civilizacionais da Índia, Ásia do Sueste, China e Japão. Os portugueses, ligados ao Estado e à Igreja, mas sobretudo os portugueses asiatizados e miscigenados dão um contributo fundamental para esta nova idade do conhecimento da Ásia.

DIREITO NATURAL E DIREITO DAS GENTES
A refundação moderna, de Vitoria a Suárez

Jean-François Courtine

Dezembro de 1511, terceiro domingo do Advento, na igreja da Trindade, na ilha de Hispaniola (Haiti). O padre dominicano Antonio de Montesinos sobe ao púlpito e, em nome da ordem inteira, dirige-se ao povo dos colonos e conquistadores, sobre o tema *ego vox clamentis in deserto*:

> Essa voz... vos grita que estais todos em estado de pecado mortal, que viveis e morreis nesse estado, em razão da crueldade e da tirania de que dais prova com relação a esses povos inocentes. Dizei, com que direito e em virtude de que justiça mantendes esses índios em tão cruel e tão horrível servidão? Quem vos poderia autorizar a fazer todas essas guerras detestáveis contra gentes que viviam tranqüilamente e pacificamente em seus países, e a exterminá-los em número tão infinito, por assassinatos e carnificinas inauditos? Essas gentes não são homens? Não têm uma alma, uma razão? Não estais obrigados a amá-los como a vós mesmos? [...] Estai persuadidos de que, no estado em que estais, não construireis vossa salvação mais do que os mouros ou os turcos que ignoram ou desprezam a fé de Jesus Cristo.[1]

Janeiro de 1539, Universidade de Salamanca. Francisco de Vitoria, dominicano, *lente de prima*, pronuncia sua primeira lição pública [*Relectio*] sobre os índios recém-descobertos, para interrogar-se sobre a legitimidade dos títulos da Conquista. Em novembro do mesmo ano, Carlos v dirige-se ao prior do convento de San Estebán em Salamanca, lá mesmo onde reside Vitoria, para lhe pedir que apreenda o texto de todas as lições nas quais religiosos trataram dos direitos da Coroa da Espanha sobre as Índias Ocidentais.

Agosto de 1550, Valladolid. Carlos v, que acaba de suspender todas as conquistas na América, reúne uma Junta na qual, diante dos melhores juristas e teólogos — Melchior Cano, sucessor de Vitoria em Salamanca;

Domingo de Soto, confessor do imperador, teólogo imperial nas primeiras sessões do Concílio de Trento; Bartolomé Carranza de Miranda, que se tornará, sob Filipe II, arcebispo de Toledo e primaz da Espanha; Bernardino de Arevalo, franciscano, aos quais o imperador associara uma dezena de juristas e administradores —, confrontam-se o grande humanista, tradutor da *Política* de Aristóteles, Juan Ginés de Sepúlveda, historiógrafo do rei, intérprete, em seu *Democrates alter* — cuja publicação acaba de ser proibida na Espanha — das justas causas da guerra contra os índios, e Bartolomé de Las Casas, bispo de Chiapas, infatigável defensor dos índios.[2]

Janeiro de 1610, o papa Paulo V manda pedir a Francisco Suárez, professor na Universidade de Coimbra, que prossiga, depois de muitos outros, e notadamente do cardeal Roberto Bellarmino, a controvérsia que o opõe a Jaime I da Inglaterra desde 1606, por ocasião do juramento de fidelidade que este último exige de todos os seus súditos católicos. Suárez, que já dera em 1601-2 um curso consagrado às leis (*De Legibus ac deo legislatore*), redige uma *Defensio fidei*, cujo livro VI é inteiramente consagrado à questão do *Juramentum fidelitatis.* O *De Legibus* é publicado em 1612 em Coimbra, a *Defensio fidei* aparece no ano seguinte.

O espaço de tempo que separa o Sermão de Montesinos das controvérsias da Santa Sé com a primeira expressão teórica do absolutismo clássico-moderno[3] permite seguir a elaboração conjunta da noção moderna ou pré-moderna de direito natural e a determinação nova do direito das gentes, compreendido como direito internacional interestatal. O corte histórico, assim como a acentuação da guinada nas problematizações, constituem aqui as preliminares indispensáveis a todo enfoque doutrinal. As dificuldades metodológicas próprias a toda história das idéias, a partir do momento em que se trata de estatuir sobre uma continuidade ou rupturas, aí são, com efeito, particularmente sobredeterminadas, em razão do movimento geral da retrospecção que faz de Las Casas, por exemplo, um precursor dos direitos do homem e, por que não, da teologia da libertação,[4] ou de Vitoria o pai do direito internacional.[5] Outras dificuldades estão ligadas desta vez à defasagem constante entre as discussões jurídico-teológicas e as "realidades" da Conquista: na Espanha, discute-se, bem depois, o direito ou no máximo o "sentido" de um fato consumado: a Descoberta e os transtornos progressivos que ela induz, no plano político, econômico ou geopolítico. Para apreender o que o "efeito americano" ou, bem mais tarde, a defrontação de Estados soberanos absolutos comportam de verdadeiramente inédito, os teólogos-juristas recorrem a esquemas de pensamento que se poderão dizer "arcaicos". Com efeito, eles têm de retomar e, por certo, deslocar um corpo de doutrina tradicional, essencialmente transmitido por Tomás de Aquino. Sempre se poderá então, como o fazia de bom grado Michel Villey, denunciar desvio doutrinal ou infidelidade, ou mesmo apontar o "abismo" que separa tal comentário de Vitoria do ensinamento do Doutor Comum.

Ater-nos-emos, na falta de espaço, apenas ao exame das doutrinas, ou melhor, de alguns pontos de doutrina, quando seria preciso, aqui mais do que alhures, considerá-los sempre também em seu contexto histórico concreto, o que o próprio Vitoria encorajava, declarando: "O dever e a tarefa do teólogo são tão vastos que nenhum assunto, nenhuma discussão, nenhum domínio parecem estranhos ao discurso e ao projeto teológicos". Mas, antes de examinar a maneira pela qual Vitoria primeiro e Suárez em seguida, redefinem a articulação entre direito natural e direito das gentes, devemos relembrar brevemente as peças essenciais do dossiê tomista que não cessará de alimentar a reflexão dos teólogos-juristas que nos interessam.

O PANO DE FUNDO TOMISTA

Não se poderia sublinhar em demasia a importância desse pano de fundo, tanto no que se refere à Escola de Salamanca, da qual Vitoria (1492-1546) é o verdadeiro instituidor, quanto no que se refere, um pouco diferentemente, ao ensino na Companhia de Jesus. Vitoria está, como se sabe, na origem de uma profunda renovação do tomismo nas universidades espanholas e, em primeiro lugar, em Salamanca, onde ensina a partir de 1523, ali introduzindo uma importantíssima inovação pedagógica, já empregada no fim de seu ensino parisiense no convento dominicano de Saint-Jacques: substituir o comentário das *Sentenças* de Pedro Lombardo pelo da *Suma teológica*.[6] Tratando-se dos jesuítas, sabe-se também que a *ratio studiorum* recomendava sustentar sempre a opinião comum, pautando-se de preferência pela tradição aristotélica e pelo ensinamento tomista.

Tomás terá fornecido, assim, as peças principais do dossiê jurídico-político discutido durante todo o século XVI na escolástica espanhola. Trata-se, no essencial, de dois tratados conexos com a *Suma teológica*: o tratado das leis (Ia, IIae qu. 90-7) e o tratado de justiça (*de justitia et jure*, IIa IIae qu. 57-79), aos quais convém acrescentar as questões relativas aos "infiéis" (IIa IIae, qu. 10 — *de infidelitate in communi* — e qu. 12 — *de apostasia*). Evidentemente, não nos cabe aqui expor por si mesmo esse corpo de doutrinas e, menos ainda, tentar situá-lo na economia geral do pensamento tomístico. Em compensação, o que nos importa sublinhar de imediato é, a uma só vez, a defasagem evidente entre os dados histórico-políticos sobre os quais raciocina Tomás — em uma palavra, os da *Respublica Christiana* — e os de nossos autores (a Descoberta do Novo Mundo de um lado, a pressão turca do outro e, enfim, além da Reforma protestante, a instalação das monarquias absolutistas pluriconfessionais), e ao mesmo tempo a extraordinária maleabilidade da doutrina tomista, que permite, à custa de inflexões mais ou menos violentas, às quais precisamente nos ateremos, aplicar as teses tomistas e suas distinções a realidades heterogêneas.

O quadro doutrinal que devemos relembrar brevemente é constituído pela articulação bastante complexa, em Tomás de Aquino, entre direito natural e direito das gentes. Como se sabe, nele o direito natural é sempre referido ao "justo" — ele próprio considerado *ex natura rei* –, cuja apreensão é dada ao homem anteriormente a todas as leis humanas. Nesse sentido, o direito natural confunde-se com o que, em termos modernos, chamar-se-ia a consciência da lei natural, ela própria sempre concebida como uma participação na "lex divina", entendida como a razão divina que preside a ordenação do mundo.[7] Contudo, os comentários de Tomás de Aquino não estão isentos, sobre esse ponto, de oscilações e de ambigüidades que se devem, antes de tudo, à mudança de sentido dos conceitos fundamentais do direito romano utilizados por ele.[8] Na *Suma teológica* (IA IIae), Tomás de Aquino considera em primeiro lugar a lei humana na questão 95, cujo artigo 4 é consagrado à divisão. Ele aí propõe uma primeira articulação entre direito natural e direito das gentes ao examinar a incoerência, pelo menos aparente, das distinções propostas por Isidoro de Sevilha (*Etymologia*, cap. 6 e ibidem., cap. 4):

> Parece que Isidoro apresenta uma divisão inadequada das leis humanas e do direito humano (*jus humanum*). Sob esse direito, de fato, ele compreende o direito das gentes (*jus gentium*), assim chamado porque "quase todas as nações (*gentes*) fazem uso dele". Mas, como ele próprio o diz, "é o direito natural (*jus naturale*) que é o direito comum a todas as nações (*commune omnium nationum*)". Portanto, o direito das gentes não está contido sob o direito humano positivo, mas antes sob o direito natural.

O *Respondeo* assinala claramente o princípio fundamental de subordinação que comanda todo o tratado das leis: a lei humana, precisamente enquanto é lei e conforma-se, portanto, à *ratio legis*, deriva da lei natural (*lex naturae*), que constitui por sua vez a primeira regra da razão, em função da qual se definem o "direito" (*rectum*) e o justo (*justum*). É portanto em função de sua relação respectiva — mas sempre fundamental — com a *lex naturae* que é preciso distinguir e situar o direito civil e o direito das gentes, que constituem ambos o direito positivo (*jus positivum*):[9]

> [...] por sua definição, a lei humana deve derivar da lei de natureza. E, desse ponto de vista, dividir-se-á o direito positivo (*jus positivum*) em direito das gentes (*jus gentium*) e direito civil (*jus civile*), segundo as duas maneiras pelas quais um preceito pode derivar da lei natural.

Com efeito, como o mostrou Tomás no artigo 2 dessa mesma questão, a derivação de que se trata aqui, e que implica sempre uma *participação*, pode tomar duas formas diferentes: a que relaciona as *conclusões* aos princípios, segundo o modelo aristotélico da demonstração científica, e a que relaciona as *determinações* a regras gerais, no sentido em que um arquiteto, por exemplo, deve aplicar o tipo comum "casa" a tal habitação concreta a ser construída. É em função dessa distinção das formas possíveis de derivação que Tomás pode estabelecer uma conexão direta, como das conclusões a seu princípio, entre direito das gentes e lei natural:

> Ao direito das gentes ligam-se os princípios que derivam da lei natural ao modo de conclusões derivadas dos princípios; tais como as justas vendas e compras e outras coisas semelhantes, sem as quais os homens não poderiam ter nenhuma vida social (*ad invicem convivere*); o que está, contudo, enraizado na lei natural, pois o homem é por natureza um animal social.[10]

Então, se o direito das gentes vem classificar-se sob a rubrica mais geral do direito humano, contradistinguido aqui não tanto do *jus divinum* quanto da lei de natureza ou lei eterna, e se ele é por isso da alçada do direito positivo, é direito positivo tomado no sentido mais amplo do termo, na medida em que permanece enraizado na lei natural, e se separa, portanto, do direito positivo no sentido estrito, o *jus civile*. Este não é de modo algum *conclusão* ou derivação direta a partir dos princípios, mas sim *determinação*, sempre particular, contextual, levando em conta o que caracteriza propriamente cada cidade ou Estado definidos e, portanto, suscetível de variações históricas, o que não parece dever ser o caso do direito das gentes, mesmo que este implique sempre o tempo de sua descoberta, que coincide com o da explicitação completa da natureza humana considerada em sua sociabilidade intrínseca. O que confirma mais uma vez o argumento *ad primum*, em resposta à tese que tende a separar radicalmente direito positivo e direito das gentes, sob o pretexto de que o direito verdadeiramente comum a todas as nações (*gentes*) é o direito natural. Com efeito, se para santo Tomás o direito das gentes pode, em um sentido, ser considerado como "natural", é na medida em que é próprio ao homem enquanto criatura racional e se apresenta como uma conclusão suficientemente próxima dos princípios para que *todos* os homens possam pôr-se de acordo a seu respeito:

O direito das gentes é, de alguma maneira, natural ao homem, enquanto este é um ser racional, porque esse direito deriva da lei natural como uma conclusão que não está muito afastada dos princípios. Por isso os homens puseram-se facilmente de acordo a seu respeito. Contudo, ele se distingue do direito natural estrito, sobretudo daquele que é comum a todos os animais.[11]

É preciso lembrar, com efeito, que a lei natural propriamente dita não concerne apenas ao homem em sua diferença específica (como animal dotado de razão), mas é comum a todos os animais tomados enquanto tais. A generalidade maior pertence, então, à lei natural, cujos preceitos impõem-se tanto aos homens quanto a todo o resto dos animais ou dos seres vivos. A ater-se apenas a essa generalidade da lei natural e das *inclinações* essenciais que ela imprime em toda criatura, pode-se portanto considerar como positivo tudo o que não depende simples e diretamente de sua regulação. Não é menos verdade que, se se procura definir mais precisamente a situação do direito das gentes, é preciso considerá-lo então como *intermediário* entre a lei natural e o direito positivo no sentido estrito instituído por cada cidade a título de determinação sempre particular. Um processo contínuo de especificação, e depois de aplicação, conduz, assim, da *lei natural* ao *direito positivo*, passando pelo *direito natural* e pelo *direito das gentes*. Tal esquema mostra claramente que a doutrina tomística nunca chega a fazer do direito das gentes um equivalente ou mesmo uma antecipação de um direito internacional interestatal. Sua função é quase *a priori*, está diretamente ligada à sociabilidade fundamental do ser humano e, nesse sentido, é sempre pressuposta pela instituição do direito civil ou, melhor, da pluralidade dos direitos civis, mutáveis e adaptados a cada cidade ou a cada comunidade política. O que significa dizer que ao direito das gentes não poderia incumbir a tarefa segunda de ordenar por um bem comum superior as diferentes comunidades políticas.

Está claro que, sobre esse ponto, a doutrina elaborada por Vitoria, segundo a qual cada Estado ou República (*Respublica*) é parte de um mundo que é preciso também considerar em sua inteireza (*totus orbis*), na medida em que ele comporta um fim próprio e geral que transcende o de cada "República" ou de cada "Província",[12] não poderia valer-se diretamente do ensinamento tomista, sem dúvida porque, para Tomás de Aquino, o bem comum que transcende a pluralidade das comunidades políticas jamais se deixa definir em termos puramente políticos, mas comporta de imediato uma dimensão *cosmoteológica*. Além dessa consideração verdadeiramente nova — apenas esboçada em Vitoria e desenvolvida explicitamente em Suárez (1548-1617) — que associa cada vez mais claramente direito das gentes e direito internacional, um outro elemento importante na redefinição conjunta do direito natural e do direito das gentes, no próprio seio da escola tomista e de seus representantes mais fiéis, como Bañez (1528-1604)[13] ou Soto (1495-1560), deve-se ao fato de que se esfuma progressivamente, até desaparecer inteiramente, o princípio da divisão entre humanidade e animalidade, sobre o qual se pautavam os jurisconsultos romanos. O direito natural (*jus naturale*) — cada vez menos diretamente ligado à lei de natureza aplicável a todo o universo e nele, mais precisamente, aos vivos, considerados em função de tudo o que é necessário à sua conservação e reprodução (*conjunctio, procreatio, educatio*)[14] — baseia-se não mais em disposições ou em *inclinações* que o homem compartilha com os outros animais, mas em conhecimentos ou noções inatas que são próprios à sua natureza racional. É o que sublinha notadamente Domingo de Soto, quando opõe o direito natural, inscrito em nosso espírito — e por isso imediatamente acessível a cada um sem que seja necessário desenvolver qualquer raciocínio que seja (*absque ulla ratiocinatione*) —, e o direito das gentes, que deve ser extraído a partir de um raciocínio natural (*naturalis ratiocinatio*). Ao insistir no caráter natural desse raciocínio, Soto exclui expressamente toda instituição do direito das gentes fundada na reunião e na deliberação dos homens entre si. Para extrair-lhe os preceitos, basta raciocinar e concluir com base em princípios conhecidos por si. Se a lei natural impõe-se universalmente a todos, porque os primeiros princípios deixam-se reconhecer imediatamente, em compensação, as conclusões que provêm de um raciocínio sempre podem ser obnubiladas.[15]

Mas voltemos a Tomás de Aquino. No artigo 3 da questão 57 da IIa IIae (artigos 2 e 3), ele examina novamente a questão de uma possível identificação entre direito das gentes e direito natural, partindo desta vez da determinação mais geral do direito: *jus sive justum est aliquod opus adaequatum alteri secundum aequalitatis modum.*[16] A proporção ou a comensuração que tende ao ajuste[17] encontra meio de realizar-se de duas maneiras diferentes: segundo se considerem absolutamente e em si as coisas que têm uma medida comum, ou então segundo sejam consideradas relativamente às suas conseqüências. Se o primeiro modo depende diretamente da natureza da coisa — *ex ipsa rei natura* [dou tanto para receber na mesma proporção] —, o segundo modo de adequação ou de comensuração depende não mais da própria coisa, mas de uma convenção ou de um comum acordo (*ex condicto, sive ex communi placito*). O que importa sublinhar aqui é que essa distinção coincide por sua vez com a divisão da *animalidade*, capaz de apreender direta e absolutamente o ajuste ou a proporção, e da *racionalidade* humana que, além da simples apreensão, está apta a considerar alguma coisa comparando-a às suas conseqüências.[18]

Distinguir-se-ão, portanto, um direito natural comum ao homem e aos outros animais, reduzido à apreensão imediata de alguns princípios abstratos e gerais, e um direito próprio ao homem, mas que não é menos natural, na medida em que é a *razão natural* que descobre o justo considerado em suas conseqüências. Esse direito natural, especificamente humano, enriquecido pelo trabalho da razão com base em princípios imediatamente apreendidos, pode ser caracterizado como *jus gentium*. E Tomás retoma aqui, à sua conta, a célebre definição de Gaius (*Digeste*, I, I, tít. 1, 9): "O que a razão natural estabelece entre todos os homens, eis o que todas as nações observam e que se chama direito das gentes".[19] O direito das gentes assim definido não é da alçada do direito positivo, tampouco resulta de um consenso, mas antes representa como que um prolongamento do direito natural comum. A instituição desse direito cabe imediatamente à razão natural.[20] Como se vê, a posição tomista permanece, ao que parece, bastante oscilante quanto à situação respectiva do direito natural, do direito das gentes e do direito positivo (civil): ora, na Ia IIae (qu. 95, art. 4), o direito das gentes é considerado como um direito positivo — aquele que se deduz do direito natural, por via de conclusão, com base nos princípios — ora, na Ia IIae (qu. 57, art. 3), o direito das gentes é distinguido do direito natural com base na diferença que existe entre a adequação imediata a um outro (que define em princípio o *justum*), e essa mesma adequação com relação às suas conseqüências.[21]

Nossos autores vão tentar diversamente remover essas ambigüidades para adaptar os considerandos ou as principais disposições da doutrina tomista a uma situação histórica radicalmente modificada em suas dimensões políticas, culturais, religiosas. Com a descoberta das Índias Ocidentais, a idéia da unidade cristã, com efeito, estilhaçou-se e deve progressivamente dar lugar à de uma irredutível diversidade plural de povos, de Estados, de religiões. Ao mesmo tempo, é também o conjunto das relações conflituosas da cristandade com seus "outros" que vai encontrar-se afetado, trate-se dos turcos, dos mouros ou dos judeus. O resultado bastante paradoxal dessa necessária adaptação é que são os teólogos-juristas[22] que vão contribuir para separar o direito da teologia: o direito torna-se objeto de uma ciência autônoma na qual a própria noção de direito natural vai encontrar-se radicalmente modificada.

Uma das peças centrais na reflexão jurídico-política de Vitoria — aquela que sustenta o edifício, solidamente estruturado, da *Relectio de Indis*[23] — é a análise da comunidade política como comunidade perfeita perseguindo um fim próprio e suficiente; análise central na primeira lição pública, a *Relectio de Potestate civili*, pronunciada no fim do ano de 1528, na estréia de seu ensino em Salamanca.[24] Vitoria está muito consciente do que está em jogo nessa determinação de um fim próprio e quase imanente à comunidade política, sem que esta deva ser ordenada de imediato por um fim superior. A teoria do Estado (*respublica*), desenvolvida na primeira *Relectio*, constitui o fundamento último da reflexão de Vitoria sobre o *jus gentium* interpretado doravante como "jus inter gentes". Definir a *respublica* como uma instituição de direito natural que detém, em sua ordem própria, a soberania (*summa potestas*), é antes de tudo tomar posição contra os que sustentam que ela nasce muito simplesmente da vontade humana: "[...] cidades e repúblicas [...] são, por assim dizer, obra da natureza que forneceu aos homens esse meio de proteção e de conservação".[25]

Proteção e conservação são aqui necessidades imperiosas em razão da condição original do homem, que a natureza deixou "frágil, fraco, desprovido e sem força, privado de todo socorro, carente de tudo, nu e sem pelagem". A sociedade é, assim, não apenas o que permite ao homem prover às suas necessidades, mas também *humanizar-se*, se é verdade que a amizade e a comunidade de vida são traços fundamentais da humanidade.[26] Ao afirmar que o Estado é de direito natural, Vitoria entende pautar-se pela palavra do Apóstolo (Rm 13, 1): *non est enim potestas nisi a Deo*, mas se a origem do poder reconduz a Deus como sua causa eficiente, esta determina antes de tudo uma natureza e uma condição que implicam necessariamente a sociedade e a socialidade. Se o poder vem de Deus, é, portanto, no sentido muito geral em que "o que é natural a todos os homens vem sem nenhuma dúvida de Deus, o autor da natureza". Vitoria poderá afirmar então, a uma só vez, que a comunidade política, a *Respublica*, é o sujeito imediato do poder[27] e, isto, de direito natural, ou de direito natural *e* de direito divino. O mesmo se dá, por via de conseqüência, com os poderes *públicos*, pois se os homens devem reunir-se e agrupar-se para garantir sua segurança, "nenhuma sociedade pode manter-se sem uma força e um poder que a governem e velem por ela", o que faz com que o poder público seja absolutamente tão útil e necessário quanto a comunidade e a sociedade. Não temos de entrar aqui no exame da questão do regime monárquico nem na crítica implícita das teorias do contrato social que, aos olhos de Vitoria, levam a instituir um poder político de maneira artificial, como se ele proviesse dos homens e não mais do direito natural. Em compensação, a definição de princípio do Estado em sua autonomia como comunidade perfeita é absolutamente essencial a seu propósito, e é sobre esse ponto que insistirá mais uma vez a *Relectio de jure belli*.[28] Retenhamos simplesmente o ponto que nos interessa para a seqüência deste estudo: se acontece de o Estado ser o sujeito imediato do poder, suscetível de transferir sua autoridade a um soberano, isso vale tanto para Estados pagãos quanto para Estados cristãos. Sendo a comunidade política de direito natural, nenhum Estado, sob pena de desaparecer enquanto tal, pode ser privado de seus poderes públicos.[29] Essa é uma necessidade de essência que não é afetada de maneira nenhuma pela divisão fiel/infiel, como o sublinha ainda a *Relectio de Indis*, I, 1, 4: "A infidelidade não impede ninguém de ter um poder verdadeiro".[30] Vitoria não deixa aqui de se referir a Tomás: "A infidelidade, diz santo Tomás, não suprime nem o direito natural nem o direito humano. Ora, os poderes são de direito natural ou então de direito humano. Portanto, eles não são abolidos quando falta a fé".[31] Daí a conclusão de Vitoria: "Nem o pecado de infidelidade nem os outros pecados mortais impedem os bárbaros de possuir um poder verdadeiro, tanto público quanto privado".[32] A *Lição sobre o poder político* tirava-lhe já todas as conseqüências com relação à questão da Conquista: "Os príncipes cristãos, leigos ou eclesiásticos, não poderiam privar os infiéis de seu poder nem de sua autoridade pela única razão de que são infiéis, a menos que tenham cometido de outro modo uma injustiça".[33] Os povos infiéis possuem normalmente, tanto quanto os povos cristãos, as prerrogativas jurídicas decorrentes da sociabilidade humana.

A pluralidade das comunidades políticas assim reconhecida deixa-se integrar, contudo, segundo uma nova idéia diretriz, a de uma *civitas maxima*: comunidade de direito público cujo bem comum é uma finalidade superior, mas cuja definição não é mais intrinsecamente teológica. Pois a sociedade política (*respublica*), por completa e perfeita que seja, não é uma realidade última: está integrada em uma comunidade que a ultrapassa e ultrapassa também a cristandade, a sociedade universal (*totus orbis*). Essa comunidade internacional, e os membros que dela fazem parte, são já expressamente tematizados na Lição *De potestate civili*:

> [...] cada Estado é uma parte do mundo inteiro e cada província cristã, uma parte do Estado inteiro. Portanto, se uma guerra é útil a uma província ou a um Estado, mas traz prejuízo ao mundo ou à cristandade, penso que ela é injusta por esse fato mesmo.[34]

Definindo, assim, um bem comum superior ao dos Estados, o bem comum próprio ao mundo inteiro (*totus orbis*) considerado como tal, Vitoria introduz um princípio fundamental de igualação entre todas as comunidades políticas a partir do momento em que são reconhecidas em sua personalidade jurídica. Mais uma vez aí, o que está em jogo na aplicação de tal princípio ao Novo Mundo aparece imediatamente. As duas *Lições* de 1539, *Sobre os índios* e *Sobre o direito de guerra* vão tirar todas as conseqüências dessa primeira reflexão consagrada à comunidade política de direito natural e à sua inscrição na comunidade internacional. Desde 1537, em sua *Lição sobre a temperança*, Vitoria exprimira-se sem ambigüidade a propósito da debatida questão da Conquista e de seus títulos legítimos:

> Qualquer que seja o motivo pelo qual se faz a guerra contra os índios, não é lícito fazer mais do que tem o direito de fazer um príncipe cristão em guerra justa contra um outro príncipe cristão, o qual não está autorizado por essa guerra a tirar-lhe seu reino mesmo. Daí se segue que não é lícito despojar os índios de seus reinos e de seus bens [...]

E, ao modo do raciocínio hipotético que caracteriza sua exposição de 1539, Vitoria dá mais um passo absolutamente decisivo na perspectiva da igualação das diferentes comunidades políticas: se um príncipe cristão se encontrasse reinando legitimamente sobre pagãos,

> ele não poderia levar em consideração o interesse de outros súditos, como os espanhóis, mas apenas o interesse dos pagãos, de maneira que estes conservem seus bens e não sejam despojados, em benefício de outros, de suas riquezas e de seu ouro [...] A república dos índios não é parte da Espanha, mas ordenada por si mesma.

Para que haja verdadeira comunidade política, importa, com efeito, que o Príncipe leve em consideração apenas o interesse de seus súditos, ainda que sejam pagãos ou infiéis, se é verdade que o poder político assume a autoridade transmitida pela comunidade e faz as vezes do cuidado com a defesa e conservação que pertence de direito a cada homem.[35] É valendo-se de tais premissas que Vitoria pode enfrentar, em sua *Lição sobre os índios*, a questão fundamental da legitimidade da conquista européia, em seus aspectos políticos, jurídicos, éticos, religiosos.

Se os há, quais são os títulos jurídicos da conquista e da guerra? Essa questão é instruída com base na tese fundamental: os índios descobertos pelos Conquistadores não são selvagens ou bárbaros que permaneceram à margem da história do mundo, mas sim povos constituídos em Estados, aos quais conviria fazer justiça em uma comunidade mundial. Esse é um ponto sobre o qual Las Casas, por sua vez, insistirá incansavelmente: os índios dominam técnicas, têm cidades, governos (a coisa é cada vez mais clara depois da descoberta do México e do Peru, 1532-33). Em outros termos, a questão de princípio, que obriga a colocar com novos esforços a justificação ou a crítica da Conquista,[36] é a de saber o que é um povo, ou melhor, o que faz de um povo um povo.[37] Questão que se reencontrará no centro do *Principatus Politicus* de Suárez.[38]

O tratado de 1539 é organizado em torno da discussão de sete títulos impróprios e ilegítimos e de outros tantos títulos legítimos. Vitoria examina em primeiro lugar os títulos não legítimos: a soberania mundial do Imperador; a soberania mundial do Soberano Pontífice; o *jus inventionis* [a descoberta]; a recusa do cristianismo; os crimes bárbaros; o pretenso livre acordo ou consentimento dos índios; a missão especial divina definida pelas bulas alexandrinas. Importa notar de imediato que certo número de títulos considerados como não legítimos serão retomados, transformados e assumidos nos títulos legítimos; é notadamente o caso da propagação do cristianismo, do direito de intervenção e de proteção. Foi em razão dessa estrutura argumentativa que Carl Schmitt[39] pôde insistir com justo motivo no que chama "a imparcialidade, a objetividade, a neutralidade" do autor, cuja argumentação não parece mais medieval, mas moderna.[40] O mesmo Carl Schmitt sublinha ainda a profunda novidade da tese central de Vitoria, em seu comentário do primeiro título legítimo da "dominação dos espanhóis sobre os bárbaros",[41] o do direito natural de "sociedade e de comunicação" (I, 3, 1). Vitoria aí recusa a fórmula de Plauto: "O homem é um lobo para o homem", nestes termos: *Non enim homini homo lupus est, ut ait Comicus, sed homo.* O que Carl Schmitt comenta assim:

> O termo "homo", repetido três vezes, soa de maneira tautológica e neutralizante; [...] [para a Idade Média] a qualidade comum, ser homem, não tinha ainda necessidade de nivelar as diferenças sociais, jurídicas e políticas que apareceram ao longo da história humana. [...] Todos os teólogos cristãos sabiam que os infiéis, os sarracenos e os judeus eram homens, e o direito das gentes da *Respublica Christiana*, com suas distinções nítidas entre diferentes tipos de inimigos e, por conseguinte, de guerra, baseava-se em distinções profundas entre os homens e na grande variedade de sua condição.

Ora, essas distinções é que se encontram apagadas pela tautologia de Vitoria, a título de uma primeira e decisiva neutralização.[42] Os príncipes dos povos não cristãos — como vimos — têm uma jurisdição legítima sobre esses povos, assim como os habitantes do Novo Mundo têm um *dominium* legítimo sobre suas terras, e por isso os príncipes cristãos não têm, então, nenhum direito *imediato* à Conquista.[43] A questão da guerra justa é elaborada, em princípio, no quadro de uma reciprocidade e de uma reversibilidade *a priori*: todos os direitos dos espanhóis com relação aos bárbaros são igualmente válidos tratando-se dos bárbaros com relação aos espanhóis. Esses direitos são recíprocos (*jura contraria*), segundo uma reversibilidade inteira. Daí a fórmula, que muitas vezes parece estranha e escandalosa, a propósito do direito de "sociedade e de comunicação", desenvolvida pelo exame do primeiro título legítimo de dominação (*dicio*):

> É permitido aos espanhóis fazer comércio com os bárbaros, mas com a condição de não trazer prejuízo ao país deles. Eles podem, por exemplo, fornecer mercadorias que lhes faltam e levar ouro, prata ou outros bens que eles têm em abundância. Os príncipes índios não podem impedir seus súditos de fazer comércio com os espanhóis e, *inversamente*, os príncipes espanhóis não podem proibir o comércio com os índios. [...] Em suma, é certo que os bárbaros não podem proibir o comércio dos espanhóis mais do que os cristãos, o de outros cristãos. Ora, é evidente, se os espanhóis impedissem os franceses de fazer comércio com eles, não pelo bem da Espanha, mas para que os franceses não tirassem vantagem disso, seria uma lei injusta e contrária à caridade[44] [Sublinhado por nós].

Vitoria leva a reviravolta a ponto de impor aos bárbaros o mandamento evangélico: "Ama teu próximo como a ti mesmo!".

Os espanhóis são o próximo dos bárbaros, como o mostra a parábola do bom samaritano (Lc 10, 29-37). Ora, os bárbaros são obrigados a amar seu próximo como a si mesmos (Mt 22, 39). Portanto, eles não podem sem razão afastar os espanhóis de seu país. Com efeito, santo Agostinho escreve no *De doctrina christiana*: "Quando se diz: 'amarás teu próximo', é evidente que o próximo é todo homem".[45]

Pode-se enfim, como o faz Vitoria na discussão do terceiro título ilegítimo,[46] inverter, por hipótese, o movimento da descoberta, de oeste para leste: os índios não teriam mais direito sobre nós, a título de um pretenso "direito de descoberta", se fossem eles que nos houvessem descoberto (*non plus quam si illi invenissent nos* [...]); essa é mais uma maneira, paradoxal, por certo, de defender os índios e assegurar a legitimidade de seu *dominium*:

> Sem dúvida, em virtude do direito das gentes, o que não pertence a ninguém torna-se propriedade de quem dele se apodera [...] Mas esses bens [os descobertos pelos espanhóis] não eram sem proprietários. Esse título não se aplica, portanto, a eles [os índios] [...] Em si mesmo, esse título [o direito de descoberta] não justifica de modo algum a posse desses territórios, como também não se os bárbaros nos houvessem descoberto.[47]

É sem dúvida com relação a anotações desse gênero que se deve compreender a observação de Carl Schmitt, denunciando em Vitoria "uma sutileza muito abstratamente neutra, indiferente e, por conseguinte, igualmente anistórica.[48] A anistoricidade merece, em todo caso, ser aqui sublinhada, na medida em que marca bem a imensa distância que separa as considerações jurídicas de Vitoria de toda tomada de posição pautada em uma idéia de progresso ou de superioridade de uma civilização relativamente a uma outra, e esse talvez seja um dos traços que contribui para distinguir mais claramente a posição de Vitoria da de um autor (mais moderno) como Juan Ginés de Sepúlveda. Não se encontra em Vitoria, e *a fortiori* em Las Casas, nenhuma perspectiva concernente ao que se poderia chamar, anacronicamente, uma filosofia da história qualquer. A principal razão disso é certamente que, em Vitoria e mais ainda em Las Casas, o exame dos títulos da conquista desenrola-se ainda, na realidade, em um horizonte que permanece amplamente teológico ou econômico-teológico.[49] Aquilo a que o teólogo-jurista não pode renunciar, o que ele jamais põe em causa diretamente, como também não o fará Suárez,[50] é o quadro doutrinal da problemática da guerra justa. Por isso, ele adere ainda plenamente à base conceitual e jurídica da *Respublica Christiana*, o que dá também a medida da extraordinária tensão que atravessa toda a sua obra ou, mais precisamente, a *Relectio de Indis*: aí se reencontra, com efeito, a argumentação, a retórica tradicional (escolástica) que mantém os quadros fundamentais da missão, da evangelização, da causa de uma guerra justa *e, ao mesmo tempo*, a radicalização do tema da *societas* e do *commercium*, a retomada e a transposição para o plano internacional da "philia" aristotélico-ciceroniana.

Como vimos, aos olhos de Vitoria, o primeiro título legítimo da conquista espanhola é o direito natural de sociedade e de comunicação (*De Indis*, I, 3, 1), fundado na amizade que uma natureza comum estabelece entre todos os homens. Esse é um direito fundamental, natural e suscetível, no limite, de ser imposto.

Todo ser vivo ama seu próximo, diz a Escritura. Portanto, parece que a amizade entre os homens seja de direito natural e que seja contra a natureza evitar a sociedade dos homens inocentes.[51]

O primeiro título legítimo que é da alçada do direito das gentes e, por isso, do direito natural é, então, o da circulação e livre comunicação:

> [...] os espanhóis têm o direito de dirigir-se a esses territórios e de permanecer neles [...] Pode-se mostrá-lo, antes de tudo, a partir do direito das gentes que é direito natural ou derivado do direito natural. "Chama-se direito das gentes (*jus gentium*) o que a razão natural estabeleceu entre todos os povos (*gentes*)."[52] Em todas as nações, com efeito, considera-se como inumano receber mal os estrangeiros e os viajantes, sem razão especial. Mas, ao contrário, é humano e justo tratar bem os estrangeiros, a menos que os viajantes vindos a países estrangeiros se comportem mal.[53]

Na citação que faz de Gaius, Vitoria substitui de maneira muito significativa o termo "homines" pelo termo "gentes". O jurisconsulto definia, de fato, o direito das gentes como um direito comum, impondo-se aos homens tomados enquanto tais, e por isso distinto tanto do direito natural em sentido estrito — o que se refere ao conjunto dos seres vivos — quanto do direito civil próprio a cada cidade. Vitoria transforma esse texto arquiclássico em uma nova *tautologia* que é tudo, salvo insignificante: o direito que os romanos colocavam entre todos os homens, encontra-se assim convertido em um direito entre os grupos humanos, as nações, as *gentes*. O direito das gentes torna-se, assim, no sentido próprio (moderno), um direito internacional ou interestatal. Pois o que está em questão nesse apelo ao direito de *sociedade* e de *comunicação*, estabelecido pela razão natural que é aqui *razão humana*, é uma transposição e como que um alargamento da *amicitia* ciceroniana ao conjunto das nações consideradas como entidades independentes. Por certo, seria um erro compreender esse direito de comunicação, que é também o do *commercium*, no sentido antigo do termo, como destinado a fundar em primeiro lugar a liberdade do comércio ou das trocas, em um sentido mercantilista ou "liberal".[54] Em compensação, é lícito opor a esse direito de sociedade e de comunicação, afirmado sem reserva, a acentuação muito diferente de Las Casas que, em uma de suas últimas obras, o *De thesauris*,[55] sublinhava que direito natural e direito das gentes permitem também proibir e impedir a penetração do território, o comércio e a liberdade das trocas:

> O desembarque ou a penetração em qualquer terra que seja deve ser ordenada sem causar o menor dano e não pode fazer-se sem a autorização dos habitantes. Se se agisse de outra maneira, se se fizessem esforços para desembarcar ou penetrar sem uma autorização expressa ou tácita e se, sobretudo, os indígenas manifestassem, com a ajuda de palavras, de sinais ou de ações, sua recusa do desembarque, este determinaria uma lesão do direito em nome da qual, com toda a justiça, os indígenas se sublevariam, pois a ordem natural da justiça encontrar-se-ia violada pelos enviados de nossos reis. Seria então feita violência contra os indígenas e, em nome do direito natural, serlhes-ia lícito recorrer às armas, e não apenas impedir o desembarque e a penetração dos ditos enviados, mas também rechaçá-los como inimigos culpados de um ataque iníquo, e vingar-se disso.

Assim, portanto, qualquer povo, cidade, comuna, reino autônomo, por decisão de seu chefe, pode agir dessa maneira se estima que estão em jogo a paz e a tranqüilidade, se pensa desse modo evitar a corrupção e defender a segurança e a existência do Estado, do reino ou da República. Em vista disso, pode impedir a entrada de seu território, de sua província ou de sua cidade a quem quer que quisesse comerciar, trocar, comprar, vender ou estabelecer-se. Agindo assim, seria muito prudente e conduzido pela razão, e poderia, baseando-se na autoridade do direito das gentes e do direito natural, castigar todos aqueles que atentassem contra esses direitos.[56]

Mas é sobretudo a propósito do último título legítimo, aliás exposto por Vitoria de modo hipotético, que Las Casas desenvolverá sua crítica. Trata-se, com efeito, do direito de tutela. Título que se poderia — como o sugere Vitoria — "não sustentar, por certo, mas recolocar em discussão", pois "ele pode parecer legítimo a alguns": "Ei-lo: embora esses bárbaros não sejam inteiramente loucos [...] não estão, porém, longe disso e, assim, não parecem capazes de constituir e de governar um Estado legítimo, mesmo do simples ponto de vista humano e civil...".[57]

Reconhece-se facilmente aqui a tese de Juan Ginés de Sepúlveda, que Las Casas combaterá por ocasião da célebre controvérsia de Valladolid.[58] O que permanece bastante singular na economia do tratado de Vitoria é que precisamente, antes mesmo da discussão dos títulos ilegítimos, e como que para servir de base ao exame, este começara por estabelecer, como o relembramos, que os "bárbaros" tinham um poder legítimo, público e privado, antes da chegada dos espanhóis, e que não se poderia denegar-lhes esse poder assimilando os índios a criaturas irracionais (*creaturae irrationales*), próximas dos animais selvagens, das crianças e dos loucos. A conclusão desse primeiro exame era particularmente firme: "Se [os índios] parecem tão estúpidos e obtusos, penso que isso vem, em grande parte, de uma educação má e bárbara; pois vêem-se igualmente entre nós muitos camponeses que pouco diferem dos animais. De tudo o que precede, resulta então que, sem nenhuma dúvida, os bárbaros tinham, assim como os cristãos, um poder verdadeiro, tanto público como privado".[59] Essa era também para Vitoria a oportunidade de voltar à teoria aristotélica da escravidão, tão freqüentemente discutida no contexto da conquista:[60]

> Ao argumento — os bárbaros são escravos por natureza, sob o pretexto de que não são bastante inteligentes para governar a si próprios –, respondo que Aristóteles certamente não quis dizer que os homens pouco inteligentes estejam por natureza sujeitos ao direito de um outro e não tenham poder nem sobre si mesmos nem sobre as coisas exteriores. Ele fala da escravidão que existe na sociedade civil: essa escravidão é legítima e não torna ninguém escravo por natureza. Se há homens que são pouco inteligentes por natureza, Aristóteles não quer dizer que seja permitido apoderar-se de seus bens e de seu patrimônio, reduzi-los à escravidão e pô-los à venda. Mas ele quer ensinar que eles têm, natural e indispensavelmente, necessidade de ser dirigidos e governados por outros; é bom para eles estar sujeitos a outros, da

> mesma maneira que as crianças têm necessidade de estar sujeitas a seus pais antes de ser adultos, e a mulher, ao marido. Que esse seja realmente o pensamento de Aristóteles, é evidente, pois ele diz da mesma maneira que certos homens são senhores por natureza, a saber, os que brilham pela inteligência. Ora, ele certamente não quer dizer que esses homens podem tomar nas mãos o governo dos outros, sob o pretexto de que são mais sábios. Mas quer dizer que eles receberam da natureza qualidades que lhes permitem comandar e governar. Assim, admitindo que esses bárbaros sejam tão estúpidos e obtusos quanto se diz, não se deve por isso recusar-lhes um poder verdadeiro nem os incluir entre os escravos legítimos...[61]

Mas deixemos de lado a controvérsia de Valladolid e a dialética sutil da *Relectio* e voltemos, para concluir sobre esse ponto, à tese fundamental do teólogo-jurista: se o *totus orbis* — transposição laicizada da *Respublica Christiana* ou do *Imperium* — constitui realmente, de certa maneira (*aliquo modo*), um único corpo político (*una respublica*), Vitoria não considera por isso que ele possa materializar-se em uma instância supranacional ou superestatal. Por certo, em sua *Lição sobre o poder político*, ele chega a enunciar uma "autoridade do mundo inteiro" como fundamento do direito das gentes. No entanto, para ele permanece aberta a questão da possível encarnação dessa autoridade do "totus orbis". Qual poderia ser exatamente o poder político da comunidade mundial?

> Da mesma maneira que a maioria do Estado pode estabelecer um rei sobre o Estado inteiro, a despeito da oposição dos outros, a maioria dos cristãos pode legitimamente, mesmo que todos os outros se oponham a isso, escolher um único monarca, a quem todos os príncipes e todas as províncias seriam obrigados a obedecer.[62]

Mas o que vale essa analogia e, em particular, como designar aquele que teria o encargo de exercer tal poder internacional, no qual o direito de intervenção por causa superior de humanidade ("direito de ingerência") é seguramente uma peça essencial?[63] Com efeito, o princípio de tal intervenção nunca é discutido desde que se trate de sacrifícios humanos, de prostituição sagrada, de antropofagia, de sodomia... Uma vez reconhecido esse direito, a verdadeira e espinhosa questão é evidentemente a de suas limitações. Assim como a comunidade política jamais está fundada em um contrato ou em um concurso de vontade, mas se baseia no direito natural e encontra seu ponto de ancoragem na necessidade de o homem humanizar-se por meio dos laços sociais que asseguram antes de tudo sua conservação e sua defesa, a sociedade internacional, mesmo se acontece de ela atualizar-se factualmente por meio dos pactos, jamais é, em si mesma, de essência contratual, mas sempre de direito natural;[64] é, ela também, uma exigência de princípio da natureza racional e social do homem, e pode, como tal, definir uma ordem jurídica própria: o *jus gentium*. O direito das gentes, assim fundado no direito natural, recebe valor de lei, na medida em que o mundo inteiro (*totus orbis*), que constitui analogicamente uma nova comunidade política (*una respublica*), vê outorgar-se-lhe assim o poder de decretar leis justas e boas para todos.[65] Assim caracterizado, o direito das gentes impõe-se a todas as comunidades, pois foi estabelecido em virtude da autoridade do mundo inteiro (*est enim latum totius orbis auctoritate*). Assim, Vitoria é levado a distinguir, antes de Grotius, do direito das gentes geral e primeiro (*jus inter gentes*), diretamente derivado do direito natural, um direito das gentes positivo ou convencional, que deve seu valor a um pacto ou a um acordo entre os homens (*ex pacto et condicto inter homines*) (nº 21). Vitoria pode então extrair duas origens do direito das gentes: o direito natural no sentido estrito e a opinião unânime do gênero humano, mas ele mantém a preexcelência do direito natural:

> Assim, muitas coisas parecem ser da alçada do direito das gentes, que, em razão de sua suficiente derivação do direito natural, possui uma força evidente para estabelecer um direito e uma obrigação. Admitindo que ele nem sempre derive do direito natural, o consentimento da maioria do mundo inteiro parece bastar, sobretudo quando se trata do bem comum a todos. Com efeito, se nos primeiros tempos da criação do mundo ou de sua restauração depois do dilúvio, a maioria dos homens estabeleceu que em toda parte os embaixadores seriam invioláveis, que o mar pertenceria a todos, que os prisioneiros de guerra seriam escravos e que conviria não expulsar os estrangeiros, isso certamente teria força de lei, mesmo que os outros homens a isso se opusessem.[66]

Suárez, ainda que se situe aqui na linha de Vitoria, acentuará ainda mais, como veremos, o aspecto consuetudinário do direito das gentes.

SUÁREZ

Se Suárez, como Vitoria, afirma a autonomia e a auto-suficiência da comunidade política como comunidade perfeita, radicaliza, no entanto, a tese do teólogo de Salamanca em função de duas considerações novas: sua determinação "voluntarista" da lei e sua decisão quase metodológica de considerar antes de tudo a condição da lei e do Estado *in pura natura*, isto é, abstraídos os teologúmenos relativos à queda e à história da salvação, em uma palavra, abstraída toda consideração econômica.

Em seu *De Legibus*, Suárez começa, com efeito, por criticar a definição tomista geral da lei,[67] antes de sua divisão em lei eterna, lei divina, lei humana e, secundariamente, lei antiga, lei nova, porque tal definição é, a seus olhos, ampla demais.[68] Para Tomás, a lei é antes de tudo a ordenação racional ao bem comum, promulgada pela autoridade que tem o encargo da comunidade.[69] Mas o *ad primum* da questão 93, artigo 4, precisa que, no caso da *lex naturae*, a promulgação deve ser entendida como o fato de Deus ter inscrito essa lei no espírito humano de maneira que a lei aí seja naturalmente conhecida [*ex hoc ipso quod Deus eam mentibus hominum inseruit naturaliter cognoscendum*]. O que equivale a dizer que o que faz com que uma lei seja uma lei não se deve em primeiro lugar ou apenas à sua promulgação por uma autoridade reconhecida, mas que o elemento essencial para toda lei é a ordenação da razão, a referência ao Bem comum.[70]

A legalidade da lei não resulta, portanto, de ela emanar de tal autoridade reconhecida (Deus, o Soberano, o imperador...) nem de obedecer a um processo codificado, pois estando assegurados esses dois elementos, resta determinar ainda o essencial, a saber, o elemento intrínseco que constitui a natureza da lei: *a ordenação racional ao bem comum*. Assim, a lei pode ser em primeiro lugar e fundamentalmente definida como *aliquid rationis*, a saber, *regula et mensura*, segundo o preceito geral, retomado de Aristóteles: *rationis est ordinare ad finem*.[71] Assim, lei natural e lei positiva permanecem estreitamente aparentadas, são, ambas, *ordem de razão*. Mas afirmar que a lei é em primeiro lugar e essencialmente ordem de razão equivale a subordinar, nela, o elemento voluntário.[72] Sem dúvida, a vontade deve aquiescer à ordem ou recusá-la, mas, no final das contas, é sempre à razão que a lei deve o fato de ser o que é e de ter força e valor de lei.

A discussão crítica que entabula com F. Vásquez (1531-1604)[73] leva Suárez a formular mais claramente sua própria concepção da lei e do fundamento da obrigação. A questão discutida é de saber se a obrigação legal, tratando-se da *lex aeterna*, resulta de imediato da essência divina ou se requer uma disposição específica da vontade. Para Suárez, na medida em que a *lex aeterna* é a regra das operações divinas *ad extra*, ela implica necessariamente o concurso da liberdade.[74] O que foi por vezes chamado de voluntarismo suareziano[75] encontra aí seu verdadeiro ponto de ancoragem. Com relação ao ensinamento tomista, a própria lei muda de natureza e de condição, a partir do momento em que a autoridade do direito natural não provém mais diretamente de uma regra interior à razão que se impõe à vontade, mas remete, em última instância, à superioridade absoluta da vontade daquele que é o Autor da lei natural.[76] A principal conseqüência dessa crítica da definição tomista da lei, em razão de sua extensão indevidamente "metafórica", é que a lei apenas recebe força obrigatória se emana de um organismo soberano (*De Legibus*, I, 4, 6-9). A força coercitiva (*vis coactiva*) da lei não resulta imediatamente de seu valor normativo, ela se torna constitutiva de sua natureza mesma na medida em que implica uma decisão imperativa da vontade.[77] Portanto, é para deixar à lei sua forma e sua força de lei que Suárez tende a introduzir uma separação nítida entre a lei dita natural, a que está inscrita no coração do homem e que a razão reconhece,[78] e a lei humana instaurada positivamente, ao "determiná-la", pela vontade do Soberano.[79] Por certo, Suárez defende aparentemente, contra Vásquez, a co-dependência da lei eterna e da lei natural, e entende fazer da lei positiva, na linha de Tomás de Aquino, uma determinação desta última,[80] porém a legalidade da lei remete sempre a uma decisão e a uma injunção da vontade que escolhe indiferentemente. Mesmo da lei eterna, afirma Suárez, é preciso dizer que ela postula um ato positivo da vontade divina "porque mesmo a liberdade de Deus encontra-se formalmente na vontade divina".[81] Assim, para Suárez, o julgamento da razão jamais basta para determinar a vontade que permanece sempre como a causa eficiente do ato e não recebe nada, propriamente falando, de seu objeto. A primeira conseqüência de tal doutrina, no plano jurídico-político, é evidentemente a tese da preeminência da *lex* sobre o *jus*, ao passo que este último, para Tomás, como o relembramos, remetia sempre a um *justum*, ele próprio apreendido em sua essência (*ex natura rei*). Nada de surpreendente, portanto, em que, em sua determinação da idéia de comunidade internacional, assim como na elaboração da problemática do direito das gentes, o pensamento de Suárez afaste-se do de Vitoria, para quem a lei permanecia essencialmente "ordinatio rationis". Por certo, Suárez reconhece, na linha de Vitoria, a especificidade do "bonum totius orbis", mas quando se trata de fixar o fundamento da obrigação, tratando-se do *jus gentium*, é o consentimento positivo dos Estados, cada um dos quais está preocupado antes de tudo em afirmar e preservar sua soberania, que virá muito naturalmente em primeiro plano. O direito natural situado fora da lei não pode introduzir-se na ordem jurídica senão *secundariamente* e graças a uma *reflexão* moral. Uma das conseqüências últimas dessa inflexão voluntarista na definição da lei e de sua obrigação será o positivismo jurídico e o aparecimento de um absolutismo de Estado, diante do qual será preciso organizar, então, controles externos, esforçando-se por fixar limites à sua soberania, o que será pedido à doutrina da "potesta indirecta" pontifical. Suárez, assim como Bellarmino, insistindo, em um contexto polêmico sobredeterminado (a polêmica com Jaime I da Inglaterra), no valor do pacto constitucional entre o povo e o príncipe, visam tanto distinguir a dedução ou derivação do poder político e a da monarquia pontifical[82] quanto sublinhar as limitações intrínsecas ao pacto constitucional no quadro político:

> É preciso compreender que a *Lex regia* foi constituída por meio de um pacto pelo qual o povo transferiu seu poder ao príncipe com a condição e obrigação, para ele, de cuidar da República e de administrar a justiça, e que o príncipe aceitou tanto esse poder quanto sua condição.[83]

E mais adiante na *Defensio fidei*, Suárez sugerirá mesmo a possibilidade de basear diretamente no *jus gentium* antes que no direito natural a obediência civil, pois esta é de direito natural apenas sob a pressuposição do pacto:

> A obediência civil devida aos príncipes, embora esteja baseada no direito natural em que encontra sua raiz, pode ser dita de maneira mais verdadeira e mais própria depender do direito das gentes, porque ela não depende imediatamente do direito natural, mas, sendo pressuposta a conjunção dos homens em um único corpo político e em uma comunidade perfeita, pode ser dita seguramente depender do direito natural (*jus naturae*), na hipótese de um pacto e de uma convenção entre os homens...[84]

Passemos agora ao segundo ponto que queremos sublinhar: Suárez, depois de Vitoria, afirma a autonomia e a auto-suficiência do poder político próprio a uma comunidade perfeita (o corpo místico político), mas doravante é no horizonte de uma reflexão *stando in pura natura* que se acha considerado o fim do poder político e da lei civil.[85]

A problemática da condição de pura natureza ressurge, com efeito, no centro da análise da lei e da determinação do fim do legislador e do bem comum da comunidade política entendida como corpo místico:

> [...] o poder legislativo civil, mesmo examinado segundo a natureza pura, não tem por fim intrínseco e considerado por si a felicidade supranatural da vida futura [...]; mas seu fim é a felicidade natural da comunidade humana perfeita de que o soberano cuida, de tal sorte que nela os cidadãos vivam em paz e segundo a justiça, e com suficiência dos bens que se relacionam à conservação e à comodidade da vida corporal, e aí incluindo essa probidade dos costumes que é necessária à paz exterior a fim de assegurar a felicidade da República e a conservação que convém à natureza humana.[86]

Assim, para Suárez, o Bem comum, em sua determinação propriamente política, encontra-se antes de tudo ou essencialmente circunscrito a um horizonte puramente terrestre. Desse modo, é a esfera propriamente teológico-política que desaparece.[87]

No *De Legibus*,[88] a tese da autonomia do poder político e do fim próprio à comunidade perfeita que é o Estado é dirigida contra Tomás de

Aquino, para quem o fim último da vida humana era a beatitude em função da qual devia ser ordenada toda lei. Por certo, Tomás reconhecia a autonomia relativa da comunidade política a título de comunidade perfeita da qual o homem era parte integrante, mas era para melhor articulá-la a um sistema finalmente referido a uma felicidade supranatural.[89] Para Suárez, em compensação, nem o poder político nem o "jus civile", como direito positivo, devem considerar "a felicidade eterna sobrenatural da vida futura", pois esta não poderia constituir um fim próprio, próximo ou último, para a comunidade política. Vê-se aqui claramente como, na reflexão suareziana, a doutrina da pura natureza exerce suas conseqüências jurídico-políticas. O poder político é puramente natural; ora, a natureza, como tal, não tende a nenhum fim sobrenatural (*De Legibus*, III, XI, 4). Suárez deu mesmo mais um passo na "laicização" da esfera política: se a felicidade eterna em uma vida futura não pode constituir de maneira alguma o fim próprio do poder político, o mesmo se dá com a felicidade espiritual dos homens nesta vida. Em outras palavras, é toda a ordem do "espiritual", considerada no plano da comunidade política, ou mesmo no plano pessoal da salvação individual, que se encontra excluída da consideração jurídico-política: "[...] Assim como o poder político (*potestas*) não é ordenado pela beatitude eterna da vida futura, tampouco o é pela felicidade espiritual da vida presente".[90]

Para dizer a verdade, é a felicidade como tal, seja sobrenatural ou natural, no que se refere à vida presente, que é indiferente ao poder civil e à sua legislação positiva, a partir do momento em que essa felicidade concerne aos "homens singulares", considerados como "pessoas particulares" ou privadas. Indiferente à felicidade dos indivíduos, seja sobrenatural ou natural, o poder político não tem outro fim, próprio e intrínseco, que não a felicidade natural da *própria comunidade política* e por isso dos indivíduos humanos, na medida em que são membros dela: "[...] o fim do poder civil é a felicidade natural da comunidade humana perfeita de que esse poder cuida, assim como a dos homens singulares na medida em que são membros de tal comunidade".[91]

Por certo, o corpo político é teleologicamente constituído, pauta-se necessariamente por um bem, mas este pode e deve definir-se de maneira inteiramente natural, *nos limites do presente ou da "vida presente"*. Vêem-se bem as razões estratégicas dessa estrita delimitação do campo e dos fins da comunidade política e o benefício que se pode tirar dela, notadamente contra todas as formas de absolutismo à Jaime I, que pretendem submeter os fins espirituais a uma autoridade política que, ao mesmo tempo, encontra-se sacralizada e fundada diretamente por instituição divina.[92]

Concluamos sobre esse ponto: no tratado das Leis, é certamente o horizonte da doutrina da pura natureza que contribui para deslocar de maneira radical a articulação tomista entre *lex naturalis* e *lex aeterna*. Suárez efetua, com efeito, o que se é tentado a chamar uma "laicização" expressa do conceito de bem comum,[93] determinando restritivamente o fim da *Respublica humana* como uma verdadeira felicidade política.[94] Por certo, para Tomás, como aliás para Aristóteles, o objetivo do legislador é o bem comum, mas este último está, ele próprio, diretamente subordinado à busca de um fim último que o ultrapassa incomparavelmente.

Contra a teologia política dos Reformadores, Suárez também rejeita, e de maneira inteiramente conseqüente, a tese segundo a qual a origem do Estado estaria intrinsecamente ligada à Queda; o Estado é antes fundado *ex institutione primae naturae*:

> Essa recusa deve ser fundada em que a reunião dos homens em uma cidade não advém por acidente apenas, em razão do pecado ou da corrupção da natureza, mas convém por si ao homem, qualquer que seja a sua condição, e contribui para a sua perfeição.[95]

Assim, para Suárez, como já para Vitoria, a criação ou a instituição do Estado, a título de *comunitas perfecta*, é sempre de direito natural[96] e, se permanece legítimo relembrar que o poder político (*potestas politica*) provém de Deus, importa então precisar que é sempre *per jus naturae*, por intermédio do direito natural, que procede essa derivação. As conseqüências dessa tese impõem-se imediatamente quando se trata da questão da origem do poder e de seu sujeito natural e primeiro.[97] Com efeito, se Deus intervém na instituição política, é unicamente a título de *causa prima et universalis*, isto é, de *causa remota*.[98] Pois o verdadeiro estabelecimento de toda sociedade política requer sempre uma causa eficiente, a que é tirada da livre decisão dos cidadãos; na origem de toda vida coletiva, é preciso pressupor então um ato moral, que é lícito considerar como uma forma de contrato. Assim, a comunidade civil é colocada inteira no plano da natureza; esta basta perfeitamente para dar conta do Estado como corpo orgânico — corpo místico — cujo fim é o bem comum, sem que as condições da ordem social tenham sido substancialmente modificadas pela Revelação. Por isso, o poder público, tal como é hoje entre os príncipes cristãos, não é nem maior nem de outra natureza que entre os pagãos. Encontra-se aqui, na linha de Vitoria, a afirmação radicalizada da autonomia da autoridade política, ainda que se tenham de distinguir, em função da heterogeneidade dos fins (felicidade política, felicidade sobrenatural), dois tipos de submissão ou de sujeição:[99]

Há uma dupla sujeição, a saber, direta e indireta. Chama-se direta a que se mantém no interior e nos termos desse poder; indireta, a que provém da direção em vista de um fim superior e que é relativa a um poder mais excelente.[100]

É nessa mesma perspectiva, que leva a acentuar a autonomia e a auto-suficiência da comunidade política como comunidade perfeita, que Suárez examina por sua vez a coexistência e a cooperação dos diferentes corpos políticos — pode-se falar aqui de Estados — no seio de uma comunidade mais ampla, a comunidade internacional. Contudo, não se poderia considerar o nascimento e a constituição dessa comunidade internacional por analogia com a constituição de um corpo político, sujeito primeiro do poder. O que constitui a unidade de um corpo político é, com efeito, a reunião de um grande número, seja em virtude de uma "vontade especial", seja em virtude de um "comum consentimento", em vista de um fim especificamente político. A comunidade assim constituída tem necessidade, inevitavelmente, de um organismo diretor, de uma "cabeça" ou de um "chefe", em vista da assistência mútua que devem prestar-se, por definição, os indivíduos que a compõem. E é precisamente por isso que o corpo político é um "corpo místico", entenda-se antes de tudo uma comunidade formando por si uma verdadeira unidade. Desde que se constitui, uma comunidade desse gênero, provida de uma unidade moral, torna-se o sujeito de um poder (*potestas*), aquele mesmo que deve encarnar-se em um órgão soberano. É portanto *ex natura rei*, segundo uma lei de essência, que uma multidão, quando forma uma comunidade e encontra-se reunida por um laço político, torna-se detentora de um poder próprio.[101] É, por assim dizer, estruturalmente, e previamente a toda determinação da forma do governo, que a comunidade política é constituída em democracia primitiva. O único ponto verdadeiramente fundamental é que o poder (*potestas*), inerente à comunidade constituída, ou melhor, constituindo-se, consiga encarnar-se em um órgão soberano, único suscetível de assegurar a unidade do corpo político na busca de seu fim próprio. Estando enunciado o princípio da constituição de uma comunidade política ou de uma comunidade perfeita orientada para seu fim próprio, Suárez, assim como Vitoria, não parece considerar seriamente, no entanto, a idéia de uma única e mesma comunidade política universal: tal comunidade provavelmente nunca existiu, ainda que em uma humanidade adâmica, ou, se esse era o caso, teria durado apenas muito pouco tempo, e não poderia existir mais no futuro, da mesma maneira que todas as figuras históricas do Império universal jamais puderam pretender seriamente instituir leis válidas para o mundo inteiro (*totus orbis*).[102] Com efeito, cabe a cada comunidade política decretar leis destinadas a manter e a regular a vida do corpo político, mas tais leis são sempre "leis humanas, próprias e particulares", leis "positivas", que, portanto, têm sentido apenas com relação ao governo desta ou daquela comunidade definida, e não poderiam, em princípio, ser universais, isto é, aqui estritamente estender-se ao conjunto inteiro dos homens (*tota hominum universitas*).[103] Suárez, depois de Vitoria, recusa então expressamente a idéia segundo a qual o Imperador poderia ou teria podido ser "de direito, senhor e soberano do universo inteiro e, por conseguinte, obrigar o mundo inteiro por suas leis civis".[104] A seus olhos, trata-se aí de uma tese "inteiramente errônea e desprovida de todo fundamento", quer seja aplicada ao Império romano quer ao Santo Império germânico.[105]

Se as comunidades políticas são de imediato plurais, cada uma caracterizada pela especificidade de suas leis positivas ou civis, pode-se considerar, contudo, a possibilidade de uma verdadeira comunidade internacional? Esta não poderia constituir uma comunidade perfeita suplementar nem, sobretudo, superior à pluralidade determinada das comunidades políticas ou das Repúblicas, caracterizadas por leis sempre próprias e particulares. No entanto, na falta de uma verdadeira comunidade internacional, dotada de um poder legislativo, é possível considerar certos direitos, suscetíveis de regular a coexistência da pluralidade das comunidades políticas, pois se as comunidades políticas são divididas em nome de sua instituição mesma, devem, entretanto, como os indivíduos reunidos para formar um corpo político sempre singular, encontrar uma certa forma de "supracomunidade", graças à qual possam prestar-se mútua assistência e, sobretudo, manter entre si relações de paz e de justiça. Por isso elas se encontram, novamente, como que ordenadas por um fim superior (o "bem do universo"), assim como cada República é ordenada por um fim político próprio. Ora, tais direitos são precisamente os direitos das gentes (*jura gentium*), na medida em que se baseiam na tradição e no costume.[106] Para Suárez, à diferença de Tomás de Aquino, aqui é a consideração do uso que é determinante: este terá permitido, com efeito, definir progressivamente certo número de direitos comuns suscetíveis de regular as relações entre as diferentes Repúblicas ou Estados, sem que, no entanto, eles jamais formem realmente um novo corpo político, uma instância superior. Não é menos verdade que Suárez, que se inscreve claramente, ainda desta vez, no prolongamento de Vitoria, elabora a *idéia reguladora* de uma comunidade internacional, superior à comunidade estatal e que forma *como que* uma comunidade, *como que* uma entidade política e moral própria:

> [...] o gênero humano, embora esteja dividido em diferentes povos e soberanias, conserva sempre certa unidade, não apenas específica, mas também quase política e moral, a que é prescrita pelo preceito natural de amor e de

misericórdia mútuos, preceito que se aplica a todos, mesmo aos que são estrangeiros, a qualquer nação que pertençam.

Por essa razão, embora cada Estado — república ou reino — seja intrinsecamente uma comunidade perfeita e consistente por seus próprios membros, no entanto cada um desses Estados é também, de alguma maneira, membro dessa comunidade universal que concerne ao gênero humano. Com efeito, essas comunidades nunca são tão auto-suficientes, tomadas isoladamente, a ponto de não ter necessidade de alguma assistência, sociedade e comunicação mútua, seja em vista do maior bem-estar e de um proveito superior, seja ainda por uma necessidade moral ou para satisfazer uma carência, como decorre da experiência. Por esse motivo, elas precisam de algum direito que as dirija e as ordene convenientemente nesse gênero de relação de sociedade. Embora isso se dê em grande parte em virtude da razão natural, isso não se dá suficientemente nem diretamente em todos os casos, e é por esse motivo que certos direitos especiais puderam ser estabelecidos pelos costumes dessas mesmas nações. Pois, assim como em uma cidade ou província, o costume introduz o direito, os costumes puderam introduzir o direito das gentes na universalidade do gênero humano. Tanto mais, aliás, que as matérias que constituem o objeto desse direito são pouco numerosas, bastante próximas do direito natural, deduzem-se muito facilmente deste e são tão úteis e tão conformes à natureza que, se não são deduções evidentes do direito natural, absolutamente necessárias por si mesmas à honestidade dos costumes, são pelo menos inteiramente conformes à natureza e aceitáveis por todo o mundo.[107]

Suárez terá consagrado à clarificação de seu conceito de "jus gentium" vários capítulos do livro II do *De Legibus*:[108] assim, o direito das gentes, tornado direito internacional público, refere-se principalmente, como sublinhamos, ao costume ou ao uso (II, 19, 6; II, 20, 2; III, 2, 6), mas, como tal, ele não poderia, contudo, ser assimilado a um direito positivo próprio à comunidade internacional. Conceder-se-á sem dificuldades que, com relação a Tomás de Aquino, de Vitoria a Suárez o direito das gentes mudou de natureza e, portanto, também de lugar: afastou-se cada vez mais claramente do direito natural, sem por isso ligar-se pura e simplesmente ao direito positivo, do qual continua a distinguir-se precisamente por uma diferença fundamental. Ele não poderia ser, propriamente falando, instituído e, em todo caso, jamais instituído positivamente por referência à vontade soberana dos Estados; antes continua a ser sempre resultado, fruto do uso e do costume de que se tomam nota mais tarde.[109]

Os preceitos do direito das gentes diferem dos preceitos do direito civil por não serem escritos, e sim por consistirem nos costumes não de uma cidade ou outra, de uma província ou outra, mas de todas ou de quase todas as nações: com efeito, o direito humano é duplo, a saber, escrito e não escrito...

> Mas o direito não escrito consiste nos costumes: se é introduzido pelos costumes de um único povo e o obriga unicamente, é dito direito civil. Mas se é introduzido pelos costumes de todos os povos e os obriga a todos, cremos então que se trata do *jus gentium* próprio, e que ele difere também do direito natural, porque se baseia não na natureza, mas nos costumes, e nós o distinguimos também do direito civil, quanto à sua origem, seu fundamento, sua universalidade...[110]

Com efeito, os preceitos do direito das gentes diferem dos do direito civil, não apenas porque não são escritos (o direito natural tampouco o é), mas sobretudo porque se impõem apenas em virtude dos costumes de todas as nações ou de quase todas as nações. O direito das gentes distingue-se ainda do *jus civile*, pois não é próprio a esta ou aquela "cidade", "província" ou "nação", mas a todas as nações, ou a quase todas. Aí está a sua universalidade. Ele se distingue também do direito natural, pois não se apóia na "natureza" (entenda-se a *natura hominis, natura rationalis*), mas no uso ou nos costumes. Eis sua origem e fundamento. Posto isto, trata-se então de compreender como o direito das gentes pode ser comum a todos os povos (*gentes*), sem se confundir, porém, com o direito natural ou deixar-se reconduzir necessariamente para este, o que era, como vimos, uma das orientações da doutrina tomista.[111] Trata-se de assegurar a universalidade do direito das gentes, sem por isso ter de fundá-lo na natureza, estando bem entendido que ele não pode ter sido, ao contrário, introduzido pela vontade ou pela opinião dos homens (II, XIX, 5).

> Se se fala no direito das gentes no sentido próprio, está claro que ele pôde introduzir-se no universo pouco a pouco, pelo uso e pela tradição, e graças a uma sucessão, uma propagação e uma imitação mútua dos povos, independentemente de uma convenção ou de um acordo especial de todos os povos, em um momento dado; esse direito é, com efeito, tão próximo da natureza e tão conveniente a todas as nações e à sua sociedade que se propagou quase naturalmente com o gênero humano, e não é, portanto, escrito, porque não foi decretado por nenhum legislador, mas seu valor deve-se ao uso.[112]

Os dois termos importantes são, ainda aqui, o *uso* e a *tradição*. A universalidade, ou a quase universalidade do direito das gentes, está sempre ligada, assim, à história. Esse direito se introduz pouco a pouco e difunde-se de um povo a outro, sem que jamais tenha sido instituído por algum legislador, sem que tampouco seja preciso imaginar um congresso (*conventus*) e um acordo expresso (*consensus*) de todas as nações. Sua progressão, portanto, está ligada simplesmente aos "usos", aos "costumes" das nações. Observar-se-á que Suárez esforça-se, assim, se não em "renaturalizar" o direito das gentes, o que seria evidentemente contraditório com seu propósito principal, pelo menos em não afastá-lo completamente da natureza: ele está "está o mais perto possível da natureza", convém a todas as nações e à sua associação ou à sua "sociedade", e pode, portanto, difundir-se de maneira "quase natural", ao mesmo tempo que o gênero humano. Sua validade se deve ao uso. Importa, para bem compreender a concepção suareziana do direito natural, tomar a medida da tensão desse duplo movimento: historicizar o direito das gentes sem o des-naturalizar completamente. O hábito ou o uso fornece aqui, evidentemente, o conceito intermediário de que Suárez precisa necessariamente: assim, o direito das gentes, sem perder nada de sua justiça (ele é *jus justum*), é suscetível de variações (*mutabile*). Não separando inteiramente o direito das gentes da natureza, Suárez pode pretender permanecer fiel à doutrina tomista (*Suma teológica*, Ia, IIae, qu. 95, art. 4), segundo a qual os preceitos do direito das gentes são conclusões tiradas dos princípios do direito natural, por oposição ao direito civil (positivo) que consiste em determinações, mas Suárez não deixa de sublinhar o que constitui a seus olhos a diferença fundamental, essencial, entre direito das gentes (pelo menos o *jus gentium proprium*, II, XIX, 2) e direito natural:

> O direito das gentes difere antes de tudo e principalmente do direito natural porque, na medida em que comporta preceitos positivos, ele não implica a necessidade da coisa prescrita, em nome apenas da natureza da coisa, e segundo uma inferência evidente a partir de princípios naturais, pois tudo o que é assim é natural... Da mesma maneira, os preceitos negativos do direito das gentes não proíbem alguma coisa porque isso é mau por si, pois isso também é puramente natural; assim, a partir da razão humana, o direito das gentes não é apenas ostensivo do mal, mas *constitutivo*; é assim que esse direito não proíbe coisas más porque são más, mas, *proibindo-as, ele as torna más*...[113] [Sublinhado por nós].

Uma segunda diferença os separa: o direito das gentes não pode ser tão imutável quanto o direito natural, pois a imutabilidade resulta da necessidade.

O terceiro traço diferencial, depois da necessidade e da imutabilidade, concerne à universalidade. Enquanto a *universalitas* ou a *communitas* do direito natural não sofrem exceção, esse não é o caso do direito das gentes. A "sempre" (*semper*) aqui se opõe "regularmente" (*regulariter*), de modo que o direito das gentes é comum não a todos, mas a "quase" todos (*fere omnibus commune*).

A conclusão que Suárez tira dessa confrontação diferencial é que o *jus gentium* é um direito "humano e positivo" (II, XIX, 3). Enquanto se preserva a oposição cardeal do direito positivo e do direito natural, importa, com efeito, considerar que o direito positivo pode subdividir-se por sua vez em direito civil e em direito das gentes. Este último comporta novamente dois "modos" característicos (II, XIX, 8): aquele, mais propriamente dito, que todos os povos e todas as nações são obrigados a respeitar em suas relações recíprocas (*jus quod omnes populi et gentes variae inter se servare debent*). Tomado nesse sentido, o direito das gentes antecipa o que se denominará em seguida direito internacional, torna-se claramente um direito interestatal, o que acentua ainda seu caráter positivo. O segundo modo é o que se denomina imprópria e analogicamente direito das gentes na medida em que é observado pelos diferentes Estados ou pelos diferentes reinos "intra se", em sua vida e em suas relações internas.[114] É assim que são da alçada do direito das gentes propriamente dito tudo o que concerne à prática das trocas ou do comércio (*usus commerciorum*), o respeito pelos embaixadores, o direito da guerra. Em compensação, por conformes à natureza que possam ser os usos validados pelo direito das gentes, nenhum deles se impõe absolutamente nem é necessário *ex vi solius rationis naturalis, ex pura naturali ratione*. Vê-se bem aqui como a expressão *ratio naturalis* substituiu decisivamente a de lei natural. Mas é por isso também que o direito das gentes, mesmo em seu sentido primeiro, distingue-se do direito universal, aquele que concerne ao *totus orbis*, ao mundo inteiro, segundo Vitoria. Pois tal direito jamais existe, com efeito, senão a partir da pluralidade dos Estados soberanos e de sua vontade de pôr-se de acordo sobre certo número de convenções, não absolutamente necessárias. Com isso Suárez cava uma distância muito mais nítida entre direito natural e direito das gentes do que a que reconhecera Tomás. Entre essas duas formas de direito, há, com efeito, diferença de natureza e não simplesmente transição gradual assegurando a passagem de um ao outro.

Além de tudo o que separa as posições respectivas de Vitoria e de Suárez — e muitas vezes são mais que simples "nuances" —, parece claramente, no entanto, que a problemática do direito das gentes representa, por assim dizer, o terreno privilegiado no qual se deixa medir exatamente a distância que separa a reflexão dos teólogos-juristas[115] do frágil equilíbrio tomista construído segundo o esquema de derivação: *lex aeterna, lex naturae, jus naturale, jus gentium, jus civile*. Em todos os casos, o que terá sido irremediavelmente rompido é a notável continuidade do *ordo*, ou melhor, da *ordinatio* tomística, capaz de integrar em um poderoso movimento unificador ascensional a totalidade do real, segundo a medida última da *lex divina*. Sem dúvida, aqui é o conceito tomista de *inclinatio* e o de apetite natural que constituíam os princípios diretores de uma comum participação de todos os vivos em um ordenamento divino e providencial por meio do qual a ordem da natureza reunia-se, sem verdadeira solução de continuidade, à da graça. Assim, por sua legislação própria e positiva, a lei humana, pautada por uma justiça, ou por um *justum* dado *ex natura rei*, contribuía eminentemente, e sem verdadeira arbitrariedade, para a *determinação* da lei natural. Lei natural — direito natural: o ponto de referência era sempre muito claramente fixado para decidir sobre a própria legalidade da lei positiva. Ora, a mais profunda linha de fratura ocorrida nesse edifício é, sem nenhuma dúvida — como bem o mostraram os trabalhos exemplares de Henri de Lubac, continuados por Franco Todescan —, a disjunção, tornada patente no século XVI, entre uma ordem doravante qualificada de "sobrenatural" e um estatuto hipoteticamente constituído, o da pura natureza. Doravante, é nesse quadro, como se viu explicitamente com Suárez, que são elaboradas as teses fundamentais relativas à *lex naturalis*. Na perspectiva do *status purae naturae*, esta é de imediato desconectada de toda consideração econômica, estranha à articulação tomista central na *Suma* — a do *exitus* e do *reditus* —, de tal sorte que a lei ou o direito naturais representam daí em diante esse conjunto de princípios que a *ratio naturalis* é capaz de apreender segundo sua ordem própria. O direito natural torna-se assim, em seu princípio, um direito racional e, a partir daí, importa muito pouco saber (Vásquez *versus* Suárez) se essa racionalidade, codificável, é a de uma ordem das essências que se impõe ao próprio Deus ou se se reserva em Deus uma instância propriamente volitiva e posicional. Em todos os casos, tratando-se da lei humana, positiva, o *dictamen rationis* não poderia bastar para fazer lei, e é preciso ainda um novo elemento constitutivo: a vontade. É essa profunda desestruturação do equilíbrio tomístico — cujas razões são indissociavelmente doutrinais, confessionais e históricas — que impõe repensar com novos esforços a própria idéia de mundo (*totus orbis*) e de sua possível reunificação na escala de um direito das gentes essencialmente consuetudinário, historicizado e, se se quiser, desnaturalizado. Secularização, laicização são certamente termos muito gerais para caracterizar os fenômenos de grande amplitude que ocorrem de 1511-12 a 1611-12. O que é certo, em todo caso, é que os teólogos espanhóis, confrontados com a interpretação do sentido da Conquista, terão contribuído para colocar as bases do que se tornará, depois de Althusius e Grotius, a Escola moderna do direito natural.

Tradução de Maria Lúcia Machado

NOTAS

(1) O sermão é conhecido apenas pelo relato que fez dele, bem mais tarde, Bartolomé de Las Casas. Ver *Las Casas et la défense des Indiens*, apresentado por Marcel BATAILLON e André SAINT-LU, Paris, Archives Julliard, 1971, pp. 67-9.

(2) O grande historiador e editor Angel Losada sublinhou muitas vezes, com ênfase, a importância real dessa controvérsia: "Nunca, sem dúvida, nem antes nem depois dessa data, um Imperador tão poderoso — e em 1550, Carlos Quinto, imperador do Santo Império Romano, era o soberano mais poderoso da Europa, à frente de um grande império colonial — ordenou a suspensão das conquistas até que se decida se são justas", em "Evolutión del moderno pensamiento filosófico-histórico sobre Juan Ginés de Sepúlveda", *Actas de Congreso Internacional sobre el V Centenario del nacimiento del Dr. Juan Ginés de Sepúlveda*, Córdoba, 1993, p. 11.

(3) Ver o dossiê reunido por Luciano PEREÑA e Vidal ABRIL, Francisco Suárez, *De juramento fidelitatis, Conciencia y Politica*, Madri, CSIC, 1979.

(4) Ver Jean-Marie AUBERT, "Aux origines théologiques des droits de l'homme", *Le Supplément*, nº 160, mar. 1987, p. 114: "A repercussão da obra de Bartolomé de Las Casas teria podido limitar-se à humanização da colonização espanhola. De fato, ele abriu os olhos de muitos teólogos para a verdadeira dimensão do problema levantado, a discussão da representação clássica da sociedade humana. Pode-se falar de uma verdadeira revolução doutrinal que abala a teologia escolástica na modernidade. Pois, de fato, tratou-se da passagem de um direito universal cristão fundado em Deus para um direito natural tipicamente individual e laicizado". Palavras que só podem deixar perplexo aquele que apenas tivesse aberto um dos últimos opúsculos do grande dominicano, *De l'unique manière d'évangéliser le monde entier*.

(5) Tese que recebe uma dimensão verdadeiramente militante desde os trabalhos de Ernest NYS (*Les initiateurs du droit public moderne*, Bruxelas, 1890; *Les origines du droit international*, Bruxelas, 1894) e de James BROWN SCOTT (*The Spanish Origin of International Law*, 1933; *The Catholic Conception of International Law*, 1934).

(6) Sobre o ensino de Vitoria em Salamanca, ver especialmente, na obra coletiva editada por Ada LAMACCHIA, *La filosofia nel siglo de ora, Studi sul tardo rinascimiento spagnolo*, Bari (1995), Levante Editori, a primeira parte: *La scuola di Salamanca: prima generazione*, pp. 15-215.

(7) Ia IIae, qu. 91, art. 2: "[...] Uma tal participação da lei eterna na criatura, chamamo-la *lei natural*". Ver também Ia IIae, qu. 93, art. 1: "[...] A lei eterna não é nada mais que a razão da divina sabedoria, enquanto dirige todos os atos e todas as moções". Sobre tudo isso, pode-se remeter aos trabalhos de Michel VILLEY, notadamente *Questions de saint Thomas sur le droit et la politique*, 4ª ed., Paris, 1975, em particular pp. 123 e ss.

(8) Ver Jean-Marie AUBERT, *Le droit romain dans l'oeuvre de saint Thomas*, Paris, Vrin, 1955.

(9) Ia IIae, qu. 95, art. 2: "Nas coisas humanas, alguma coisa é dita justa pelo fato de que é conforme à regra da reta razão. Mas a regra primeira da razão é a lei natural. A partir daí, toda lei positiva humana terá razão de lei apenas na medida em que deriva da lei natural".

(10) Essa é a tese que ensinará ainda fielmente Domingo de SOTO (1495-1560), professor em Salamanca a partir de 1532, em seu *De justitia et jure*, I, qu. 5, art. 4: "Chama-se direito das gentes o que os mortais estabeleceram racionalmente, a partir dos princípios naturais, por via de conclusão [...]; em compensação, o que foi instituído por via de determinação, como do gênero para a espécie, é denominado direito positivo (*jus civile*)", (Salamanca, 1556-57; reimpressão, com introdução de V. CARRO e tradução espanhola de M. González Ordóñez, Madri, 1967-68).

(11) Ia IIae, qu. 95, art. 4: *Ad primum dicendum quod jus genitum est quidem aliquo modo naturale homimi, secundum quod est rationalis, inquantum derivatur a lege naturali per modum conclusionis quae non est multum remota a principiis. Unde de facili in*

hujusmodi homines consenserunt. Distinguitur tamen a lege naturali, maxime ab eo quod est omnibus animalibus commune. Em seu Comentário da *Suma teológica* (*In Secundum Secundae*, qu. 57, art. 3, § 2), Vitoria sustentará uma posição diferente, a mesma que desenvolverá Suárez: "Chama-se direito das gentes o que não comporta por si e por sua natureza uma justa proporção (*aequitas*), mas o que é ratificado por uma convenção humana (*quod ex condictio hominum sancitum est*). Pode-se concluir, então, que o direito das gentes deve ser antes classificado sob o direito positivo que sob o direito natural".

(12) Francisco de VITORIA, *Leçon sur le pouvoir politique*, tradução francesa de Maurice Barbier, Paris, Vrin, 1980, pp. 57-8.

(13) Ele também será *lente de prima* em Salamanca de 1581 a 1600.

(14) Ver Cícero, *De officiis*, I, IV, 11: "Em primeiro lugar a natureza deu a todo o gênero dos seres vivos uma inclinação a conservar a si mesmos, sua vida e seu corpo, a evitar tudo o que lhes seria nocivo, a buscar e a preparar tudo o que é necessário à vida, alimento, abrigo e outras coisas do mesmo gênero. A todos os seres vivos pertence também em comum a propensão a unir-se em vista da procriação e a cuidar dos seres que procriaram" [*Principio generi animantium est a natura tributum, ut se, vitam corpusque tueatur, declinet ea, quae nocitura videantur, omniaque, quae sunt ad vivendum necessaria, acquirat et paret*...]. Ver também Tomás de Aquino, Ia IIae, qu. 94, art. 2, *in corpore*: "...Dir-se-á que é da alçada da lei natural *o que a natureza ensinou a todos os animais*, isto é, a união dos sexos, a educação dos filhos e outras coisas semelhantes" [...*dicuntur ea esse de lege naturali* quae natura omnia animalia docuit, *ut est conjunctio maris et feminae, et educatio liberorum, et similia*].

(15) *De justitia et jure*, I, qu. 4, art. 4: "A lei natural é a mesma em todos os mortais na medida em que concerne apenas aos princípios [...] Enquanto ela concerne às conclusões tiradas desses princípios, ainda que no mais das vezes seja a mesma em todos, tanto no que concerne à retidão quanto ao conhecimento, ela comporta, no entanto, falhas com relação ao primeiro ponto, em razão de certos impedimentos particulares, com relação ao segundo ponto, em razão do obscurecimento suscetível de cegar a razão por hábitos maus" [*Lex naturalis quatenus ad sola principia extenditur, eadem est apud omnes mortale* [...] *Quatenus ad ejus conclusiones etsi plurimum sit eadem apud omnes, et quantum ad rectitudinem et quantum ad cognitionem, deficit tamen et respectu prioris propter particularia quorundam impedimenta, et respectu posterioris, propter rationis nubila quibus ob consuetudinem pravam excaecatur*]. Comparar com Tomás, S. T., Ia IIae, qu. 94, art. 2: "Os preceitos da lei natural desempenham na razão prática o mesmo papel que os primeiros princípios de demonstração na razão especulativa: uns e outros são, com efeito, princípios conhecidos por si. [...] Ora, da mesma maneira que o ser é o que cai em primeiro lugar sob a apreensão da razão [*primum quod cadit in apprehensione simpliciter*], o bem é o que cai em primeiro lugar sob a apreensão da razão prática, ordenada para o agir [*primum quod cadit in apprehensione practicae rationis, quae ordinatur ad opus*]. Pois todo agente age para um fim, o qual tem razão de bem. Por isso o primeiro princípio da razão prática baseia-se na razão de bem, *sendo o bem precisamente o que todos desejam*. O primeiro preceito da lei será, então, que é preciso fazer e buscar o bem e evitar o mal. E sobre ele serão fundados todos os outros preceitos da lei natural [*et super hoc fundatur omnia alia praecepta legis naturae*]".

(16) Loc. cit., art. 2: "o direito ou o justo se dizem de uma obra adequada a outrem sob certo modo de igualdade".

(17) Ver. qu. 57, art. 3, *in corpore*: "A justiça implica, com efeito, certa igualdade (*aequalitas*), como seu nome o indica: o que se iguala *se ajusta*, diz-se vulgarmente (*ea quae adaequantur justari*)".

(18) Ibidem.: "Absolutamente falando, o fato de apreender alguma coisa não convém apenas ao homem, mas igualmente aos outros seres animados. E é por essa razão que o direito que se chama natural segundo o primeiro modo nos é comum com os outros seres animados. [...] Em compensação, o fato de comparar alguma coisa, relacionando-a ao que dela provém como uma conseqüência, eis o que é próprio à razão" [*Absolute autem apreehendere aliquid non solum convenit homini, sed etiam aliis animalibus. Et ideo jus quod dicitur naturale secumdum primum modum, commune est nobis et aliis animalibus.* [...] *Considerar autem aliquid comparando ad id quod ex ipso sequitur, est proprium rationis*].

(19) "Quod vero naturalis ratio inter omnes homines constituit, id apud omnes populos paraeque custoditur vocaturque jus gentium, quasi quo jure omnes gentes utuntur", *Institutiones*, I, 2, 1, Corpus Juris Civilis, Krueger, I, p. 1.

(20) Ibidem *ad tertium*: "[...] Na medida em que a razão natural dita o que é da alçada do direito das gentes, esses direitos não têm necessidade de alguma instituição especial, mas é a própria razão natural que os institui" [... *quia ea quae sunt juris gentium naturalis ratio dictat...*, *inde est quod non indigent aliqua especiali institutione, sed ipsa naturalis ratio ea instituit*].

(21) Sobre tudo isso, ver Michel VILLEY, *Questions de saint Thomas sur le droit et la politique*, Paris, PUF, 1987, em particular pp. 121 e ss., 141 e ss.

(22) Retomamos aqui a caracterização muito pertinente de Venancio CARRO, *La teología y los teólogos-juristas españoles ante la conquista de América*, Madri, 1955, 2 vols.

(23) A edição de referência é hoje a de L. PEREÑA e J. M. PRENDES, edição crítica com tradução espanhola (no Corpus Hispanorum de Pace), Madri, CSIC, 1967. Citaremos também a tradução francesa, com introdução e notas, de Maurice BARBIER, *Leçons sur les Indiens et sur le droit de guerre*, Genebra, Droz, 1966. Infelizmente, essa tradução, aliás excelente, não pôde apoiar-se na edição de L. Pereña. Assinalemos também a notável edição italiana bilíngüe, que dá o texto da edição crítica: *Relectio de Indis. La questione degli Indios*, texto crítico de L. Pereña, edição italiana e tradução de A. Lamacchia.

(24) Edição T. Urdánoz, *Obras de Francisco de Vitoria, Relecciones Teológicas*. Edição crítica do texto latino, versão espanhola, Madri, BAC, 1960. Tradução francesa por Maurice BARBIER, *Leçon sur le pouvoir civil*, Paris, Vrin, 1980. A edição Urdánoz inclui uma excelente introdução biográfica (pp. 1-107).

(25) Trad. cit., p. 43: *Patet ergo quod fons et origo civitatum rerumque publicarum, non inventum est hominum, neque inter artificata numerandum, sed tanquam a natura profectum.*

(26) "[...] foi necessário ao homem não vagar ao acaso, dispersando-se e isolando-se como os animais selvagens, mas socorrer-se mutuamente vivendo em sociedade", trad. cit., p. 41.

(27) "Se se faz abstração do direito comum positivo e humano, não há mais razão para que esse poder pertença antes a um que a outro. Portanto, é necessário que seja a própria comunidade que se baste e possua o poder de governar-se [...] Não há razão para que, na comunidade política, cada um reclame para si um poder sobre os outros", trad. cit., p. 46.

(28) *De jure belli*, 7-9 [24-28], trad. fr. cit., pp. 118-9: "Mas toda a dificuldade é de saber o que é um Estado e quem é príncipe propriamente falando. Respondamos brevemente que se chama Estado, propriamente falando, uma comunidade perfeita. Mas o que é uma comunidade perfeita? Essa é a questão. A esse respeito, é preciso observar que 'perfeito' equivale a 'completo'. Pois aquilo a que falta alguma coisa é dito imperfeito e, ao contrário, aquilo a que não falta nada é dito perfeito. Portanto, é perfeito o Estado ou a comunidade que forma um todo por si mesmo, isto é, que não é parte de um outro Estado, mas que tem suas

leis próprias, seu conselho próprio e seus magistrados próprios [...] Por conseguinte, o direito de declarar a guerra pertence apenas a um Estado perfeito ou a seu príncipe".

(29) "O Estado não pode de maneira alguma ser privado do poder de defender-se e de proteger-se contra as injustiças de seus súditos e dos estrangeiros, o que ele não pode fazer sem poderes públicos", trad. cit., p. 55.

(30) "Non est impedimentum quod aliquis sit verus dominus."

(31) Trad. cit., p. 21. Ver IA IIAE, qu. 10, art. 10: "É preciso levar isto em conta: a soberania e a autoridade entraram aí pelo direito humano, a distinção entre fiéis e infiéis é, ao contrário, de direito divino, porém esse direito divino que vem da graça não destrói o direito humano que vem da razão natural. É por isso que a distinção entre fiéis e infiéis, tomada em si, não suprime a soberania nem a autoridade dos infiéis sobre os fiéis" [*Ubi considerandum est quod dominium et praelatio introducta sunt ex jure humano; distincto autem fidelium et infidelium est ex jure divino. Jus autem divinum, quod est ex gratia, non tollit jus humanum, quod est ex naturalis ratione. Et ideo distincto fidelium et infidelium, secundum se considerata, non tollit dominium et praelationem infidelium supra fideles*].

(32) I, 1, 10 (trad. 26-7). Vitoria pode referir-se igualmente ao comentário de Cajetan sobre as mesmas questões da *Suma teológica*: "Quidam autem infideles nec de jure nec de facto subsunt secundum temporalem juridictionem principibus christianis, ut se invenniuntur pagani qui nunquam imperio romano subditi fuerunt, terras inhabitare in quibus christianum nunquam fuit nomem. Horum nanque domini, quam vis infideles, legitimi sunt sive regali, sive politico regimine gobernentur. Nec sunt propter infidelitatem a dominio suorum privati, cum dominium sit ex jure positivo, et infidelitas ex divino jure, quod non tollit jus positivum".

(33) Nº 9, trad. cit., p. 54.

(34) Trad. cit., p. 58: "Imo, cum una Respublica sit pars tolius orbis, et maxime christiana provincia pars totius Respublicae, si bellum utile sit uni provinciae, aut Respublicae cum domino orbis au Christianitatis, puto eo ipso bellum esse injustum".

(35) Ver *Leçons sur le pouvoir politique*, trad. cit., p. 55: "Se, com efeito, o homem não pode renunciar ao direito e à faculdade de defender-se e de servir-se de seus membros segundo sua vontade, ele tampouco pode, portanto, renunciar ao poder, pois este lhe pertence em virtude do direito natural e divino. Assim como também o Estado não pode de maneira alguma ser privado do poder de defender-se e proteger-se contra as injustiças de seus súditos e dos estrangeiros, o que ele não pode fazer sem poderes públicos". Sem dúvida, caberá a Las Casas, e só a ele, ir muito mais longe no reconhecimento da diversidade das comunidades políticas e de seus direitos próprios, afirmando que cada *Respublica* tem igualmente o direito de defender seus deuses e que essa é uma primeira marca fundamental de piedade. Na 11ª réplica redigida por Las Casas para responder às objeções de Sepúlveda na célebre controvérsia de Valladolid, em 1550 (ver sobretudo, a propósito dessa controvérsia, Lewis HANKE, *All Mankind is one. A study of the Disputation between Bartolomé de Las Casas and Juan Ginés de Sepúlveda in 1550, on the Intellectual and Religion Capacity of the American Indians*, Northern Illinois Press, 1974; ver também a excelente síntese de A. LOSADA, que muito terá contribuído para uma apreciação mais fina das posições de Sepúlveda, "The controversy between Sepúlveda and Las Casas in the Junta of Valladolid", na obra coletiva *Bartolomé de Las Casas in the History. Toward an understanding of the Man and His Work*, Juan FRIEDE e Benjamin KEEN (eds.), Northern Illinois University Press, 1971, pp. 279-306), Las Casas declara, com efeito: "Sendo dada a convicção (errônea) em que se encontram os idólatras de que as divindades que honram são o verdadeiro Deus, eles têm não apenas o direito de defender sua religião, como o direito natural os obriga a

isso, e, se não chegam a expor suas vidas para defender seus ídolos e seus deuses, pecam mortalmente. A razão disso é, entre muitas outras, que todos os homens são obrigados, por lei natural, a amar e servir a Deus mais que a si próprios, e defender a honra é o culto divino até a morte, inclusive [...] E não há nenhuma diferença quanto a essa obrigação entre os que conhecem o verdadeiro Deus, isto é, os cristãos, e os que não o conhecem e estimam verdadeira alguma divindade. [...] Pois a consciência errônea compromete e obriga com relação à consciência reta [...]" (em *Las Casas, L'Evangile et la force*. Apresentação, escolha de textos e tradução de Marianne MAHN-LOT, Paris, Cerf, 1964, p. 192).

(36) Como se sabe, o termo será oficialmente proscrito a partir das *Lois Nouvelles* de 1542.

(37) Ver Michel SENELLART, "L'effet américain dans la pensée politique européenne du XVIème siècle", em *Penser la rencontre de deux mondes*, publicado sob a direção de Alfredo Gomez-Muller, Paris, PUF, 1993, pp. 80-1.

(38) É sob esse título que foi publicada separadamente a terceira parte da *Defensio Fidei*, E. ELORDUY e L. PEREÑA (eds.), Madri, CSIC, 1965.

(39) *Der Nomos der Erde im Völkerrecht des Jus Publicum Europaeum*, Berlim, 1950.

(40) Ibidem, p. 71.

(41) *Leçons sur les Indiens et sur le droit de guerre*, introdução, tradução e notas de Maurice BARBIER, Genebra, Droz, 1966, p. 82.

(42) Carl SCHMITT, ibidem, p. 74: "Neutralisierung", "neutralisierende Argumentation".

(43) Idem, pp. 73-4. Ver a discussão da primeira questão examinada por Vitoria (I, 1, 1; trad. fr. p. 13): "Os índios tinham um poder verdadeiro, tanto público quanto privado?" e a conclusão dessa discussão (I, 1, 16; trad. fr. p. 32): "De tudo o que precede resulta então que, sem nenhuma dúvida, os bárbaros tinham, assim como os cristãos, um poder verdadeiro tanto público quanto privado. Nem os príncipes nem os cidadãos puderam ser despojados de seus bens com o pretexto de que não tinham poder verdadeiro (*non essent veri domini*). Seria inadmissível recusar àqueles que jamais cometeram injustiça o que concedemos aos sarracenos e aos judeus, esses inimigos perpétuos da religião cristã. Com efeito, reconhecemos nestes últimos um poder verdadeiro sobre seus bens, salvo quando se apoderaram de territórios cristãos".

(44) I, 3, 2; trad. fr., p. 85.

(45) I, 3, 1. Mais uma vez, a comparação com Las Casas permite avaliar o abismo que separa as duas doutrinas.

(46) I, 2, 10; trad. fr., p. 59.

(47) Pode-se ficar perplexo diante da nota do tradutor: "É a afirmação da igualdade dos povos e das raças".

(48) Carl SCHMITT, op. cit., p. 76.

(49) Naturalmente, esse ponto é ainda mais acentuado em um Las Casas, do qual se pôde evocar o profetismo. Ver Francesca CANTÙ, "La dialectique de Las Casas et l'histoire", *Le Supplément*, nº 160, mar. 1987, pp. 5-26. Esse número inclui um precioso dossiê consagrado a "Las Casas & Vitoria. Le droit des gens dans l'âge moderne".

(50) Ver. Luciana Pereña VICENTE, *Teoria de la guerra en Francisco Suárez*, Madri, CSIC, 1954. O tomo II inclui a edição crítica do *De bello*.

(51) *De Indis*, I, 3, 1 (trad., p. 83): "Omne animal diligit sibi simile (Eccl. 13 [19]). Ergo videtur quod amicitia ad omnes homines sit de jure naturali, et quod contra naturam est vitare consortium hominum innoxiorum".

(52) *Institutiones*, I, 2, 1 (Corpus Juris Civilis, Krueger, t. I, p. 1): "Quod vero naturalis ratio inter omnes homines constituit, id apud omnes peraeque custoditur vocaturque jus gentium, quasi quo jure omnes gentes utuntur".

(53) *De Indis*, I, 3, 1, trad. fr., p. 82 (CSIC, pp. 77-8): "Primus titulus potest vocari naturalis societatis et communicationis. Et circa hoc sit prima conclusio: Hispani habent jus peregrinandi in illas provincias [...] Probatur primo ex jure gentium, quod vel est jus naturale vel derivatur ex jure naturali (Inst. De jure naturali et gentium): 'Quod naturalis ratio inter omnes gentes constituit, vocatur jus gentium'. Apud omnes enim nationes habetur inhumanum sine aliqua speciali causa hospites et peregrinos male accipere; et contrario autem humanum [et officiosum] se bene habere erga hospites; quod non esset si peregrini male facerent accedentes in alienas nationes".

(54) Nesse sentido, é lícito considerar excessivas as conclusões de Henri MÉCHOULAN, *Le sang de l'autre et l'honneur de Dieu*, Paris, Fayard, 1979: "O direito das gentes é um direito confessional e um instrumento de legalidade cristã" (p. 88), "o direito de Vitoria é o direito do mais forte" (p. 89). Ver também, do mesmo autor, "Vitoria, père du droit international?", em *Actualité de la pensée juridique de Francisco de Vitoria*, Bruxelas, Bruylant, 1988, pp. 11-26.

(55) Publicado com tradução espanhola e anotação por A. LOSADA, *Los tesoros del Peru*, Madri, 1958, p. 129.

(56) Cit., p. 125.

(57) *De Indis*, I. 3, 17, trad. cit., p. 101.

(58) Diante da tese de Sepúlveda, segundo a qual os índios são bárbaros que antes de tudo devem ser dominados, Las Casas propõe uma célebre tipologia em que distingue três categorias de bárbaros. Ver *L'Evangile et la force*, op. cit., pp. 184-5. Observar-se-á, contudo, que a tese de Sepúlveda, tal como se pode reconstituí-la, independentemente dos testemunhos de Las Casas, é muito menos simples e não defende, em todo caso, a idéia de uma escravidão "por natureza". O ponto crucial que pode ser elucidado graças aos trabalhos de A. Losada é o seguinte: "Há, além disso, outras causas que justificam as guerras: uma delas, a mais aplicável a estes bárbaros chamados vulgarmente índios, é a seguinte: que aqueles bárbaros, cuja condição natural é tal que devam obedecer a outros, se recusam o império destes e não resta outro recurso, sejam dominados pelas armas, pois tal guerra é justa segundo a opinião dos mais eminentes filósofos, entre eles Aristóteles", citado por A. LOSADA, "Evolución del Moderno Pensamiento Filosófico-Histórico sobre Juan Ginés de Sepúlveda", em *Actas de Congreso Internacional sobre el V Centenario del nacimiento del Dr. Juan Ginés de Sepúlveda*, Córdoba, 1993, p. 11. A essa afirmação do *Democrates segundo*, do qual Losada igualmente deu uma edição crítica (Madri, CSIC, 1951), é preciso acrescentar hoje este testemunho absolutamente fundamental tirado da carta que ele dirige a Francisco de Argote: "Eu não sustento que os bárbaros devem ser reduzidos à escravidão, mas que devem apenas ser submetidos à nossa dominação. Não sustento que devemos privá-los de seus bens, mas unicamente submetê-los, sem cometer contra eles a menor injustiça. Não sustento que devemos abusar de nossa dominação [...] Em primeiro lugar, devemos afastá-los de seus costumes pagãos e, em seguida, com afabilidade, impeli-los a adotar o direito natural e, graças a essa magnífica propedêutica à doutrina de Cristo, atraí-los, com a mansidão apostólica e palavras de amor, para a religião cristã" (carta nº 53, A. LOSADA (ed.), *Epistolario de Juan Ginés de Sepúlveda*, Instituto de Cultura Hispánica, Madri, 1966). Sublinhemos simplesmente dois pontos: Sepúlveda fala de "condição" e não de "natureza", e evoca a necessidade de conduzir os índios até o... direito natural. Antes que ceder à indignação fácil, freqüentemente admitida aqui, contra aquele que defenderia teses pagãs (aristotélicas), em face de um

Las Casas precursor dos direitos do homem, é sem dúvida mais judicioso e perturbador observar que Sepúlveda representa aqui o autor moderno, humanista, defensor da idéia de progresso e da difusão de um direito natural ao qual conviria alçar os povos "bárbaros". Se ainda se deve falar de "precursor", é antes Sepúlveda quem mais uma vez anteciparia pontos fundamentais do que se tornará, no século XVIII, a ideologia colonial "progressista".

(59) *De Indis*, I, 1, 15, trad. cit., p. 31.

(60) Ver Marcel BATAILLON, "Las Casas face à la pensée d'Aristote sur l'esclave", em *Platon et Aristote à la Renaissance*, XVIème Colloque international de Tours, Vrin, 1976, pp. 403-20. Ver também J. A. Fernández SANTA MARÍA, *The State, War and Peace. Spanish Political Thought in the Renaissance 1517-1559*, Cambridge, 1977; e, do mesmo autor, "Juan Ginés de Sepúlveda on the nature of the American Indians", em *The Americas*, XXXI, 4 (1975), pp. 434-51.

(61) *De Indis*, I, 1, 16, trad. fr., p. 32: "[...] ipsi sunt servi a natura, quia parum valent ratione ad regendum [etiam] se ipsos. [Política, I, 2, 1254, arts. 13-15.] Ad hoc respondeo quod certe Aristoteles non intellexit quod tales, qui parum valent [ingenio], sint natura alieni juris et non habeant dominium et sui et aliarum rerum; haec enim est servitus civilis et legitima, quia nulla est servus a natura [Política I, 6, 1255 a]. Nec vult Philosophus quod, si qui sunt a natura parum mente validi quod liceat occupare patrimonia illorum et illos redigere in servitudinem et venales facere; sed vult docere quod a natura est in illis necessitas, qua indigent ab aliis regi et gubernari, et bonum est illis subdi aliis, sicut filii indigent subici parentibus ante adultam aetatem, et uxor viro. Et quod haec sit intentio Philosophi patet, quia eodem modo dicit quod a natura sunt aliqui domini, scilicet qui vigent intellectu. Certum est autem quod non intellegit quod tales possint sibi arripere imperium in alios illo titulo, quod sint sapientiores, sed quia a natura habent facultatem, ad imperandum et regendum. Et sic, dato quod isti barbari sint ita inepti et hebetes, ut dicitur, non ideo negandum est habere verum dominium, nec sunt in numero servorum [civilium] habendi".

(62) Ibidem, nº 14. A nota do tradutor sublinha aqui, involuntariamente, a dificuldade dessa assimilação dos Estados cristãos ao *totus orbis*. M. BARBIER observa: "É uma conseqüência da comunidade política mundial. Se esta existe efetivamente, possui um poder político da mesma maneira que o Estado, isto é, em virtude do Direito Natural. Como o Estado, ela pode igualmente transmitir esse poder e designar o príncipe encarregado de o exercer".

(63) Ver *De jure belli*, 19 [52], trad. cit., 125: "Ora, o que é necessário ao governo e à proteção do mundo é de direito natural: é precisamente essa razão que mostra que o Estado tem, em virtude do direito natural, o poder de punir e de castigar seus próprios cidadãos quando eles lhe causam dano. Se o Estado possui esse poder com relação a seus súditos, o mundo o possui sem nenhuma dúvida com relação a todos os que lhe causam dano e não vivem humanamente; ele não o exerce senão por intermédio dos príncipes".

(64) Ver sobre esse ponto a excelente síntese de Antonio TRUYOL Y SERRA, *Le Supplément. Revue d'éthique et théologie morale*, nº 160, mar. 1987. "Las Casas & Vitoria. Le droit des gens dans l'âge moderne", p. 84. Ver também, do mesmo autor, "La conception de la paix chez Vitoria", em *Recueils de la Société Jean Bodin*, t. XV, Bruxelas, La Paix, 1961, pp. 241-73.

(65) *De potestate civili*, nº 21 (trad. pp. 73-4): "O direito das gentes não deve seu valor apenas a um pacto ou a um acordo entre os homens, mas tem também valor de lei. Pois o mundo inteiro, que forma, de certa maneira, uma única comunidade política, tem o poder de fazer leis justas e boas para todos, como as que se encontram no direito das gentes. Daí decorre claramente que todos os que violam o direito das gentes, seja em tempo de paz, seja em tempo de guerra, cometem um pecado mortal, mas com a condição de que seja sobre pontos muito importantes, como a imunidade dos embaixadores. E não é permitido

a nenhum Estado recusar submeter-se ao direito das gentes, pois é em virtude da autoridade do mundo inteiro que ele foi estabelecido" [*Jus Gentium non solum habet vim ex pacto et condicto inter homines, sed etiam habet vim legis. Haec enim totus orbis, qui aliquando est um respublica, potestatem ferendi leges aequas et convenientes omnibus, quales sunt in jure gentium. Ex quo patet quod mortaliter peccant violantes contra jura gentium, sive in pace, sive in bello, in rebus tamen gravioribus, ut est de incolumitate legatorum; non licet uni regno nolle teneri jure gentium; est enim latum totius orbis authoritate*].

(66) *De Indis*, I, 3, 3 (CSIC, pp. 81-2), trad. fr., p. 86: "[...] Nota quod, si jus gentium derivatur sufficienter ex jure naturali, manifestam vim habet ad dandum jus et obligandum. Et dato quod non sempre derivetur ex juri naturali, sequi videtur consensus majoris partis totius orbis, maxime pro bono communi omnium, si enim post praeterita tempora creati orbis aut reparati post diluvium, major pars hominum constitueri ut legati ubique essent inviolabiles, ut mare esset commune, ut bello capti essent servi, et hoc ita expediret, ut hospites non exigerentur, certe hoc haberet vim, etiam aliis repugnantibus".

(67) *Suma teológica*, Ia IIae, qu. 90, art. 1 e qu. 93, art. 3: "A lei é uma certa regra e uma medida dos atos, segundo a qual se é levado a agir ou impedido de agir" [*Lex est quaedam regula et mesura secundum quam inducitur ad agendum vel ab agendo retrahitur*].

(68) *De Legibus*, I, c. 1, n. 1: "Essa caracterização é, ao que parece, muito ampla e muito geral" [*Quae descriptio nimis lata et generalis videtur*]. Dispomos hoje, para esse texto, da notável edição crítica bilíngüe estabelecida por Luciana PEREÑA, no quadro da série "Corpus Hispanorum de Pace", Madri, 1971 e ss.

(69) Ia IIae, qu. 90, art. 4: "[...] a definição da lei: ela não é nada mais que uma ordenação da razão em vista do bem comum, estabelecida por aquele que tem o encargo da comunidade, e promulgada" [*...definitio legis quae nihil est aliud quam quaedam rationis ordinatio ad bonum commune, ab eo qui curam communitatis habet, promulgata*].

(70) *Suma teológica*, Ia IIae, qu. 93, art. 4, ad 2um: "A lei humana é propriamente uma lei apenas na medida em que é conforme à reta razão; nesse caso, é manifesto que ela deriva da lei eterna. Mas, na medida em que se afasta da razão, ela é o que se chama uma lei iníqua e, assim, não tem tanto razão de lei como de violência" [*...lex humana intantum habet rationem legis, inquantum est secundum rationem rectam; et secundum hoc manifestum est quod a lege aeterna derivatur. Inquantum vero a ratione recedit, sic dicitur lex iniqua; et sic non habet rationem legis...*]

(71) Sobre a doutrina tomista da lei, cf. em particular Oscar J. BROWN, *Natural rectitude and divine law in Aquinas*, Pontifical Institute of Mediaeval Studies, Toronto, 1981. Ver também Michel BASTIT, *Naissance de la loi moderne*, Paris, PUF, 1990, primeira parte: "Saint Thomas ou la loi analogique".

(72) Ver Ia IIae, qu. 90, art. 1; Ia IIae, qu. 91, art. 2, ad 3m: "Mas porque a criatura racional dela participa de um modo intelectual e racional, segue-se que a participação da lei eterna na criatura racional chama-se propriamente uma lei: pois a lei é questão de razão" [*Quia rationalis creatura participat rationem aeternam intellectualiter et rationabiliter, ideo participatio legis aeternae in creatura rationali proprie lex vocatur; nam lex est aliquid rationis*].

(73) *De Legibus*, II, c. 5, n. 2 (C.H.P., t. III, p. 60). Sobre essa discussão, Ver. R. SPECHT, "Zur Kontroverse von Suárez und Vásquez über den Grund der Verbindlichkeit des Naturrechts", em *Archiv für Rechts und Sozialphilosophie*, 1959, pp. 251 e ss.

(74) Ibidem, II, 3, 3-4 (C.H.P., t. III, pp. 33-5): "É preciso dizer, na verdade, que a lei eterna não significa um ato necessário em Deus, mas um ato livre [...] a lei eterna inclui necessariamente ou postula um ato da vontade divina...".

(75) Ver I. ANDRÉ-VINCENT, "La notion moderne de droit naturel et le volontarisme (de Vitoria à Suárez et à Rousseau)", em *Archives de Philosophie du Droit*, 1963, pp. 237-59, em particular p. 243.

(76) Ver a discussão sobre a condição "legal" da lei natural, em *De Legibus*, II, VI, 1-13 (C.H.P., t. III, pp. 76-96).

(77) *De Legibus*, II, VI, 1 (C.H.P., t. III, p. 76): "Não há lei no sentido próprio e prescritivo sem a vontade daquele que prescreve" [*Lex... propria et praeceptiva non est sine voluntate alicujus praecipientis*].

(78) *De Legibus*, I, III, 9 (C.H.P., I, p. 44-5: "[...] A lei natural no sentido próprio é, portanto, a que é imanente ao espírito humano em vista de discernir o que é honesto do que é vergonhoso. [...] Por isso essa lei é dita natural, não apenas na medida em que o que é natural é distinto do que é sobrenatural, mas também na medida em que se distingue do que é livre. Não é porque sua execução é natural ou porque provém da necessidade, como é a execução da inclinação natural nos brutos ou nas coisas inanimadas, mas porque essa lei é como uma propriedade da natureza e porque o próprio Deus a introduziu na natureza" [*Lex ergo naturalis propria* [...] *est illa quae humanae menti insidet ad discernendum honestum a turpi* [...] *Ita ergo haec lex naturalis dicitur non solum prout naturale a supernaturali distinguitur, sed etiam prout distinguitur a libero; non quia ejus executio naturalis sit seu ex necessitate fiat, sicut executio naturalis inclinationis est in brutis vel rebus inanimis, sed quia lex illa est veluti proprietas quaedam naturae et quia Deus ipse illam naturae inseruit*]. Sobre essa *separatio*, ver. I. ANDRÉ-VINCENT, art. cit., p. 243: "Em Suárez, a razão perdeu seu caráter normativo: ela não dita a ordem ao Bem, apenas pode conhecê-lo especulativamente. Então a vontade toma o lugar da razão para dar à fé sua forma normativa: o *imperium* torna-se seu ato".

(79) *De Legibus*, II, 11, 12 (C.H.P., t. III, pp. 144-5). Ver também I, V, 23: "[...] A obrigação induzida pela lei emana da vontade do legislador [...]" (C.H.P., I, p. 98).

(80) *De Legibus*, I, 3, 13: "Com efeito, a lei é dita positiva porque é como acrescentada à lei natural, sem dela emanar necessariamente".

(81) *De Legibus*, II, 3, 4. Ver sobre esse ponto Rainer SPECHT, art. cit.

(82) SUÁREZ, *Principatus politicus*, III, 13 (C.H.P., p. 43): "[...] a monarquia pontifical foi instituída imediatamente pelo próprio Deus na Igreja universal [...] É por essa razão que o poder espiritual nunca esteve 'presente como em seu sujeito' na comunidade da Igreja inteira [...]".

(83) *Principatus politicus*, II, 12 (C.H.P., p. 26). Ver também II, 20: "[...] Já disse acima que o poder real estava fundado em um contrato ou em um quase contrato... Assim, tal poder é sempre obtido imediatamente por um título humano ou por vontade humana".

(84) *Defenso fidei*, VI, 6, 11.

(85) Sobre os considerandos e o que está em jogo nas discussões sobre a condição de pura natureza, remetamos às obras clássicas do padre Henri de LUBAC, *Surnaturel*, Paris, Aubier, 1946, e *Augustinisme et théologie moderne*, Paris, Aubier, 1965. Ver também, na linha do trabalho do padre Lubac, Franco *Todescan, Lex, natura, beatitudo. Il problema della legge nella scolastico spagnola del sec. XVI*, Pádua, Cedam, 1973.

(86) *De Legibus*, III, 11, 7 (C.H.P., t. V, p. 152).

(87) Ver *De Legibus*, III, 11, 7 (C.H.P., t. V, p. 153): "Com efeito, assim como o bem natural desse corpo político não se estende além da vida presente e dura apenas nela, o fim desse poder ou dessa lei não pode estender-se além da vida presente". Ver também ibidem, III, 11, 4 (C.H.P., t. V, pp. 148-9): "O poder civil e o direito civil, considerados por si, não concernem à felicidade eterna supranatural da vida futura a título de fim próprio, próximo ou distante. A prova disso está em que tal poder é puramente natural; portanto, sua natureza não

tende a um fim supranatural [...] Digo, porém, que o poder civil, *por uma relação extrínseca*, pode ser ordenado por uma felicidade supranatural ou por um fim último [...] Mas, *a ater-se à pura natureza*, a lei civil não pode ser ordenada dessa maneira por um fim supranatural". [Nós sublinhamos].

(88) III, XI.

(89) *Suma teológica*, Ia IIae, qu. 90, art. 2.

(90) *De Legibus*, III, XI, 6.

(91) Ibidem, 7: "ejus finem [a saber, o "poder civil"] esse felicitatem naturalem communitatis humanae perfectae cujus curam gerit, et singulorum hominum ut sunt membra talis communitatis ".

(92) Ver Jean-François COURTINE, "L'héritage scolastique dans la problématique théologico-politique de l'âge classsique", em *L'Etat baroque, 1610-1652*, Paris, Vrin, 1985, pp. 87-118.

(93) Sobre esse fenômeno geral de "laicização", ver Michel VILLEY, *La formation de la pensée juridique moderne*, Paris, 1975, pp. 346-7.

(94) *De Legibus*, I, 13, 7: "[...] o fim da República humana é a verdadeira felicidade política que não pode advir independentemente dos costumes honestos; a República é dirigida para essa felicidade por leis civis e, portanto, é necessário que essas leis tendam por si ao bem moral [...] que é o bem pura e simplesmente".

(95) *De Opere sex dierum*, V, 7, n. 6; *De Legibus*, III, 3, 6 (C.H.P., t. V, pp. 31-2).

(96) Ver *Principatus politicus*, II, 5-9 (C.H.P., pp. 18-22).

(97) SUÁREZ, *Defensio fidei*, III, 2, 5 (*Principatus politicus*, II, 5, C.H.P., p. 18): "[...] suprema potestas civilis, per se spectata, immediate quidem data est a Deo hominibus in civitatem seu perfectam communitatem congregatis, non quidem ex peculiari et quasi positiva institutione vel donatione omnino distincta a produtione talis naturae, sed per naturalem consecutionem ex vi primae creationis ejus, ideoque ex vi talis donationis non est haec potestas in una persona, neque in peculiari congregatione multarum, sed in toto perfecto populo seu corpore communitatis".

(98) *Defenso fidei*, III, 2, 2 (*Principatus politicus*, C.H.P., p. 16). ver também *De Legibus*, III, 3, 4 (C.H.P., t. V, pp. 23-4).

(99) *Principatus politicus*, V, 2 (C.H.P., pp. 65-6).

(100) Ibidem, p. 66: "Quamvis temporalis princeps ejusque potestas in suis actibus directe non pendeat ab alia potestate ejusdem ordinis, et quae eundem finem tantum respiciat, nihilominus fieri potest ut necesse sit ipsum dirigi, adjuvari, vel corrigi in sua materia, a superiori potestate gubernante homines in ordine ad excellentiorem finem et aeternum, et tunc illa dependentia vocatur indirecta, quia illa superior potestas circa temporalia non per aut propter se, sed quasi indirecte et propter aliud interdum versatur".

(101) *De Legibus*, III, II, 4: "Hominum multitudo quatenus speciali voluntate seu communi consensu in unum corpus politicum congregantur uno societatis vinculo et mutuo se juvent in ordine ad unum finem politicum, quomodo efficiunt unum corpus mysticum, quod moraliter dici potest per se unum; illudque consequenter indiget uno capite. In tali ergo communitate, ut sic, est haec potestas ex natura rei, ita ut non sit in hominum potestate ita congregari et impedire hanc potestatem".

(102) Ibidem: "[...] mihi verisimilius est vel nunquam vel bressimo tempore fuisse hanc potestatem hoc modo in tota hominum collectione, sed paulo post mundi creationem coepisse homines dividi in varios respublicas et in singulis fuisse hanc potestatem distinctam".

(103) III, II, 6: "[...] potestatem hanc ferendi leges humanas proprias et particulares (quas civiles vocamus, tanquam ordinatas ad regimen unius communitatis perfectae), hanc

(inquam) potestatem nunquam fuisse unam et eandem in totam hominum universitatem; sed ita fuisse per communitatem divisam, sicut ipsae communitates instituebantur et dividebantur".

(104) III, VII, 1: "Potest hoc loco tractari quaestio celebris inter juristas: An Imperator jure sit dominus et princeps totius orbis et consequenter an possit totum mundum suis civilibus legibus obligare...?".

(105) III, VII, 6: "Sit ergo imprimis certum neque imperatorem romanum neque aliquem unum hominem vel regem habere potestatem universalem ad ferendas leges civiles obligantes universum orbem".

(106) III, II, 6: "[...] nam licet universitas hominum non fueri congregata in unum corpus politicum, sed in varias communitates divisa fueri, nihilominus ut illae communitates sese mutuo juvare et inter se in justitia et pace conservari possent (quod ad bonum universi necessarium erat), oportuit ut aliqua communia jura quasi communi foedere et consensione inter se observarent; et haec sunt quae apellantur jura gentium, quae magis traditione et consuetudine quam constitutione aliqua introducta sunt".

(107) *De Legibus*, II, XIX, 9.

(108) *De Legibus*, II, XVII-XX, CSIC IV, pp. 99-149, ao que é preciso acrescentar as "Additiones Suarecii ad jus gentium", ibidem, pp. 151-65.

(109) I. ANDRÉ-VINCENT puxa sem dúvida exageradamente Suárez para o lado de Grotius, quando observa (art. cit., p. 245): "Para Vitoria, o direito das gentes era um direito intermediário (um direito natural segundo). Doravante, ele não é mais do que um direito positivo. Perdeu seu verdadeiro lugar entre esse direito positivo e o direito natural, pois perdeu sua verdadeira natureza. Ele não é mais que positivo, isto é, voluntário. Baseia-se na vontade dos Estados".

(110) *De Legibus*, II, XIX, 6.

(111) *De Legibus*, II, XX, 1: "Quomodo jus gentium sit omnibus commune, et tamen non sit naturale".

(112) II, 20, 1. Ver também II, 20, 2: "In jure gentium praecepta sunt magis generalia, quia in eis consideratur utilitas totius naturae et conformitas ad prima et universalia principia naturae".

(113) Ver também II, XX, 3: "Addo vero esse differentiam inter jus gentium et naturale rigorosum; quod jus naturale non solum praecipit bona, sed etiam ita prohibet omnia mala, ut nullum permittat. Jus autem gentium aliqua mala permittere potest".

(114) Ver *De Legibus*, II, 19, 8: "Addo vero ad maiorem declarationem, duobus modis... dici aliquid de jure gentium, uno modo quia est jus, quod omnes populi, et gentes variae inter se servare debent, alio modo quia est jus, quod singulae civitates, vel regna intra se observant, per similitudinem autem et convenientiam jus gentium appellatur".

(115) Deixamos evidentemente de lado aqui os representantes de um tomismo preocupado com uma maior fidelidade ao ensinamento do Mestre, como Soto ou Bañez, notadamente.

O MUNDO, TODO E UNO

Eduardo Subirats

O "MUNDO TODO"

O conceito de descobrimento do Novo Mundo foi polêmico desde a primeira vez em que foi usado, na bula papal *Intercetera*, de 1493. Seu caráter era redutor e explicitamente unilateral; além de privilegiar um olhar unidimensional do europeu cristão, essa unidimensionalidade estava estreitamente associada a um equivocado postulado jurídico de apropriação. Todas essas conotações negativas foram então questionadas pelos juristas da Escola de Salamanca e, principalmente, pelo filósofo Francisco de Vitoria. Contudo, tanto para o humanismo renascentista como para nós, o descobrimento do Novo Mundo como um continente por direito próprio encerra um significado ao mesmo tempo revolucionário e positivo. Com ele a concepção medieval de um mundo plano e limitado transformou-se radicalmente na moderna representação de um mundo redondo, unitário ou global. Nas cartas e crônicas das primeiras expedições marítimas da Renascença o mundo foi se revelando como orbe.[1]

A forma deste mundo universal fundou-se, em primeiro lugar, sobre uma base teológica. A bula *Intercetera* de Alexandre VI é, nesse sentido, um marco radical. No documento pontifício dava-se por certo que as ilhas descobertas por Colombo eram um reino virgem — a bíblica Orfis, cumulada de inúmeras riquezas —, povoado por seres humanos em estado de natureza. Mas suas diferenças naturais e culturais eram programaticamente diluídas sob o postulado de sua "redução" (*reducere* é a palavra usada por Alexandre VI) a um princípio globalizador de conversão cristã. No tratado *Da guerra justa contra índios*, que devemos a Juan Ginés de Sepúlveda, o Novo Mundo por vezes adquiria colorações mais terríveis. A América ocultava ouro e outros minerais preciosos, mas era também o continente habitado por humanos que o demônio acorrentara a cultos selvagens, que devoravam carne humana como as feras e praticavam a sodomia. Tão radicais diferenças de costumes serviram de pequeno pretexto para uma grande ação missionária destinada à destruição das línguas, dos cultos e das culturas da América e à imposição de um credo global. A constituição de um mundo universal guardava identidade com seu igualamento compulsivo sob uma mesma fé.

Motolinea via no Novo Continente o horizonte expansivo de uma missão cristianizadora e apocalíptica que mesclava as marcas da violência e da intolerância em relação às culturas recém-descobertas com visões extáticas de paraísos celestes. Las Casas e Quiroga estavam certos de ter encontrado na América uma terra prometida para regenerar uma Igreja ferida de morte pelas conflitantes ambições imperialistas das monarquias cristãs européias. O descobrimento do Novo Mundo foi o sinal de uma nova concepção unitária do mundo como orbe cristão.

Paralelamente a essa visão salvacionista e apocalíptica da globalidade do mundo, construiu-se sua unidade jurídica. Nesse sentido, já em meados do século XVI Francisco de Vitoria estabeleceu uma tênue separação, decisiva para a nova configuração do mundo como ordem jurídica global, entre o ideal medieval de *orbis christianus* e o conceito moderno de *totus orbis*. A noção de *totus orbis* provinha de uma reformulação universalista do *ius gentium* romano e tinha por fundamento uma capacidade legislativa universal. "E é que em todo o orbe", escreve o filósofo de Salamanca, "que de certo modo forma uma república, tem [o soberano] poder de dar leis justas e para todos convenientes, como as do direito das gentes."[2]

Gostaria de assinalar dois aspectos básicos desta visão moderna da unidade do mundo que constituem, ao mesmo tempo, seu ponto de partida e seu problema de fundo. Este último não era outro senão o índio: a chave, a partir da bula *Intercetera*, da legitimação do domínio colonial cristão. Nesse sentido é preciso salientar que foi justamente Vitoria quem formulou, ou melhor, reformulou essa "questão indígena", a grande incógnita do poder colonial na América, em termos inovadores e modernos. Formulou-a justamente da perspectiva de uma liberdade dos índios formalmente definida e da legitimidade jurídica de seus governos próprios e de sua soberania, com total dependência quanto a suas diferentes formas de vida. Segundo as interpretações salmantinas dos títulos da *Guerra justa* proferidas por aquele humanista, os índios não poderiam ser expropriados de suas terras, leis e costumes pelo simples fato de serem gentios ou de estarem em pecado mortal.[3] Vitoria renunciava assim a qualquer dimensão salvacionista e apocalíptica da conquista.

Em segundo lugar, o ponto de partida dessa nova ordem universal era o poder de elaborar leis universais e justas, isto é, um ideário moderno de hegemonia universal.[4] Vitoria expressou esse princípio nas palavras *orbis totius auctoritate*, uma autoridade jurídica universal, e escreveu: "Todas aquelas ações que forem necessárias para o governo e a conservação do mundo pertencem ao direito natural [...] E se a república pode fazer isto com seus súditos, não há dúvida de que o orbe também poderá fazê-lo [...] e isto em virtude do direito de gentes e da autoridade de todo o orbe".[5]

Em todos esses casos estamos diante de uma idéia unilateral de globalidade. A doutrina do *totus orbis*, do "mundo todo", representa a igualdade de todo o orbe em relação a uma ordem jurídica universal; em compensação, as diferenças na ordem social, econômica e de costumes que distinguem universalmente as individualidades sociais e culturais que a integram não eram contempladas. Tampouco eram levadas em conta as desigualdades reais de poder técnico e militar e de organização política, assim como concepções de mundo e formas de vida que, de fato, convivem em conflito — tanto no mundo colonial de então como na nova ordem global contemporânea — com aquela universalidade juridicamente formalizada. Enquanto as doutrinas salvacionistas desenvolvidas pela Igreja romana, de Sepúlveda a Las Casas, partiam justamente do projeto de eliminação dessas diferenças em nome de um princípio igualador de conversão religiosa, a constituição jurídica do "mundo todo" considerava-as irrelevantes ou inexistentes em nome de um princípio político de poder global.

A UNIDADE RACIONAL DO MUNDO

Em 1620, Bacon publicou a primeira versão latina de seu tratado *Novum Organum*. A finalidade desta obra, num sentido restrito, era a fundação de um novo órgão do conhecimento, em contraposição ao velho *Organon*, o aristotélico. Num sentido amplo, no entanto, esse objetivo filosófico revelava ao mesmo tempo uma mudança de rumo quanto aos fins últimos da civilização européia.

O novo princípio do conhecimento científico, a indução, era definido pelo filósofo em estreita interdependência com os conceitos modernos de poder econômico e político. Por um lado, o novo conhecimento estava ligado ao poder (*potentia*), entendido como domínio técnico desenvolvido pelas novas ciências — da óptica à mineralogia. Por outro lado, Bacon aproximava o método indutivo do conhecimento científico ao conceito de produção (*productio*) de frutos úteis à humanidade, num sentido pragmático, ligado aos valores modernos do trabalho, da disciplina e da indústria.[6]

Esse revolucionário ideal de conhecimento surgiu ao lado das explorações e viagens de descobrimento, conquista e colonização. Em seu frontispício, o *Novum Organum* traz justamente uma imagem que ilustra o nexo entre as viagens transoceânicas européias e a empresa do conhecimento científico. A gravura em questão revela um cenário magnífico: em primeiro plano, erguem-se as Colunas de Hércules, símbolo de um limite mitológico ultrapassado e, por conseguinte, de um distanciamento da concepção clássica, isto é, fechada ou limitada, do mundo. Mas as Colunas de Hércules são também o símbolo de virtudes e potências heróicas, ligadas aos antigos "trabalhos" fundadores da civilização clássica. Duas caravelas navegam em mar aberto com seus velames enfunados, citação homérica que evoca a voluptuosidade da aventura e o afã de riqueza. Uma das naus começa a romper com sua proa as águas que separam o limite simbólico entre o Velho Mundo e o oceano. Uma legenda reza ao pé da gravura: *Multi pertransibunt & augebitur scientia*. Trata-se de uma citação do livro de Daniel extraída do Antigo Testamento.[7] Ali o enunciado estava formulado justamente num contexto apocalíptico: "Muitos passarão e a ciência avançará...".

Trata-se, decerto, de uma nova visão das viagens de exploração e descobrimento. O "Plus Ultra" libertou-se da ordem teológica, agora identificada com o reino do preconceito. A ciência do Livro, a que o texto do profeta Daniel aludia, é substituída pela acumulação indutiva de conhecimentos e riquezas como sua expressão econômica. Na Antigüidade, escrevia Bacon, quando o globo terrestre era muito pouco conhecido, a filosofia só era capaz de chegar a um conhecimento dedutivo e, portanto, limitado. As navegações mal chegavam aos limites de um mundo doméstico e provinciano. A nova filosofia científica, ao contrário, era a expressão das viagens transoceânicas, do mundo da moderna indução, que se caracteriza justamente, segundo as palavras do próprio Bacon, por seu "alcance universal".[8] O método científico converte-se no princípio da nova universalidade da conquista tecnocientífica.

Para a ciência renascentista, a unidade do mundo já não se define segundo uma unificação jurídica que equipara, em nome de uma igualdade formal de direito, civilizações em si mesmas diferentes ou até rivais. Sob a moderna perspectiva filosófico-indutiva, o mundo se transforma numa unidade de poderes que emanam de um conhecimento economicamente produtivo. Esse é o significado do novo paradigma científico baconiano. Essa mesma perspectiva histórico-universal do conhecimento seria depois formulada de maneira análoga pela filosofia crítica de Kant. O mundo, para sua *Crítica da razão pura*, é "a totalidade matemática de todas as aparências e a totalidade de suas sínteses, tanto nas pequenas como nas grandes coisas".[9] A totalidade do mundo é a unidade da natureza enquanto aprioristicamente determinada pelas leis do conhecimento tecnocientífico.[10]

O "OUTRO MUNDO"

Ante a definição filosófica, jurídica e teológica da universalidade do orbe como unidade virtual na ordem da representação geral de uma síntese matemática da natureza, do postulado de um direito natural ou de gentes, ou da redenção cristã no além-túmulo, o humanismo europeu ainda deixou uma brecha para a construção de um olhar alternativo. Foi esse olhar que Thomas More formulou.

Em 1516, o intelectual publicou um dos livros mais inusitados da bibliografia renascentista: sua *Utopia*. Esta obra foi considerada uma crítica social e política do mundo europeu da Renascença, com suas lutas pelo poder, suas guerras religiosas e sua dilaceração social. Mas o que quero salientar a propósito dessa crítica social é sua articulação em torno de um virtual habitante do Novo Mundo, em cujos confins, justamente, se encontrava aquele ideal reino epicurista de "Utopia".[11]

"Dirigimos a ele toda sorte de apaixonadas perguntas...", diz-se pela boca do protagonista de *Utopia* assim que o livro começa, "perguntas que Rafael respondeu-nos cordialmente. Não lhe perguntamos exatamente sobre monstros, como já é de praxe nas narrações de viagens. Sobre Cilas e Silênio, e sobre lestrigões ávidos de carne humana e toda essa sorte de aberrações que hoje mal se pode evitar, mas sobre governos sabiamente organizados..."[12] O Novo Mundo, longe de ser representado da perspectiva do exótico ou do terrível, aparece antes como um hipotético exemplo de virtudes domésticas, como um bom governo, tanto no sentido político como no moral e científico. More se antecipava, assim, à específica estilização historiográfica do Reino dos Incas como modelo de bom governo, desenvolvido um século mais tarde pelo humanista Garcilaso.

"Assim", prossegue Thomas More, "alegra-me que os utópicos ao menos tenham sido felizes o bastante para realizar essa república que eu desejaria que fosse imitada pela humanidade inteira..."[13] Pela primeira vez uma voz européia interrogava-se acerca das formas de vida, da religião, dos conhecimentos científicos e geográficos, dos costumes, da economia, das leis e do governo do Novo Mundo. A América como o "outro mundo" deixava de ser a representação de uma diferença negativa em relação ao universo cristão para, ao contrário, ocupar um lugar exemplar. Essa exemplaridade, por outro lado, não era inteiramente nova. Constitui no mínimo um momento relevante de muitos dos testemunhos de europeus que viajaram à América, do próprio Colombo e Vespúcio até Humboldt. A novidade na obra de More, porém, era utilizar o olhar do americano como ponto focal para uma crítica de caráter reformador sobre a civilização européia. Nesse sentido, deve-se salientar que a utopia de More não visava tanto a fantasia irreal de uma sociedade quimérica, e sim a construção de um moderno olhar crítico sobre a civilização moderna em sua etapa de nascimento. E a "Utopia", a ilha imaginária no antípoda do Velho Mundo, onde se descobriram os tesouros de um virtual bom governo, não era senão o espaço real em que se construía esse novo olhar, um olhar idealizado e abstrato do outro, mas, por isso mesmo, mais rigorosamente reflexivo.

O MUNDO "TODO E UNO"

Recordemos por um momento o mundo descrito por são Isidoro de Sevilha em suas *Etimologias*. Aquela representação do orbe era finita. O mundo medieval estava, de fato, limitado por fronteiras intransponíveis. Compreendia o céu e o oceano que rodeavam e delimitavam o continente euroasiático, ou o que dele se conhecia, dentro de um círculo perfeito.[14] Segundo essa visão fechada do universo, a América era o antípoda, um inabitável antimundo. O lugar imaginário do antípoda era concebido, na melhor das hipóteses, como uma região tórrida povoada por monstros terríveis. Parafraseando Francis Bacon, poderíamos dizer que na concepção medieval de mundo formulada por são Isidoro observamos ainda uma escala geográfica regional, de acordo com o caráter "doméstico" da economia manufatureira e comercial daquela era e de suas correspondentes viagens "insulares" de exploração e expansão comercial.

Essa representação do mundo foi superada pela cosmografia resultante dos novos meios técnicos de medição e ordenação do espaço, de instrumentos como o astrolábio a técnicas como a perspectiva, e pelos descobrimentos geográficos que eles permitiriam. O mundo de Américo Vespúcio já era um mundo unitariamente definido conforme critérios matemáticos e astronômicos e uma concepção contínua e uniforme do espaço. O mundo da época dos grandes descobrimentos geográficos era um mundo globalizado. Contudo, a descoberta de grandes e ricas nações de gentios nessas terras antes desconhecidas introduziu, no mundo global, uma nova fronteira interna e um princípio hierárquico de divisão, correlativos a sistemas desiguais de dominação e às diferentes formas de vida que eles possibilitavam. O mundo do Renascimento já era redondo. Era um mundo global perfeitamente unificado teológica, jurídica e tecnocientificamente. Em pouco tempo, porém, transformou-se novamente num mundo plano em nome de suas renovadas hierarquias simbólicas, fronteiras políticas e desigualdades econômicas.

Foi Garcilaso, o Inca, o primeiro humanista da América Latina, quem se confrontou, tanto hermenêutica como politicamente, com a nova realidade geopolítica de uma "ordem mundial", ou seja, o orbe cristão, ao mesmo tempo unificado pelos descobrimentos tecnocientíficos e pelas estratégias de conversão cristã e dividido por formas de vida e princípios de soberania radicalmente desiguais. A essa nova divisão interna do "mundo todo", da qual a simples noção unilateral de descobrimento já dava conta, e às categorias contrárias de "velho" e "novo" mundos, Garcilaso contrapôs a visão polêmica de um mundo sem divisões nem fronteiras. A esse respeito, Garcilaso escreveu em *Comentarios reales*, sua obra mais importante, publicada no início do século XVIII: "Digo que de primeiro poder-se-á afirmar que há não mais que um mundo, e embora digamos Mundo Velho e Mundo Novo, é [...] não porque sejam dois, e sim um todo uno".[15]

A definição programática do mundo "todo uno", isto é, a concepção radicalmente global, unitária e igualitária de mundo formulada por Garcilaso, não lança luz apenas sobre a vigente concepção geopolítica de um planeta ostensivamente dividido em primeiro, segundo, terceiro e quarto mundos. A concepção garcilasiana do mundo "todo e uno" era revolucionária justamente em relação às definições teológica, jurídica e tecno-econômica do "descobrimento" americano vigentes até o século XVIII.

Até hoje, a recepção historiográfica de Garcilaso tem ignorado, quando não ocultado, essa visão em nome de um suposto aristocratismo do humanista cusquenho, ou, o que é pior, em nome de uma ideologia da mestiçagem da qual quiseram fazê-lo pioneiro. Sobre esse ponto, gostaria de destacar três aspectos de sua reivindicação humanista de um mundo global que, por um lado, constituem uma alternativa consistente às representações teológicas, jurídicas e tecno-econômicas da Renascença e, por outro, constroem um olhar plenamente moderno. O primeiro desses aspectos possui uma dimensão claramente negativa: é a consciência da destruição colonial das culturas históricas americanas que atravessa toda a obra historiográfica de Garcilaso como contrapartida real do princípio globalizador formulado, de perspectivas teológico-filosóficas diferentes mas perfeitamente equiparáveis, por um Ginés de Sepúlveda, um Francisco de Vitoria ou um Francis Bacon. O valor literário de Garcilaso é, nesse sentido, o de uma das primeiras expressões americanas da dor espiritual que acompanhou essa destruição. Aquela "república, antes destruída que conhecida..." são as significativas palavras com que ele abre seus *Comentarios reales.*[16]

Em segundo lugar, os *Comentarios reales* constroem um duplo olhar sobre a situação fundamental de um descobrimento americano que o cristianocentrismo europeu reduzira a sua conhecida constituição unilateral. O Velho Mundo é assim chamado porque foi "novamente descoberto a nós", segundo as palavras do humanista, isto é, descoberto aos incas; o Novo Mundo recebe este nome por ter sido descoberto pela primeira vez pelos europeus. Garcilaso apresenta a dupla face do mundo renascentista em contraposição ao igualamento religioso ou jurídico de todos os rostos e de todos os olhares sob uma mesma racionalidade colonizadora. E mais: no pensamento de Garcilaso, a unificação efetiva do mundo só pode ser pensada e realizada com base no reconhecimento mútuo de ambos os olhares, o americano e o europeu, como olhares eqüidistantes e ao mesmo tempo diferentes, num mundo fundamentalmente harmonioso, embora efetivamente cindido por poderes avassaladores e destrutivos.

Há uma relação de complementaridade entre este "duplo olhar" do humanista inca e a "inversão" do olhar eurocristianocêntrico que Thomas More expõe em seu livro *Utopia.* O filósofo europeu contemplava o Novo Mundo como o diferente e, ao mesmo tempo, como o ponto de partida para um olhar reflexivo que questionava sua própria constituição histórica e filosófica. Nos *Comentarios reales* de Garcilaso constrói-se hermeneuticamente um duplo olhar do europeu e do americano como condição para um diálogo intercultural capaz de compreender os dois num plano eqüidistante. A unidade do mundo não é aqui um conceito teológico transcendente, nem um princípio jurídico formal. É, antes, o resultado programático desse diálogo num mundo que Garcilaso, assim como More, reconhece como radicalmente cindido.

Por último e em terceiro lugar, Garcilaso apóia essa visão do mundo "todo e uno" sobre uma base ao mesmo tempo mítica e metafísica da unidade do mundo. Trata-se da antiga concepção de uma "alma do mundo", princípio animador e deus-criador ao mesmo tempo, como fora compreendido nas tradições religiosas incas e, em particular, na cosmologia ligada ao deus Pachacámac.[17] Mas trata-se também de Eros, o princípio imanente de unificação, diálogo e harmonia do mundo, segundo a formulação do filósofo sefardita Yehudá Abravanel. Esta dupla relação do pensamento filosófico garcilasiano com a mitologia inca e com a filosofia hebraica constitui por si só um de seus capítulos mais fascinantes.

Em Abravanel, o amor é o princípio intransitivo do ser e, ao mesmo tempo, o fundamento espiritual da unidade harmônica do mundo. Eros é a alma do universo. Em seus *Diálogos de amor*, segundo a versão castelhana que devemos ao próprio Garcilaso, o filósofo escreve: "Pois tanto o mundo e suas coisas têm ser, quanto está todo ele unido e enlaçado com todas as suas coisas como os membros de um indivíduo; se assim não fosse, a diluição seria causa de sua total perdição. E como não há coisa alguma que possa unir o universo com todas suas diversas coisas senão o amor, segue-se que esse amor é causa do ser do mundo e de todas suas coisas...". Esse amor une a "ânima do mundo" com aquela zona sublunar do universo sujeita à geração e à corrupção, segundo uma metáfora sexual do amante e da amada, comum também à cabala. Escreve Abravanel: "Nem se uniria essa ânima do mundo com este globo da geração e corrupção, se não houvesse amor...".[18]

De acordo com a teologia cristã, o papel de Eros é, ao contrário, sempre exterior e transitivo, virtual e transcendente. As almas que o amor cristão abraça em sua universal comunhão possuem uma dimensão fundamental de vassalagem espiritual e temporal. São as consciências "subjetas" (isto é, sujeitas e subjetivizadas)[19] sob a ordem temporal da Igreja universal. Do ponto de vista providencialista e apocalíptico dessa conversão universal, como foi concebido pela Igreja do século XVI, Eros perde aquele original significado ontológico de um princípio conservador do ser e fundamento do mundo "todo uno" para transformar-se no princípio de uma formação e conversão baseadas numa pedagogia barroca da sedução, da doçura, da persuasão, da caridade. Aquilo que para Yehudá Abravanel e para o inca Garcilaso era o princípio ontológico da unidade e da beleza do mundo, converteu-se, nas mãos dos missionários cristãos, num instrumento retórico, entendida sua subjetivização como subordinação a um poder institucional, subordinação esta que, além disso, nunca estava totalmente isenta de violência.

Para Garcilaso o mundo era harmonioso em si mesmo, e não como resultado de sua conversão ou subordinação político-religiosa à Igreja universal. E este mundo era harmonioso justamente *em* e *por* suas diferenças e conflitos. E mais: sua unidade emana, segundo Garcilaso, de uma comunicação horizontal de todas as coisas, de uma afinidade ontológica que, ao mesmo tempo, se traduz no valor coesivo e solidário da linguagem dos homens e no conseqüente diálogo ou hermenêutica universais. Ao contrário da doutrina do orbe cristão, a globalidade do mundo todo e uno não é um postulado transitivo e hierárquico que exija, portanto, o sacrifício das diferenças e dos conflitos dos mundos do mundo, isto é, que exija sua radical conversão. Daí que Garcilaso pudesse conceber a unidade do mundo ou o diálogo universal de suas culturas como uma verdadeira estratégia de reconstrução do "perdido" Reino dos Incas. Esta perspectiva humanista de restauração e diálogo continua sendo, em nosso mundo globalizado e dividido, um dos significados mais fortes e mais criativos que encerra o descobrimento da América há cinco séculos.

Tradução de Sérgio Molina

NOTAS

(1) O descobrimento do mundo como orbe, contraposto à concepção insular do mundo medieval, constitui uma das teses centrais do estudo de Edmundo O'GORMAN, *La invención de América*, México, 1958, pp. 123 e ss.

(2) Francisco de VITORIA, *Relectio de indis*, Madri, Consejo Superior de Investigaciones Científicas, 1989, p. 191.

(3) Idem, ibidem, pp. 84 e ss.

(4) Idem, ibidem, p. 160.

(5) Francisco de VITORIA, *De Indis, Relectio II*, em *Obras de Francisco de Vitoria*, Madri, Biblioteca de Autores Cristianos, 1978, pp. 828 e ss.

(6) Francis BACON, *Novum Organum*, em *The Works of Francis Bacon*, Stuttgart, F. Fromann Verlag, 1963, vol. I; Klaus HEINRICH, *Dahlemer Vorlesungen, Tertium Datur, Eine religionsphilosophische Einführung in die Logik*, Basel, Verlag Roter Stern, 1981, pp. 112 e ss.

(7) Daniel 12, 5.

(8) Francis BACON, *Novum Organum*, op. cit., § 127.

(9) I. KANT, *Kritic der reinem Vernunft*, A 418, B 446.

(10) Mesmo quando essa noção kantiana do mundo for complementada pela *outra* versão do mundo, a do "mundo moral", o vínculo entre ambos já estará suficientemente debilitado, a ponto de ser gradual e progressivamente desfeito.

(11) Cabe lembrar a este respeito que as cartas de Américo Vespúcio chamam a atenção, mais de uma vez, para o caráter perfeito do autogoverno epicurista ou comunista dos habitantes do Novo Mundo.

(12) Thomas MORE, *Utopia*, Cambridge, Cambridge University Press, 1975, p. 12.

(13) Idem, ibidem, p. 110.

(14) São Isidoro de Sevilha, *Etimologias*, Madrid, Biblioteca de Autores Cristianos, 1983, p. 125.

(15) Garcilaso de la Vega, *Comentarios reales*, Caracas, Biblioteca Ayacucho, 1976, vol. I, p. 9.

(16) Idem, ibidem, p. 46.

(17) Idem, ibidem, p. 64. A moderna revisão da interpretação garcilasiana deste deus escamoteia o fato central de que seu significado, no complexo sistema argumentativo de Garcilaso, é o de um princípio metafísico ou filosófico, e como tal deve ser analisado em primeiro lugar.

(18) Leon HEBREO, *Los diálogos de amor de mestre Leon Abrabanel*, trad. Garcilaso, Buenos Aires, Gleizer, 1944, p. 198.

(19) Esta dupla acepção do processo de subjetivação cristã como autoconsciência e vassalagem se depreende, não apenas do duplo valor semântico e etimológico da palavra *sujeito*, mas também da própria definição do processo de vassalagem como processo de

autogoverno democrático dada pelo próprio Las Casas. Ver Fray Bartolomé de LAS CASAS, *Tratado de las doce dudas*, em *Obras completas*, Madri, Alianza Editorial, 1988, vol. 11, p. 79; Fr. Domingo de SANTO TOMÁS, *Gramática o arte de la lengua general de los índios de los reinos del Perú*, Lima, Edición del Instituto de Historia, 1951, p. 7, onde também se estabelece esta dupla relação: "[...] vencer e sujeitar [...] que não é outra coisa [senão] vencer-se a si e triunfar sobre si".

A SERVIDÃO NATURAL DO SELVAGEM E A GUERRA JUSTA CONTRA O BÁRBARO

João Adolfo Hansen

> A lei, que lhes hão de dar, é defender-lhes comer carne humana e guerrear sem licença do Governador; fazer-lhes ter uma só mulher, vestirem-se pois têm muito algodão, ao menos depois de cristãos, tirar-lhes os feiticeiros, mantê-los em justiça entre si e para com os cristãos; fazê-los viver quietos sem se mudarem para outra parte, se não for para entre cristãos, tendo terras repartidas que lhes bastem, e com estes Padres da Companhia para os doutrinarem.[1]

Aqui, vou relacionar os temas do poder político e da guerra para lhes falar da doutrina da "guerra justa" movida pela Coroa portuguesa contra os indígenas da sua colônia brasileira nos séculos XVI e XVII. Não faz muito tempo, Lévi-Strauss lamentou que a escolha européia, no século XVI, tenha sido a cesura e o domínio, não a união, perguntando-se o que teria ocorrido se Carlos V e Montezuma tivessem constituído uma federação. É impossível responder, pois a história do que poderia ter sido é uma ficção improvável. Uma das telas de estilo flamengo de Vasco Fernandes, o Grão Vasco, datada de 1503, que hoje se acha em Viseu, figura a visita dos Reis Magos a Cristo. Um deles é um tupinambá: lá estão as plumas de arara, a borduna, o arco, as flechas, o rosto coberto de escarificações, as incisões de dente de cotia que enumeram os inimigos devorados... A citação do tupinambá pelo Grão Vasco é pacífica e eleva-o, segundo um esquema que se poderia chamar, com Lévi-Strauss, de "sociológico".[2] Nos textos portugueses de que vou falar adiante domina, porém, a "biologia": o índio é um ser do inferno verde, uma besta mista, heteróclita, em cuja monstruosidade também se pode ler, pelo avesso, o recalcado das fobias do observador, crente em Deus, temente do diabo, perseguidor da heresia, vassalo fiel que, vindo de uma nação de comerciantes fidalgos, não vê problema em aliar a ética do perfeito cortesão à acumulação. Acumulação primitiva também de capital simbólico: ao capturar as sociedades indígenas nas fórmulas teológico-políticas que regulam a expansão colonial, os textos quinhentistas as inscrevem numa memória européia, com duração, espaço e características específicas da "política católica" ibérica. Como propôs um estudioso da história grega, Hartog, a sociedade se classifica ao classificar: chamar o monte visto do mar de monte Pascoal, apropriando-se dele com o nome do evento cristão, evidencia a natureza da forma *mentis* que veio nas primeiras caravelas e a fatalidade que aguardava os filhos de *Mair Moñan*.

Hoje, o saldo dessa história feita de genocídios é quase sempre o remorso acompanhado de uma bela, mas inofensiva indignação moral. Não me parece historicamente adequado permanecer no âmbito moral da crítica aos colonizadores, lamentando o fato de que não trataram os selvagens equanimemente. Como lembrava Baeta Neves, a crítica moral é prisioneira inconsciente da mesma moral religiosa que ela responsabiliza por tê-los escravizado e dizimado.[3] Culpar os agentes históricos da conquista por não terem tido o discernimento antropológico que a nossa consciência democrática julga ter corre o risco de universalizar retrospectivamente nossos critérios iluministas de julgamento. Talvez seja melhor tratar de algo mais delicado e difícil. Aqui, vou tentar reconstituir alguns pressupostos doutrinários da "guerra justa" e dois modos principais como o tema aparece nos discursos do século XVI sobre o Brasil que chegaram ao presente.

Carl von Clausewitz escreveu que a guerra é a continuação da política por outros meios. Com Foucault, penso que é preciso inverter a fórmula e propor que a política portuguesa que se ocupa dos indígenas no Brasil do século XVI, assim como a espanhola que se ocupa deles na mesma época no rio da Prata, no Peru, no Caribe e na Nova Espanha, são uma continuação da guerra em tempos de paz.[4] Com isso, em vez de lhes dizer que a doutrina do direito aplicada pelos missionários, cronistas, viajantes, teólogos e juristas à discussão da natureza do selvagem é um limite pacífico que especifica o *legal* e o *legítimo* das medidas adotadas, proponho que o direito é um instrumento de sujeição também quando estabelece a legitimidade delas. Embora em muitas situações particulares ele tenha efetivamente servido à defesa dos indígenas, como é o caso muito admirável de Bartolomé de Las Casas e de Manuel da Nóbrega, no século XVI, e de Antônio Vieira, no XVII, mesmo assim não vou pensá-lo pelo viés da legalidade ou da legitimidade que ele fundamenta e regula, mas pelos mecanismos de sujeição que põe em prática. Isso porque as discussões quinhentistas sobre os indígenas não são antropológicas, mas teológicas: Deus é o fundamento metafísico do direito, da política e da ética que regulam a invasão e a conquista das novas terras. Por outras palavras, nos textos que vou referir, é algo impensado e impensável o pensamento que autonomiza a história do fundamento divino e que é a condição do relativismo cultural instaurado pelo Iluminismo desde o século XVIII. Neles, o indígena não é representado segundo o pressuposto que a antropologia chamou de "pensamento selvagem", ou seja, segundo as próprias razões da razão selvagem que necessariamente implicam a relativização das razões do observador. A universalidade da religião cristã na base do direito inclui tais razões *a priori*, classificando-as como falta de Bem. Em todos os casos, trata-se de um modo de pensar fundado metafisicamente como a analogia escolástica, ou seja, um modo de pensar que estabelece relações de semelhança entre as práticas indígenas e o princípio metafísico que o regula. Ele é, por isso, o princípio doutrinário do sentido da ação e um limite teórico dela. Não há, no caso português, nenhuma formulação sobre o indígena que não seja teologicamente determinada por ele. Tanto a legalidade quanto a ilegalidade das medidas adotadas pela Coroa, pelos padres e pelos colonos pressupõem a universalidade do Deus de Roma. Mesmo na versão aparentemente mais branda, a do projeto jesuítico que reconhece a humanidade dos povos invadidos e que inúmeras vezes intervém em sua defesa contra a expropriação colonialista, a mesma humanidade não é tida como diferença cultural, mas como identidade de uma mesma substância espiritual criada por Deus, a alma. A religião católica afirma que a alma participa na substância metafísica do divino como um efeito criado e um signo reflexo; por isso, a alma é o núcleo teórico, vamos dizê-lo assim, das classificações do indígena como "animal" ou como "humano". A atribuição ou a produção de uma "alma" para ele, como ocorre nas práticas dos jesuítas, logicamente pressupõe que é um "próximo", como no mandamento *Amar o próximo*, da Bíblia; no caso, porém, um próximo metafísica e politicamente muito distanciado da lei eterna de Deus, pois de alma boçal, embaçada e corrompida pela bestialidade dos pecados. É preciso salvá-la, propõem os padres, e essa caridade católica, que tem a teologia por fundamento e limite, significa a extinção da cultura indígena como a "destribalização" acusada por Florestan Fernandes.[5]

A legitimidade da "guerra justa" contra os bárbaros do Brasil também pressupõe Deus. Então, a "guerra justa" é doutrinada e regrada reciclando-se tópicos medievais do direito canônico. Ela é dada como uma situação de exceção relativamente à centralidade do poder monárquico, tido pelos agentes colonizadores como natural, legítimo e pacífico, porque o pacto que o estabelece está fundado na ética e na metafísica cristãs. A caracterização da guerra como situação de exceção, contudo, desloca e encobre o fato de que o próprio poder central, que se afirma natural, legítimo e pacífico, é também um poder de exceção, uma vez que não há poder naturalmente instituído.[6]

A partir de 1517, data das teses polêmicas e logo heréticas de Lutero, as versões católicas do poder reafirmam que ele só é legítimo quando a normalidade que institui é uma evidência da presença da luz natural da Graça na natureza e na história. Essa normalidade também aparece como exceção, porém, quando lembramos os processos pelos quais ela é estabelecida como a paz do "bem comum" dos reinos governados por príncipes católicos.

A política das monarquias ibéricas do século XVI é definida cristãmente como uma arte de manter a unidade e a segurança do reino contra inimigos internos e externos. Contra a hipótese maquiavélica de que o poder é um artifício desvinculado da ética visando o triunfo nas competições da cidade, a doutrina católica adapta tópicas testamentárias à redefinição da política no novo estado de coisas decorrente das Descobertas e da Reforma protestante, reafirmando a ética medieval como espelho ou modelo da ação dos príncipes.[7] Visando a unidade e a segurança do reino, a política pressupõe a necessidade da concórdia de cada um consigo mesmo, como autocontrole dos apetites prescrito pela ética aristotélica relida em chave neo-escolástica, e a amizade de todos os indivíduos e estamentos, como concórdia do todo do corpo político do Estado.

Segundo a doutrina católica do poder adotada em Portugal, da concórdia individual e da amizade do todo nasce a paz. Para assegurá-la, a Coroa aplica medidas de várias espécies, como o monopólio da violência fiscal, judiciária e militar; o combate às heresias; a censura intelectual; os castigos exemplares, açoites, fogueira, forca, garrote vil e degredo. O "bem comum" do reino é definido, então, como um estado de equilíbrio dos interesses e conflitos particulares obtido pela subordinação voluntária do todo do corpo místico da comunidade à cabeça do Império, o rei, num pacto de sujeição pelo qual os indivíduos, os estamentos e as ordens se alienam do poder. Abrindo mão dos direitos e declarando-se súditos, recebem os privilégios que os hierarquizam. Nessa hierarquia, que desce da cabeça real até as plantas dos pés escravos, os indígenas têm a liberdade de integrar-se como membros subordinados, pois então a liberdade dos indivíduos e do todo do reino é entendida paradoxalmente como subordinação hierárquica à cabeça mandante, o rei.

Com Foucault, pode-se dizer que o fato brutal da invasão e da ocupação dos territórios habitados pelos povos classificados como "selvagens", invasão e ocupação sempre acompanhadas dos massacres e da espantosa variedade de atrocidades praticados pelos espanhóis e portugueses em todas as partes onde estiveram, do México à Patagônia, do litoral do Brasil aos Andes, antecede lógica e cronologicamente toda discussão jurídica sobre a escravização deles ou sobre a "guerra justa" contra eles. As discussões de Vitoria, Molina, Oviedo, Acosta, Gómara, Las Casas, Sepúlveda, na área espanhola, e de Nóbrega, Anchieta, Cardim e Vieira, na portuguesa, adaptam-se *objetivamente* aos acontecimentos, quero dizer, são produzidas pelos acontecimentos ou pela mediação deles, não importa a intenção particular dos agentes, que muitas vezes é admiravelmente justa. Por isso, elas têm necessariamente que também incluir como determinação do seu sentido o dado bruto e objetivo da invasão. Assim, as adaptações pretendem regular o direito de guerra contra os indígenas fixando as condições e os momentos em que seria "guerra justa" ou situação de exceção. Mas são *objetivamente* uma teoria da guerra aplicada como a "política católica" da monarquia portuguesa na conquista territorial, obtenção de mão-de-obra escrava e competição comercial, religiosa e política com outras potências européias.

A carência do Bem católico que é produzida quando a perspectiva da verdade cristã constitui uma alma para o indígena que é classificado, no ato, como "animal", "gentio", "selvagem" e "bárbaro", é simultaneamente suplementada por duas espécies básicas e, podemos dizê-lo hoje, complementares de intervenção. Ambas são violentas pelo mero fato de serem intervenções, embora tenham uma violência de graus ou intensidades diversas. Genericamente falando, a intervenção dos que afirmam que o indígena é um "cão" ou um "porco" bestial, bárbaro e "escravo por natureza", e a intervenção dos que afirmam que é "humano", mas selvagem, e que deve ser salvo para Deus por meio da verdadeira fé, que o integra como subordinado, escravo ou plebeu.

Quando lemos os textos de cronistas e jesuítas que atuaram no Brasil nos séculos XVI e XVII, observamos que produzem um novo objeto de conhecimento, "o índio". O novo objeto — chamado de "índio" por causa do equívoco geográfico de Colombo, que acreditou ter chegado à Índia, em 1492 — é construído por meio de um mapeamento descritivo de suas práticas, ao qual se associam prescrições teológico-políticas que as interpretam e orientam segundo um sentido providencialista da história, que faz de Portugal a nação eleita por Deus para difundir a verdadeira fé. Obviamente, não havia "índio" nem "índios" nas terras invadidas pelos portugueses, mas povos nômades, não cristãos e sem Estado. No contato, repito, os missionários e os cronistas do século XVI classificam a pluralidade desses povos como "índios" e, simultaneamente, produzem uma essência, "o índio", que definem como alma selvagem ou animal sem alma naturalmente subordinados às instituições. Quando classificam o novo objeto com as metáforas "animal", "gentio", "índio", "selvagem" e "bárbaro", também evidenciam a positividade prescritiva da universalidade de "não-índio", ou seja, o "civilizado", branco, católico, de preferência fidalgo e letrado.

Aqui, uso o termo *selvagem* como sinônimo de "homem da natureza", bom ou mau, que as doutrinas do poder propõem como pressuposto lógico e cronológico da constituição política das sociedades. No século XVI, quando os indígenas do Brasil são dados pelos colonizadores como "selvagens" ou "homens da natureza", também são caracterizados como gente sem história. Em decorrência, como um campo aberto para as intervenções das trocas civilizadoras. Como Nóbrega escreve em carta de 10/8/1549: "Acá pocas letras bastan, porque es todo papel blanco...".[8] Quanto ao "bárbaro", só se define em oposição a "civilizado": bárbaro é o que balbucia a língua que se quer civilizada, ou seja, é o não-civilizado, como os germanos que Tácito compara aos romanos no *Germania*. No século XVI, é corrente o lugar-comum: a língua geral falada na costa do Brasil não tem F, L e R. Sem Fé, sem Lei e sem Rei, o selvagem não conhece a revelação da verdadeira Igreja, nem a justiça da racionalidade hierárquica do Império, nem o governo da monarquia cristã. Ou seja: só há "bárbaro" diferencialmente; para que exista, é preciso haver uma civilização precedente ou contemporânea que ele destruiu ou tenta destruir.[9] Nos discursos de então, são bárbaros os tapuias que resistem à civilização portuguesa e que, ao contrário dos selvagens pacíficos ou pacificados, constantemente a atacam, aterrorizando os engenhos e as vilas com sua liberdade feroz. Considerando-se que a paz do "bem comum" define a finalidade cristã alegada pela monarquia na colonização, a guerra contra os bárbaros é justa. Por exemplo, é justa a guerra contra os tamoios do litoral de São Vicente e Rio de Janeiro, em 1563-64, bárbaros enquanto são aliados dos huguenotes franceses, enquanto se recusam a ser catequizados e a subordinar-se ao governador-geral.

Na "política católica", as táticas e as estratégias adotadas na redução dos selvagens e bárbaros são definidas como um direito e um dever, pois a subordinação ou a extinção deles significa caridade para com os indivíduos e amor do bem comum. Na *propaganda fidei* jesuítica, a alma do índio deve ser salva do inferno por meio da conversão; pode-se mesmo obrigá-lo a ser salvo, pois é preferível que seja cativo e tenha a alma salva a que viva a liberdade natural do mato com ela condenada ao inferno.

Na prática de Nóbrega, Anchieta, Luís da Grã e Cardim, no Nordeste, no Espírito Santo, no Rio de Janeiro e em São Vicente, no século XVI, e na de Vieira, no Maranhão e Grão-Pará, no século XVII, encontra-se, justificando as intervenções, a afirmação reiterada de que a lei positiva das sociedades indígenas é plenamente legal, como convenção humana que regula a vida coletiva, pois o direito canônico estabelece que as sociedades humanas não dependem da revelação cristã para se instituírem politicamente. Mas o fato de as sociedades indígenas estarem corrompidas pelas "abominações" de costumes bárbaros e atrozes, que evidenciam a ação do diabo, impõe o dever de reduzi-las à primeira verdade perdida ou talvez esquecida, a Palavra de Deus, legitimando-se sua participação hierarquizada na divindade por meio dos sacramentos católicos, como o batismo, que a tornam visível. Em 1657, numa carta enviada do Estado do Maranhão e Grão-Pará ao rei d. Afonso VI, de Portugal, Vieira escreveu que, nos quarenta anos anteriores, os portugueses haviam matado 2 milhões de índios na Amazônia. O maior horror, segundo ele, era pensar que tantas almas postas sob a jurisdição de um reino que tinha por missão expandir a fé católica, haviam morrido sem o batismo e ardiam no inferno.[10]

Pressupondo tal concepção de legitimidade, as cartas de Nóbrega, que chega à Bahia em 1549, chefiando a missão enviada pelo rei d. João III; os autos de Anchieta, que chega em 1554; os tratados dos cronistas Pero de Magalhães Gândavo, em 1570, e Gabriel Soares de Sousa, em 1583, estabelecem relações de concordância analógica entre acontecimentos locais e eventos narrados na Bíblia; referem atos virtuosos de tipos heróicos; refazem genealogias exemplares, como vidas de santos, propondo-os como modelos de virtudes a serem imitadas; fazem extensas descrições dos hábitos selvagens, curiosidades e coisas fantásticas da terra. Imitam gêneros antigos, como o diálogo platônico, a história de Heródoto, as épicas romana e grega, a física aristotélica, a epístola paulina, a história natural de Plínio, o auto, o *itinerarium* e a *peregrinatio* medievais. Na catequese jesuítica, as referências fornecem tópicas da memória, da vontade e da inteligência que produzem a unidade virtuosa da alma cristã caridosamente imposta ao selvagem. Todas as referências pressupõem a definição católica, reafirmada ao longo do século XVI contra Lutero e Maquiavel, das três leis que devem estar presentes em qualquer sociedade legítima: a *lei eterna de Deus*, que é a causa primeira ou a razão universal que faz o mundo ser e desejar o ser; a *lei natural da Graça inata*, que é a presença de Deus na alma e no mundo, como aconselhamento do livre-arbítrio e orientação racional e providencial da história; a *lei positiva*, que são os códigos legais inventados pelos homens para organizar a política das sociedades. Na doutrina das três leis, a lei positiva só é legítima se for um reflexo da lei natural que reflete a lei eterna.

O modelo histórico que fundamenta a doutrina católica da legitimidade das leis positivas das sociedades como reflexo proporcionado e justo da lei natural da Graça inata é o *Decálogo*, a lei natural que foi escrita e transmitida a Moisés no Sinai pelo próprio Jeová. Segundo os colonizadores do Brasil, toda lei, para ser legítima e não apenas legal, deve pressupor como modelo a universalidade dos *Dez Mandamentos*. Da perspectiva da legitimidade fundamentada pela doutrina, a mera observação dos "índios" evidencia a corrupção da lei natural: fazem guerras por vingança; comem carne humana; não têm senso de propriedade; são polígamos, sensuais e luxuriosos. Santo Agostinho afirma que os órgãos sexuais são a parte maldita que transmite o pecado no ato da geração; logo, a roupa é "decência civil". A nudez dos selvagens evidencia que não têm vergonha das vergonhas e que ignoram a culpa do pecado original. E, principalmente, não adoram a Deus ou a nenhum deus; ou adoram uma multiplicidade de deuses, demônios e ídolos.

A constituição das práticas indígenas como selvageria e abominação aparece nas duas interpretações conflitivas de que falei. Uma delas, exposta por cronistas que representam os interesses dos colonos, afirma que as leis positivas das sociedades indígenas são bárbaras porque não se baseiam no *Decálogo*. A *Política*, de Aristóteles, que afirma ser próprio do inferior subordinar-se ao superior, permite concluir que os indígenas são bárbaros, isto é, escravos por natureza. Pero de Magalhães Gândavo, no *Tratado da Terra do Brasil*, de 1570, chega a definir o indígena como um vegetal, uma erva má que afoga as boas plantas cristãs, na passagem em que declara ser impossível numerar e compreender a multidão de bárbaro gentio que a natureza semeou pela terra do Brasil. Gândavo afirma que andam armados contra as nações humanas (os portugueses), mas reconhece com alívio que, como são muitos, felizmente a Providência Divina permite que façam guerras uns aos outros e se destruam. Se assim não fosse, os portugueses não poderiam viver na terra, nem seria possível conquistar tamanho poder de gente.[11] Essa tese é corrente entre os coloniais, apesar da bula papal de 1537, que decretou que os *occidentales & meridionales Indos* tinham alma, ou seja, que eram gente como os católicos e que era vedado escravizá-los.[12] A mesma tese da "servidão natural" do índio, considerada inválida pelo papa em 1537, foi declarada herética pela sessão do Concílio de Trento que se realizou em Valladolid, em 1550. Como ordem religiosa a serviço de Roma, é contra ela que se bate a Companhia de Jesus.

Defendendo a versão católica oficial, os inacianos definem o índio como ser humano criado por Deus e dotado da luz natural, mas concedem que é um homem desmemoriado da verdadeira lei, a lei eterna. Logo, defendem a urgência de salvar-lhe a alma imortal, fornecendo-lhe a memória da justiça e do Bem por meio de leis positivas justas. O projeto catequético é homólogo da conquista da terra por isso, pois ocupa espiritualmente o vazio que é constituído pela produção de almas assim como o vazio pressuposto do território é ocupado militarmente. O que significa disciplinar os corpos por meio de práticas que produzem outra percepção para ele, como o aldeamento ao lado das vilas portuguesas, a proibição do nomadismo, das guerras intertribais e dos rituais antropofágicos, o encobrimento da nudez com roupas que evidenciam o senso cristão do pecado, a obrigação à monogamia e a audição repetida da palavra de Deus. Mas, principalmente, implica subordinar o tempo dos catequizados ao trabalho proposto como categoria transcendente ou, como dizia Horkheimer, como ideologia ascética em que religião e poder se fundem intimamente. Aqueles que não aceitam a catequese e tentam impedi-la são eliminados, caso dos *caraíba* tupis, xamãs que iam de tribo em tribo falando de *Mair Moñan*, a terra sem mal, dizendo evidentes mentiras sobre os portugueses: que era preciso ouvir a voz dos mortos exigindo a carne dos inimigos; que a água do batismo matava; que os portugueses só queriam roubar as terras, violentar as mulheres e escravizar os homens. Segundo o imaginário da caça às bruxas que então campeia na Europa, os *caraíba* tupis são "feiticeiros" e, sempre que necessário *ad maiorem Dei gloriam*, eliminados pelo braço da justiça secular dos governadores.

O núcleo substancial da doutrina da catequese e da guerra é, no caso, o mesmo que foi exposto por padres e doutores da Igreja, como são Jerônimo, santo Agostinho, Isidoro de Sevilha e santo Tomás de Aquino. Entendida como um estado de exceção, a guerra associa-se duplamente à prática catequética dos jesuítas e às práticas de escravização dos colonos. Na catequese jesuítica, ela é uma sanção que só se aplica ao gentio bravo, bárbaro, ou a casos individuais de barbárie, como os xamãs tidos por "feiticeiros". Como limite manipulável pela cobiça dos colonos, só ocorre com justiça quando são atendidas três condições: causa justa, autoridade legítima de quem a faz e maneira reta de fazê-la. Não é qualquer um que pode começá-la, pois só o rei a pode declarar. Como afirma Isidoro de Sevilha, deve haver declaração prévia para que seja justa e quem a empreende deve ter virtudes cristãs, pois a finalidade do conflito também deve ser virtuosa. Santo Agostinho afirma que fazer a guerra não é delito, mas que fazê-la por causa do lucro é pecado. Logo, o modo de realizá-la determina sua justiça: não se molestam os inocentes, os embaixadores, os estrangeiros e os clérigos; as coisas sagradas devem ser respeitadas e, em teoria, os inimigos não podem ser ofendidos mais que o necessário, pois é preciso manter a boa-fé para com eles. A dureza da agressão deve ser proporcional às culpas e aos delitos. Como diz santo Agostinho: "O desejo de ofender, a crueldade na vingança, o ânimo implacável, a ferocidade, a ânsia de dominação e outras coisas semelhantes são o que se deve condenar na guerra".[13] Faz-se uma "guerra justa", enfim, para se obter a paz da justiça e da prática da virtude que teoricamente impedem que os malvados continuem agindo. Neste sentido, o fim de toda "guerra justa" é a paz do "bem comum" do reino. Entre as várias causas que tornam uma guerra justa, deve-se lembrar a defesa contra agressões, quando a força é repelida com a força. Também é justa quando feita para se recobrar coisas tomadas injustamente. No caso, entende-se que é legítima não só para recobrar as coisas próprias, mas também as de aliados e amigos. É o que ocorre na luta contra os huguenotes franceses invasores da baía de Guanabara, em 1564; ou, em 1624 e 1640, no combate contra os holandeses calvinistas no Nordeste. Terceira causa para uma "guerra justa" é a necessidade de impor o castigo a malfeitores que não foram punidos ou que foram castigados com negligência. É o caso, a partir de 1562, das várias expedições punitivas contra os caetés do Nordeste, que comeram o bispo Sardinha, em 1556. Em todos os casos, a guerra é justa porque é empreendida em nome da justiça dos princípios cristãos, como acontecia nas cruzadas chefiadas pelos reis portugueses no Norte da África. O rei de Portugal tem o título de Grão-Mestre da Ordem de Cristo e a missão de dilatar a fé e o Império contra os infiéis. A universalidade cristã também implica que a guerra é justa quando realizada contra os que impedem os missionários de divulgar a fé, caso dos *caraíba* tupis.

Retomo aqui o que vinha dizendo no início. Se é verdade que o poder político assim entendido como uma arte cristã de produzir e manter a paz do "bem comum" do reino faz reinar a mesma paz, também é verdadeiro, como disse com Foucault, que ele produz a paz reinscrevendo a guerra como relação de forças nas instituições e nos corpos. No século XVI, quando os processos de centralização das monarquias ocidentais estão redefinindo o poder dos reis, a contínua produção de desequilíbrios e desigualdades pela Coroa evidencia a inversão proposta no início desta explanação: a política é uma continuação da guerra por outros meios em tempos de paz.

A questão dessa continuidade da guerra aplicada contra os habitantes das novas terras invadidas ou, como se diz piedosamente, "descobertas" pelos espanhóis e portugueses, aparece determinada nas discussões jurídicas do poder monárquico realizadas em várias instâncias, no século XVI, principalmente quando se trata de definir a natureza do selvagem, a legalidade da instituição monárquica, a legitimidade da posse das novas terras invadidas e das medidas que o poder central adota na conversão, sujeição e extermínio dos seus habitantes. A discussão teológico-política desses temas não se dissocia, evidentemente, da expansão mercantilista e das novas possibilidades de obtenção de riquezas[14] nas terras invadidas. A discussão é elemento ativo da expansão.

Nos primeiros trinta anos depois da chegada de Cabral, os portugueses estabeleceram relações de troca com os selvagens do litoral, principalmente na forma do escambo, pelo qual os indígenas forneciam a mão-de-obra e o *ibirapitanga*, o pau-brasil, em troca de quinquilharias e objetos de ferro.[15] Sabe-se com os autos e as cartas de Anchieta, por exemplo, que os franceses foram aliados dos tupinambás, tamoios, caetés e potiguaras, tornando-se inimigos dos inimigos desses grupos, tupiniquins e tabajaras, por sua vez aliados dos portugueses. No comércio com as tribos, os contatos iniciais capitalizam o dado cultural nuclear da memória social dos grupos tupis do litoral, a guerra intertribal. Pareceriam indicar que os huguenotes franceses, arranhando a costa aqui e ali, ao contrário da colonização portuguesa logo baseada na agricultura extensiva, teriam tido relações caracterizadas pela isenção do juízo quanto aos indígenas, constituídos em parceiros comerciais.[16] Villegagnon, contudo, classifica o indígena de *bête portant la figure humaine* [besta de aparência humana];[17] e Le Testu faz do desconhecimento de Deus a razão da existência do *sauvage*.[18]

Nos primeiros tempos da conquista territorial, os portugueses mantêm o padrão de contato e trocas esporádicas — pelo menos até 1534, com a iniciativa das capitanias hereditárias logo fracassada por ser o descentramento um alvo fácil de resistência indígena. Como demonstra Lestringant, a ocupação francesa é similar. Restrita à exploração comercial do pau-brasil, não realizou nenhuma ocupação militar englobante nem, muito menos, teve preponderância ideológica, em razão da mesma dispersão. Conforme Lestringant, é a partir de 1534 que ocorre um deslocamento da estratégia colonizadora.[19]

A escravização sistemática dos selvagens e as "guerras justas" só começam para valer, contudo, a partir do estabelecimento do governo-geral e da missão jesuítica chefiada por Nóbrega, em 1549. Mas já nos primeiros anos do século XVI várias expedições portuguesas e espanholas foram enviadas ao Atlântico Sul, como as de Américo Vespúcio (1501), Solís (1512 e 1515), João de Lisboa (1515), Fernão de Magalhães (1520), Loyasa (1525), Sebastião Caboto (1526), Diego Garcia (1526), Martim Afonso de Sousa (1530). Quase todas elas aprisionaram e escravizaram indígenas que habitavam o atual território do Brasil. Eles eram vendidos em Sevilha, Lisboa, Porto Rico, Santo Domingo e na região do Prata. Na América, a prática foi iniciada por Colombo que, no final do século XV, levou escravos do Caribe para a Espanha, causando a indignação da rainha Isabel, a Católica. A real indignação não decorria, porém, da infração de um preceito moral por Colombo, mas do fato de ele ter se apropriado indevidamente do monopólio da Coroa.[20] A rainha aceitava a servidão de mouros e judeus na Espanha e a Coroa espanhola era proprietária de escravos, tendo autorizado várias expedições que saíram à caça deles nas ilhas do Caribe. O contingente desses escravos capturados pelas primeiras expedições é pouco conhecido, mas é possível rastrear informações parciais em relatos de viajantes e cronistas. Logo depois da expedição de 1501, Américo Vespúcio relata, numa carta para o senhor de Florença, Lorenzo de Medici: "[...] fizemos um acordo de apresar escravos, carregar com eles os navios e voltar para Espanha; e fomos a certas ilhas e tomamos pela força 232 almas e as carregamos e voltamos para Castela". Uma razão adicional aparece, quando se refere às índias tupi-guaranis do litoral brasileiro levadas para os navios com fins sexuais: "[...] mostravansi molto desiderosi di congiugnersi con noi cristiani".[21]

É preciso lembrar que as discussões sobre a escravidão dos selvagens e a "guerra justa" contra eles relaciona-se intimamente com o padrão português de ocupação territorial. Como se sabe, inicialmente houve duas frentes principais de ocupação: no Nordeste, a Bahia e Pernambuco, zonas do cultivo do açúcar e de demanda crescente de mão-de-obra escrava; no Sul, a capitania de São Vicente e, no planalto acima da serra do Mar, a partir da segunda metade do século XVI, a vila de São Paulo de Piratininga, lugar onde a caça do "gentio da terra" foi uma das principais atividades econômicas dos habitantes, principalmente depois que os holandeses ocuparam as praças fornecedoras de negros em Angola. O historiador Taunay afirma que, no século XVI, para uma população de mais ou menos 4 mil almas livres, havia cerca de 70 mil escravos índios na capitania. No início do século XVII, segundo jesuítas, uma só bandeira paulista teria capturado 300 mil guaranis nas terras do Guairá, no atual Paraguai, que estavam reduzidos a 20 mil quando a bandeira regressou a São Paulo.[22]

Também é preciso lembrar a triangulação Lisboa—Brasil—África. Os portugueses ocupam sítios estratégicos no Congo desde as expedições feitas no século XV por Diogo Cão. A jurisprudência que se foi acumulando sobre a escravidão de africanos, realizada desde 1474, tornou-se uma fonte fundamental de referência na definição da "guerra justa" feita no Brasil contra os bárbaros, principalmente nas propostas jesuíticas de substituição da mão-de-obra indígena pela africana. Na época, os contatos com as regiões da África começaram como aliança e amizade. O Vaticano e o reino de Mombaça estabeleceram relações diplomáticas; um filho do rei manicongo foi nomeado bispo em Roma; vários homens do Congo, Angola e Mombaça receberam títulos portugueses de conde, marquês e duque; o rei d. Manuel III, de Portugal, trocou correspondência com o rei negro Afonso I, do Congo,[23] tratando-o como um irmão, um igual. Enquanto isso, a primeira lei portuguesa oficial sobre a liberdade dos índios foi baixada, em 20/3/1570, pelo rei d. Sebastião. Decretava que não seria permitido escravizar índios já catequizados e aldeados pelos padres inacianos; mas que seria possível escravizar índios por razões graves, como a antropofagia, numa "guerra justa". Era justa quando feita contra os "[...] que costumam atacar os portugueses ou a outros gentios para os comerem".[24] Na prática, por isso, qualquer grupo indígena não aldeado pelos jesuítas podia ser considerado "bárbaro" pelos colonos. Formalmente, a lei de 1570 protegia os índios postos nas aldeias sob a autoridade dos padres; ao mesmo tempo, fornecia justificativas jurídicas manipuladas como álibi pelos colonos e traficantes para guerrear, capturar e escravizar os selvagens que viviam a liberdade natural do mato.

Em todos os casos, a própria instituição da escravatura não é posta em questão. O que se discute é a legalidade e a legitimidade da posse de escravos indígenas, considerando-se legítima a posse cristã que garante a salvação da alma. Quanto aos africanos, nada. Em 1575, os portugueses estão estabelecidos em Luanda, Angola, e trocam mercadorias e escravos com os comerciantes holandeses de Amsterdão e Antuérpia. Enquanto procuram prata no interior de Angola, os portugueses transportam escravos negros para as plantações de cana-de-açúcar da Bahia e Pernambuco. A partir de 1580, com a União Ibérica, que junta as coroas da Espanha e de Portugal, o abastecimento português de escravos negros estende-se para as regiões dominadas pelos espanhóis no Novo Mundo.

Os cronistas que tratam do tráfico negreiro invariavelmente o justificam em termos cristãos. É, por exemplo, o que se lê na *Crônica dos feitos da Guiné*, de Gomes Eanes de Zurara que, depois de narrar os horrores do tráfico, propõe ao rei d. Henrique que os escravos vão alcançar a salvação de suas almas.[25] Encontra-se o mesmo argumento em Vieira, no século XVII, no famoso *Sermão do Rosário* pregado aos homens pretos de um engenho baiano. Reconhecendo que sofrem como Cristo e mais que ele no "doce inferno" dos engenhos de açúcar, afirma que devem conformar-se, pois terão a paga de tanta dor no céu.

Como lembrou argutamente Antônio José Saraiva, a guerra e a pirataria nas costas da África eram apresentadas aos contemporâneos dos primeiros navegadores portugueses como um prosseguimento das guerras de cruzada contra os mouros empreendidas havia séculos pelos cristãos da Espanha.[26] Em 16 de junho de 1452, o rei português tinha obtido do papa Nicolau V um breve que lhe concedia o direito de invadir e submeter os territórios em poder dos sarracenos, pagãos e infiéis inimigos de Cristo, e de escravizar seus habitantes. Quando as caravelas portuguesas chegam à África e começam o tráfico, continua-se a afirmar em Portugal que é feito com justiça, pois os escravos são uma presa obtida em ataques aos muçulmanos inimigos da fé cristã. Desde o início, a escravidão dos negros foi definida como "guerra justa" ou guerra contra infiéis. Logo o tráfico se tornou um magnífico negócio e as pilhagens dos contatos iniciais passaram a ser substituídas pela sistematicidade do comércio com os sobas, chefes africanos que vendiam escravos capturados em guerras intertribais. Ou como conquista obtida numa guerra classificada como "guerra justa", segundo o imaginário da cruzada, ou como mercadorias trocadas e compradas, os negros africanos foram sempre definidos como escravos. Neste sentido, os jesuítas, como Nóbrega, Anchieta e Vieira, e dominicanos, como Las Casas, propõem a importação de africanos para a América em substituição dos escravos indígenas: "Sem negros, Pernambuco não existe, e, sem Angola, não existem negros", dizia Vieira em 1648. Isso porque "[...] o Brasil tem o corpo na América e a alma na África".

Nos discursos, o cativeiro africano aparece justificado teologicamente pela narrativa bíblica de Cam, filho de Noé. Noé, inventor do vinho, um dia se embebeda e fica nu. A lei hebraica proibia a visão da nudez paterna pelos filhos. Cam vê o pai nu, enquanto seus irmãos, Sem e Jafé, lançam um manto sobre ele, sem vê-lo. Quando fica lúcido, Noé amaldiçoa Cam: será escravo dos próprios irmãos e a escravidão se perpetuará na própria pele dos seus filhos.

Saraiva argumenta que as coisas foram um tanto diferentes com os espanhóis que chegaram a Tenochtítlan, no vale do México, e a Cajamarca, no Peru, onde encontraram povos altamente civilizados. Se era possível justificar os ataques à África e a escravização dos negros como uma "guerra justa" contra infiéis inimigos da fé cristã, se era possível explicar o cativeiro dos negros pela referência a Cam, como justificar a invasão de territórios habitados por gente que não era muçulmana, que não era negra, que nunca tinha invadido nenhuma terra cristã, que nunca tinha ouvido falar de Cristo e que nunca tinha perseguido nenhum missionário cristão? Gente, enfim, totalmente alheia à Europa?[27]

Sabe-se o que foi a invasão espanhola do México e do Peru: uma desenfreada cobiça de ouro acompanhada do sangue. Os milhões de mortos são um número espantoso como espantosa é a crueldade empregada. Apesar de tudo, porém, nas colônias da Espanha os interesses de lucro e enobrecimento imediato dos conquistadores, como Caboto, Cortés, Pizarro, Alvarado, Valdívia, não eram sempre os mesmos proclamados pela Coroa, ciosa da sua soberania. E o padrão espanhol de colonização facultava a existência de várias instituições propícias ao debate intelectual, como as universidades e a imprensa, diversamente da predação portuguesa, que sempre definiu sua colônia brasileira como "empório". Na Espanha, a divergência dos interesses permitiu, justamente, a contradição e a polêmica acerca dos procedimentos aplicados à conquista das novas terras. É o caso, estudado magnificamente por Lewis Hanke, do grande debate realizado em 1550, em Valladolid, onde se opuseram Las Casas e Sepúlveda,[28] que retomarei adiante. Na Espanha, em 1512, as Leis de Burgos anexaram à doutrina do direito a doutrina do direito dos índios. Em 2 de junho de 1537, o papa emitiu a bula que proibia a escravidão dos índios, embora não fizesse nenhuma menção aos africanos. A bula, porém, foi quase sempre esquecida. O imperador Carlos V, julgando que interferia em sua autoridade, proibiu que fosse divulgada nas Índias Ocidentais e o papa não voltou a insistir.

Ao contrário do que ocorre na Espanha e nos territórios ocupados por ela, a conquista da América portuguesa não é acompanhada de nenhuma polêmica teórica de vulto. Os jesuítas conheciam a bula de 1537, contudo, como evidencia o *Diálogo sobre a conversão do gentio*, de 1556, em que Nóbrega defende a humanidade do selvagem, argumentando que também ele tem as três faculdades escolásticas que definem o "humano", memória, vontade, intelecto. Alegando que suas abominações não são essenciais, mas que decorrem da ignorância e que podem ser corrigidas, Nóbrega recupera cristãmente, todavia, a quase-diferença cultural que produz, pois também afirma que o selvagem é inconstante.[29] Como Viveiros de Castro demonstrou, o padre universaliza a noção cristã da alma como unidade e coerência que fundamentam a noção escolástica de "pessoa". Com isso, justifica imediatamente a intervenção.[30] Encontra-se a mesma universalização do pressuposto em Anchieta. Em uma carta em espanhol, de 16 de abril de 1563, que enviou de São Vicente para o padre Diogo Lainez, Geral da Companhia de Jesus, afirma:

> Parece-nos que estão as portas abertas nesta capitania para a conversão dos gentios, se Deus Nosso Senhor quiser dar maneira com que sejam sujeitados e postos sob o jugo. Porque, para esse gênero de gente, não há melhor pregação que espada e vara de ferro, na qual, mais que em nenhuma outra, é necessário que se cumpra o *compelle eos intrare*.[31]

O tópico do *compelle eos intrare* [obriga-os a entrar], relativo à conversão e ao ingresso dos pagãos no grêmio da humanidade católica, é o mesmo de outros discursos do século XVI sobre o "bárbaro", o "selvagem", o "gentio", o "índio". Anchieta dá por evidente a necessidade de converter os gentios ao cristianismo, afirmando que a ação missionária conta com o auxílio da Providência Divina, que lhe orienta o sentido. O tópico da sujeição do selvagem, obtida ou pela força do verbo ou pela força das armas, relaciona-se ao tema, que foi rotineiro principalmente na primeira metade do século XVI, da dificuldade de definição desse "gênero de gente". Anchieta e seus contemporâneos, Nóbrega, Vitoria, Las Casas, Sepúlveda, admitem que o selvagem é "gente", embora não seja consensual a definição da qualidade dessa "gente". Na carta em questão, é gente que só entende a espada e a vara de ferro. Nóbrega escreve que é gente *sine consilio et semper prona ad malum*, gente sem juízo e sempre inclinada ao mal.[32] E Vieira, na Amazônia do século XVII, que é "gente boçal".

Nesse campo em que as definições da humanidade do selvagem e as providências pacíficas e guerreiras conflitam, mais dois tópicos comparecem. Também estão no trecho da carta de Anchieta: o programa da pregação universal como *propaganda fidei* e a definição das condições materiais e espirituais para realizá-la. De novo, a questão da guerra contra o bárbaro é central. Sua discussão implica retomar outros tópicos e circunstâncias da disputa da Igreja romana com os luteranos em negócios do poder espiritual, e do papa, ameaçado em sua infalibilidade de vice-Cristo, com os reis católicos e protestantes em negócios do poder temporal. No momento em que Anchieta escreve a carta, já ocorreram na Europa dois eventos decisivos para o destino dos selvagens na América: um deles foi a sessão de 8 de abril de 1548, do Concílio de Trento, que redefiniu a *traditio*; o outro, a sessão do mesmo Concílio, realizada em Valladolid, em 1550, onde se debateu a tese da "servidão natural" defendida por Sepúlveda.

Como se sabe, uma das principais teses de Martinho Lutero contra Roma foi a doutrina da *sola scriptura*. Segundo Lutero, para a verdadeira adoração de Deus não são necessários os ritos visíveis da Igreja romana, pois o fiel deve ler as *Escrituras* individualmente, buscando orientação para a vida. Os teólogos reunidos no Concílio de Trento declararam a tese anátema, e, para combatê-la, redefiniram a *traditio*, a tradição, em dois sentidos. Por um deles, afirmaram que por *tradição* deviam ser entendidos os textos canônicos dos doutores da Igreja e comentaristas autorizados das *Escrituras*. Por outro, determinaram que o padre, não o fiel, era a única autoridade capacitada para retomar e fazer a *traditio* ou a transmissão da verdade dos textos canônicos. O padre deveria transmiti-la por meio da pregação oral, combatendo a idéia luterana da leitura da *sola scriptura*. Como uma empresa de conquista espiritual enviada para um lugar distante com o fim de converter os gentios e combater os hereges, a missão jesuítica no Brasil rearticula a *traditio*. Esta é uma determinação decisiva, que faz do monopólio do ensino da palavra escrita das autoridades da Igreja pelos jesuítas um agente extremamente eficaz de colonização.

Aqui, é essencial lembrar o estudo de Michel de Certeau sobre Jean de Léry, o huguenote que esteve no Rio de Janeiro com a expedição de Villegagnon. A escrita do cronista é colonizadora, propõe De Certeau, demonstrando que no texto de Léry, *Histoire d'un voyage faict en la terre du Brésil* (*1578*),[33] a representação da sociedade tupinambá é articulada segundo um sistema de quatro oposições generalizáveis para outros documentos do século XVI que funcionam como "hermenêutica do outro":[34] a oralidade, ou a comunicação própria das sociedades ditas "selvagens"; a espacialidade, ou o quadro sincrônico das sociedades indígenas classificadas como sociedades sem história; a alteridade, ou a diferença que evidencia um corte cultural; a inconsciência, ou o estatuto conferido aos fenômenos coletivos indígenas, quando são referidos a uma significação que lhes é estranha e que se aplica a eles como um saber vindo de fora, a civilização européia.

No caso português, pode-se dizer, tal hermenêutica, que funciona como as técnicas da descrição, do comentário, da explicação e da interpretação, é operada segundo padrões retóricos e teológico-políticos específicos do imaginário da dilatação da fé e do Império. Porque é uma hermenêutica escrita, ela combina, na memória artificial da letra, como diz Michel de Certeau, o poder de reter e armazenar o passado, em oposição às fábulas selvagens, que o perdem e esquecem na oralidade, com o poder de superar e vencer a distância, em oposição à voz selvagem, circunscrita ao presente da enunciação e ao auditório. A escrita faculta a acumulação primitiva de dados simbólicos extraídos da observação dos "selvagens", conservando-os intactos para usos futuros, como um arquivo das coisas do Brasil. Como poder de memória da experiência e poder de previsão do futuro, a escrita coloniza. Assim, no caso português, observa-se nela uma dupla reprodução, ou seja, uma repetição ortodoxa, que preserva o passado da *traditio* das autoridades canônicas, e uma repetição missionária, que avança baseada na *traditio* aplicada aos dados simbólicos preservados e adaptados às novas situações, conquistando o espaço, a oralidade, a falta de história e a inconsciência dos selvagens com os processos do tempo teológico-político que os hierarquiza.

Para assegurar a autoridade do poder enquanto se ocupa do novo, a escrita mantém intacta a relação com seu lugar de produção originário, a Europa e as autoridades canônicas que orientam o sentido dos enunciados. Aqui, de novo, concorrem os modelos retórico-poéticos de organização da escrita e a teologia-política cristã, que fundamenta a jurisprudência do Estado português aplicada aos negócios coloniais.

Nos textos quinhentistas sobre os indígenas do Brasil, encontramos uma dupla articulação, como disse: em uma delas, os enunciados figuram a gigantesca dispersão do novo, maneiras de viver dos indígenas, animais de estranhas raças, coisas assombrosas ou curiosas que a terra produz, descritos de maneira muito analítica, com profusão de minúcias. Na mesma dispersão analítica, produzida com um mapeamento classificatório, a enunciação projeta o princípio que unifica teológica e politicamente o que é dito. A proliferação e a multiplicidade dos seres e eventos da nova terra são subordinadas, enfim, como semelhanças distantes do mesmo princípio interpretativo que as atravessa como universalidade de causa primeira e final, Deus. Logo, tudo que é diferente é interpretado como uma variação distante Dele. Imagem invertida da Europa, o Novo Mundo é visto *per speculum*, por espelho, como no trecho do apóstolo Paulo. Feita como uma tradução ou uma extensão da *traditio* redefinida em Trento, a interpretação aplica o filtro teológico à visão do que é visto. Não há nenhuma naturalidade na observação, mas total subordinação da experiência do novo ao padrão cultural vivido como universalidade de lei de Deus. Montaigne relativiza essa universalidade no ensaio sobre os canibais; Léry oscila entre universalidade e convenção, pois não é católico e tendencialmente se abstém de julgar as abominações indígenas;[35] os cronistas portugueses, como Gândavo e Gabriel Soares de Sousa, adotam a universalidade, assim como os jesuítas, Nóbrega, Anchieta e Cardim, para fundar a ação portuguesa no Brasil na analogia escolástica. Entendendo que a analogia de proporcionalidade faz do Novo Mundo um efeito e um signo criados por Deus, e que a analogia de proporção faz dele um resultado hierarquizado a distância, nos confins da criação, afirmam que nele bruxuleia pálida a luz natural, que deverá ser evidenciada em leis positivas legítimas.

Na sessão do Concílio de Trento realizada em Valladolid, na Espanha, em 1550, a tese do dominicano Juan Ginés de Sepúlveda defendendo a servidão natural dos selvagens e a justiça do extermínio deles pelos católicos foi declarada herética. Os teólogos ali reunidos descobriram uma semelhança entre ela e a tese de Lutero sobre a natureza humana depois do pecado original. Sepúlveda afirma que os índios do México são servos por natureza porque seu domínio político das regiões invadidas pelos espanhóis pode até ser legal, segundo as próprias leis, mas não legítimo, pois não é domínio fundado na verdade da revelação de Cristo. Lutero, por sua vez, numa das teses de Wittenberg, de 1517, afirma que a lei do pecado original [*lex peccati*], transmitida de pai para filho no ato da geração, corrompe irremediavelmente a natureza humana, tornando-a incapaz de reconhecer o *verum Deum absconditum*, o verdadeiro Deus oculto. Em decorrência, se cada homem individual não é capaz de distinguir o bem do mal ao agir, os homens em conjunto, como sociedade, tendem sempre à anarquia. Logo, os poderes políticos que existem — e que devem existir — são totalmente necessários para a manutenção da ordem social. É Deus quem confere diretamente o poder aos reis para impor a ordem. E, se o rei reina por "direito divino", isso significa que, sendo enviado por Deus, também é um vigário dele, um vice-Cristo, como o papa em Roma.

A tese polêmica da servidão natural dos selvagens, exposta por Juan Ginés de Sepúlveda de modo rigoroso no diálogo intitulado *Tratado das justas causas da guerra contra os índios*, ou *Democrates alter*, impresso pela primeira vez em Roma, em 1550, dividiu o mundo católico. A crueza das conclusões de sua argumentação impecavelmente lógica demonstra o que efetivamente ocorria na prática em todos os lugares onde a universalidade cristã tinha sido levada pelos conquistadores. No diálogo, debatem Demócrates, um teólogo, e Leopoldo, um alemão contagiado de erros luteranos. Leopoldo é um tipo ingênuo e tosco, acreditando que a guerra é proibida pela lei divina. Demócrates, figura do humanista embebido da tradição canônica da Igreja, convence-o de que ela pode ser "guerra justa". Principalmente quando se trata de submeter povos bárbaros, servos por natureza, à autoridade das instituições cristãs.

É necessário definir *servidão*, e Demócrates aplica um *distinguo* escolástico, indicando duas espécies dela e afirmando que o termo significa duas coisas muito distintas, conforme seja tratado por um jurista ou por um filósofo. Para os juristas, *servidão* significa uma coisa acidental, que decorre de uma razão de força maior e do direito das gentes e, às vezes, do direito civil, ao passo que os filósofos chamam *servidão* a fraqueza ou a estupidez do entendimento, além de costumes inumanos e bárbaros. Segundo os filósofos, há no mundo um único princípio que determina a servidão natural. É o princípio da racionalidade da criação, que atesta a presença de Deus na natureza e na história. É ele que permite afirmar que tudo quanto segue a luz natural ou que é feito segundo a luz natural é feito segundo a vontade de Deus. Se é natural que o macho domine a fêmea, que a mulher seja submissa ao marido, que os filhos obedeçam ao pai, também é natural que o perfeito impere sobre o imperfeito ou que o excelente domine sobre o seu contrário. Nas palavras de Demócrates:

> Os que excedem aos demais em prudência e engenho, embora não em forças corporais, estes são por natureza senhores; pelo contrário, os lentos de entendimento, embora tenham todas as forças corporais para cumprir todas as obrigações necessárias, esses são por natureza servos, e é justo e útil que o sejam.[36]

Como sempre, é a autoridade da Bíblia que justifica a argumentação: "Aquele que é néscio servirá ao sábio" [*Provérbios*]. Também a autoridade da passagem da *Política*, em que Aristóteles afirma ser próprio do inferior subordinar-se naturalmente ao superior. A decorrência lógica da tese é a de que sempre será justo, segundo o direito natural, que os povos bárbaros e inumanos se submetam ao governo dos príncipes e de nações mais cultas e humanas para que, por meio do exemplo de virtudes, abandonem a barbárie. Se os bárbaros recusam tal império, ele pode ser-lhes imposto por meio da força das armas. Essa guerra será justa, segundo o direito natural.[37]

Os exemplos de "servidão natural" propostos por Demócrates são de novo os do México. O fato de os mexicanos fazerem sacrifícios humanos e comerem os corações dos sacrificados em cerimônias religiosas evidencia a barbárie que os faz naturalmente servos. Segundo Sepúlveda, na Bíblia há inúmeros e claríssimos indícios de que Deus julga justo o extermínio dos bárbaros mexicanos pelos conquistadores, pois suas abominações são ofensivas. Os episódios do dilúvio universal ou da destruição das cidades pecadoras de Sodoma e Gomorra o comprovam. A Bíblia afirma:

> Se ouvires alguém dizer em uma das tuas cidades que saíram os filhos de Belial no meio do teu povo e perverteram os habitantes de tua cidade, e que disseram: vamos e sirvamos aos deuses estrangeiros que ignorais, pergunta solícito e diligente a verdade, e se descobrires que é certo o que se diz e que foi perpetrada tal abominação, ferirás em seguida os habitantes daquela cidade com o fio da espada e a destruirás com tudo que há nela.[38]

Leopoldo lembra, porém, o fato de que os pagãos do México nunca souberam da existência de Cristo. Tal desconhecimento poderia ser uma justa causa para provar que há injustiça por parte dos espanhóis. Demócrates retruca que o fato de adorarem ídolos os torna culpados, provando a justiça da submissão deles aos espanhóis, pois a mesma submissão realiza a vontade de Deus revelada em várias passagens bíblicas contra as abominações. Os astecas infringem a lei natural, por isso é lícito destruí-los.

Seguindo ortodoxamente o direito canônico, Demócrates reconhece que o próprio papa não pode obrigar os pagãos com palavras e leis cristãs; mas pode, por todos os meios, entre eles a guerra, afastá-los dos crimes *contra naturam*, trazendo-os para a verdadeira religião que os salvará. Os pagãos mexicanos não podem ser castigados pelo fato de serem infiéis, nem podem ser obrigados a receber a fé de Cristo, pois a crença depende da vontade e a vontade não pode ser forçada. No entanto, podem e devem ser impedidos de praticar crimes contra a lei natural, principalmente aqueles que mais ofendem a Deus, como a idolatria.

A universalidade do pressuposto doutrinário de Sepúlveda que, num primeiro momento, veta a intervenção, é acionada para justificá-la. Aqui, mais uma vez, a instituição produz a perversão que justifica a medida adotada. Além disso, Demócrates afirma que os astecas sacrificavam anualmente cerca de 20 mil vítimas e que a guerra contra costume tão bárbaro também é defesa dos inocentes. Isso porque, como alega, o homem que não defende o próximo das ofensas, podendo fazê-lo, comete o mesmo delito que o criminoso.[39] Como sentencia são Jerônimo, cortante e luminosamente: "O que fere os maus naquilo em que são maus e tem instrumentos de morte para matar os piores é ministro de Deus".[40]

Concluindo que os bárbaros mexicanos estão obrigados a receber a dominação dos espanhóis conforme as leis da natureza, Sepúlveda afirma que isso certamente lhes será mais proveitoso, pois a virtude, a humanidade e a verdadeira religião são mais preciosas que o ouro e a prata. Por isso mesmo, se recusam a dominação, podem ser compelidos a aceitá-la pela força das armas numa "guerra justa", porque feita pela lei da natureza.

Essa necessidade de submeter os pagãos à verdade cristã era antiga. No século XIII, o cardeal-arcebispo de Óstia, Enrico de Susa, conhecido como Ostiense, escreveu uma *Summa aurea*, onde propôs que os povos gentios teriam tido domínio civil e político sobre os territórios que habitavam antes de Cristo vir ao mundo. A partir da vinda do Salvador, porém, os poderes temporais e espirituais teriam ficado vinculados à pessoa de Cristo, que os teria transmitido integralmente ao primeiro papa, são Pedro, que os transmitiria a todos os outros. Logo, os infiéis podiam ser privados de seus reinos e posses pela autoridade apostólica à qual estariam obrigados a obedecer.

A mesma tese foi adotada por Palacios Rubios, conselheiro do rei d. Fernando, o Católico, da Espanha, em 1512. Num tratado chamado *De insulis oceanis* [Sobre as ilhas do oceano], Palacios Rubios reconheceu que na América certamente havia vários domínios pagãos sem a autorização do papa; isso ocorreria devido a uma permissão eclesiástica precária, que seria revogável. Nesse sentido, Palacios Rubios inventou o *Requerimiento*, uma intimação escrita em espanhol que era lida pelos conquistadores para os indígenas com quem faziam contatos pela primeira vez. O *Requerimiento* declarava que o rei de Castela, o imperador Carlos V, era senhor daqueles territórios e que os selvagens e bárbaros, seus habitantes, estavam intimados à submissão total a ele, dono do mundo desde a doação feita pelo papa Alexandre VI. Como sempre, resguardava-se cristãmente o livre-arbítrio dos selvagens, livres para escolher entre a sujeição, abrindo mão do seu domínio, ou a guerra e o extermínio.

Em 1539, no tratado *Relectio de indis*, o grande teólogo e jurista dominicano Francisco de Vitoria, discutiu questões básicas da Conquista: se antes da chegada dos espanhóis os índios eram verdadeiramente donos dos territórios e quais eram os títulos ilegítimos e legítimos de conquista. Descartando os argumentos então correntes entre os adeptos da escravidão e do extermínio, Vitoria debate as afirmações de irracionalidade e pecados *contra naturam* que caracterizariam os selvagens. Suas principais referências doutrinárias são, como em todos os autores desse momento que tratam do tema, a Bíblia, a *Política* aristotélica, obras de santo Agostinho e a *Summa theologica*, de santo Tomás de Aquino. Aparentemente, a invasão das terras e a conquista espiritual do selvagem estariam justificadas pelo Evangelho, mais precisamente pela passagem onde Cristo ordena "Ide e ensinai a todas as nações, batizando-as no nome do Pai, do Filho e do Espírito Santo".[41] Discutindo a passagem, Vitoria comenta a questão debatida por santo Tomás na *Summa theologica*: "Se é lícito batizar os filhos dos infiéis contra a vontade de seus pais". A resposta de Tomás de Aquino é negativa: não é lícito batizar os filhos dos infiéis contra a vontade dos pais, porque é preciso haver o uso da razão para que a escolha seja livre. Vitoria transfere as palavras de Tomás de Aquino para a questão indígena:

> De nenhum modo se há de fazer-lhes violência para que recebam a fé, já que o crer depende da vontade. Podem, contudo, os fiéis, se isto está ao seu alcance, obrigá-los a que não impeçam a pregação da fé com blasfêmias e maus empenhos, ou ainda, se chegam a tanto, com perseguições abertas. E por isso os fiéis de Cristo freqüentemente declaram guerra aos infiéis, não para obrigá-los a crer, pois ainda no caso de vencê-los e escravizá-los, eles têm de ter a liberdade de crer.[42]

Perfeitamente lógico, sutil e justo, mas é oportuno definir essa "liberdade de crer". Não se pode esquecer que, no século XVI, a definição de "liberdade" também é teológica. Deus existe e é o Bem; como o mal é falta de ser, só há liberdade efetiva quando a escolha se orienta pelo Bem de Deus. Logo, a liberdade é definida como uma *recta ratio agibilium*, uma reta razão das coisas que se deve fazer para escolher o Bem; como os índios agem movidos por outros princípios, é fácil deduzir que estão *a priori* sem liberdade, pois são ignorantes do Bem. Logo, devem ser levados a agir livremente, ou seja, devem subordinar-se à palavra cristã e às instituições para serem livres. E, se as recusam ou impedem a pregação delas, a guerra contra eles torna-se justa. A idéia de que a salvação da alma é o que vale essencialmente na vida humana faz com que o cativeiro também seja entendido como a condição necessária para a liberdade do selvagem, definindo-se "liberdade", mais uma vez, como a reta escolha do Bem que conduz à salvação. De modo complementar, como se disse, o índio que vive a liberdade natural do mato permanece cativo das abominações e tem a alma condenada ao inferno, por isso se pode caçá-lo.

No *Regimento* do primeiro governador-geral, Tomé de Sousa, datado de 15/12/1548, o rei d. João III de Portugal declara essa intenção salvífica:

> Porque a principal causa que me moveu a mandar povoar as ditas terras do Brasil foi para que a gente dela se convertesse à nossa santa fé católica.

No mesmo trecho, o rei ordena que todos os portugueses que vierem ao Brasil deverão ter

> [...] especial cuidado de os provocar a serem cristãos e para eles mais folgarem de o ser tratem bem todos os que forem de paz e os favoreçam sempre e não consintam que lhes seja feita opressão nem agravo algum [...] de maneira que fiquem satisfeitos e as pessoas que lhas fizeram sejam castigadas como for justiça.

No *Regimento*, contudo, também se lê:

> Eu sou informado de que os gentios que habitam ao longo da costa da capitania de Jorge de Figueiredo da vila de São Jorge até a dita Bahia de Todos os Santos são da linhagem dos Tupinambás e se alevantaram já por vezes contra os cristãos e lhes fizeram muitos danos e que ora ainda estão alevantados e fazem guerra e que será muito serviço de Deus e meu serem lançados fora dessa terra para poder se povoar assim dos cristãos como dos gentios da linhagem dos Tupiniquins que dizem é gente pacífica e que se oferecem a os ajudar a lançar fora e a povoar e defender a terra.[43]

O mesmo *Regimento* que determina a paz com a gente pacífica determina a guerra contra os que não aceitam como natural a invasão portuguesa. "Lançar os Tupinambás fora dessa terra para poder se povoar" é uma finalidade afirmada como evidentemente justa, pois a posse das novas terras tinha sido autorizada pela bula papal do século XV. O *Regimento* previa, por isso, que os índios pacíficos ou pacificados seriam agrupados em aldeias e mantidos sob a jurisdição dos jesuítas, o que passou a ser feito pelos padres no tempo do terceiro governador-geral, Mem de Sá. Além de irem às tribos, fazendo pregações de madrugada, na mesma hora em que os xamãs falavam, trazendo inicialmente as crianças, depois as mulheres e finalmente os homens adultos para a catequese nas aldeias, os jesuítas também passaram a trocar os "índios de corda" que tinham sido capturados nas guerras intertribais e que seriam sacrificados e comidos. Admitiam a escravização deles e, como se pode ler na correspondência dos padres, às vezes alguns "índios de corda" recebiam o batismo antes de serem mortos ritualmente pelos adversários, o que para os inacianos provavelmente significava que tinham ido para as barrigas salvos do inferno.

Os primeiros aldeamentos foram feitos na Bahia; em 1561, os padres tinham já organizado onze aldeias. Em 1556, o bispo Pero Fernandes Sardinha, que havia polemizado com Nóbrega por causa, principalmente, de os jesuítas aceitarem a confissão de índios por meio de intérpretes, foi morto e comido pelos caetés do Nordeste, quando naufragou o navio que o levava de volta para Portugal. Imediatamente, declarou-se a justiça da guerra contra os bárbaros, mas os caetés só foram castigados em 1562, quando se baixou uma lei conhecida como "lei contra os caetés", definida como "guerra justa" contra bárbaros cruéis e assassinos. Como demonstrou Georg Thomas, uma parte dos indígenas aldeados e já convertidos pertenciam ao grupo caeté e os colonos interpretaram a lei que declarava a guerra contra eles e a justiça de sua escravidão como uma medida generalizável também para os convertidos. Os índios aldeados que saíam para plantar roças ou caçar foram declarados selvagens pelos colonos, sendo escravizados, porque, pela manipulação da lei, passavam a ser tão bárbaros como os seus primos do mato. Muitos dos aldeados, vendo-se ameaçados pela escravidão, fugiram para o sertão e tornaram-se uma presa justificada. Uma junta formada pelo governador, o ouvidor-geral e os jesuítas conseguiu, em parte, que os indígenas escravizados fossem soltos. De modo geral, pode-se dizer que a pressão contínua dos jesuítas nos vários conflitos que desde logo estouraram com os bispos, o clero regular, outras ordens religiosas e os colonos desejosos de lucro, conseguiu fazer com que os reduzidos nas aldeias não fossem escravizados. No entanto, os colonos necessitavam de mão-de-obra; como não podiam obtê-la diretamente nos aldeamentos dominados pelos inacianos, os indígenas livres do mato foram automaticamente colocados à disposição do trabalho, como demonstra com precisão o trabalho de Georg Thomas.[44]

NOTAS

(1) P. Manuel da NÓBREGA, S. J. "Cartas da Baía, 8/5/1558", em Serafim LEITE, S. J. (org.), *Cartas dos primeiros jesuítas do Brasil*, São Paulo, Comissão do IV Centenário da Cidade de São Paulo, 1954, v. II, p. 450.

(2) É sempre necessário associar Lévi-Strauss ao "Essai 33" de Montaigne, que, amavelmente cético, expõe sua dúvida quanto à universalidade da hermenêutica cristã aplicada aos seres da América, lembrando que também na Europa huguenotes e católicos se entredevoravam e que a fome e a pobreza, tidas como naturais no mundo cristão, não existiam entre os selvagens. Conforme Montaigne, o fato de os selvagens não usarem cuecas é provavelmente a maior diferença entre eles e os europeus.

(3) Luís Felipe Baeta NEVES, *O combate dos soldados de Cristo na Terra dos Papagaios. Colonialismo e repressão cultural*, Rio de Janeiro, Forense, 1978, p. 17.

(4) Michel FOUCAULT, "Il faut défendre la société", em François EWALD e Alessandro FONTANA (dir.), *Cours au Collège de France (1975-1976)*, Paris, Seuil-Gallimard, 1997, p. 24.

(5) Florestan FERNANDES, "Antecedentes indígenas: organização social das tribos tupis", em Sérgio Buarque de HOLANDA (dir. e introd. geral), *História geral da civilização brasileira*, 6ª ed., São Paulo—Rio de Janeiro, Difel, 1981 [*A época colonial — Do descobrimento à expansão territorial*, t. I, vol. 1].

(6) M. FOUCAULT, "Il faut défendre la société", op. cit.

(7) Jean-François Courtine demonstrou que os conflitos políticos que opõem os Estados europeus no século XVI e início do XVII são formulados como oposições de teologia contra teologia. Com Kantorowicz, propõe que: "Sous l'autorité du pape en tant que princeps et *verus imperator*, l'appareil hiérarchique de l'Eglise romaine [...] montra une tendance à devenir le prototype parfait d'une monarchie absolue et rationnelle sur une base mystique, tandis que simultanément, l'État manifesta de plus en plus une tendance à devenir une quasi Église et, à bien des égards, une monarchie mystique sur une base rationnelle". Ver Jean-François COURTINE, "L'héritage scolastique dans la problématique théologico-politique de l'Âge Classique", em Henry MÉCHOULAN (dir.), *L'État Baroque 1610-1652. Regards sur la pensée politique de la France du premier XVIIe siècle*, Paris, Vrin, 1985, pp. 109-10.

(8) P. Manuel da NÓBREGA, S. J., em *Cartas dos primeiros jesuítas do Brasil*, v. I, p. 142.

(9) M. FOUCAULT, "Il faut défendre la société", op. cit., pp. 174-5.

(10) P. Antônio Vieira, S. J., "Carta LXXVII". Ao rei D. Afonso VI. 1657 — Abril 20", em João Lúcio de AZEVEDO, *Cartas do padre Antônio Vieira*, Coimbra, Imprensa da Universidade, 1925, t. 1, p. 468: "As injustiças e tiranias, que se têm executado nos naturais destas terras, excedem muito às que se fizeram na África. Em espaço de quarenta anos se mataram e se destruíram por esta costa e sertões mais de dois milhões de índios, e mais de quinhentas povoações como grandes cidades, e disto nunca se viu castigo".

(11) Pero de Magalhães GÂNDAVO, *Tratado da Terra do Brasil: história da província Santa Cruz*, Belo Horizonte, São Paulo; Itatiaia/Edusp, 1980, p. 52. No mesmo capítulo, Gândavo dá notícia das "guerras justas": "[...] mas porque os mesmos indios se alevantarão contra elles [os portugueses] e faziam-lhes muitas treições, os governadores e capitães da terra destruirão-nos pouco a pouco e matarão muitos delles, outros fugirão pera o Sertão, e assi ficou a costa despovoada de gentio ao longo das Capitanias. Junto dellas ficarão alguns indios destes nas aldeas que são de paz, e amigos dos portuguezes".

(12) O texto da bula encíclica *Sublimis Deus*, do Archivo General de Indias, foi editado pela primeira vez por Helen Rand PARISH e Harold E. WEIDMAN, em *Las Casas en México. Historia y obra desconocidas*, México, Fondo de Cultura Económica, 1996, pp. 310-1. Cito dois trechos dela que interessam imediatamente à questão discutida. Inicialmente, a referência à caracterização dos indígenas como "animais" e "escravos por natureza" pelos conquistadores: "[...] inventou (o Demônio) um modo nunca ouvido até agora para impedir que a palavra de Deus se pregasse aos gentios para que se salvassem. Pois incitou alguns satélites seus que, com desejo de satisfazer sua cobiça, ousam afirmar que os Indios ocidentais e meridionais (e outros gentios que vieram ao nosso conhecimento nestes tempos) devem reduzir-se a nosso serviço como brutos animais, sob o pretexto de que são excluídos da Fé católica. E com efeito os reduzem à escravidão, apertando-os com tantas aflições como as com que apertam os brutos animais que os servem". E a determinação: "Com autoridade apostólica, pelas presentes determinamos e declaramos: Que os ditos Índios e todas as outras gentes (infiéis) que no futuro venham ao conhecimento dos cristãos, ainda que estejam fora da Fé de Cristo, não estão privados nem devem ser privados de sua liberdade nem do domínio de suas coisas; mais ainda que podem livre e licitamente desfrutar, possuir e gozar da liberdade e de tal domínio, e não se devem reduzir à escravidão. E que qualquer coisa que se fizer em contrário, resulta inválida, nula, e de nenhuma força nem valor. E que os mesmos Índios e outras gentes devem ser atraídos à dita Fé de Cristo pela pregação da palavra de Deus e o exemplo da boa vida".

(13) SANTO AGOSTINHO, *De verbis Domini, et habetur* (23, q. 1), cit. por Juan Ginés de SEPÚLVEDA, *Tratado sobre las justas causas de la guerra contra los indios* (advertencia de

Marcelino Menendez y Pelayo, estudio de Manuel Garcia-Pelayo), México, Fondo de Cultura Económica, 1987, p. 73.

(14) Ricardo Rodriguez MOLAS, *Los sometidos de la Conquista. Argentina, Bolívia, Paraguay*, Buenos Aires, Centro Editor de América Latina, 1985, p. 11.

(15) Alexander MARCHANT, *Do escambo à escravidão. As relações econômicas de portugueses e índios na colonização do Brasil (1500-1580)*, Rio de Janeiro, Companhia Editora Nacional, 1943 (*Brasiliana*, vol. 225).

(16) Hélène CLASTRES, "Introduction", em Yves D'EVREUX,. *Voyage au nord du Brésil en 1613-1614*, Paris, Payot, 1985, p. 15. Hélène Clastres reproduz a fala de um índio velho ao *sieur des Vaux*: "[...] De même vous autres Français, quand au commencement vous veniez en ce pays, ce n'était que pour trafiquer simplement avec nous... En ce temps là vous ne parliez pas de vous habituer, vous vous contentiez de nous venir voir tous les ans une fois, et à chaque fois de demeurer quatre ou cinq lunes seulement avec nous, et incontinent vous retourniez en votre pays avec nos marchandises pour nous en apporter d'autres dont nous avions besoin. Maintenant pour vous y établir, tu nous a persuadés de faire des forteresses, disant que c'était pour nous défendre contre nos ennemis. Et pour ce même sujet tu nous as amené un Bourouvichavé e des pay. Il est vrai que nous ne sommes aises, mais cependant les Pero en ont fait ainsi. Depuis que les pay sont venus, vous avez planté des croix, ainsi que les Pero. Vous commencez à instruire et à baptizer, ainsi que les Pero; vous dites que vous ne pouvez vous servir de nos filles sinon en mariage et quand elles auront reçu le baptême, comme disaient les Pero. Au commencement vous ne vouliez pas d'esclaves non plus que les Pero, maintenant vous en demandez et en voulez avoir comme ils firent à la fin. Je ne crois pas pourtant que vous ayez le même dessein que les Pero, aussi n'en ai-je pas de crainte, car étant vieil comme je suis, désormais je ne crains plus rien: mais enfin, je dis ingénument ce que j'ai vu de mes yeux".

(17) Nicolas de VILLEGAGNON, "Lettre à Calvin", em Paul GAFFAREL, *Histoire du Brésil français*, Paris, Maisonneuve, 1878, pp. 292-397.

(18) "[...] tous les habitants de cette terre [...] n'ayant connaissance de Dieu", em LE TESTU, *Cosmographie universelle selon les navigateurs tant anciens que modernes*, Paris, Archives du Ministère des Armées, D.t.z, 1556.

(19) Frank LESTRINGANT, "Les stratégies coloniales de la France au Brésil au XVIe siècle et leur échec", em Michel BALARD (dir.), *État et colonisation au Moyen Âge et à la Renaissance*, Lyon, La Manufacture, 1989, pp. 463-76.

(20) R. R. MOLAS, *Los sometidos de la Conquista*, p. 27.

(21) Cit. em idem, ibidem, p. 28.

(22) Informação do historiador TAUNAY, cit. em idem, ibidem, p. 33.

(23) Idem, ibidem, p. 20. Ver também C. R. BOXER, *A Igreja e a Expansão Ibérica (1440-1770)*, Lisboa, Edições 70, 1981.

(24) Georg THOMAS (ed.), *Política indigenista dos portugueses no Brasil (1500-1640)*, São Paulo, Loyola, 1981, pp. 220-1.

(25) O historiador português J. S. da Silva Dias examinou o *Tratado sobre a guerra que será justa*, texto de um anônimo português do século XVI, provavelmente um dominicano. Demonstrando que o *Tratado* inclui as lições de Caetano, Vitoria e Tomás de Aquino, Silva Dias data-o de meados do século XVI, propondo que foi escrito num momento em que o abandono das praças de África e o desvanecimento dos "fumos da Índia" levavam à prudência na doutrina da guerra. Assim, o *Tratado* preconiza "[...] a par de uma guerra limitada, de intimidação e castigo, o condicionamento das relações comerciais com o gentio e a sua lusitanização ideológica" (p. 184). A análise feita por Silva Dias dos tópicos principais

da "guerra justa" expostos no *Tratado* evidencia a lição escolástica tradicional, que faz da virtude cristã o critério definidor da justiça da guerra. Neste sentido doutrinário, o *Tratado* é muito semelhante ao de Sepúlveda. Ver J. S. da SILVA DIAS, *Os descobrimentos e a problemática cultural do século XVI*, 3ª ed., Lisboa, Editorial Presença, 1988, pp. 182-91.

(26) António José SARAIVA, "O P. António Vieira e a questão da escravatura dos negros no século XVII", em *História e utopia. Estudos sobre Vieira* (trad. Maria de Santa Cruz), Lisboa, Ministério da Educação-Instituto de Cultura e Língua Portuguesa, 1992, pp. 55-72.

(27) Idem, ibidem, p. 65.

(28) Lewis HANKE, "O grande debate de Valladolid — 1550-1551: a aplicação da teoria de Aristóteles da escravidão natural aos indígenas americanos", em *Aristóteles e os índios americanos*, São Paulo, Martins, s.d.

(29) P. Manuel da NÓBREGA, S. J., "Diálogo sobre a conversão do gentio", em *Cartas dos primeiros jesuítas do Brasil*, v. II.

(30) Eduardo Viveiros de CASTRO, "O mármore e a murta: sobre a inconstância da alma selvagem", *Revista de Antropologia*, São Paulo, USP, 1992, nº 35.

(31) P. José de ANCHIETA, S. J., "Carta ao Geral Diogo Lainez, de São Vicente, a 16 de abril de 1563", em *Cartas: informações, fragmentos históricos e sermões de José de Anchieta*, Belo Horizonte, São Paulo; Itatiaia/Edusp, 1988, p. 196.

(32) P. Manuel da NÓBREGA, S. J., "Carta do P. Manuel da Nóbrega ao Dr. Martim de Azpilcueta Navarro, 10 de agosto de 1549", em *Cartas dos primeiros jesuítas do Brasil*, v. I, p. 136.

(33) Jean de LÉRY, *Viagem à terra do Brasil* (trad. e notas Sérgio Milliet), Belo Horizonte, São Paulo; Itatiaia, Edusp, 1980.

(34) Michel de CERTEAU, *L'écriture de l'histoire*, Paris, Gallimard, p. 221.

(35) Evidentemente, a interpretação do selvagem feita por um huguenote francês e a de um jesuíta português são diversas e mesmo inimigas, quando se lembram os conflitos religiosos que agitam a Europa no século XVI. O huguenote acredita na predestinação e, de modo geral, abstém-se de julgar os indígenas, pois pode ser que a alma de um pecador já esteja salva. O padre jesuíta, por sua vez, defende a doutrina da luz da Graça inata reafirmada em Trento. Segundo ela, todos os homens são capazes de distinguir o mal do bem, o que permite adotar o ponto de vista da virtude e julgar como pecaminosas as práticas dos selvagens e as dos colonos interessados em escravizá-los.

(36) J. G. de SEPÚLVEDA, *Tratado sobre las justas causas de la guerra contra los índios*, pp. 84-5.

(37) Idem, ibidem, pp. 85-7.

(38) Deuteronômio, 18.

(39) J. G. de SEPÚLVEDA, *Tratado sobre las justas causas de la guerra contra los índios*, p. 131.

(40) SÃO JERÔNIMO, citando Ezequiel, 3,21.q.5. [...*qui malos percutit in eo quod mali sunt, et habet vasa interfectionis, ut occidat pessimos, minister est Dei*], em idem, ibidem, pp. 130-1.

(41) Mateus, 28,19.

(42) Santo Tomás de AQUINO, *Summa theologica*, II-II, 10, 8.

(43) G. THOMAS (ed.), *Política indigenista dos portugueses no Brasil (1500-1640)*, pp. 220-1.

(44) Idem, ibidem, pp. 81-104.

MAQUIAVEL E O NOVO CONTINENTE DA POLÍTICA

Newton Bignotto

Não ignoro que a natureza invejosa dos homens, sempre prontos a criticar e lentos a elogiar a ação dos outros, torna toda descoberta de novas ordens e modos tão perigosa para seu autor quanto é para os navegadores à procura de mares e terras desconhecidas. No entanto, animado por esse desejo, que me leva sem cessar a fazer o que é vantajoso para todos, me determinei a abrir uma rota ainda não trilhada, na qual, sem dúvida, terei muita dificuldade de caminhar.[1]

Dessa maneira Maquiavel abre o que foi uma das etapas mais importantes de sua viagem pelo território da natureza humana e das relações políticas. Vivendo numa Florença acostumada a saudar os feitos de seu filho Américo Vespúcio com tochas nas janelas das casas, o secretário florentino pouco se ocupou de navegação ou dos mistérios das novas terras. Ao longo de seus trabalhos não encontramos referências específicas aos descobrimentos e nada nos leva a crer que o atarefado secretário tenha encontrado tempo para se dedicar a estudos que não guardavam relação com a vida política de sua Itália natal e com os afazeres dos homens públicos. Seus esforços se concentraram na exploração dos recônditos da vida política e de suas múltiplas determinações.

Para se lançar nesses mares revoltos, no entanto, ele se serviu de ferramentas que pareciam estar ao dispor de todos: os clássicos da Antigüidade e a observação do cotidiano dos homens. Como compor nesse contexto uma nova compreensão da vida em comum que pudesse se comparar às grandes navegações? Como falar de compreensão inédita da realidade para um tempo que se acostumara a elogiar o passado? Maquiavel herdou dos humanistas do século XV a confiança nos antigos, mas teve junto com seus contemporâneos a sensação de que algo de novo se forjava nas experiências variadas que iam aos poucos transformando a face do mundo conhecido. Realizar, na esfera do conhecimento da política, façanhas semelhantes às dos navegadores nos oceanos parece ter sido sua grande ambição.

Nossa própria época, no entanto, não nos capacita a entender o que se passava na mente de um pensador florentino, preocupado com a política e com a recuperação do passado. De fato, estamos de tal maneira convencidos de que a história é o lugar do aparecimento do novo e de que é possível procurar formas diferentes das que existiram no passado para nosso modo de viver que, mesmo não apostando na ideologia do progresso, não concebemos mais um mundo que não mude suas estruturas essenciais numa velocidade espantosa. Ora, essa vertigem da história, sobre a qual tantos historiadores já falaram, pode nos fazer esquecer, não somente que o mundo não mudava tão rápido, mas, sobretudo, que mesmo o imenso impacto que teve sobre a mente dos homens o anúncio do descobrimento de novas terras não alterou de imediato a percepção que se tinha do tempo e de seu desenrolar.[2] Além do mais, as imensas novidades, que punham à prova certezas estabelecidas havia muito em diversos domínios da vida, não se propagaram a ponto de suplantar as preocupações graves advindas da instabilidade política, das guerras e das ameaças da peste.[3] Assim, no momento em que escreve Maquiavel, o sentimento de mudança se acompanha do desejo de estabilidade, que faz com que muitas das formas de pensamento do passado continuem a vigorar de maneira decisiva, mesmo em círculos cultos e dispostos a explorar novas terras imaginárias.

Para tentarmos, então, compreender a alusão às navegações logo no começo dos *Discorsi*, vale a pena recordar o ambiente no qual ele foi lido pela primeira vez e para o qual se destinava de forma prioritária. Maquiavel, depois de ter escrito *O príncipe* logo após a derrocada da República florentina, se integrou no grupo de jovens intelectuais que se reunia nos jardins da casa dos Rucellai, e que ficou conhecido como os Orti Oricellari. Na verdade, a casa da família já servira de refúgio para os letrados da geração anterior, quando o pai, Bernardo, que falecera em 1514, recebia os amigos aristocratas decepcionados com os rumos da república governada por Soderini e da qual Maquiavel era o secretário.[4] À época de nosso autor, no entanto, o ambiente já era muito diferente. Nas reuniões se encontravam tanto os partidários dos Médicis quanto os republicanos radicais e os savonarolianos.[5] Os temas eram variados e a literatura muitas vezes era mais importante do que a filosofia e a política. Seja como for, foi para esse grupo seleto de homens cultos que nosso autor escreveu e apresentou seu escrito e foi certamente pensando neles que começou os *Discorsi* se referindo às grandes navegações.

Mas seria prematuro tentar entender o significado da referência com base em acontecimentos ligados às grandes descobertas. De fato, talvez seja mais prudente reter do trecho, em primeiro lugar, que as descobertas dos navegadores já faziam parte do universo simbólico das classes letradas a tal ponto que serviam de elemento para uma apresentação que tinha com certeza a ambição de captar, como era próprio da época, a benevolência dos auditores. Assim, a nosso ver, o que deve chamar nossa atenção é que Maquiavel reteve das atividades dos navegadores, sobretudo, o perigo que corriam os aventureiros e não propriamente o caráter espetacular das terras, que aos poucos se incorporavam e alargavam os domínios conhecidos do mundo. De forma simplificada poderíamos dizer que Maquiavel reconhece que o novo traz perigo e que esses riscos ele está disposto a correr ao tratar de matéria nova em política. A simplicidade dessa proposição, no entanto, está longe de permitir uma compreensão real do problema que representava uma teorização do novo. Uma coisa era reconhecer a novidade, outra muito diferente incluí-la nos quadros mentais da época e sobre ela teorizar. Nossa hipótese é que essa foi a aposta de Maquiavel e a isso está ligada a fortuna crítica de seu trabalho.

Dois aspectos podem nos ajudar a esclarecer nossa hipótese. Em primeiro lugar, vale lembrar, como já mostrou Gilbert,[6] que durante o governo de Soderini e mesmo antes no período de Savonarola, os florentinos estavam confrontados com uma clara percepção de que o mundo mudava e necessitava de novas ferramentas para ser compreendido. A escolha preferencial dos que tentavam pensar a política era a razão[7] e, por isso, autores como Aristóteles, que forneciam modelos racionais para o estudo das relações sociais, eram citados e serviam de referência não apenas em debates eruditos, mas em discussões de caráter eminentemente prático levadas a cabo em diversas instâncias da vida institucional da cidade.[8] Ao lado dessa confiança no poder da razão, para esclarecer o que se passava com o mundo, estava a percepção de que forças externas podiam atuar e fugiram ao controle dos agentes, mesmo dos mais esclarecidos. Entre essas forças eram citadas Deus, a necessidade e a fortuna.[9] Ora, todas elas expunham os limites da razão e mostravam com clareza que não havia como se ver livre das incertezas do mundo. No tocante a Deus havia, é verdade, a confiança, pelo menos por parte dos florentinos, de que Ele ajudava a cidade nos momentos difíceis, como bem mostrara Savonarola no início do período de sua influência sobre os destinos dela.[10] Mas essa crença na preferência divina não era suficiente para anular a percepção de que a fortuna agia segundo uma lógica que não podia ser controlada pela razão. Mesmo para os que tentavam contê-la nos quadros de um referencial cristão de mundo, estava claro que seu poder era imenso e escapava do controle dos homens.

Podemos dizer, portanto, que a idéia do novo não estava associada necessariamente a um bem. Ao contrário, o novo só aparecia enquanto tal, para homens como Bernardo Rucellai, quando era fruto do acaso, obra de uma deusa caprichosa, que pouco ligava para os destinos dos homens e suas penas. De maneira geral, uma das figurações do novo era o produto da contingência do mundo e, portanto, se mostrava como aquilo que escapava ao poder dos homens. O perigo era, assim, a característica essencial da novidade, mesmo se nem sempre pudesse ser tomada como pura negatividade, pois, é claro, a fortuna também ajudava os homens em diversas situações.

O segundo aspecto diz respeito à mudança de comportamento que ocorreu em Florença com a queda da República. A velha aristocracia continuou em grande medida alijada do poder. Os jovens, muitos dos quais participavam das reuniões dos Orti Oricellari, mantiveram intacto o velho sonho de renovação que acompanhava a política florentina desde o final do século XV. Esse desejo de renovação, que muitas vezes era expresso por meio de longos debates sobre questões constitucionais, tinha em Maquiavel um guia quase natural. Como mostra Albertini, referindo-se aos jovens auditores dos *Discorsi*: "Indubitavelmente Maquiavel representou uma das experiências decisivas de suas juventudes: uma personalidade fascinante, capaz de reunir a sensibilidade pelos problemas atuais, a experiência política e a capacidade de acreditar em uma renovação política e espiritual".[11] Mas essa liderança natural não tornava menos perigosa a empresa de pensar novas formas políticas. No contexto italiano, colocar o problema da melhor forma já implicava uma tomada de posição, uma vez que não se concebia a busca pela melhor constituição e pelos melhores exemplos como um simples debate entre eruditos. Além do mais, a geração dos Orti Oricellari havia substituído a crença na razão pelo elogio da força e o gosto pelas ações radicais.[12] Maquiavel conhecia seus companheiros e certamente nutria a esperança de convencê-los do acerto de suas proposições.

Existem evidências de que nosso autor foi plenamente convincente quanto a seus própositos iniciais. Nardi, um dos freqüentadores do círculo de debates, dizia:

> [...] e a Cosimo e aos outros companheiros já tinha escrito e dedicado Nicolau Maquiavel seus *Discorsi*, obra de novo argumento e ainda não tentada, que eu saiba, por ninguém. Porque o dito Nicolau era muito amado por eles, tendo recebido mesmo, como sei, algum emolumento. De sua conversa se

gostava imensamente, sendo todas suas obras objeto de grande apreço, de tal forma que dos pensamentos e ações desses jovens Maquiavel não pode ser despido de toda responsabilidade.[13]

Que ele tenha convencido seu auditório de que estava prestes a partir para uma grande aventura, pode ser depreendido das palavras que acabamos de citar. Quais eram as terras que pretendia explorar é algo que não se revela de imediato. Se seguirmos, no entanto, as trilhas do texto, veremos que o primeiro tema abordado será o da criação de novas formas políticas. Ora, para Maquiavel "não há nada mais difícil de empreender, de resultado mais duvidoso e de conduta mais perigosa do que a introdução de novas instituições".[14] Assim como a travessia dos grandes mares tornava as aventuras marítimas no Mediterrâneo algo ultrapassado e sem sentido, pensar as novas formas políticas no contexto da época parecia ser o exercício intelectual mais vigoroso e arriscado a que um pensador podia se lançar, pois o obrigava não só a negar o valor de referência da tradição como afirmar a capacidade de teorizar sobre a política em toda sua extensão.

A recepção das obras de Maquiavel demonstra que de fato ele tinha uma grande ambição ao escrevê-las e que a navegação que pretendia empreender podia se identificar com essa meta grandiosa.[15] Como não é possível no espaço de um texto nem mesmo esboçar uma visão geral de seu longo percurso, vamos concentrar nossa atenção na seguinte questão: de que forma é possível pensar a criação das novas formas políticas? Como dar conta na teoria do que desafia os poderes normais dos homens e altera suas relações com o tempo? Em termos clássicos vamos procurar em Maquiavel o correspondente a uma teoria da fundação. Ora, pensar esse tema implica delimitar o terreno no qual os homens realizam as tarefas inerentes ao ato de gestação, e pensar não só as conseqüências desse passo extremo mas também os vínculos que os atores políticos estabelecem nesse momento com o passado e com o futuro.

O PRÍNCIPE NOVO

A primeira hipótese que devemos investigar é a de que o estudo da figura do príncipe novo, que segundo vários autores representa o núcleo do tratado mais conhecido de nosso autor, fornece o lugar correto para se pensar a questão que nos interessa.[16] De fato, em sua obra, Maquiavel se propõe a estudar a criação de novos regimes em situações extremamente complicadas. O que devemos nos perguntar é se as situações analisadas nos primeiros capítulos do *Príncipe* podem ser tomadas como uma teorização da fundação de novos regimes ou se o objeto das análises difere do que poderíamos chamar, sem muita precisão ainda, de fundador ideal.

Nosso ponto de partida será a afirmação de Pocock de que *O príncipe* é um tratado sobre a "inovação" e de que ele comporta uma tipologia dos inovadores.[17] Como observa o intérprete, a escolha desse eixo temático impõe a Maquiavel o desafio de pensar a imersão do ator político no reino da fortuna, o que é inevitável no caso dos que pretendem alterar a ordem vigente.[18] Ora, como sugere Pocock e de maneira ainda mais radical Lefort,[19] ao colocar o problema da mudança dos regimes com base na lógica da fortuna, Maquiavel insere no texto uma outra variável essencial que é a da *virtù* do ator político. Ou seja, na verdade, a escolha feita é pela polaridade, já conhecida pelos humanistas,[20] e não simplesmente pela consideração da importância da instabilidade do mundo dos homens representada pela figura da deusa romana.

Para chegar a uma resposta convincente para nossa questão, parece-nos que uma boa estratégia é a de analisar os casos mais extremos da criação dos novos principados, quando o príncipe parte para a criação de um regime sem poder contar com as armas fornecidas pela tradição e pelos costumes. Essas situações, descritas sobretudo a partir do sexto capítulo do *Príncipe*, são interessantes exatamente porque expõem o problema da fundação em sua situação mais difícil, ou seja, aquela na qual o confronto entre *virtù* e fortuna ocorre no terreno ideal para ser observado pelo estudioso da política.[21]

Logo no começo do capítulo, Maquiavel explicita as condições necessárias para uma boa compreensão da situação dos novos regimes: "Digo, pois, que nos principados novos, nos quais há um príncipe novo, se encontrará mais ou menos dificuldade para conservá-lo segundo seja mais ou menos virtuoso aquele que o conquistou".[22] Ao enumerar, no entanto, os que passaram para a história na condição de príncipes que conquistaram sem a ajuda da fortuna, ele cita personagens de uma envergadura diferente dos exemplos que dominam seu tratado. Seus heróis são ninguém menos que Moisés, Ciro, Teseu e Rômulo. Estamos sem dúvida diante dos grandes fundadores e temos todas as razões para concentrar nossa atenção em suas ações, se quisermos descobrir o pensamento de nosso autor sobre a questão.

Mas o que nos revela o capítulo? Depois de enumerar os feitos de Moisés, e de mostrar quão difíceis foram as tarefas desses atores, somos confrontados com um enunciado de caráter geral: "Se quisermos raciocinar corretamente sobre essa questão devemos examinar se esses inovadores se apóiam sobre suas próprias forças ou se dependem de outros; isto é, se para executar suas obras têm necessidade de rezar ou podem recorrer à força".[23]

Maquiavel não hesita em dizer, numa crítica direta a seu contemporâneo Savonarola, que apenas podem sobreviver os que sabem e podem recorrer à força quando necessário. Os profetas desarmados estão destinados ao fracasso, como bem demostrara a história recente. O que nos interessa, no entanto, é que nesse momento do texto encontramos um paradigma da boa fundação, daquela operada pelos grandes homens: ela ocorre sempre quando a dependência em relação aos caprichos da fortuna é mínima e quando a *virtù* é tal que sabe migrar do território do convencimento para o da força sem tergiversar.[24] Esse quadro geral mostra que podemos estabelecer uma hierarquia dos inovadores, como quer Pocock, e que essa hierarquia nos fornece uma linha de continuidade preciosa entre os fundadores, os profetas e os príncipes inovadores.[25] O caso exemplar, portanto, é o dos que enfrentam a maior dificuldade possível e sabem vencê-la "permanecendo potentes, seguros, honrados e felizes". Os príncipes que quiserem sobreviver e inovar devem, assim, escolher por modelo os grandes fundadores, pois um dos ensinamentos do pensador florentino é justamente que eles não pertencem a um mundo diferente, mas ao mesmo universo de dificuldades e desafios.

Que conclusões podemos retirar então, desse capítulo, para nosso propósito? Nossa primeira conclusão parcial é a de que o estudo da fundação é o estudo da *virtù* nas condições extremas da vida política. Aquela na qual nenhum fator positivo externo vem corroborar os esforços dos atores em sua tarefa de criar novas formas de vida em comum. Mas é óbvio que não podemos pretender chegar a um saber teórico sobre como produzir tal *virtù*. Ela pode ser objeto de nossas análises apenas na medida em que a história nos fornece exemplos de sua existência. Assim, resta ao estudioso da política se debruçar sobre os fatos do passado, que narram os acontecimentos memoráveis de criação de novos regimes, para tentar construir um saber objetivo sobre como fundar ou como produzir uma inovação radical no reino das cidades existentes. Tal saber, veremos adiante, não pode ser confundido com o saber do próprio fundador, mas ele é o conhecimento racional possível sobre a questão que nos ocupa.

Se nossa conclusão é correta, podemos agora nos perguntar se *O príncipe* fornece uma teoria que responda às nossas indagações. De fato o livro continua explorando o par conceitual que nos pareceu essencial para uma abordagem correta do problema da criação. Mas os exemplos seguintes não contêm outros casos que pudessem se encaixar no modelo extremo do fundador, que se ampara na própria *virtù*.

O sétimo capítulo inverte a premissa do anterior e lida com os inovadores que se amparam na boa fortuna. O exemplo escolhido é o de César Borgia,[26] príncipe não destituído de *virtù*, mas que se viu derrotado pela própria fortuna que o colocara num ponto elevado da vida política italiana. Seu caso demonstra que a inovação pode ter um preço alto para os que se lançam em uma aventura na qual nunca é possível controlar todas as variáveis. Com ele, no entanto, não retornamos ao universo privilegiado dos grandes fundadores. Se não há como negar que existe uma continuidade entre os diversos inovadores, que são objeto de estudo do *Príncipe*, também não podemos deixar de notar que ao sair do território privilegiado de homens como Rômulo, estamos adentrando uma terra que não possui as mesmas possibilidades daquela com a qual se depararam os grandes atores políticos do passado.

Talvez pudéssemos formular de outra maneira a idéia de que a obra mais conhecida de nosso autor é um tratado sobre a inovação. Podemos manter nosso acordo inicial com Pocock, introduzindo, todavia, uma interpretação diferente da hierarquia dos inovadores proposta por ele. A continuidade apontada existiria quando consideramos os atores que se lançam na cena pública pela conquista de novos espaços. Ela não teria, no entanto, o mesmo significado quando o objeto é o saber possível sobre a criação de novas formas políticas. O inovador é o ator que tenta romper as barreiras de um mundo já povoado pelo embate entre a fortuna e a *virtù* e dele se aproveita para realizar suas próprias obras. Os fundadores, que agem seguindo apenas a própria *virtù*, fazem algo mais. Eles possuem em comum com os inovadores, e por isso pertencem a seu universo, o fato de tentar provocar mudanças no curso do mundo segundo um plano que a eles pertence. Eles desafiam igualmente a tendência dos velhos regimes de conservar suas instituições para evitar a ação do tempo. Mas ao abrir a caixa de Pandora, os fundadores não querem só inovar; eles querem criar a melhor forma possível para resistir ao poder devastador da passagem do tempo e romper com os laços do passado. É nesse mundo inexplorado que se situa, a nosso ver, o verdadeiro problema teórico da fundação, que não se confunde inteiramente com o da inovação, embora partilhe o mesmo terreno e possa ser formulado com base nos termos gerais que permitiram a Maquiavel pensar o príncipe novo.

Estabelecer uma diferença entre a fundação das repúblicas e as conquistas que instituem novos principados implica, é claro, uma tomada de posição em relação à interpretação da obra maquiaveliana.[27] A principal conseqüência é a consideração de que só o estudo da obra dedicada às repúblicas pode nos ajudar a construir um conhecimento coerente sobre a criação de novas formas políticas em condições extremas e ao mesmo tempo adequadas ao aparecimento do regime mais potente. De um outro ponto de vista, podemos dizer que a temática da fundação lida com a introdução de novas formas no tempo, enquanto a inovação descreve a situação mais geral da interação das cidades existentes com o tempo já instituído da história.

Nossas considerações nos permitem compreender por que Maquiavel não retorna às figuras do passado depois de tê-las erigido em modelo no sexto capítulo. Na verdade, nessa altura do texto, ele assinalou uma rota pela qual passaria alguns anos depois, mas que não podia ser pesquisada sem mudar inteiramente de rumo. Trata-se, portanto, de uma continuidade e de uma ruptura. Continuidade entre os atores que deviam lidar com a fortuna e ruptura entre os que dela dependiam e os que podiam se fiar apenas em sua própria *virtù*. Essa grande navegação pelas terras desconhecidas das potencialidades da condição humana e de seus riscos maiores, ele empreenderia com armas diferentes das usadas na construção da figura do príncipe novo.

Devemos, assim, retornar ao nosso ponto de partida para continuar nosso percurso.

RETORNO AOS "DISCORSI": A IMITAÇÃO

O tema da fundação comporta uma necessária referência à questão do saber ou, mais especificamente, ao saber possível nos domínios da política. Nos clássicos gregos essa referência se torna mais importante do que os problemas práticos próprios à criação de uma nova forma política, uma vez que a busca do regime ideal implica uma sabedoria que não pode ser pensada apenas do ponto de vista objetivo da criação de novas leis, mas por uma referência direta à busca da verdade e da transformação dos diversos atores sociais envolvidos no processo político por uma *paideia* adequada. Nosso desafio agora é, portanto, o de saber de que maneira Maquiavel retoma certos pontos da tradição e os transforma, dado que vamos partir da tese de que há nele uma ruptura radical com o passado.

O leitor que parte em busca de uma "teoria da fundação" em Maquiavel tem logo no prefácio do primeiro livro dos *Discorsi* o texto com o qual começamos nossa exposição, uma demonstração da importância da questão para o autor. Com efeito, a primeira afirmação do secretário florentino é a de que pretende se aventurar por terras novas à procura de "novas ordens e modos", mesmo conhecendo a malignidade da natureza humana e sua propensão à crítica e ao desprezo pelo trabalho alheio. Postura radical e explícita, que corre o risco de transformar Maquiavel no alvo de todas as críticas, pois ele não nega que vai "entrar por uma via que ainda não foi percorrida", mesmo com todas as dificuldades que se anunciam.

Ora, esse começo é essencial não só pelo tom ousado mas porque confirma, ainda que de maneira indireta, que o objeto de seu livro é o estudo da criação de novas formas de governo. O que chama a atenção, no entanto, não é o anúncio de que a fundação está no centro de suas preocupações, mas o fato de que da maneira como Maquiavel coloca as coisas nesse início o leitor é confrontado com a idéia de que pode ser ele o fundador, uma vez que não hesita em dizer que vai entrar por vias desconhecidas e que *seu* discernimento pode não ser o mais adequado.

Alguns intérpretes já levantaram a hipótese de que o verdadeiro "príncipe novo" era o próprio Maquiavel. Tal hipótese se baseia em grande medida no fato de que *O príncipe* desmantela de ponta a ponta a reputação dos homens políticos italianos, que pareciam dotados de capacidade de ação aos olhos dos contemporâneos do secretário florentino, mas também porque, nesse movimento crítico, apenas a detenção de um certo saber parece propiciar os mecanismos para se enfrentar as diversas forças em luta no campo da política. Não deixa de ser razoável aos olhos dos leitores a idéia de que, se essa afirmação é verdadeira, ninguém melhor do que o próprio Maquiavel para ocupar o lugar do criador de novos principados. Ora, nos *Discorsi* o que é apenas uma possibilidade no *Príncipe* se enuncia com todas as letras logo no Prefácio: Maquiavel se coloca no lugar do fundador.[28]

A ousadia, no entanto, é tamanha que devemos nos precaver quanto ao seu verdadeiro significado. De fato, logo depois de ter anunciado o caminho das novas terras, nosso autor coloca em questão sua capacidade de trilhá-lo, transformando sua habilidade em descobrir novos "modos" em mero e modesto ato da antecipação das necessidades do tempo presente. Esse primeiro movimento, visando afastar a suspeita de uma pretensão desmedida, se completa quando Maquiavel, repetindo o lugar-comum do humanismo cívico, afirma que o verdadeiro caminho é o da imitação dos antigos. A crítica que parecia ser enunciada de um ponto de vista verdadeiramente novo se reduz ao elogio dos antigos e de sua *virtù*, o que estava longe de chocar os auditores dos Orti Oricellari. Assim, ao escolher comentar os livros de Tito Lívio, pretende aumentar a utilidade desses estudos, embora a empresa seja difícil: "[...] ajudado por aqueles que me encorajaram a portar esse fardo, espero levá-lo suficientemente longe para que reste pouco caminho a ser percorrido até o objetivo final".[29]

O leitor que, surpreendido pelas declarações iniciais, se sentir apaziguado por esse apelo à imitação, terá certamente caído na armadilha maquiaveliana que, anunciando um novo mundo, se apóia na força da tradição para expô-lo à luz do dia. Apelar para o passado como forma de convencimento não muda em nada a proposta inicial e nem anula o que já foi dito, apenas sugere que as ferramentas necessárias para levar adiante tão grande tarefa se encontram disponíveis, embora, como observa Maquiavel, os homens políticos de seu tempo são pouco hábeis no manuseio desse arsenal. Criticando seus contemporâneos, por não se servirem dos instrumentos necessários para a fundação de novas repúblicas, ele observa que o conhecimento das coisas antigas tem um estatuto semelhante ao do conhecimento das coisas naturais, pois, ao não procurar imitar as ações dos antigos, agem "como se o céu, o sol, os elementos, os homens tivessem mudado o movimento, a ordem e a potência em relação aos de antigamente".[30]

A última afirmação deve ser nuançada, pois nada indica que Maquiavel estivesse preocupado com uma teoria das coisas naturais. Ela implica, no entanto, a confiança de que a empresa proposta não é desmesurada e que pode se ancorar numa forma específica de conhecimento e ser o objeto dos discursos que se seguirão.

FUNDAÇÃO E NECESSIDADE

Depois do apelo inicial, o tom do discurso maquiaveliano muda, para se adequar ao longo fôlego das reflexões que se seguirão. A mesma sinuosidade da introdução, no entanto, será a marca da obra que continuará seu comércio com a tradição e seu movimento de distanciamento e de ruptura. Ao falar do nascimento de Roma, Maquiavel diz que as repúblicas podem ser fundadas ou por um habitante do local ou por um estrangeiro, o que nos permite estabelecer uma classificação irrefutável dos diversos fundadores de acordo com sua origem. Mas seguiríamos um falso caminho se acreditássemos que essa classificação, com sabor levemente aristotélico, tem um significado especial ou um alcance teórico importante. O que Maquiavel visa é sobretudo mostrar a exemplaridade romana e descartar Florença como modelo de fundação livre. Usando o mito florentino da origem sem amarras da cidade, ele procura mostrar de um lado a importância da fundação livre, de outro que sua cidade natal não podia aspirar a esse título.[31]

Mais importante é a descrição que faz da liberdade do próprio fundador: "São livres os edificadores de cidades quando alguns povos ou sob o poder de um príncipe ou por si mesmos são obrigados pelas doenças graves ou pela fome ou ainda pela guerra a abandonar a pátria e procurar novas terras".[32] Pode parecer estranho que a liberdade do fundador seja descrita com base nas condições objetivas de sua obra e que a necessidade seja escolhida como o parâmetro para medir a liberdade. Mas é justamente nessa escolha que se manifesta a coerência do discurso maquiaveliano. Se a liberdade do fundador fosse uma condição subjetiva, e se devêssemos medi-la a priori para determinar a qualidade de seu trabalho, estaríamos diante de uma curiosa teoria, ou de uma metateoria da fundação, que nos permitiria enunciar um saber positivo sobre a origem das formas políticas, anterior à ação efetiva de fundação. Ou, dizendo de outra maneira, o saber do legislador seria secundário em relação ao saber do filósofo, que sobre ele se manifestaria de forma direta e positiva. A arte da fundação seria uma arte derivada, dedutível de conhecimentos que escapariam ao próprio ator que a efetua. Ora, essa hipótese implicaria ou a aproximação de Maquiavel com os clássicos gregos ou a incoerência de sua obra. Como as duas possibilidades nos parecem absurdas, preferimos acreditar que Maquiavel tem razão em afirmar que a liberdade do fundador está associada à necessidade, pois só nessa condição não existe a alternativa da conservação. O fundador que age sob o império da necessidade, está confrontado com um dilema do qual não pode fugir: ou cria uma forma política capaz de resistir ao tempo e às ameaças dos outros povos, ou está condenado à dependência e à morte.

A liberdade aqui é extrema, pois seu oposto é necessariamente a servidão ou a morte. Por isso, não faz sentido falar de um saber anterior: diante da alternativa proposta, a reflexão sobre a fundação é sempre posterior e a medida do conhecimento do fundador é feita a partir do resultado de sua obra, ou para usar os termos de Maquiavel, pela manifestação de sua *virtù*. Aliás, ele mesmo resume a situação extrema na qual se encontram os grandes fundadores: "É nesse caso que se conhece a *virtù* dos edificadores e a fortuna do edificado: a qual é mais ou menos maravilhosa segundo é mais ou menos virtuoso aquele que esteve em seu princípio".[33]

Essa última afirmação lança nova luz sobre um dos pontos essenciais da teoria maquiaveliana da fundação. Como vimos, a liberdade do fundador se manifesta nas condições extremas da pura necessidade. Ora, se estamos certos em dizer que não existe em Maquiavel um saber abstrato que preside a ação de criação das formas políticas, devemos nos perguntar pelo estatuto da própria obra que estamos analisando. A afirmação citada nos permite escapar do dilema de uma teoria que se pronunciaria sobre aquilo que assevera não ser possível falar. Na verdade, para Maquiavel, o objeto de estudo não é um suposto saber do fundador, mas sua *virtù*, e essa se manifesta no produto das ações e não no cumprimento de regras supostamente universais de boa conduta. Assim, podemos abandonar, temporariamente, a idéia de que Maquiavel deseja "se colocar no lugar do", pelo menos no sentido que daríamos a esse gesto no interior da obra platônica. Nosso autor pode falar da fundação sem necessariamente desejar fundar, pois seu paradigma é o da ação no tempo e não o de um espaço vazio no qual se forja o sentido da existência de um povo. A verdadeira polaridade não é liberdade-necessidade, mas sim *virtù*-necessidade, e nada indica que para falar da *virtù* seja necessário ser virtuoso.

Não estamos com isso descartando pura e simplesmente a hipótese de que Maquiavel manifesta ambições no começo de seu livro que podem ser interpretadas como sendo as de um fundador; estamos mostrando que, se esse é o caso, o caminho maquiaveliano é tortuoso e sua descoberta depende de uma análise demorada de seu discurso. Por enquanto, podemos afirmar que a escolha de Roma como modelo é plenamente justificada se considerarmos os parâmetros que foram propostos, e que podemos seguir nossa busca dos passos que constituem um saber sobre a fundação.

FUNDAÇÃO E TEMPO

No início do segundo capítulo do primeiro livro, Maquiavel explicita o que entende por fundação ideal:

> De tal forma que se pode chamar feliz a república que foi obra de um homem tão prudente, que lhe deu leis, que lhe permitem viver seguramente sem que as mesmas sejam corrigidas. E se vê que Esparta observou as suas por mais de oitocentos anos sem corromper-se e sem tumultos perigosos.[34]

Sobre essa condição podemos fazer duas observações. A primeira, e que faz eco às nossas conclusões anteriores, é que o ato da fundação cria sua própria coerência e será tanto mais forte quanto maior for a unidade de seus princípios. Daí o elogio feito a Esparta e a seu fundador, que conseguiu impor leis que duraram longo tempo. Mais uma vez, o secretário florentino não nos fala do ponto de vista de Licurgo, mas dos que apreciam sua obra e a consideram perfeita. A segunda observação diz respeito à condição que Maquiavel considera como sendo a de maior felicidade: ter durado, sem se corromper, mais de oitocentos anos.

A eficácia de uma fundação pode assim ser medida por sua resistência à passagem do tempo, sem que sejamos obrigados a enunciar condições abstratas que deveriam ser cumpridas por uma boa constituição. O exemplo escolhido — Esparta — tem um significado especial, porque sabemos que também Platão o utilizou para descrever a *paidéia* dos habitantes do regime ideal. No caso de Maquiavel, a cidade é julgada feliz, e seu fundador transformado em paradigma, pela duração e resistência que manifestou ao tempo. Suas instituições não são citadas no capítulo em questão, mas são analisadas em outros trechos dos *Discorsi*, sendo sempre abordadas como produto de uma vontade superior sobre a qual só podemos falar porque conhecemos a objetividade de sua obra. Nada indica, no entanto, que possamos imitar suas formas. O que está em questão é o sentido dos atos de Licurgo, que parecem conter o essencial de uma boa fundação. Já para Platão, Esparta interessava na medida em que formava seus cidadãos de uma maneira que deveria ser imitada na construção do regime ideal. Embora a cidade não fosse ela mesma ideal, continha elementos do regime que merece o nome de ideal. De maneira aproximativa, podemos dizer que no caso de Maquiavel o primado é dado à ação e o caráter exemplar é deduzido do que a ação nos mostra; no caso de Platão, a ação interessa somente na medida em que manifesta traços de uma composição ideal, que é acessível em primeiro lugar a um saber que merece o nome de teórico. Seja como for, nessa comparação surge um elemento que sabemos ser fundamental em toda teoria da criação: o tempo. Esse elemento apareceu, pela primeira vez, quando Maquiavel fez o elogio da resistência da constituição dos lacedemônios à corrupção, mas é na consideração da possibilidade que certas formas políticas têm de se tornarem melhores que seu significado se manifesta por inteiro: "As outras, que não tiveram uma fundação perfeita mas que tiveram um princípio bom e apto a tornar-se melhor, podem, pela ocorrência de acidentes, tornarem-se perfeitas".[35] A possibilidade de que um regime possa se transformar, assumindo uma feição que não lhe foi dada no momento inicial, acaba com a ilusão de que apenas as cidades privilegiadas por um ato único e perfeito no começo são o objeto de nossa atenção. Ao contrário, Maquiavel parece sugerir que essas são as menos interessantes para o estudioso, na medida em que não podemos chegar ao mesmo saber de seu fundador, que se encontra fora do tempo. As que são transformadas no tempo são nosso verdadeiro problema, pois se mostram numa dimensão que nos é acessível a partir do parâmetro que vimos ser o adequado para a análise da questão que nos interessa: a dimensão da ação. Isso não retira a importância de Esparta, mas, como dirá Maquiavel, faz de seu sucesso um mero produto do acaso. Ora, para o teórico interessam as mudanças efetuadas nas condições mais difíceis, lá onde necessidade e *virtù* se encontram reunidas, o que faz com que essas formas nunca se ordenem *sanza pericolo*.

OS CONFLITOS SOCIAIS

Se não podemos ter o mesmo saber dos grandes fundadores, também não podemos afirmar que nosso autor se contenta com afirmações genéricas, que sugeririam um ingênuo relativismo. Ao contrário, delimitado o lugar do qual podemos falar sobre a fundação, ele se lança numa longa caminhada de construção de um discurso coerente sobre a criação das formas políticas. O primeiro passo é dado, definindo a natureza dos homens, ou melhor, o que dela se manifesta, quando está em questão o domínio da política e das leis. As afirmações de Maquiavel, nesse terreno, são diretas e sem ambigüidades, e ele as repete em várias partes de suas obras: "Como demonstram todos os que se ocupam de legislação e como a história está cheia de exemplos, é necessário, para os que criam as leis de uma república, supor os homens ruins e dispostos a praticar a maldade sempre que lhes for permitido e tenham a ocasião".[36] Ao contrário do legislador dos clássicos gregos, que tinha por tarefa montar um sofisticado sistema de educação, capaz de colocar o bem comum como parâmetro da ação de todos na cidade, e isso apesar das diferenças inevitáveis existentes entre os homens, o fundador de Maquiavel opera num terreno minado, no qual não é a razão que preside nossas relações com a coisa pública, mas os interesses egoístas de cada um e o medo.

Essas afirmações, no entanto, não ocupam o mesmo lugar da antropologia platônica, sustentada pelas longas discussões sobre a natureza da alma, pela análise detalhada dos comportamentos associados aos diversos regimes, pela íntima conexão entre a ontologia do Bem e o estudo da natureza humana.[37] O secretário florentino não coloca uma antropologia negativa no lugar da antropologia dos clássicos gregos. O que ele procura mostrar é que, no tocante à política, ou às relações sociais, não podemos esperar nada de positivo a priori dos homens que pudesse indicar por exemplo uma propensão para o bem público. Isso não quer dizer que não sejamos capazes de fazer o bem em conjunto, mas sim que, quando isso acontece, e o modelo romano é a prova dessa possibilidade, devemos atribuí-lo à perícia dos legisladores ou à maior virtude de um povo, o que nada tem a ver com a natureza dos homens tomados individualmente.

O quarto capítulo se abre justamente colocando a questão da virtude romana. Ora, para que o discurso de Maquiavel fosse coerente era preciso aceitar a exemplaridade romana, e para que ela pudesse servir de paradigma para as investigações sobre a política era necessário descobrir uma origem que não pudesse ser atribuída a uma peculiaridade da natureza dos romanos.

Diante da evidência de que o povo romano havia manifestado uma virtude superior na política, a tradição havia consagrado como explicação duas causas: a primeira atribuía à boa fortuna a origem da grandeza romana, a segunda à sua virtude militar. Ora, em ambos os casos estamos diante de fatores que não podem ser explicados racionalmente e que, portanto, não podem servir para ancorar uma nova teoria sobre a política, como era a ambição manifesta de Maquiavel. A solução de nosso autor, longe de desprezar o ponto de partida tradicional, procura integrar os dois fatores: "Que lá onde existe uma boa milícia devem existir boas leis e raras vezes ocorre que não haja também boa fortuna". O que é pura abstração, se tomado isoladamente, torna-se compreensível se ligarmos os dois fatores pela idéia da criação da *buona ordine*. Ora, o que Maquiavel sugere, e que escapa da indeterminação escondida nas soluções tradicionais, é que a melhor maneira de se compreender os sucessos e fracassos dos homens em suas vidas em comum é partir da análise de suas ações concretas e de seus resultados, e não de suposições vagas que não podem ser compreendidas por instrumentos analíticos disponíveis para os que querem estudar o mundo dos homens.

O passo seguinte será o de transformar o que é pura negatividade no homem em fator positivo na vida política. Desde o título do capítulo, Maquiavel sugere uma ruptura com a tradição ao afirmar que a desunião entre a plebe e o Senado fez de Roma uma cidade livre e potente. Mas é ao dizer que toda cidade está partida ao meio em dois humores inconciliáveis que essa ruptura se consolida: "[...] que se considere que em todas as repúblicas existem dois humores diferentes: o do povo e o dos grandes. Todas as leis favoráveis à liberdade nascem da desunião entre eles [...]".[38] O que era apenas recusa de uma antropologia, se converte numa alavanca poderosa para o estudo da política. Os homens de fato não desejam o bem dos outros, mas não querem ser prejudicados em seus interesses, o que os leva a transformar o terreno da política num campo de guerra. Nessa conversão, no entanto, longe de se transformar no lobo dos outros, como em Hobbes,[39] o homem de Maquiavel encontra-se com os outros que também resistem à opressão, ou com os que desejam o poder. Essa dissimetria entre os elementos constitutivos das cidades faz com que a política seja a expressão dos conflitos e não a busca da paz, como para os medievais.

Chegamos, assim, a um ponto essencial para pensar a fundação. Se de fato não podemos ocupar o lugar do legislador, como já mostramos, a teoria dos conflitos nos assinala um ponto de partida essencial para toda a obra legislativa. Em relação a ela não podemos mais agir como se buscássemos um novo território em mar aberto. Na obra de Maquiavel a afirmação da natureza conflituosa das sociedades é a terra firme anunciada no Prefácio.

Para provar sua tese, Maquiavel recorre em primeiro lugar à história romana, erigida em exemplo de virtude e de capacidade de ação, mas seu discurso logo ganha um outro tom, fortalecido pela convicção de que atingiu um novo patamar. É assim que ele retorna ao velho problema da educação e da lei para iluminá-lo com suas novas luzes sobre a natureza da política. Falando sobre as sociedades consideradas virtuosas, ele afirma: "[...] porque os bons exemplos nascem da boa educação, a boa educação das boas leis e as boas leis dos tumultos que muitos criticam de maneira inconsiderada".[40] Em Platão, a formação dos cidadãos pela educação constitui o núcleo da atividade criativa do legislador; em Maquiavel, ela é o produto de uma ação política que tem seus fundamentos nos conflitos que dividem o corpo social. O fundador maquiaveliano não se descuida de uma boa educação, mas esta é o resultado de um equilíbrio dinâmico, que, antes de dar aos habitantes condições de compreender o sentido do bem comum, deve criar leis que canalizem a natural ambição dos homens: "[...] digo que toda cidade deve ter meios que permitam ao povo desafogar sua ambição".[41]

O discurso maquiaveliano vai, assim, inspirado na afirmação do caráter positivo dos conflitos, se revestindo de um tom cada vez mais afirmativo. Aos que viam em suas proposições uma aposta no caos, ele atacava dizendo: "E o desejo dos povos livres raras vezes são perniciosos para a liberdade, pois nascem ou da opressão ou da suspeita de que poderão sê-lo".[42] Essa afirmação, para ser inteiramente compreendida, depende de uma análise do papel da liberdade em Maquiavel. Interessa-nos, no entanto, o fato de que a impossibilidade de ocuparmos o lugar do fundador é transformada pela descoberta dos alicerces sobre os quais a arte da fundação deve se exercer. O problema do desejo maquiaveliano de ocupar a posição do criador de leis não desaparece, mas é transformado pelo fato de que antes de dizer a quem deve pertencer esse encargo é preciso demonstrar a verdade do discurso que está na base dessa pretensão.

O MODELO ROMANO

Para tornar explícito o que acredita ser os fundamentos da boa obra de um fundador, Maquiavel observa que só podemos seguir a estratégia já referida de estudar as cidades reais e suas instituições. Em acordo com seu apelo no 15º capítulo do *Príncipe*, é o retorno a uma certa "verdade efetiva" das coisas que torna razoável o estudo que estamos empreendendo.[43] Assim, o capítulo, que segue à revolução da afirmação da natureza positiva dos conflitos, começa com o enunciado de que, para os fundadores de uma república, é essencial estabelecer uma guarda para a liberdade e "segundo essa guarda foi mais ou menos bem posta, durará mais ou menos a liberdade".[44]

Ora, a escolha de um parâmetro de duração, baseado na liberdade, parece indicar que tínhamos razão em considerar a criação de uma república a obra humana mais importante e a mais adequada para servir de exemplo para os que querem estabelecer uma teoria da fundação. No entanto, devemos estar atentos para os limites dessa escolha. De um lado ainda estamos falando de república em termos genéricos e nada indica que essa maneira de proceder reflita corretamente a história dos povos. Ou seja, não existe apenas uma forma de regime republicano e dentre os existentes nem todos lidam com a proteção da liberdade da mesma forma. Isso nos conduz a pensar que, se as referências analisadas são boas, é preciso que elas coincidam com situações históricas reais e que não podem ser abarcadas pelo simples apelo ao nome dos regimes livres. Dizendo de outra maneira, é necessário conciliar os instrumentos teóricos de que dispomos até agora com uma análise pertinente das instituições republicanas conhecidas. De outro lado, não podemos esquecer que ainda nos falta explicitar o saber possível sobre o fundador e que obviamente não se confunde inteiramente com os conhecimentos sobre seu trabalho.

Depois de uma referência explícita ao fundador de repúblicas, Maquiavel toma um caminho muito mais longo para tratar do tema que parecia central em suas reflexões. De fato, a continuação do capítulo se organiza novamente em torno de uma análise das instituições à luz da divisão do corpo social em dois humores diferentes: o dos que querem dominar e o dos que não querem ser oprimidos.[45] Num primeiro momento, podemos tentar compreender a natureza diferente das repúblicas históricas segundo a escolha que fazem em relação à guarda da liberdade. As de cunho aristocrático apostam no caráter nocivo dos movimentos e tumultos da plebe e no fato de que o contentamento dos grandes será sempre um fator de estabilidade, tanto por evitar a confusão provocada pelos desejos da plebe quanto por satisfazer a vontade de poder dos que são mais aptos para exercê-lo.[46] Por isso colocam no centro de seu corpo de leis algumas que asseguram o domínio dos nobres. No outro extremo estão as que dão ao elemento popular o privilégio de defender a liberdade, mesmo ao preço de tumultos e disputas contínuas com os poderosos.

Longe de simplesmente manifestar sua preferência por um modelo ou por outro, Maquiavel pretende mostrar que a divisão apresentada não resume o universo das repúblicas existentes. De fato "quem examina sutilmente tudo chegará a essa conclusão: ou se considera uma república que quer construir um império, como Roma, ou uma para qual basta manter-se".[47] Portanto, para escolher entre os regimes republicanos que a história nos apresenta, é preciso definir critérios adequados ao que se quer considerar como prioritário. A combinação dos fatores apresentados para diferenciar os regimes não conduz nosso autor, no entanto, a um ingênuo relativismo. De fato, não podemos excluir nenhum dos modelos, mas nada impede que analisemos suas limitações e potencialidades.

Para começar, o secretário florentino mostra que a vontade de conservar das repúblicas consideradas estáveis, como Esparta e Veneza, pode ser perigosa na medida em que "o medo de perder gera movimentos tão animados quanto o desejo de conquistar".[48] Além do mais, o sucesso alcançado por elas se deveu muito mais à fortuna do que a uma virtude especial (*il caso più che la prudenza*). Assim, embora se constituam em referência obrigatória para os que querem pensar a criação de novas formas, elas não fornecem necessariamente o caminho perfeito para os fundadores. Vale lembrar, a esse respeito, que essas considerações se esclarecem diante das afirmações que havíamos feito antes de que é sob o império da necessidade e contando exclusivamente com sua própria *virtù* que se revelam os grandes criadores. No contexto florentino, essa advertência servia para mostrar aos que erigiam Veneza em modelo, que havia outros fatores a ser considerados além da duração de suas instituições.[49] Da mesma forma que os príncipes novos, que se apoiavam sobre a boa fortuna, naufragavam, como foi o caso de César Borgia, as repúblicas que não desejavam expandir suas fronteiras também corriam riscos semelhantes, mesmo se a história parecia dar razões a seus partidários.

Aqui, na verdade, estamos diante de dois problemas diferentes. De um lado está o fato de que Maquiavel constrói nos *Discorsi* um argumento para escolher, entre os possíveis, o regime que corresponda à sua concepção de melhor forma de governo. Nesse particular, como já mostrou Sasso,[50] o critério da potência se mostra decisivo e a comparação entre as repúblicas mais famosas é a ferramenta da qual ele se serve para escolher Roma como modelo. Esse não é nosso tema, mesmo que não possamos deixar de lado suas conclusões. Do outro lado está justamente a busca, que nos interessa, de conceitos que permitam pensar a fundação de novos regimes. Nesse particular, não basta manifestar a preferência e apontar os critérios utilizados para chegar aos resultados propostos. É preciso mostrar a coerência interna dos argumentos e sua articulação com a história, que serve de campo de experiência, para que possamos efetivamente falar de uma teoria da fundação e não apenas de uma análise histórica dos feitos dos grandes homens.

Acreditamos que a continuação do texto nos fornece um conjunto de considerações que apontam para o que estamos procurando. Aos que criticavam Roma por seus movimentos sociais, Maquiavel responde: "[...] de modo que querendo retirar de Roma as razões de seus tumultos destruíam também as razões de sua potência".[51] Esse argumento, que contrapõe as repúblicas tumultuárias às repúblicas ditas estáveis, do ponto de vista do que poderíamos chamar de lógica da potência, serve para realizar a ponte com uma outra ordem de considerações que já estavam presentes no Prefácio. Assim, nosso autor procura mostrar que permitir a manifestação das diferenças não é apenas uma estratégia para se construir um império, mas também a forma mais adequada para se estar de acordo com "as coisas humanas". Um exame detalhado delas mostra, com efeito, "que não podemos pretender destruir um inconveniente sem que surja um outro".[52] Essa referência às "coisas humanas" tem num primeiro momento um significado pouco específico, uma vez que nos permite apenas pensar um parâmetro para a ação dos homens que escapa às suas determinações. É claro que com isso não se está tentando teorizar o indeterminado, o que seria puro contra-senso. O que Maquiavel busca, desde o Prefácio, é mostrar que existem padrões de regularidade que, mesmo expressos em termos gerais e por vezes abstratos, dão-nos a possibilidade de fincar certas balizas capazes de nortear nossas ações. Assim, se não podemos descobrir os desígnios da fortuna, podemos saber que a luta que ela trava com a *virtù* se dá dentro de um mundo que comporta repetições e possui referências passíveis de serem descobertas. Essas marcas "naturais" permitem ao teórico pensar o mundo da política sem ficar reduzido à mera contemplação passiva da luta entre forças antagônicas.

Retornando à comparação entre as diversas repúblicas, Maquiavel vai então mostrar que aquelas baseadas no modelo romano respondem melhor às exigências das "coisas humanas", pois "estando todas as coisas em movimento e não podendo estar paradas, convém que subam ou desçam, e a muitas coisas que a razão não induz, induz a necessidade".[53] Podemos, portanto, fazer a defesa do modelo romano não apenas como aquele mais capaz de criar um império, mas como o que pôde fazê-lo exatamente porque levou em conta as determinações gerais da natureza humana. Dentre elas está a de ter criado suas instituições sob o impacto dos constrangimentos produzidos pela necessidade. Às condições descritas no começo se juntam a certeza, contra a tradição, de que Roma foi o produto de uma *virtù* superior e não o fruto predileto da fortuna.[54]

Com a análise do caso exemplar de Roma ganhamos a possibilidade de trilhar o caminho anunciado no *Príncipe* e que ficara fechado com as navegações nas águas turvas do próprio tempo e lugar de Maquiavel. Roma permite explorar, pela visita do passado, o cenário do aparecimento do novo em sua forma mais radical. Com ela estamos em condição de pensar a fundação do ponto de vista da construção do edifício institucional, que sustenta a *virtù* do fundador. Por isso, não só os capítulos seguintes, dedicados à dimensão legal da criação dos novos regimes, são essenciais para nossos propósitos, mas todos os que se dedicam a problemas semelhantes, fazem parte de maneira ampla da teoria maquiaveliana da fundação sustentada nos *Discorsi*.

Chegando a esse ponto estamos como o navegador que depois de uma aventura foi capaz de desenhar os mapas que lhe permitem retornar ao mesmo ponto e continuar sua aventura. Como não podemos continuar nossa análise do texto buscando todos os detalhes dessa cartografia do novo, é hora de voltarmos nossa atenção para o fundador. Ou seja, definidas as condições de possibilidade de um discurso racional sobre o novo, resta ainda saber o que é possível dizer sobre o ator privilegiado da fundação.

A SOLIDÃO DO FUNDADOR

O nono capítulo aborda um tema sui generis na literatura política: a solidão do fundador. Ele é essencial para pensarmos a relação entre razão e fundação e para compreendermos a natureza do lugar ocupado pelos grandes criadores. Num primeiro momento podemos ser levados a acreditar que o movimento que vai do domínio da razão ao saber e deste à criação de um estado ideal é necessariamente o que deve presidir toda criação política. Assim o pensou Platão, assim boa parte da crítica atual acredita poder barrar os efeitos terríveis das sociedades totalitárias pelo apelo à dimensão racional do discurso democrático e pela confiança nas estruturas erigidas segundo suas exigências.[55] Maquiavel sugere uma visão bem mais radical dos riscos que comportam as ações políticas, sobretudo as de criação de novas leis.

Tomando como referência o comportamento de Rômulo[56] e seus atos extremos, nosso autor sugere uma regra geral para a compreensão do momento da fundação:

> Mas deve ser estabelecida como regra geral que nunca, ou muito raramente, se viu uma república ou um reino ser bem constituído desde o começo, ou perfeitamente reformado depois, senão por um indivíduo solitário. É mesmo necessário que aquele que concebeu o plano forneça ele mesmo os meios para sua execução.[57]

Essa afirmação, que tem a ambição de se constituir em regra universal, define com clareza o lugar que o ato de fundação ocupa na vida política. De fato, se considerarmos que o corpo político é o fruto da vontade humana, que dela depende inteiramente, somos conduzidos a pensar que não existem para os fundadores referências exteriores à sua prática que possam ser comunicadas aos que virão a constituir uma nova sociedade.

Ou seja, tomada em sua radicalidade, não existe um "antes" da fundação que possa presidir os atos do fundador. Não se trata é claro de pensar um estágio da existência humana anterior à história e nem mesmo de aproximar indevidamente Maquiavel dos contratualistas, mas de mostrar que a criação de uma nova forma é um ato radical para os que dela participam. O fundador opera em um momento especial da vida política e por isso age de maneira especial. Ao contrário dos príncipes, que querem reformar formas existentes, os criadores são como os navegadores, que nunca sabiam exatamente aonde chegariam, ou se iriam encontrar novas terras ou a morte.

A solidão é, assim, ao mesmo tempo condição de possibilidade e fator de risco. Em primeiro lugar, para conquistá-la, o fundador precisa se impor por todos os meios: "Assim, um hábil ordenador de leis, que prefere sinceramente o bem geral a seus interesses particulares e sua pátria a seus sucessores, deve empregar toda sua indústria para atrair para si todo o poder".[58] Entrando nesse território, no entanto, não há como evitar a ira da fortuna, assim como não se podia prever tempestades em alto-mar. Ao definir essa condição básica para o ato dos fundadores, Maquiavel se afasta duplamente da tradição. Dos gregos, antes de tudo, porque não concebe um canal de comunicação entre o ator político privilegiado e a razão. Platão já sabia que esse momento é especial e que ele mobiliza forças extremas,[59] mas nunca pensou na solidão como uma condição primordial da ação dos fundadores, uma vez que existia sempre a possibilidade de definir o território da razão como terreno comum entre os homens. Maquiavel, ao contrário, insiste na solidão, justamente por acreditar que ela pode ser útil para a ação, embora não possa ser usada como mediador no momento preciso no qual o fundador age. Ele se afasta também dos medievais por não imaginar outro fundamento para a lei senão o da vontade do criador solitário. Desaparece a referência obrigatória à vontade divina, embora não a importância da religião, como veremos a seguir.

Nessas condições, podemos compreender a importância do modelo romano. Se a solidão é a condição essencial, a referência ao bem comum e ao princípio republicano de anterioridade do público em relação ao privado fornece a possibilidade para o teórico se pronunciar sobre a qualidade da fundação. Do ponto de vista objetivo é sobre a obra que se pode falar. É sobre o produto da ação que se calcam os julgamentos dos homens. Por isso, o recurso à violência, que pode se tornar necessário, como já nos tinha ensinado *O príncipe*, deve ser analisado com base em parâmetros fornecidos pelo exame dos regimes existentes, pois, como diz Maquiavel, "não é a violência que repara, mas a violência que destrói que deve ser condenada".[60] Sobre a intenção e o saber do fundador não há nada que possa ser descoberto, ou sobre o que se possa construir um saber teórico. Não há como ensinar a fundar. Podemos apenas recorrer ao exemplo dos grandes homens, Moisés, Sólon, Licurgo, que já haviam servido para ilustrar a hierarquia dos inovadores para pensar o problema, sem tentar ocupar o lugar que foi deles.[61] Enquanto ato, que inscreve na história as intenções dos atores políticos, a fundação se situa fora do tempo, e por isso não deve ser confundida com as muitas ações de renovação e reforma próprias ao território habitado pelos príncipes do tempo de Maquiavel e que haviam sido estudadas em sua obra anterior. Ao mostrar que o fundador deve estar sozinho, nosso autor o retira do mundo corriqueiro da política, mas não o livra dos perigos e das artimanhas da condição humana.

Uma das grandes astúcias do fundador, que pode ser conhecida pela força de sua obra, é a de compreender a excepcionalidade de sua condição e a natureza profunda das coisas dos homens. Se para fundar é preciso estar só, para tornar perenes as leis deve-se abandonar o poder absoluto da origem, para torná-lo obra coletiva. Assim, diz Maquiavel: "O fundador terá a sabedoria e a *virtù* para não deixar como herança a autoridade que teve entre as mãos. Os homens estando sempre mais prontos a seguir o mal que inclinados a imitar o bem, seu sucessor poderia usar por ambição os meios dos quais se serviu virtuosamente".[62] As leis serão o receptáculo objetivo dos segredos do primeiro momento, revelando não o que foi visto durante a travessia, mas a terra imaginada no silêncio das noites solitárias. Compreendemos agora a importância do estudo de aspectos legais das instituições, empreendido por Maquiavel ao longo dos *Discorsi*, mas muito particularmente nos primeiros capítulos, que definem a escolha maquiaveliana do modelo republicano romano como o da melhor forma política possível. O teórico não pode ter o mesmo saber do fundador, pois esse está fora do tempo e da história e nesse sentido não pode ser comunicado nem mesmo por meio de regras práticas. Mas isso não o impede de analisar a qualidade de sua obra, uma vez que ela se manifesta necessariamente na história à qual, ao contrário, é sempre possível se referir. Ora, a natureza da fundação está expressa em grande medida nas leis e regras que regem a relação coletiva, e é essa dimensão palpável das sociedades que dá uma das medidas de sua força. É claro que não podemos julgar uma república apenas por suas determinações legais, mas é por elas que podemos medir a fecundidade do campo político aberto aos diversos atores. Numa república corrompida até mesmo um grande homem teria dificuldades extremas para agir e restaurar o sentido original das leis, enquanto em um corpo social sadio é possível esperar as ações mais gloriosas de que somos capazes.[63]

FUNDAÇÃO E RELIGIÃO

Quando se trata de pensar os fundadores, Maquiavel propõe uma hierarquia, que muda o sentido daquela proposta por Pocock, para compreender os inovadores. Logo no começo do décimo capítulo ele diz:

> Dentre todos os homens elogiados, não existe nenhum que seja tão célebre quanto os fundadores de uma religião. Depois deles vêm os que fundaram repúblicas ou reinos [por outro lado] são destinados ao ódio e à infâmia os que destroem as religiões, que dissipam os reinos e as repúblicas, os inimigos do talento, da coragem, das letras e das artes úteis e honradas para a espécie humana, como são os ímpios, os violentos, os ignorantes, os preguiçosos, os baixos e vis.[64]

Poderíamos ser tentados a colocar a religião antes da política na ordem das coisas mais importantes, repetindo talvez o mesmo erro que Maquiavel condenara em Savonarola. Mas não nos parece ser esse o sentido do capítulo, porque não houve uma mudança de rumos no pensamento de nosso autor que justifique tal interpretação. É mais razoável continuar nossa investigação observando a singularidade do momento de fundação de um novo regime. É dessa consideração que podemos deduzir que um dos feitos do fundador é justamente escapar dos vícios e defeitos que podem ser o resultado de sua ação. Antes, portanto, de procurar entender a importância da religião para a política, devemos nos perguntar pelo significado da hierarquia proposta.

A primeira coisa que devemos observar é que Maquiavel coloca num *continuum* os fundadores, em suas melhores expressões, e os personagens abjetos da vida pública. Ora, num sentido diferente, ele chega à mesma conclusão que Platão no quarto livro das *Leis*, quando observa que entre os tiranos e os fundadores de repúblicas existe uma evidente proximidade.[65] No caso do pensador grego, no entanto, o fundador pode se servir de um jovem tirano para seus fins, mas não ocupa seu lugar, uma vez que possui um saber de tal natureza que pode tentar a construção da cidade ideal servindo-se apenas de seus conhecimentos. Para o pensador florentino, ao contrário, o que é especial na condição do fundador é que ele divide com o tirano sua solidão. Um escolhe criar um regime vigoroso e potente, e por isso transfere para as leis o poder que detivera; o outro o conserva entre as mãos e faz de seus desejos a regra da vida pública. O que devemos compreender é que, visto da cidade, o lugar do fundador contém muitas possibilidades e não apenas as que são o alicerce da república. Daí a conclusão a que chega quanto à crítica feroz dirigida aos tiranos: "[...] que tendo podido gozar da honra imortal de ter fundado uma república ou uma monarquia, preferem estabelecer uma tirania, não percebendo quanto renome, honra, segurança e paz e repouso de espírito troca por infâmia, vergonha, crítica, perigo e inquietude".[66]

Podemos agora tentar esclarecer o papel das religiões na fundação de novos regimes. Nosso ponto de partida é a afirmação, à qual Maquiavel procura conferir universalidade, de que "jamais existiu um ordenador de leis extraordinárias que não tenha recorrido a Deus". Essa exigência se completa com a idéia de que "lá onde já existe uma religião, é fácil introduzir a disciplina e as virtudes militares, mas onde existem somente as virtudes militares sem religião, essa última só é introduzida com muita dificuldade".[67] Reconhecemos aqui as duas dimensões com as quais já havíamos lidado no momento em que começamos nosso percurso: para criar novos regimes é preciso combinar o uso da força com a persuasão. Um desses fatores isolado leva ao desastre ou à instabilidade. Assim, Maquiavel considera infelizes as cidades que não podem recorrer à força da religião e devem se refugiar na autoridade de um príncipe cuja vida acaba sendo o limite da própria existência da cidade que governa. Mas a comparação entre os fundadores que recorreram à disciplina militar — como Rômulo — e os que criaram religiões — como Numa — não pode servir para produzir uma idéia deturpada da própria função do elemento religioso na criação política.

De fato, como já mostrou Lefort,[68] a vantagem concedida a Numa nesse momento do texto não visa reforçar uma hierarquia artificial entre os criadores da república romana, mas mostrar a especificidade de sua história, que viveu, em momentos diferentes, os atos essenciais à formação de toda república gloriosa. O que devemos observar é que a insistência na importância das religiões nos ensina algo a respeito da fundação em geral. Ao passar da solidão, na qual concebe o sentido de seus atos, para o universo das leis, o fundador deve apagar os traços que ligam sua vontade ao conjunto institucional, que estrutura o corpo político. Esse enraizamento das leis não pode ser realizado pela força, mesmo se manifesta e contínua, pois esse é o recurso dos tiranos, sempre condenados ao fracasso. Ele é realizado pela religião, que situando a norma fora da história, torna-a plenamente aceitável na história. Dando conteúdo transcendente à solidão do fundador, a religião faz de seus atos a expressão de algo que ultrapassa sua simples vontade. Por isso, Numa dizia conversar com as ninfas, pois de outra maneira não seria obedecido por homens vigorosos e habituados à guerra. É nesse sentido que Maquiavel afirma: "Não é suficiente, para a felicidade de uma república ou de uma monarquia, ter um príncipe que governa sabiamente durante sua vida, é necessário que ele lhe dê leis capazes de mantê-la depois de sua morte".[69]

Para escapar dos efeitos do tempo, Maquiavel recomenda então às repúblicas e aos príncipes "conservar em toda pureza a religião, suas cerimônias e o respeito devido à sua santidade".[70] Só assim o ciclo de vida de seus governantes, a particularidade da virtude de seus grandes homens, não se confundirão com seu próprio destino, embora sejam os fios que tecem sua trama e definam sua resistência. A verdadeira arte de fundar é, portanto, a combinação na dose certa de recurso à força e transcendência. Nesse sentido, acreditamos que estávamos certos ao sugerir que o terreno adequado para o estudo de nosso problema é o da criação das grandes repúblicas, único no qual todos os elementos componentes do momento inaugural da vida pública podem ser devidamente explorados pelo teórico da política.

A FUNDAÇÃO CONTÍNUA

Chegamos ao nosso destino. Maquiavel não podia na verdade ocupar o lugar do grande fundador, pois, como vimos, ele se revela na ação e na história. Nessas novas terras há uma enormidade de coisas que devemos aprender para erigir um saber renovado sobre a política. Num certo sentido, essa foi a grande ambição do secretário florentino: compreender de uma maneira nova a política, servindo-se do único campo de experimentação possível para o teórico: o da história. Mas no meio de todas as dificuldades para conhecermos o universo das relações políticas resta uma interrogação sobre a preservação do sentido original da obra dos grandes criadores. Como não perder, no interior do campo de batalhas entre a fortuna e a *virtù* que caracteriza a existência das cidades e dos reinos, o sentido da obra dos grandes fundadores? Como conservar, no tempo, o que foi gestado fora dele segundo uma lógica que não pode ser exposta em termos inteiramente positivos?

No começo do terceiro livro dos *Discorsi* temos a resposta para nossa indagação. Maquiavel sugere tratar da fundação do ponto de vista da duração. Ora, mais uma vez é a partir da regularidade das coisas naturais que podemos descobrir o caminho para uma exposição consistente sobre o tema. De fato, "tudo o que existe nesse mundo possui limites para sua duração", e como não estamos falando de objetos naturais, mas de corpos mistos, "tais como as religiões e as repúblicas, digo que as transformações salutares que podem sofrer são as que os conduzem a seus princípios".[71] Assim, a observação da naturalidade da corrupção, o simples passar do tempo, impõem um desgaste na obra do fundador, que não pode ser evitado por uma ação produzida pelo próprio demiurgo das formas políticas, quando ele ainda opera fora do mundo normal dos "corpos mistos". Por mais perfeita que seja sua construção, em contato com o tempo ela se desgasta e se vê condenada ao desaparecimento. Desse ponto de vista, não há nada que possa ser feito, pois não é possível agir contra a natureza, mesmo com toda a *virtù* dos grandes homens.

Maquiavel exprime a inexorabilidade do processo de corrupção associada ao único remédio possível: o retorno às origens. "Existe uma verdade mais clara que o dia: que esses corpos devem perecer se não se renovam e essa mudança só pode ser em direção a seu próprio princípio."[72] É possível, portanto, imaginar uma ação que evite a rápida degenerescência dos corpos políticos e ao mesmo tempo conhecer seu sentido: o retorno ao começo. Podemos talvez imaginar que se trata de instaurar uma espécie de circularidade artificial no interior dos regimes, uma vez que a circularidade natural os condena a desaparecer, não lhes sendo possível refazer o ciclo de transformações próprio aos corpos que não se perdem com o passar do tempo, como é o caso das estrelas.

Dentre os artifícios possíveis, nosso autor destaca dois: um acidente exterior ou o efeito de uma prudência interior. Quanto ao primeiro, centrado na fortuna, como mostra o exemplo romano de renovação a partir da invasão dos gauleses, o importante, a nosso ver, não é tanto a constatação de que a fortuna pode estar na origem do retorno às origens e, portanto, ter um papel positivo, mas o que foi possível fazer com as condições criadas por ela. Nesse ponto podemos voltar à nossa análise anterior do papel da religião na criação das formas políticas, para determinar a direção a ser tomada pelos atores da renovação. Se o que mostra Maquiavel a respeito dos fundadores das religiões é verdadeiro, quando o regime corre perigo é a hora para refazer sua rede simbólica, que no momento da criação havia servido para instaurar o sentido de unidade enquanto corpo político. Retomar a confiança na religião, exigir o cumprimento estrito das leis, é a maneira de trazer os homens para o terreno fértil dos primeiros momentos, quando ainda não era possível falar de corrupção.

O segundo caminho para o retorno à fundação é o que podemos nomear como o da *virtù*. Ele pode ocorrer tanto pela instituição de uma lei quanto pelos atos extraordinários de um homem, como foi o caso de Brutus. Ele nasce da percepção de um ator, ou de vários, de que é preciso barrar o processo do tempo. Não se trata simplesmente de fazer face a uma situação extraordinária, mas de saber compreender a importância da corrupção para a vida política ordinária. Deixada de lado, ela não tarda a irromper na cena pública de maneira devastadora. Assim, dentre os imperativos da ação política virtuosa se encontra a capacidade de lidar com o caráter inexorável do tempo e com seus efeitos. Uma grande república será a que for capaz de realizar uma ação de fundação contínua como parte de sua estratégia de sobrevivência. Maquiavel, aliás, ao concluir sobre os dois caminhos, o da fortuna e o da *virtù*, para se operar esse ato, confirma nossa opção primeira de estudar a questão nos *Discorsi* e não no *Príncipe*, pois mais uma vez ele mostra que é lá onde estamos diante apenas da *virtù* que encontramos os grandes fundadores. Também no tocante à fundação contínua ele nos aconselha a escolher a mesma via, "de sorte que esse feliz efeito seja o produto de uma boa lei ou a obra de um bom cidadão, mais do que o fruto de uma causa externa, porque, ainda que esse remédio possa ser útil, como vimos no caso romano, é tão perigoso de ser empregado que não se torna desejável".[73]

E no que consiste esse retorno? Segundo nosso autor, referindo-se à ação dos grandes romanos:

> Seria desejável que não se passasse mais de dez anos sem que um desses grandes gestos fossem perpetrados. Esse espaço de tempo é suficiente para mudar os costumes e alterar as leis e, se não ocorre algo que renove as punições e preencha os espíritos de um terror salutar, em breve se encontram tantos culpados que não é mais possível puni-los sem perigo.[74]

Podemos definir, portanto, não somente o prazo, mais ou menos aleatório de dez anos,[75] para que os corpos mistos sejam conduzidos à origem, mas sobretudo o sentido do gesto: reinstaurar o terror inicial. Ora, a associação da fundação ao terror não deve nos surpreender, mas é inegável que ela acrescenta algo à nossa compreensão da questão que nos interessa. Como já vimos, o fundador não pode contar com a ajuda da natureza humana para impor o respeito às leis que institui. Os homens sempre dispostos a praticar o mal devem ser convencidos, pela força se necessário, a obedecer. Na solidão de sua posição o criador de novas leis deve fazer tremer os que porventura tiverem a veleidade de não aceitá-las e para isso conta com todas as armas sobre as quais já falamos. O retorno às origens apenas reforça o que já era sabido do primeiro momento.

A associação, no entanto, entre terror e criação e a necessidade de se repetir o sentido do gesto inaugural mostra algo que o estudo da fundação do ponto de vista que empreendemos até agora poderia mascarar. Todo ato criador precisa deitar raízes, e daí, como vimos, a importância da religião. Mas ao convencer, ou forçar os homens a obedecer, o fundador também é obrigado a lançar sua obra no tempo, condição evidente da própria existência da vida política. Ora, não existe forma política que não esteja submetida à ação da corrupção, portanto não existe fundação que não traga em si a necessidade de uma fundação contínua. Se não podemos falar do ponto de vista dos criadores de repúblicas, somos confrontados à evidência de que suas obras são tanto o ponto de partida para a compreensão do significado de seus atos quanto o primeiro passo para o estudo da política em geral. Se podemos, portanto, como procuramos demonstrar, falar de uma teoria da fundação, ela só se torna consistente na medida em que faz parte de uma teoria geral da política. A separação entre fundação e vida política ordinária é pertinente do ponto de vista analítico, mas não serve para descrever o mundo complexo e múltiplo que se abre com a introdução perigosa de novas ordens e modos e a descoberta de um novo continente da política.

NOTAS

(1) MAQUIAVEL, "Discorsi sopra la prima deca di Tito Livio", em *Opere*, Milão, Riccardo Ricciardi Editore, 1954. A partir daqui vamos nos referir sempre a esse texto como *Discorsi*. As traduções são de nossa responsabilidade.

(2) Sobre a noção de tempo na Renascença ver J. R. HALE, *A Europa durante o Renascimento*, Lisboa, Presença, s. d., cap. I.

(3) Para um panorama geral e ambicioso da Europa e de suas transformações ver J. R. HALE, *The civilization of Europe in the Renaissance*, Londres, Fontana Press, 1994.

(4) Sobre esse período dos Orti Oricellari ver F. GILBERT, *Machiavelli e il suo tempo*, Bolonha, Il Mulino, 1977. O primeiro capítulo trata de Bernardo Rucellai, mas o livro todo é precioso para a compreensão do ambiente intelectual florentino do começo do século XVI.

(5) Para uma análise dos Orti Oricellari ver o clássico de Rudolf von ALBERTINI, *Firenze dalla Repubblica al Principato*, Turim, Einaudi, 1970. Um estudo mais recente sobre a geração intelectual de Maquiavel é o de G. SILVANO, "*Vivere civile*" e "*governo misto*" *a Firenze nel primo cinquecento*, Bolonha, Pàtron, 1985. Sobre os partidários de Savonarola na política florentina ver Lorenzo POLIZZOTTO, *The elect nation: The Savonarolian movement in Florence 1494-1545*, Oxford, Clarendon Press, 1994.

(6) F. GILBERT, *Machiavelli e il suo tempo*, cap. 2.

(7) Idem, ibidem, p. 95.

(8) Ver Gene BRUCKER, *Firenze nel Rinascimento*, Florença, La Nuova Italia, 1980.

(9) F. GILBERT, *Machiavelli e il suo tempo*, p. 96.

(10) Ver a esse respeito D. WEINSTEIN, *Savonarole et Florence*, Paris, Calmann-Levy, 1973.

(11) R. von ALBERTINI, *Firenze dalla Repubblica al Principato*, p. 72.

(12) Ver a esse respeito F. GILBERT, *Machiavelli e Guicciardini*, Turim, Einaudi, 1970, pp. 114-22.

(13) NARDI, cit. por R. von ALBERTINI, *Firenze dalla Repubblica al Principato*, p. 72, nota 2.

(14) MAQUIAVEL, *O príncipe*, em *Opere*, cap. VI.

(15) Strauss defende com brilho essa hipótese de leitura da obra maquiaveliana como um grande desafio contra a tradição. Ver Leo STRAUSS, *Pensées sur Machiavel*, Paris, Payot, 1982.

(16) A leitura do *Príncipe* a partir da figura do príncipe novo foi sugerida por F. CHABOD, *Scritti su Machiavelli*, Turim, Einaudi, 1964; mas foi com J. G. A. POCOCK, *The*

Machiavellian moment, Princeton, Princeton University Press, 1975, que encontrou sua melhor expressão teórica e é a que vai nos interessar aqui.

(17) J. G. A. POCOCK, *The Machiavellian Moment*, p. 158.

(18) "*Il Principe* is a study of the new prince — we know this from Machiavelli correspondence as well as from internal evidence — or rather of that class of political innovators to which he belongs". Idem, ibidem, p. 160.

(19) C. LEFORT, *Le travail de l'oeuvre. Machiavel*, Paris, Gallimard, 1973.

(20) Ver a esse respeito E. GARIN, *Scienza e vita civile nel Rinascimento italiano*, Bari, Laterza, 1985, cap. I.

(21) Para um balanço recente do tema da *virtù* em Maquiavel ver Harvey C. MANSFIELD, *Machiavelli's virtue*, Chicago, University of Chicago Press, 1996. Ver sobretudo o primeiro e o décimo capítulo.

(22) MAQUIAVEL, *O príncipe*, cap. VI.

(23) Idem, ibidem.

(24) A melhor análise do problema da força em Maquiavel, a nosso ver, se encontra em C. LEFORT, *Le travail de l'œuvre. Machiavel*, pp. 346-68.

(25) J. G. A. POCOCK, *The Machiavellian moment*, p. 172.

(26) Sobre a ligação de Maquiavel com esse príncipe ver G. SASSO, *Machiavelli e Cesare Borgia. Storia di un giudizio*, Roma, Elenchos, 1966.

(27) Nesse sentido continuamos de acordo com POCOCK, *The Machiavellian moment*, p. 180, e em desacordo com as teses defendidas por M. HULLIUNG, *Citzen Machiavelli*, Princeton, Princeton University Press, 1983. Sustentamos mais longamente nossa leitura do caráter republicano da obra de Maquiavel em N. BIGNOTTO, *Maquiavel republicano*, São Paulo, Loyola, 1991.

(28) Interessante a esse respeito a obra de H. C. MANSFIELD, *Le prince apprivoisé*, Paris, Fayard, 1994.

(29) MAQUIAVEL, *Discorsi*, Prefácio.

(30) Idem, ibidem.

(31) Sobre o mito de Florença como cidade livre ver o clássico H. BARON, *The crisis of the early Italian Renaissance*, Princeton, Princeton University Press, 1966.

(32) MAQUIAVEL, *Discorsi*, liv. I, cap.1.

(33) Idem, ibidem.

(34) Idem, ibidem, cap. 2.

(35) Idem, ibidem.

(36) Idem, ibidem, cap. 3.

(37) Muito interessante a esse respeito o livro de J. CHANTEUR, *Platon, le désir et la cité*, Paris, Sirey, 1980.

(38) MAQUIAVEL, *Discorsi*, liv. I, cap. 4.

(39) Para a relação entre Maquiavel e Hobbes ver R. ESPOSITO, *Ordine e conflitto*, Nápoles, Liguori, 1984, cap. V.

(40) MAQUIAVEL, *Discorsi*, liv. I, cap. 4.

(41) Idem, ibidem.

(42) Idem, ibidem.

(43) Para um estudo detalhado da idéia de "verdade efetiva" ver C. LEFORT, *Écrire. A l'épreuve du politique*, Paris, Calmann-Levy, 1992.

(44) MAQUIAVEL, *Discorsi*, liv. I, cap. 5.

(45) Essa referência aos dois humores constitutivos da cidade é recorrente na obra de Maquiavel, o que nos leva a considerá-lo como um ponto fundamental para a compreensão de sua filosofia política. Ver *Discorsi*, liv. I, cap. 5.

(46) "Dall'altra parte, chi difende l'ordine spartano e veneto dice che coloro che mettono la guardia in mano di potenti fanno due opere buone: l'una che ei satisfanno più all'ambizione di coloro ch'avendo più parte nella republica per avere questo bastone in amno, hanno cagione di contentarsi più; l'altra che lievono una qualità dagli animi inquieti della plebe, che è cagione d'infinite dissensioni e scandoli in una republica, e atta a ridurre la Nobilità a qualche disperazione che col tempo faccia cattovi effetti." MAQUIAVEL, *Discorsi*, liv. I, cap. 5.

(47) Idem, ibidem.

(48) Idem, ibidem.

(49) A esse respeito é de fundamental importância o capítulo de F. GILBERT dedicado à questão em *Machiavelli e il suo tempo*, Bolonha, Il Mulino, 1977, parte I, cap. 3.

(50) Ver G. SASSO, *Niccolo Machiavelli*, Bolonha, Il Mulino, 1980.

(51) MAQUIAVEL, *Discorsi*, liv. I, cap. 6.

(52) Idem, ibidem.

(53) Idem, ibidem.

(54) Este é o tema do primeiro capítulo do segundo livro dos *Discorsi*, e marca uma ruptura clara com a tradição romana, e depois humanística, de ver na *cidade eterna* o produto da fortuna.

(55) Estamos pensando, é claro, em alguns aspectos do pensamento de Apel e de Habermas.

(56) Sobre a fundação de Roma do ponto de vista da historiografia contemporânea ver P. GRIMAL, *Virgile ou la seconde naissance de Rome*, Paris, Flammarion, 1989; A. GRANDAZZI, *La fondation de Rome*, Paris, Les Belles Lettres, 1991.

(57) MAQUIAVEL, *Discorsi*, liv. I, cap. 9.

(58) Idem, ibidem.

(59) Um exemplo claro disso se encontra no livro IV de *As leis*. Ver PLATÃO, *Oeuvres Complètes*, Gallimard, 1953.

(60) MAQUIAVEL, *Discorsi*, liv. I, cap. 9.

(61) "Potrebbesi dare in sostentamento delle cose soprascritte infiniti esempli, come Moises, Licurgo, Solone ed altri fondatori di regni e di republiche, e quali poterono, per aversi attribuito un'autorità, formare leggi a proposito del bene comune..." Idem, ibidem.

(62) Idem, ibidem.

(63) Não vamos abordar aqui o tema da corrupção, mas já o tratamos mais detidamente em nosso livro, *Maquiavel republicano*, cap. IV.

(64) MAQUIAVEL, *Discorsi*, liv. I, cap. 10.

(65) PLATÃO, *As leis*, IV, 709a-711c.

(66) MAQUIAVEL, *Discorsi*, liv. I, cap. 10.

(67) Idem, ibidem, cap. 11.

(68) C. LEFORT, *Le travail de l'oeuvre. Machiavel*, pp. 488-91.

(69) MAQUIAVEL, *Discorsi*, liv. I, cap. 11.

(70) Idem, ibidem, cap. 12.

(71) Idem, ibidem, liv. III, cap. 1.

(72) Idem, ibidem.

(73) Idem, ibidem.

(74) Idem, ibidem.

(75) Leo Strauss foi, entre os intérpretes contemporâneos de Maquiavel, um dos que maior atenção dedicou à questão dos números empregados por ele ao longo de sua obra. Sobre o capítulo que estamos analisando em particular ver Leo STRAUSS, *Pensées sur Machiavel*, Paris, Payot, 1982, pp. 185-8.

CONTRA MAQUIAVEL

Maria das Graças do Nascimento

Não é sem razão que Erasmo costuma ser comparado a Voltaire, quando se trata da influência que ambos exerceram em sua época. Referindo-se à "sua absoluta supremacia" como escritor, Pierre Mesnard afirma que "a história nos lança como um desafio a influência mais considerável que um homem de letras alguma vez tenha exercido sobre a Europa", diante da qual a de Voltaire aparece apenas como um reflexo enfraquecido.[1] De modo semelhante, Lucien Febvre afirma que entre os anos de 1510 e 1530, Erasmo mantém sobre a Europa um verdadeiro reinado espiritual. Ele é o primeiro soberano do mundo moderno. O segundo se chamará Voltaire. A inteligência, nos dois casos, se transforma em força política.[2]

Não é contudo apenas na Europa que Erasmo se faz presente. Bataillon, em seu *Erasmo e a Espanha*, mostra que entre os espanhóis e portugueses que se aventuravam para terras longínquas, muitos eram erasmianos. Como o caso de Baltazar Jorge Valdez, que parte para a Índia, onde morre em 1545, e que havia levado consigo livros de Erasmo.[3] Ou o de Francisco de Sayavedra, processado no México pela Inquisição, e que, durante o interrogatório, citou o seu livro de Erasmo, provavelmente o *Manual do soldado cristão*, dizendo que os santos preferiam que nós imitássemos as suas obras em vez de ficar rezando padre-nossos.[4] Curiosas também são as histórias contadas por Jacques Proust em seu livro *L'Europe au prisme du Japon — XV-XVIII siècles*: o período que precedeu a proibição do catolicismo no Japão foi de perseguição aos convertidos e aos seus mestres europeus. Um padre japonês, chamado Fabian Fukan, discutiu publicamente com um neoconfucionista utilizando argumentos erasmianos a favor do cristianismo. Mas o contrário também podia acontecer: um outro padre, Cristovão Ferreira, tendo abjurado o cristianismo sob tortura, serve-se de argumentos de Erasmo para, de um pretendido ponto de vista japonês, criticar a sua antiga religião. Ainda no século XVI, uma estátua de proa, esculpida em madeira, foi doada aos japoneses. Descobriu-se que era uma estátua de Erasmo, que ainda hoje está exposta no Museu Imperial de Tóquio ao lado dos outros heróis do país.[5]

Na opinião de Huizinga, Erasmo se tornou uma espécie de "cérebro, coração e consciência de seu tempo".[6] Num período conturbado, em que as questões religiosas e políticas estavam inegavelmente intrincadas, sua vasta e diversificada obra aparece como manifestação de um pensamento que se debruça sobre as questões de sua própria época, captando-lhe os conflitos, assinalando as hesitações e indicando os equívocos das soluções encontradas por alguns de seus contemporâneos, seja na forma de um discurso grave e sistemático, como no caso, por exemplo, do *Manual do soldado cristão*, seja tomando as armas da ironia e da sátira, como nos *Adágios*, nos *Colóquios*, ou no *Elogio da loucura*. Este caráter de intervenção da obra de Erasmo é um dos traços que permitiram a Rouanet situar o pensamento do monge holandês no interior de uma perspectiva "iluminista".[7]

Erasmo, como dissemos, apreende as forças que estão em jogo em seu tempo. O que é a Europa do século XVI? Como mostra Delumeau, "as divisórias políticas do continente aparecem, se não firmes, pelo menos clarificadas e consolidadas nas suas grandes linhas".[8] Em resumo, continua Delumeau, "a época do Renascimento, este grande período de mutação [...] é aquela em que a Europa se define politicamente, descobrindo [...] a regra de ouro do equilíbrio entre potências. O ideal da unidade européia, realizada sob a autoridade do imperador, foi substituído por uma relação de forças".[9] Contudo, se de um lado o fortalecimento das nacionalidades significa a tomada de consciência de si e dos outros por parte dos povos, é uma diferenciação por vezes dramática que de outro lado se associa ao contínuo desfile de tropas militares. A guerra é assunto corriqueiro. Ao mesmo tempo, o Humanismo, esta espécie de tempestade fertilizadora vinda da Itália, transforma os espíritos. Finalmente, ainda segundo Delumeau, o século XVI viu a Igreja cristã "quebrar-se e mostrar à luz do dia o escandaloso espetáculo do ódio entre seus filhos".[10] Esse quadro de crise mas ao mesmo tempo, por assim dizer, carregado de esperanças, é o pano de fundo sobre o qual se inscreve o pensamento de Erasmo. Cosmopolita e pacifista, aponta para os caminhos funestos do nacionalismo e da guerra. Crítico ferino da pesada instituição eclesiástica, defende contudo a união da cristandade e recusa o cisma. Humanista, como seus confrades italianos, crê entretanto que a herança clássica deva ser posta a serviço da reflexão sobre a filosofia cristã. A esse respeito, Quentin Skinner, em seu livro sobre as fundações do pensamento político moderno, afirma que os humanistas do Norte da Europa "dependeram de forma crucial do conjunto de conceitos que haviam sido explorados pelos humanistas italianos do Quatrocentos",[11] embora julgue necessário reconhecer que quando a cultura da Renascença italiana começa a ter impacto sobre o resto da Europa, na maior parte das vezes os humanistas do Norte se mostraram receptivos àquelas idéias que lhes soavam mais familiares, passíveis de serem assimiladas às suas próprias experiências, diversas das dos italianos.[12]

Estas observações contudo são apenas a reconstituição de alguns elementos da tradição crítica sobre a Renascença, tradição diversificada, assentada e internacionalmente reconhecida, à qual, na verdade, quase nada podemos acrescentar. O que proponho aqui é simplesmente a análise de alguns textos, que longe de pretender apresentar algo de novo sobre o pensamento de Erasmo, apenas ilustram ou confirmam aspectos de uma longa tradição interpretativa.

Dizíamos então que, na época de Erasmo, as questões religiosas estão intimamente ligadas às questões políticas. Tomemos, em primeiro lugar, a questão da Igreja. Lucien Febvre havia mostrado, numa conferência pronunciada no Rio de Janeiro em 1949,[13] que, do ponto de vista religioso, a religião "sonhada" por Erasmo deveria ser "muito livre, muito aberta, muito pura".[14] No centro da vida religiosa, o Cristo, um homem que ensina, cura, consola. Nada de intermediários entre Ele e os homens. A Virgem Maria e os santos são personagens secundários. Erasmo, segundo Febvre, tenta atenuar os efeitos do pecado original, e devolver ao homem a confiança em si mesmo.[15]

No *Elogio da loucura*, de 1509, a Moria apresenta, entre os que vivem segundo suas leis, aqueles que se divertem ouvindo e contando milagres e histórias que ouviram da boca de monarcas e pregadores, os ridículos e supersticiosos que se sentem protegidos por uma estátua de madeira, pela luz de lamparinas, ou por rezas inventadas por algum impostor, os que se consideram salvos pelos perdões e indulgências, e medem sem receio os séculos de purgatório, e os que crêem que com dinheiro podem-se redimir "tantos falsos juramentos, tantas impurezas, tantas bebedeiras, tantas brigas, tantos assassinatos, tantas imposturas, perfídias e traições".[16] Estas práticas, sustentadas pelos próprios professores de teologia como um meio de "tirar proveito da crendice popular", causam vergonha à própria Loucura.

A denúncia das práticas supersticiosas dos cristãos reaparece num dos *Colóquios*, intitulado "O naufrágio": trata-se de um diálogo no qual se conta que numa travessia perigosa durante uma tempestade, na iminência de serem jogados no mar, tripulantes e passageiros entregam-se aos mais diversos rituais para pedir a Deus e aos santos que lhes poupem a vida. O espetáculo é descrito como algo lamentável:

> Os marinheiros, cantando a Salve Regina, imploravam à Virgem Maria, chamando-a de Estrela do Mar, Rainha do céu, Soberana do mundo, Porto de Salvação, e de um grande número de títulos de bajulação que não lhe são atribuídos por nenhum texto da Escritura [...] Alguns passageiros adoravam o mar, jogando óleo sobre as ondas e dirigindo-se ao mar com as mesmas palavras que se usam para um soberano enfurecido... Outros faziam promessas...[17]

Enquanto o povo mergulha na superstição, os teólogos, como mostra a Loucura, "cercados de uma série de definições, conclusões, corolários, proposições explícitas, em suma, de tudo o que compõe a malícia da escola sacra" interpretam como querem os mistérios da salvação, são argutos, frívolos. Acrescenta-se a isso sua moral estranha e contraditória. Os monges ou religiosos, por sua vez, diz Erasmo pela voz da Loucura, "são de tal forma odiados, que, quando por acaso são vistos, costuma-se tomá-los por aves de mau agouro... Sua principal devoção consiste em não fazer nada, chegando ao ponto de nem ler. Sem se dar ao trabalho de entender os salmos, já se julgam demasiado doutos quando lhes conhecem o número, e, quando os cantam em coro, imaginam enlevar o céu com sua asnática melodia". Reproduz-se, com eles, o que ocorre com o vulgo, ou seja, entregam-se a cerimônias sem sentido: "[...] os sapatos devem ter tantos nós, o cíngulo deve ser de tal cor, a roupa composta de tantas peças, a cinta de tal qualidade ou largura, o hábito de tal forma ou tal tamanho, a coroinha de tantas polegadas de diâmetro". E então a Loucura se pergunta: Por que tudo isso? Imitar o Cristo? É o último de seus pensamentos. Com os pregadores, é preciso ter cuidado: são "cães da Igreja, e podem morder". Por último, o que dizer do papa? "Aquelas imensas riquezas, aquelas honras divinas, aquele vasto domínio, aquele gordo patrimônio [...] os impostos que recebem [...] o fruto de todos aqueles favores e indulgências, com as quais vão traficando vantajosamente..."[18] são absolutamente incompatíveis com os ensinamentos cristãos. Segundo a Loucura, "nunca houve alguém que mais vivesse no ócio e na moleza do que um papa".[19] Mas o pior é quando, para defender suas terras, cidades, domínios, lançam-se na guerra, desfraldam a bandeira de Marte e se tornam um flagelo.

Um dos textos mais duros contra os papas guerreiros, que não foi assinado por Erasmo mas que a tradição lhe atribui, intitula-se *Julius Exclusus* e conta a história da chegada do papa Júlio II ao céu. São Pedro não o reconhece, e impede sua entrada. Ele mostra suas insígnias: P. M., de *Pontifex Maximus.* O guardião da porta do céu interpreta: *Pestis Maxima.* Júlio resolve então contar suas façanhas: foi ele quem anexou a Bolonha, venceu Veneza, assaltou Ferrara, expulsou os franceses, construiu edifícios suntuosos, palácios. Mas Pedro não o deixa entrar. Ele vai embora resmungando, prometendo formar um exército para derrubar as portas do céu.[20]

Na verdade, o tema dos "abusos da Igreja" é comum na literatura do século, e embora não se possa dizer que esses abusos, por si sós, tenham sido a causa da Reforma, é fato que o discurso dos reformadores criticava com veemência os comportamentos dos bispos, papas e dos cristãos como incompatíveis com os ideais do Evangelho. Há portanto um consenso entre Erasmo e os reformadores de que a Igreja precisava passar por uma transformação que significasse purificação, volta às origens, retomada da inspiração evangélica.

Como se sabe, Erasmo, malgrado a dureza de suas críticas à Igreja e apesar da esperança de Lutero em trazê-lo para suas hostes, recusou a via da ruptura. Do seu ponto de vista, o acirramento das opiniões divergentes deve ser evitado. É esta a posição que ele expressa no texto *Concórdia da Igreja*, escrito exatamente como resposta a um interlocutor que lhe pedira para exortar a Igreja a dar um fim nos conflitos da época. O apelo de Erasmo é pela tolerância e pela indulgência, pois,

> lá onde reinam a ambição, o frenesi pelo dinheiro, a obstinação, os aplausos cegos ou o ódio mais cego ainda, ao ponto que se procure defender teimosamente o que acabamos de dizer ou de escrever, lá, onde o interesse de partido nos leva a aprovar o que sabemos ser condenável, onde condenamos mesmo, por ódio pessoal, opiniões piedosas, em suma, quando cada um só pensa em si mesmo e se estica a corda dos conflitos, é impossível obter a concórdia.[21]

Julga Erasmo que a principal causa de discórdia está no fato de que percebemos os vícios de nossos vizinhos e fechamos os olhos para os nossos. "De que modo", continua Erasmo, "a concórdia subsistiria no conjunto da Igreja, se cada um, míope para as virtudes do outro, considera os seus vícios com olhos que se parecem com espelhos deformantes, que enfeiam a imagem alongando-a?".[22] Se é verdade que há monges tão pouco religiosos, padres que não vivem castamente, e bispos que mais parecem sátrapas, há também na Igreja os que são sábios, sóbrios, virtuosos. Com efeito, Erasmo, neste texto, parece querer relativizar a gravidade dos conflitos. A doença da Igreja não lhe parece incurável: "[...] o incêndio ainda pode", na sua opinião, "ser apagado, desde que não se alimente mais o fogo".[23]

O que o texto da *Concórdia* sugere é que a única via para a cura dos males do cristianismo é uma via interior, aquela que será indicada no *Manual do soldado cristão*. De inspiração claramente platônica, o *Enchiri-*

dion (no qual Erasmo se refere explicitamente ao *Timeu*) apresenta ao leitor uma regra de vida. O homem é um animal prodigioso, composto de duas partes absolutamente distintas: o corpo, que tende para os prazeres e se deleita com as coisas visíveis, a alma, que aspira ao etéreo e imortal. "É por isso", diz Erasmo, "que se pode comparar o coração do homem a uma república em revolta, que, composta de diferentes classes e homens, encontra-se em colisão consigo mesma, dada a discórdia das tendências."[24] Assim, é preciso que, nesta república, o mais sábio governe. Deste modo a virtude é o domínio do melhor sobre o inferior, ou seja, da alma sobre o corpo, ou da razão sobre as afecções. É esse, segundo Erasmo, o caminho da beatitude: "Em primeiro lugar, que tu te conheças; em seguida, que ajas sempre conforme ao juízo da razão, e não conforme as paixões. Mas que a razão mesma seja sã e sábia, ou seja, que só considere o que é honesto".[25] Ora, essa regra de vida, prescrita ao cristão, é perfeitamente universal, independentemente da fé religiosa. Aliás, para Erasmo, é exatamente esta doutrina a ensinada por Paulo, que, na Epístola aos Gálatas, exorta os discípulos da seguinte maneira: "Andai sobre a condução do espírito, e não dareis satisfação aos apetites da carne. Pois a carne luta contra o espírito, e o espírito contra a carne".[26]

Como se pode ver, estas passagens do *Enchiridion* indicam que, para Erasmo, embora o pecado original seja uma realidade (foi ele que semeou a discórdia entre o espírito e o corpo), esta marca originária não corrompeu inteiramente a natureza humana: a razão ainda pode ser sadia e reta, e conduzir o homem em direção à beatitude. (Aliás, este é, dentre outros, um dos pontos que separam Erasmo de Lutero, para quem a idéia do pecado assumiu um peso esmagador.) Esse apelo ao que se poderia chamar de conteúdo universal da espiritualidade cristã (conteúdo que a Igreja institucionalizada deformou e degradou) é que permite a Erasmo conceber o "dever ser" da humanidade a partir da metáfora dos círculos concêntricos, no qual a perfeição aumenta à medida que se aproxima do centro, que é o Cristo.[27] A partir deste centro irradiador de força situam-se, por ordem de virtude, os que seguem mais de perto os ensinamentos cristãos, seguidos pelo círculo dos príncipes das nações, após os quais se encontra a esfera do povo comum. O centro, em direção ao qual cada esfera se orienta, é como um fogo, que atrai a todos e os transforma em sua própria natureza. Para além do terceiro círculo, está o que é abominável: a ambição, o desejo das riquezas, a luxúria, a cólera, o espírito de vingança, a inveja, a calúnia.

Presença constante no imaginário renascentista,[28] a figura do círculo tal como aparece no texto de Erasmo é penetrada por dois movimentos: de dilatação, do centro em direção à circunferência, na medida em que o centro, que é o Cristo, irradia a força que se difunde progressivamente até os derradeiros limites; de concentração, já que tudo deve tender para participar da perfeição que habita o lugar central. É necessário assinalar que embora se trate, num primeiro plano, de uma imagem da cristandade, não há nenhuma referência a uma distinção entre cristãos e não-cristãos, infiéis ou hereges. Sabe-se que Erasmo tem uma posição muito particular em relação à questão da heresia. Ele tende a minimizar a gravidade do erro em relação ao dogma e valorizar a conformidade da conduta em relação à virtude. Deste modo, a pior espécie de heresia é a dos próprios cristãos quando por seu comportamento atingem mais diretamente o cristianismo do que o faria uma disputa sobre um dogma. E mesmo em relação aos turcos muçulmanos, objeto de ódio e medo dos europeus na época, Erasmo freqüentemente usa o argumento de que, finalmente, são homens semi-cristãos, e "talvez até mesmo mais próximos do verdadeiro cristianismo do que a maioria dentre nós".[29] Quanto ao paganismo, é conhecida a admiração de Erasmo, assim como dos humanistas em geral, pela virtude dos pagãos, de tal modo que, no *Banquete religioso*, ele chega a afirmar que encontra nas coisas ditas pelos antigos um caráter tão puro e tão divino que isso o leva a pensar que são inspirados por um bom gênio e talvez mesmo até pelo próprio Cristo. É esta supremacia da virtude que determina portanto o lugar de cada um nos círculos concêntricos de que fala a carta a Paul Voltz.

De outro lado, a perfeição progressiva dos círculos não remete exclusivamente a grupos de pessoas ou a determinadas condições. É certo que o primeiro círculo seria uma espécie de lugar natural dos religiosos, o segundo o dos monarcas e o último o do povo. Contudo, diz Erasmo, os vícios se introduzem nos círculos superiores, quando, por exemplo, "exercemos nossa tirania sob o pretexto da justiça e do direito, quando a religião nos serve de ocasião para pensar só no ganho, quando, sob a etiqueta de defesa da Igreja estamos na verdade desejando o poder...".[30] A perfeição consiste, pois, na disposição da alma, não num gênero de vida, reside nos corações, e não nas coisas exteriores. Assim, há, em meio ao povo, pessoas que merecem o primeiro círculo e, entre os monges, alguns que não poderiam nem estar no último. Desse modo, quem estiver longe demais do arquétipo, deve ser estimulado a progredir; quem estiver perto, a se aproximar ainda mais.

É de notar também que a metáfora dos círculos concêntricos recusa uma distinção radical entre o domínio religioso, ou moral, e o domínio civil ou político. Erasmo dirá no *Enchiridion* que "não há um mestre diferente para os bispos, um mestre diferente para os magistrados civis".[31] Isso quer dizer não apenas que a pergunta sobre o bom governante deve ser colocada, mas que o critério que permite identificar a virtude do governante é de natureza moral. É o príncipe que organiza a vida civil para que haja a tranqüilidade necessária ao aperfeiçoamento dos homens. Mas, mais do que isso, o príncipe virtuoso é, ao seu modo e na sua função, o reflexo do fogo que irradia a partir do centro em torno do qual se situam os círculos. E faz muita diferença, como diz Erasmo, se a justiça divina se refletir sobre uma placa de ferro ou sobre um espelho de vidro.[32]

A introdução de exigências morais na definição do bom governo implica a crítica da tirania. A denúncia dos efeitos nefastos do governo tirânico, tema caro aos humanistas políticos, e que tem talvez a sua mais bela manifestação no *Discurso sobre a servidão voluntária* de La Boetie, assume, no caso de Erasmo, alguns traços específicos. O tirano, para ele, não é apenas aquele que exerce um poder ilegítimo, mas o governante destemperado e voraz, o monarca rapace, cuja ação devastadora é a antítese do governo do príncipe cristão. É assim que Erasmo, num famoso adágio, afirma que "não foi sem sérias razões que, dentre tantas espécies de pássaros e tantas tribos voadoras, a águia tenha lhes parecido o candidato mais qualificado para ser escolhido como monarca, não somente por seus confrades pássaros, como também pelo senado e pelo povo dos poetas". Trata-se do adágio intitulado *O escaravelho que persegue a águia*, sátira política mordaz, na qual Erasmo, segundo a tradição da fábula antiga, descreve a águia e tira conclusões sobre os reis. Neste animal, o bico afiado, as garras, o olho turvo, a cor fúnebre, tudo isso faz logo compreender que é carnívoro, inimigo da paz, nascido para os combates, para as rapinas e devastações. É por esta razão que, diante de seu grito terrível, conclui Erasmo: "O povo inteiro é tomado de pavor, o senado se dobra sobre si mesmo, a nobreza abaixa a cabeça, os magistrados tornam-se obsequiosos, os teólogos silenciosos, os juristas proclamam seu acordo, as leis cedem, nada mais se mantém...".[33] Mas talvez a comparação não seja adequada, e a analogia não seja tão perfeita. Diz-se que a águia expulsa cedo os filhotes do ninho, para que aprendam a caçar com as próprias garras. É o contrário do que acontece com os reis: vivem rodeados de bajuladores, ministros corrompidos, confidentes estúpidos, para quem a infelicidade do público é motivo de prazer. Sem falar das pompas, do luxo, da luxúria, da tolice. O que se poderia esperar da mistura de todos esses ingredientes? Além disso, as águias, embora necessitem de vastas áreas para suas rapinas, não se atrevem a caçar no terreno de suas vizinhas, igualmente violentas. Mas nada costuma deter a ambição dos reis: seu desejo de dominação parece infinito.

A questão da guerra: a respeito do pacifismo erasmiano, Jean-Claude Margolin escreve que " mais que uma idéia, mais do que um tema de meditação, a paz entre as nações da Europa e sobretudo entre os cristãos, a paz do homem consigo mesmo e com seus semelhantes, a paz do homem com Deus [...] são para Erasmo evidências vitais, por não dizer uma obsessão maior, que o acompanha antes, durante e depois dos momentos em que escreveu suas mensagens de paz em circunstâncias históricas precisas ou oportunidades pessoais".[34] Entende-se: se, na vida dos homens, o espírito de fraternidade inspirado no Evangelho deve determinar as relações na sociedade, na Igreja e entre as nações, e se a questão moral é tal que diante dela a política é uma questão derivada, então não há como não considerar toda guerra um fratricídio inaceitável. Ela é, propriamente, a irrupção da irracionalidade no ser que, paradoxalmente, entre todas as criaturas da terra, é o único dotado de razão. É este o raciocínio da Paz, que, vendo-se rechaçada pelos homens, queixa-se da seguinte maneira:

> Se os animais ferozes me odiassem desta maneira, eu suportaria com resignação e deixaria a injúria por conta da natureza, que lhes impôs um caráter violento; se eu fosse odiada por animais sem razão, atribuiria seu ódio à sua ignorância, dizendo a mim mesma que eles são por demais desprovidos de inteligência para medir as vantagens que lhes ofereço. Mas, ai de mim! Ó infelicidade indigna e monstruosa! A natureza criou um só animal, o homem, que é dotado de razão, o único que é capaz de conceber a idéia de Deus. Ela o tornou o único que é sensível à benevolência e à concórdia, e, apesar disso, eu encontro abrigo mais facilmente entre os animais ferozes do que entre os homens.[35]

Neste seu lamento, a Paz relembra aos homens que a natureza nos ensina a concórdia, fazendo os homens de tal modo constituídos que eles não podem viver sem o auxílio uns dos outros. Foi esta necessidade que criou as sociedades. O gênero humano teria logo perecido se os homens não se associassem uns aos outros. Os preceitos do Cristo só ensinam a paz e o amor recíproco. A própria alma humana, este espírito ardente, significa amor. "Arrancai", diz Erasmo, "a alma do corpo, logo se dissolve a unidade dos membros, que ela mantinha reunidos; do mesmo modo, tirai a paz de uma sociedade: ela será dissolvida, e perecerá com ela a vida cristã".[36] Toda guerra é, para Erasmo, insensata, cruel, iníqua.

Enfim, Erasmo faz um duro diagnóstico de seu tempo: "Quem não vê", escreve na carta a Paul Voltz, "que este século é, de longe, o mais corrompido de todos? Quando a tirania, a avareza, reinaram mais amplamente e mais impunemente do que agora? Quando se deu mais peso às cerimônias? Em que época a iniqüidade passou dos limites com mais liberdade? Em que tempo a caridade se esfriou tanto?".[37] Quando, no século XVIII, Voltaire concebe um diálogo imaginário entre Erasmo, Rabelais e Luciano de Samosata, ele certamente tem em vista o caráter e o alcance crítico do pensamento de Erasmo em relação ao que ele, Voltaire, denominará "a infame".[38] Mas Erasmo não fez apenas a sátira de seu tempo. Ao lhe apontar os males, ao mesmo tempo indica os equívocos que poderiam passar por soluções destes mesmos males: o cisma não é o remédio para a decadência da Igreja; o belicismo não é virtude; a força do príncipe não está no poder que detém; a ignorância não pode ser o remédio para o orgulho, a virtude cívica nacional não pode obscurecer a universalidade da natureza humana. Guardadas as distâncias (sobretudo porque Erasmo é um cristão católico mesmo que seja um pouco rebelde), num ponto têm razão os que vêem em Erasmo um iluminista: é por meio de uma espécie de revolução espiritual que ele crê que o homem pode superar os males da sociedade.

NOTAS

(1) Pierre MESNARD, *L'essor de la philosophie politique au XVIème siècle*, Paris, Vrin, 1977, p. 87.

(2) Lucien FEBVRE, *Erasmo, la contrarreforma y el espíritu moderno*, Barcelona, Martinez Roca, 1970, pp. 91-2.

(3) Marcel BATAILLON, *Erasmo y España*, México, Fondo de Cultura Económica, 1996, p. 807.

(4) Idem, ibidem, p. 811.

(5) O livro de Jacques Proust sobre a Europa e o Japão foi recentemente publicado por Albin Michel, Paris. As histórias foram narradas por Jean-Marie Goulemot, em sua resenha do livro de Proust, publicada pelo *Jornal de Resenhas, Folha de S. Paulo*, 13/9/1997. Huizinga, em seu *Erasmo*, também faz referência a esta estátua, que possivelmente ornara a proa de um navio holandês. Ver J. HUIZINGA, *Erasmo*, Torino, Einaldi, 1941, p. 289.

(6) Idem, ibidem, p. 149.

(7) Sergio Paulo ROUANET, "Erasmo, pensador iluminista", em *As razões do Iluminismo*, São Paulo, Companhia das Letras, 1987, p. 278.

(8) Jean DELUMEAU, *A civilização do Renascimento*, Lisboa, Estampa, 1984, vol. I, p. 37.

(9) Idem, ibidem.

(10) Idem, ibidem, p. 121.

(11) Quentin SKINNER, *As fundações do pensamento político moderno*, São Paulo, Companhia das Letras, 1996, p. 217.

(12) Idem, ibidem, p. 219.

(13) A conferência, intitulada "Erasmo e sua época" foi publicada, juntamente com outros artigos, pela École Pratique des Hautes Études de Paris, em 1957. Utilizo aqui a edição espanhola já citada (Barcelona, 1970) de *Erasmo, la contrarreforma y el espíritu moderno*.

(14) Idem, ibidem, p. 93.

(15) Idem, ibidem, p. 94.

(16) ERASMO, *Elogio da loucura*, São Paulo, Abril, 1972, p. 73 (Col. Os Pensadores).

(17) ERASMO, *Colloques*, Paris, Lafont, 1992, pp. 297-8.

(18) ERASMO, *Elogio da loucura*, p. 126.

(19) Idem, ibidem, p. 127.

(20) ERASMO, *Julius Exclusus*, em E. CHOMARAT, *Oeuvres choisies*.

(21) ERASMO, *De l'aimable concorde de l'église*, em D. MÉNAGER et alii, *Oeuvres*, Paris, Lafont, 1992, p. 833.

(22) Idem, ibidem.

(23) Idem, ibidem, p. 815.

(24) ERASMO, *Enchiridion Militis Christiani*, Paris, Vrin, 1971, p. 110.

(25) Idem, ibidem, p. 115.

(26) São Paulo aos Gálatas, 5, 16-17.

(27) ERASMO, "Lettre à Paul Voltz", em *Enchiridion Militis Christiani*, pp. 78-80.

(28) Ver Georges POULET, *Les metamorphoses du cercle*, Paris, Champs-Flammarion, 1961, capítulo sobre a Renascenca.

(29) Ver Dulce BELLUM, "Inexperts", em ERASMO, *Caverna et paix*, introd. e notas J. C. MARGOLIN, Paris, Aubier-Montaigne, 1973, p. 142.

(30) ERASMO, "Lettre à Paul Voltz", op. cit., p. 80.

(31) ERASMO, *Enchiridion Militis Christiani*, p. 182.

(32) Idem, ibidem, p. 79.

(33) ERASMO, *Le scarabée au pourchas de l'aigle*, em D. MÉNAGER et alii, *Oeuvres*, Paris, Lafont, 1992, p. 166.

(34) ERASMO, *Guerre et paix*, introd. e notas J. C. MARGOLIN, Paris, Aubier-Montaigne, 1973, p. 9.

(35) ERASMO, "La complainte de la paix", em *Guerre et paix*, p. 206.

(36) Idem, ibidem, p. 218.

(37) ERASMO, "Lettre à Paul Voltz", op. cit., p. 75.

(38) Voltaire, *Conversation de Lucien, Érasme et Rabelais dans les Champs: Élysées*, in *Mélanges*, Pléiade, p. 737.

A OUTRA CONQUISTA: OS HUGUENOTES NO BRASIL

Frank Lestringant

Se a aventura da França Antártica do Brasil (1555-60), a despeito de sua brevidade, merece reter a atenção, é que ela parece um pouco um laboratório. Inaugura uma relação com o outro, feita de negociações comerciais e de cumplicidade, e inventa um olhar, em que a atração prevalece, em definitivo, sobre o desprezo. Além disso, condensa à perfeição as contradições da política oceânica da monarquia francesa antes de Colbert. A ocupação marginal do solo e a fraqueza da transferência demográfica acarretam o risco do asselvajamento. As alianças de amizade com os selvagens perduram apenas em razão dessa presença discreta e esparsa, que pesa pouco no meio ambiente.

A originalidade dessa experiência deve-se, por outro lado, ao fato de que a questão religiosa foi uma das causas primeiras do fracasso colonial. A controvérsia eucarística, que teve um epílogo trágico em 1558 com a morte dos três mártires huguenotes, anuncia a grande ruptura que, no desfecho do colóquio de Poissy, em setembro de 1561, preludia as guerras de Religião. Aos defensores da Presença real e corporal do Cristo opõem-se os partidários de uma concepção puramente simbólica do sacramento, dispostos a substituir, eventualmente, o vinho pela cerveja de milho e o pão pela farinha de mandioca, os alimentos mais comuns entre os selvagens do Brasil. Querela bizantina, dir-se-á, e pelo menos incongruente, em uma região do mundo onde teve como pano de fundo a floresta tropical e, por testemunhas, autênticos canibais, dos quais, mais tarde, imaginam-se a surpresa e a incredulidade. De fato, a disputa levantava uma questão antropológica essencial e equivalia a interrogar os próprios fundamentos do cristianismo: como a "verdadeira" religião pudera triunfar da maldição original, dessa coerção do sacrifício geralmente observada através do mundo, em particular entre os povos mais afastados de nossas paragens?

De que maneira, sobretudo, parecia prestes a recair nela a todo momento, a despeito do Evangelho de paz e de amor que tinha o dever de anunciar na terra?

A jusante, a experiência huguenote no Brasil alimenta, por intermédio de Marc Lescarbot e Antoine de Montchrestien, a reflexão econômica e colonial do século XVII. Com relação a isso, a Nova França de Champlain, assim como a Nova Inglaterra dos puritanos, é filha das colônias perdidas do Brasil.

Sem querer retomar um histórico já retraçado alhures,[1] limitar-me-ei aqui a evocar os pressupostos teológicos dessa estranha "conquista", uma conquista de um lustro logo terminado em fiasco. Pois a questão teológica, constantemente presente como pano de fundo da breve experiência da França Antártica, confere à experiência sua universalidade e, por um aparente paradoxo, sua estranha modernidade. Recorrerei em minha demonstração a uma testemunha privilegiada, o pastor Jean de Léry, ex-sapateiro promovido a ministro da palavra de Deus e um dos dois principais cronistas da expedição.

A PRELIMINAR EUCARÍSTICA[2]

Fundada por instigação do almirante Coligny, a pequena colônia francesa, instalada em novembro de 1555 na orla da baía do Rio, não tardara em encontrar as dificuldades habituais a esse gênero de estabelecimento. Na ilhota exígua que ainda hoje tem seu nome e onde ele reunira suas forças, por receio de uma surpresa dos portugueses ou dos índios hostis, seu chefe, o cavaleiro de Malta Nicolas Durand de Villegagnon, logo cedia à febre obsidional. Não contente de ter provocado a hostilidade dos tupinambás da costa, aliados tradicionais dos franceses, mas que são atingidos, pouco depois da chegada dos navios, por uma epidemia inexplicável, ele impõe ainda aos colonos uma disciplina das mais rigorosas. Submetendo homens apenas desembarcados de uma navegação de três a quatro meses a um regime de trabalhos forçados, com o objetivo de fortificar o mais depressa possível o sítio ocupado, proíbe-lhes qualquer comércio sexual com as belas indígenas, que cruzam nuas em suas pirogas até sob os bastiões do "Forte Coligny". Por instigação dos "intérpretes", franceses havia muito aclimatados à vida selvagem e que julgam essa tutela insuportável, uma revolta eclode, duramente reprimida pelo inflexível cavaleiro.

A partir desse momento, os intérpretes passam à dissidência, arrastando para uma rebelião insidiosa as tribos amigas dos franceses. Submetido a um cerco intermitente, abandonado por uma parte de seus homens, que preferem à servidão insular as delícias da liberdade primitiva no continente, Villegagnon apela a Calvino, seu ex-condiscípulo na faculdade de direito de Orléans. Em fevereiro de 1556, pede-lhe que lhe envie, de Genebra, uma segunda fornada de colonos de moralidade mais segura, autênticos cristãos reformados para substituir os facínoras recrutados nas prisões para forçados da Normandia e da Bretanha.

Apenas catorze "genebrinos" respondem ao apelo. Não se tratava de burgueses da cidade, apegados, como se imagina, à sua segurança material, mas de refugiados recentes, correndo de um exílio a outro, em busca da improvável terra da promissão a salvo dos perseguidores. Fugindo do cativeiro do Egito, ei-los que substituem o mar Vermelho pelo oceano Atlântico e Canaã pelo Brasil. Em suas pegadas, ou antes em sua esteira, outros refugiados tentarão estabelecer-se na Flórida e, mais tarde, na Virgínia de Raleigh e na Nova Inglaterra. Entre esses trabalhadores da primeira hora no campo americano, Jean de Léry, um sapateiro nativo da Borgonha, e os pastores Pierre Richer e Guillaume Chartier. Eles desembarcam em 7 de março de 1557 na terra do Brasil e são recebidos de braços abertos, na praia da ilha Coligny, por um Villegagnon jovial, em grande traje de aparato, escoltado por sua guarda privada de escoceses. Os três navios traziam víveres, gado e sementes. Cinco moças, casadas assim que desceram à terra, e artesãos vinham reforçar essa colônia de povoamento.

No entanto, o mal-entendido não tarda em vir à luz entre Villegagnon e os recém-chegados. Desde o domingo 21 de março, dia em que a Ceia é celebrada pela primeira vez "no forte de Coligny na América",[3] Villegagnon manifesta um comportamento bem estranho. Enquanto ostenta ortodoxia reformada, parece ter permanecido papista na alma. Por certo, as duas "orações" que pronuncia sucessivamente em voz alta, de olhos voltados para o céu, exprimem uma violenta aversão pela carne. Elas afirmam com força a transcendência de Deus, o horror pelo pecado e a impotência fundamental do homem para elevar-se por si mesmo ao benefício da graça. Esse pessimismo antropológico tem entonações indiscutivelmente reformadas, assim como a insistência colocada em Jesus como único mediador. A anomalia vem da atitude de Villegagnon durante essas duas preces públicas. Ele ajoelhou-se sobre um coxim de veludo, "que um pajem", nos diz Léry, "trazia comumente consigo".[4] É nessa mesma postura que ele recebe em seguida o pão e o vinho da mão do ministro.

O calvinismo recomendava, na circunstância, a atitude mais contida e mais neutra, o que Pierre Chaunu chamou de "não-gesto".[5] Os protestantes comungavam em pé ou sentados em torno de uma mesa, "como no albergue", dirão seus adversários, e é assim que os representa uma estampa satírica de 1585 dedicada ao duque de Guise, o chefe todo-poderoso da Santa Liga.[6] Por certo, o rito das Igrejas reformadas da França era mais estrito: os fiéis formavam procissão diante da mesa coberta com uma toalha, onde estavam dispostos o pão e o vinho. Avançando em boa ordem, os homens precediam as mulheres no curso do que o católico Florimond de Raemond pôde qualificar, não sem ironia, de "Ceia deambulatória".[7]

Desde então previsível, a crise eclode, no dia de Pentecostes de 1557, quando se celebra a Santa Ceia pela segunda vez, por uma controvérsia desconexa sobre a Presença real. Recusando-se a aderir à concepção simbolista do sacramento defendida pelo ministro Richer, Villegagnon estima que o pão e o vinho são "realmente transformados no corpo e no sangue do Senhor".[8] Apela-se à arbitragem de Calvino, e Guillaume Chartier embarca imediatamente para a Europa, a fim de consultar o oráculo de Genebra. O divórcio é inelutável. Pierre Richer, o porta-voz dos genebrinos, pediu a seu interlocutor que rejeitasse não apenas a transubstanciação católica como "muito indigesta e absurda",[9] mas também a consubstanciação ou empanação dos luteranos. Para Léry, que traduz sem dúvida muito fielmente o pensamento do fogoso pastor, esses dogmas bárbaros merecem ser confundidos com a omofagia dos uetacás, os mais selvagens entre os selvagens, os quais, como cães e lobos, "mastigam e engolem crua" a carne de seus inimigos.[10]

O índio torna-se então o único recurso para a minoria huguenote expulsa da ilha-refúgio. Não o uetacá incapaz de cozer sua carne, mas o tupinambá amigo, mestre do fogo de cozinha, que mantém mesa aberta e a ela convida o estrangeiro de passagem. De fato, a querela eucarística precipita o estilhaçamento da colônia. Em revolta contra Villegagnon, que eles tramam "lançar ao mar",[11] logo reduzidos a celebrar seu culto à noite para evitar todo escândalo, os calvinistas iniciam a greve da corvéia. Privados de alimento, aquela farinha de mandioca que lhes era parcimoniosamente distribuída à razão de duas tigelinhas por dia, e sobrevivendo graças à troca com os indígenas da baía, enfim eles são obrigados, no mês de outubro de 1557, a abandonar o forte para encontrar refúgio em "terra continente", na chamada Olaria, na proximidade imediata das tribos antropófagas que o chefe católico tanto temia. Em janeiro seguinte, cinco dos huguenotes, renunciando a uma partida arriscada para a França, despedem-se de seus companheiros mais temerários e retornam ao "Caim da América". Este manda prendê-los, tenta reconduzi-los pela força às santas verdades da Igreja de Roma e executa por afogamento os três recalcitrantes. Antes de conhecer a sorte que talvez anteriormente tenha desejado a seu carrasco, o cuteleiro Jean de Bordel, "o mais antigo e mais instruído nas letras, pelo conhecimento mediano que tinha da língua latina",[12] redige a pedido de seus camaradas a confissão de fé brasileira, piedosamente recolhida em seguida na *História dos mártires*. As circunstâncias o demonstram bem: o canibalismo real dos índios tupinambás é preferível à antropofagia simbólica dos católicos da colônia. Quando Villegagnon, ao fim do debate sobre a Eucaristia, deu aos calvinistas a possibilidade de verificar *in situ* uma similitude bem fundada, os católicos mostraram-se piores que os canibais, incomparavelmente mais cruéis e decididamente irrecuperáveis.

O caso não fica nisso. Ricocheteia na França no começo dos anos 1560. No intervalo, e na ausência de Villegagnon, que retornou desde 1559 para justificar diante da corte uma conduta incompreensível, a França Antártica foi facilmente reconquistada pela armada do governador português Mem de Sá. O Brasil está perdido, a missão em terra distante, abandonada, e os índios, deixados à perspectiva de uma provável danação. Mas pouco importa, para dizer a verdade, aos controversistas dos dois lados, que transportam seu arsenal teológico de um continente ao outro, indiferentes à paisagem e definitivamente mais à vontade em Paris, no meio da cristandade e de sua cultura livresca, do que em um país selvagem onde é preciso levar a "biblioteca" consigo, com o risco da umidade e dos insetos bibliófagos. Em alguns meses um dilúvio de panfletos abate-se sobre a praça de Paris: Geneviève Guilleminot contou uns trinta deles apenas no ano de 1561.[13]

Três temas percorrem essa controvérsia das mais vivas: o Brasil, a Eucaristia e a questão mais política da repressão dos súditos por motivo de heresia. O sacramento constitui sem nenhuma dúvida o tema dominante. Em primeiro lugar, porque toca o mais fundo da sensibilidade de cada um, traçando uma linha divisória afiada entre sacrílego e sagrado. Além disso, no palco do Novo Mundo, a disputa eucarística reencontrou inopinadamente, reencarnado no brasileiro do Rio de Janeiro, o modelo legendário do antropófago etíope herdado da Antigüidade e que Henri Estienne relembrava no cabeçalho de sua *Apologie pour Hérodote* [Apologia para Heródoto][14] para caracterizar a estranheza em seu auge, o escândalo em sua culminância. Enfim e sobretudo, a Eucaristia diz respeito a todos os planos do edifício simbólico da sociedade antiga. Na religião tradicional, o sacramento é não apenas o instrumento e o sinal visível da salvação individual, é também o símbolo da união da Igreja e, por conseguinte, a garantia da perenidade e da unidade orgânica do reino. Em torno do núcleo sacramental, central e irradiante, encontram-se, dispostos como em uma série de ondas concêntricas, os corpos místicos da Igreja e do Estado. É por isso que a questão eucarística engloba aqui as duas outras: o estilhaçamento e a perda da colônia, a rebelião dos súditos ou, se se preferir, do ponto de vista huguenote, sua supressão pela água ou pelo fogo põem em causa a integridade do corpo místico — esse *corpus mysticum* no qual o "verdadeiro corpo" do sacramento (*corpus verum*) é, de alguma maneira, o sinal visível, a forma tangível e presente.[15]

A disputa tem um primeiro prolongamento quatro anos mais tarde, quando eclode o caso do milagre de Laon, com católicos e calvinistas disputando acirradamente em torno da possuída Nicole Obry, habitada por 29 diabos, entre os quais Legio, Astaroth, Belzebu e Cérbero. Em 2 de fevereiro de 1566 um triunfo é conquistado pelo bispo Jean de Bours em plena catedral, onde um tablado foi montado de propósito na proximidade do altar, ao alcance do Santo Sacramento. Enquanto, do lado huguenote, pastores e médicos fracassaram ao tratar a infeliz por meio de diversas drogas, a hóstia age, depois de quinze adjurações. Nicole recupera, com o uso do braço esquerdo paralisado, o apetite e a fala. Os protestantes da cidade denunciam a impostura, os católicos proclamam a evidência do milagre.[16] Dirigindo-se à Europa católica e a seu defensor Filipe II da Espanha, o iluminado Guillaume Postel encarrega-se de dar a essa brilhante vitória sobre o demônio e os sacramentários reunidos a mais ampla publicidade. O *De summopere* em latim e, mais acessível às multidões devotas, *O milagre de Laon*, escrito em cinco línguas e publicado sob o nome do discípulo Jean Boulaese, difundem em toda a catolicidade essa prova decisiva da Presença real e corporal. Em uma passagem do *De summopere*, Postel ironiza a argumentação que foi há pouco a de Richer. Um certo Richer, "Richerius quidam", porta-voz imprudente de Calvino, teria desastradamente revelado — ou, antes, "vomitado" — o fundo do pensamento deste.[17] Essa "intenção secreta" é a de adorar apenas a divindade, em detrimento da Encarnação, sendo esta última considerada nula. Ao contrário, Postel sublinha, não sem um gosto calculado pela provocação, a necessidade de adorar "o sacrossanto cadáver" de Cristo, "eternamente ligado à divindade que o habita fisicamente".[18] É total e atual a aderência entre a divindade e o cadáver do Crucificado, partilhado entre os fiéis por ocasião do banquete eucarístico. Assim, o amor que se deve a Deus e a devoção que se tem pelo corpo de seu Filho bem-amado, hirto e sangrento, confundem-se na mesma adoração fervorosa. Nada mais pode separar Deus da carne de que Ele uma vez se revestiu, do mundo onde um dia Ele encarnou-se. Aí se atinge o fundo do debate e se compreende, em troca, a violência da caricatura do católico como canibal. Ela tem não apenas o mérito de depreciar e de bestializar o adversário, como também revela o horror visceral por uma religião que insiste na atualidade da Encarnação com o risco de divinizar a carne e, além do mais, uma carne presente sob as espécies repugnantes da chaga viva, do cadáver e da putrefação iminente.

ALEGORIA DA RISONHA

Léry, por enquanto, é estranho à querela. Sapateiro por alguns anos ainda e não pensando muito em sua futura carreira de pastor, ele tem outras preocupações que não essas argúcias teológicas e prefere impregnar-se, nas suas escapadas em país selvagem, dos sabores e fragrâncias da floresta tropical. É apenas bem depois de seu retorno à França e de uma série de provações que o conduzem de Genebra a La Charité-sur-Loire e de La Charité à Sancerre sitiada, à Sancerre esfaimada no tempo dos acontecimentos de São Bartolomeu, que ele publica seu testemunho sobre o caso. A *Histoire d'un voyage faict en la terre du Bresil* [História de uma viagem à terra do Brasil] reaviva, em 1578, uma controvérsia velha de vinte anos. Léry não inova muito do ponto de vista teológico, limitando-se a resumir em um dos 22 capítulos de seu relato os principais elementos da disputa eucarística no Brasil.[19] Depois de Calvino e Bèze, sobretudo depois de Richer, que ele leu e releu e que plagia em mais de uma passagem, Jean de Léry repete que, na instituição da Ceia por Cristo, "aquelas palavras e locuções são figuradas, isto é, a Escritura acostumou-se a chamar e nomear os signos dos sacramentos pelo nome da coisa significada".[20] Adepto de uma leitura retórica do Evangelho, é um partidário dos tropos, ou, como se dizia brincando, um "tropista", e é nessa perspectiva que reescreve, com verve e muitos detalhes pitorescos sobre os "comportamentos" de Villegagnon, o histórico da discórdia.

Ora, Léry faz da interpretação figurada, cara a Calvino, uma aplicação universal. Nas aldeias indígenas do Brasil, por ocasião do sacrifício dos prisioneiros, da mesma maneira que nos templos da nova religião, quando os fiéis são reunidos em torno da santa mesa e o pão e a taça passam de mão em mão, o sangue não é sangue, mas um signo, a carne não é carne, mas uma metonímia de carne. O mais surpreendente é que a redução metonímica ("o signo pela coisa significada") vai aplicar-se, no Brasil, a uma antropofagia real e não mais simbólica. Que, sob a influência do banquete eucarístico, o banquete ritual dos índios possa ser interpretado como um processo de significação não impede que ele seja efetivamente consumido. Mesmo que isso desagrade a Léry, o signo, nesse momento, coexiste com a coisa e lhe está estreitamente unido. Essa junção ou essa "mistura" não é o escândalo menor.

Antes antropólogo *avant la lettre* que teólogo, Léry põe a controvérsia eucarística em ressonância com toda a realidade carnal dos trópicos. A Ceia reencontra seu lugar ao ar livre, sob o céu salpicado de estrelas, no isolamento protetor da noite. Longe de Villegagnon e de sua idolatria, afastada da ilha onde reside o ogro perseguidor, a comunidade dos crentes refugiou-se no coração da floresta primitiva, na vizinhança das tribos amigas. É lá que, renunciando a todo fausto inútil, no despojamento de um exílio duas vezes renovado, ela serve "livre e puramente" a Deus, de acordo com seu voto de sempre.[21]

É possível que, com seus camaradas da ilha Coligny, Jean de Léry invente então a robinsonada. Pela vontade de Villegagnon, voltara-se a fundar a Igreja Nova em uma ilha. Mas essa ilha exígua e estéril rapidamente se degradou em Malta sitiada e logo em Babel dividida. É preciso transportar para outra parte seus penates e seus lares. A Igreja militante emigra para terra firme, reconstituindo em país selvagem a insularidade propícia. No fim de outubro de 1557, menos de oito meses depois de sua chegada, os catorze huguenotes expulsos da ilha-refúgio reúnem-se no sítio da Olaria, clareira argilosa aberta para a baía e orlada de cabanas de folhas de palmeira. A comunidade dos crentes acaba de reencontrar seu lugar natural, onde conhece, antes das tempestades do retorno, dois meses de uma paz evangélica, vivendo em perfeita harmonia com os índios da vizinhança.

Como o explicará o ministro Pierre Du Moulin, autor, em 1618, de um tratado *De la vocation des pasteurs* [Da vocação dos pastores] que precede de um século exato o *Robinson Crusoé* de Daniel Defoe, a eleição do cristão reformado revela-se por ocasião de uma separação brutal, daquelas que resultam de uma tempestade ou de um naufrágio. A crise eucarística da primavera de 1557 é comparável em intensidade a esse gênero de cataclismo. Imaginemos, nos diz Du Moulin, um fiel "levado sozinho, por naufrágio ou de outra maneira, para alguma ilha bárbara", exatamente como Robinson mais tarde, e que, tendo aprendido a língua dos indígenas, ponha-se a instruí-los na religião cristã "e que, à sua palavra, vários se convertam".[22] Seu dever, evidentemente, é de erguer uma Igreja: ei-lo então promovido a pastor *de facto*. Ele terá recebido nesse momento uma espécie de legitimidade transcendente que nenhuma Igreja, nenhuma instituição humana lhe terão conferido. Como o náufrago imaginado por Du Moulin, como mais tarde Robinson instruindo Sexta-Feira, Léry e seus companheiros só têm de prestar contas a Deus.

Ao contrário do que se passa na Igreja católica, em que a ordenação é transmitida por um padre a um outro, a vocação pastoral é súbita e inopinada. Assim foi a aliança concluída no deserto do Sinai entre Moisés e

Deus. Por definição, essa graça é imerecida. Mesmo sem a caução do rito, a vocação vale em virtude da eficácia imediata do Espírito Santo, que desce sobre o eleito e enche-o de sua força. Como a ilha do pastor Du Moulin ou a de Robinson, a Olaria é um espaço sem clero nem hierarquia, e no qual a vontade de Deus age diretamente através da comunidade unânime dos fiéis, reunidos em torno do pastor que ela escolheu.

Estamos nos últimos meses de 1557, e a odisséia dos "genebrinos" chega a seu fim. Como já não há, para celebrar a Ceia, nem pão nem vinho — um único copo para uma assembléia de catorze —, cogita-se de substituir as espécies tradicionalmente aceitas pela Igreja pela "farinha de raiz" e pela cerveja de milho, os alimentos mais comuns em uso no Brasil. O raciocínio é o seguinte: com efeito, se Cristo houvesse exercido seu ministério "na terra dos selvagens" antes que na Judéia, é provável que tivesse instituído a Ceia por meio da mandioca e do "cauim", essa bebida cujo fermento não é mais que a saliva humana.[23] Adotando essa solução inédita, que em seu tempo teria recebido o aval de Calvino,[24] Léry conduz a seu termo o processo de dissociação semântica do sacramento. A arbitrariedade do signo culmina nesse avatar exótico da Ceia.

Mas, paralelamente a esse processo de abstração, Léry apela às realidades indígenas. Até então, na controvérsia do começo dos anos 1560, o índio não era muito mais que uma sombra nos bastidores, um suporte alegórico cômodo, capaz de desacreditar a religião do adversário. Ora, Léry devolve-lhe seu corpo e sua carne e, antes de tudo, seu alimento. O problema, em conseqüência, muda de natureza. Pois, ao lado dos alimentos afinal anódinos, como milho e mandioca, mencionados por Léry, há um outro muito mais escandaloso, pelo qual os índios, e sobretudo as índias, são loucos: é evidentemente a carne do inimigo prisioneiro, que os índios compartilham ritualmente por ocasião de suas assembléias solenes. Por mais que o dogma reformado tenha repelido a carne para a maldição das origens, o fato é que, no Brasil, esse corpo rechaçado está por toda parte, no coração das práticas religiosas, no centro dos banquetes festivos e, em cada momento da vida cotidiana, ele se manifesta sem rodeios e sem véu.

Então ocorre com o sacramento o mesmo que com o canibalismo e, com o canibalismo, como com a nudez dos índios. Tudo é feito, na eloqüente demonstração de Léry, para desativar a carga erótica contida nessas anatomias agradáveis de índias risonhas e cuja plástica não deixa nada a desejar. "Pois a nudez não é apenas um estado, é uma mensagem", escreve o sociólogo Jean-Didier Urbain a propósito das exibições balneárias de hoje: "ela se diz tanto quanto se mostra".[25] A dificuldade para o jovem Léry, fogoso nos seus 22 anos, mas já sob o domínio dessa Palavra imperiosa que fará dele um pregador inspirado, é que não possui a chave nem do riso das índias nem de sua pele, oferecida às intempéries do clima assim como às carícias do olhar. Para conjurar essa presença por demais "brutal", ele vai ter de interpretá-la. Como o corpo do outro está nu em sua proximidade reluzente de forma muito evidente, é preciso escrevê-lo, cobri-lo de escrita como de uma roupa. A nudez radiosa da índia torna-se o suporte de um texto, o quadro-negro de jenipapo onde as letras brancas da teologia vão depositar seu selo redentor.

Mais tarde, no pior momento das guerras de Religião, na cidade de Sancerre sitiada, onde reina uma extrema fome, Jean de Léry será testemunha de um fenômeno similar.[26] Quase morrendo de inanição, os protestantes estão reduzidos a comer pergaminhos molhados e "pegajosos" como tripas. Ora, no prato desenham-se os caracteres perfeitamente legíveis de um texto anterior, arquivo ou auto de lei cuja escrita indelével é assim ingerida. A letra prevalece sobre a carne, o signo sobre o alimento. Da mesma maneira, basta o desejo do hermeneuta etnógrafo para que o corpo opaco e desnudo da índia revele — no sentido fotográfico do termo — a presença de um texto enterrado na carne e que logo aflora sob a epiderme. Esse texto é o do grande código da natureza, inscrito nos corpos amorosos assim como se inscreve nos minerais e nas plantas. A partir daí, a nudez não está mais nua. Ela significa. Sinônimo de inocência primeira, torna-se o signo paradoxal da castidade e da decência.

Uma página da *História de uma viagem à terra do Brasil* descreve à perfeição esse processo de idealização, que tira da alteridade um pretexto alegórico. Aos leitores que poderiam indignar-se com a nudez integral e cotidiana das jovens índias, estimando que tal freqüentação "incita à lubricidade e à devassidão", Léry está bem à vontade para responder

> que os arrebiques, pinturas, falsas perucas, cabelos retorcidos, grandes golas plissadas, verdugadins, vestidos sobrepostos e outras infinitas bagatelas com que as mulheres e moças de cá se falseiam, e dos quais nunca têm o bastante, são sem comparação causa de mais males do que é a nudez comum das mulheres selvagens.[27]

Léry não se detém, portanto, na nudez real do outro, que, com toda a evidência, o fascina. Alegoriza-a. Além "dessa nudez assim grosseira", como ele diz, percebe outra coisa, uma significação que reconhece e na qual se encontra em país conhecido. A nudez selvagem remete imediatamente ao traje civilizado e denuncia-lhe a hipócrita sedução. Assim, a exaltação do nu exótico conduz à sátira misógina das "dengosas" e coquetes da velha Europa. Superando o choque inicial, a alegorização reconduz aos caminhos trilhados de uma moral comprovada e passavelmente convencional. O corpo insolente da índia pode ser não apenas aceito pelos mais severos censores, como também, o que importa mais, ele é, se não inocentado, pelo menos neutralizado aos próprios olhos do *voyeur* e testemunha. No mesmo movimento, o outro é eliminado em benefício do mesmo. O verdadeiro objeto do discurso não é mais o Brasil dos costumes edênicos, mas a França corrompida e abastardada das guerras de Religião, onde as mulheres casadas se perfumam e se pintam como putas, não hesitando em falsear a natureza sob a mentira lisonjeira do vestuário.

Nessa via moralizadora, e não obstante escabrosa, que conduzirá aos filósofos das Luzes, o padre capuchinho Claude d'Abbeville, desde o começo do século seguinte, segue Léry com inegável alegria, como demonstram estas linhas consagradas às belas da ilha de Maragnan, o Maranhão dos portugueses:

> Acrescente-se que a deformidade ordinária não provoca pouca aversão, não sendo a nudez de si talvez tão perigosa nem tão atraente quanto são os arrebiques lúbricos com os desregrados maneirismos e novas invenções das damas de cá, que causam mais pecados mortais e arruínam mais almas do que o fazem as mulheres e moças índias com sua nudez brutal e odiosa.[28]

Contudo, Léry parece não se dar conta de que o significado jamais abole o significante. Por mais que a nudez das brasileiras diga coisa diferente do que mostra, aqui e agora, ela não deixa de subsistir, intacta, ardente, a uma só vez revoltante e desejável. Alegorizar o nu feminino não impede que se possa, em seguida, ceder à carne.

Para dizer a verdade, a *História de uma viagem* é muda quanto à educação sentimental do narrador. De resto, Villegagnon, por opinião do conselho, "proibira, sob pena da vida, que qualquer um tendo título de cristão habitasse com as mulheres dos selvagens". Aprovando sem reserva essa medida draconiana, Léry acrescenta, e a precaução pode parecer suspeita, que a interdição proclamada pelo cavaleiro de Malta foi tão bem respeitada por ele próprio e por seus companheiros "que nem um só a transgrediu".[29]

A impossibilidade da relação sexual com o outro, da qual Léry não poderia dizer o desejo ou a necessidade sem o revestir de um sentido figurado, encontra sua tradução no código alimentar. É nesses termos que se diz a transgressão iminente da lei. Em uma noite de festa e de bebedeira, como pernoitasse em uma aldeia do continente, Léry é despertado por um índio alegríssimo que brande acima dele um pé moqueado. Interpretando o convite para comer como uma ameaça visando sua própria carne, ele desperta completamente de medo e treme até de manhã. Então o intérprete que o acompanha explica-lhe seu engano e tudo termina numa gargalhada geral.[30] Essa cena semi-sonhada, que se encerra pela superação do tabu alimentar, entrega uma das chaves possíveis da *História*. Léry deixa de ter medo de ser comido ou, o que dá no mesmo, de comer o outro. O imperativo da separação absoluta dos corpos desmorona bruscamente.

Daí em diante, é sem nenhuma apreensão que, quando da navegação de retorno à França, como a fome reinasse a bordo, Léry cogita do sacrifício de um de seus camaradas — ou dele próprio, eventualmente — ao apetite da coletividade. O crime alimentar não ocorrerá, mas sua possibilidade é levantada com um sangue-frio alucinante.[31]

Vê-se que não basta dizer com Léry ou, mais tarde, com Montaigne, que o canibalismo "representa uma extrema vingança".[32] A representação não abole o ato enquanto tal. Da mesma maneira que a índia continua a estar nua e a rir, bem depois do pequeno sermão misógino do digno pastor que a exalta para melhor condenar suas irmãs da França e de Genebra, por mais que o canibal diga e fale, fala com a boca cheia. Sua atitude altaneira, suas arengas heróicas não poderiam esconder o sangue que escorre e a carne espalhada, os relevos horríveis de um festim bem real.

Se ocorre com a Eucaristia o mesmo que com a nudez, é que a carne aqui e ali impõe, a despeito de todas as interpretações, seu espetáculo desgostante. O medo do nu, assim como a obsessão do ídolo da missa, traduzem fundamentalmente a mesma fobia com relação ao corpo: um corpo vivo, uma carne aberta e que sangra. O sonho huguenote era substituir esse corpo por uma palavra. As letras caligrafadas que se comem em prato cheio em Sancerre, o código que se superpõe à insultante silhueta da virgem brasileira dão conta dessa vontade de acabar com o substrato carnal do signo. Tal é, em definitivo, a intenção que preside à interpretação calvinista da Ceia como memorial.

Mas que pena! A carne inexorável volta. Em vez de ler caracteres na redondez quente e viva dos seres, eis que carnes a um só tempo saborosas e repugnantes transparecem sob as palavras, sobem à superfície do sacramento, invadem o ritual e o rebaixam à condição de uma orgia bestial. Com relação às religiões primitivas, o cristianismo, em sua variante romana, não apenas não marca nenhum progresso, como representa, nesse sentido, o cúmulo da regressão.

A antropofagia ritual dos tupinambás é de tipo exógeno.[33] Exerce-se sobre a pessoa do prisioneiro de guerra que, uma vez abatido diante da aldeia reunida, é lavado pelas mulheres, cortado e cozido no moquém, uma espécie de grelha de madeira onde a carne é defumada. O banquete que se segue é atividade da comunidade inteira, em que, qualquer que seja o número dos convivas, cada um, da criança ao velho e segundo modos de cozimento que diferem em função da idade e do sexo, recebe sua parte da vítima.[34] O rito canibal partilha esse caráter comunitário com a antropofagia simbólica da Eucaristia, que realiza a comunhão dos fiéis no sacrifício do Filho de Deus.

Excetuada essa dimensão social e universal do rito, tudo separa as duas cozinhas. O festim tupinambá encerra um processo culinário normal, indo do vivo ao morto e do cru ao cozido. Ele tende a reduzir, como é o objetivo de toda cozinha canibal, o escândalo da autofagia. Comer a si mesmo, eis o que repugna aos brasileiros assim como aos habitantes de Sancerre sitiados. O horror despertado pelo moquém cheio de membros humanos deve-se precisamente à semelhança da carne morta com a carne viva, em suas partes menos comestíveis: cabeça, mãos, pés, que são também as menos transformáveis pelo cozimento. Além disso, essa preparação alimentar vai da unidade anatômica do "homem em pé" à diversidade dos pratos defumados ou assados, líquidos ou sólidos, que são distribuídos aos convivas segundo a idade, o sexo e a posição social de cada um: gordura para as velhas, que são particularmente loucas por ela, sangue, com o qual se lambuzam as crianças de peito, carne musculosa para os homens adultos, partes genitais para as mulheres grávidas etc.

A Eucaristia católica procede exatamente ao contrário, e inverte por isso mesmo o processo culinário habitual. Transforma o cozido inicial (o significante pão) em um cru simbólico (a carne do Cristo vivo). Em vez de operar o corte do alimento não preparado e de separar seus diferentes constituintes, ela realiza a fusão de uma dualidade (vinho e sangue, líquido distinto do sólido) em uma única entidade (a hóstia viva reproduzindo o corpo glorioso de Cristo).

É pelo gesto da *intinção*, quando a hóstia é mergulhada no sangue da taça, que se descobre o sentido dessa cozinha inversa: "E esses gentis carniceiros aqui misturam dessa carne ao sangue que têm, e aí colocam outras drogas e especiarias, a saber, Encantamentos e Superstições".[35]

Enquanto a cozinha tem comumente por função distribuir elementos mortos a partir de uma unidade viva, a Missa católica, pela magia do rito, pretende restituir uma síntese viva a partir de produtos já elaborados e tornados inertes, tais como vinho fermentado e massa cozida.

Por meio dessa crítica da Eucaristia pelo canibalismo dos tupinambás, os calvinistas pretendem mostrar que a "heresia" católica da Eucaristia é dupla: em primeiro lugar, porque se baseia na perversão antropófaga; em seguida, porque inverte essa mesma antropofagia, fazendo dela uma operação regressiva de retorno ao cru.

Os tupinambás do Brasil irão servir-se mais uma vez muito mais tarde, na polêmica huguenote. Quando, às vésperas da conclusão do edito de Nantes, os protestantes inquietam-se com as exumações executadas um pouco em toda parte pelos católicos, esvaziando seus cemitérios de todo cadáver "herético", eles não podem fazer menos do que invocar o exemplo dos "Toupinambauds" (tupinambás) e dos "Margajas" (margaiás), menos bárbaros em comparação. É assim que se exprimem na primavera de 1597 as *Plaintes des Eglises Réformées de France* [Queixas das Igrejas Reformadas da França]: "Os margaiás, os tupinambás enchem suas entranhas da carne dos que eles mataram. [...] O tupinambá come apenas o margaiá, e o margaiá é guloso apenas do tupinambá; ainda assim, eles o fazem apenas para pagar na mesma moeda... Para fazê-lo, não violam túmulos de modo algum".[36] Vê-se, por essa referência ao ódio legendário dos "Toupinambaux" e dos "Margageats" (ou Marakaia), que Jean de Léry tornou-se, nessa data, uma espécie de "clássico do protestantismo". Mais uma vez, o católico é mais inumano que o canibal, que dá seu ventre por sepultura ao inimigo e faz sua a carne dele. Novamente, essa barbárie católica vira do avesso, de alguma maneira, a barbárie exótica: em vez de digerir o intruso fibra por fibra, ela o expulsa violentamente, até arrancar da terra "uma carne apodrecida, fedorenta, um crânio pavoroso, ossos todos deslocados e carcomidos, cheios de horror".[37] De modo que o católico, que a uma só vez afirma a realidade da transubstanciação e desenterra o corpo morto de seu inimigo para lançá-lo aos cães e aos lobos, conjuga antropofagia e antropoemia.[38] Ele come o sacrossanto cadáver de Cristo e vomita, quase literalmente, o do protestante, adicionando as infâmias em sentidos contrários.

O PROBLEMA DA GRAÇA

No oposto da visão prospectiva esboçada por André Thevet em *Les singularités de la France Antarctique* [As singularidades da França Antártica], que precede seu testemunho em uns vinte anos,[39] a *História de uma viagem* de Jean de Léry, posterior ao abandono da França Antártica, é um texto nostálgico, baseado no pesar e no remorso, assim como a literatura etnológica que ela cria, de alguma maneira.

A visão dos longes é restituída por Léry em seus menores componentes sensíveis. A narração é rica em fenômenos de memória involuntária, de origem olfativa, gustativa ou auditiva. O aroma de amido da mandioca ralada transporta de súbito o Brasil e suas festas para o campo borgonhês dos dias de lavagem da roupa — e é, ao modo selvagem, o humilde e rústico ancestral da madalena de Proust. Os perfumes atordoantes da floresta tropical, a lancinante melopéia dos dançarinos produzem, da mesma maneira, o milagre de uma presença intacta. A despeito dessas reminiscências que parecem suspender-lhe a ruína inelutável, o Éden brasileiro não está, a prazo, menos ameaçado. Essa precariedade confere-lhe todo o valor. Realça-lhe o sabor. A ambigüidade de tal atitude irrompe na confissão final do narrador: "Lamento com freqüência não estar entre os selvagens".[40] É o exílio que funda a beleza do selvagem; é sua morte virtual e, além, sua danação provável que o tornam desejável. Exatamente vinte anos separam a estada brasileira de Léry da publicação de seu testemunho: vinte anos preenchidos pelo fragor das guerras civis e as vicissitudes de uma carreira pastoral em uma França dilacerada entre protestantes e católicos. A *História de uma viagem* não estaria impregnada dessa magia comunicativa se não houvesse, formando anteparo entre o quadro encantado do Brasil e o narrador, a obsessão das guerras de Religião e de suas atrocidades recentes. Da mesma maneira, a Segunda Guerra Mundial e o Holocausto interpõem-se entre a estada de Claude Lévi-Strauss no Brasil, nos anos 30 deste século, e a publicação, em 1955, de *Tristes trópicos*, essa viagem filosófica que reescreve Léry por meio de Jean-Jacques Rousseau. Quinze anos de intervalo apenas, mas preenchidos por tal Apocalipse, aprofundam aqui o luto pelas origens radiosas. O Brasil, nos dois casos, é situado entre o Éden e o Apocalipse, apenas saído de um e já prestes a cair no outro.

Em filigrana do espetáculo de uma Natureza sem dúvida decaída, mas quase intacta ainda, percebe-se a remanência de uma barbárie sem nome, incomparavelmente pior que a dos pretensos selvagens. No capítulo consagrado à antropofagia ritual dos tupinambás e continuamente aumentado ao longo das sucessivas edições da *História*, Léry monta lado a lado, como as duas faces de um díptico, o quadro dessa cozinha ritual e o dos horrores cometidos na França, onde aconteceu que uma vingança perversa conduzisse ao crime de canibalismo.[41]

Todo o esforço desse texto retrospectivo é, em definitivo, de conjurar o afastamento inelutável de origens de qualquer maneira perdidas: a Queda de Adão não acaba nunca de produzir suas conseqüências devastadoras, e a catástrofe da Conquista espanhola é sua última confirmação. Pois sobre a paisagem das origens plana o Anjo do Apocalipse, que já veio visitar os índios em tempos anteriores, como o testemunha sua tradição oral.[42] Sujeitos ao império do pecado original e recusando-se ao benefício da graça, ei-los, portanto, destinados a uma perdição certa. Assim então, como acreditavam já Cristóvão Colombo e os missionários franciscanos do México, como o sublinhava por sua vez Bartolomé de Las Casas em seu *Brevíssimo relato da destruição das Índias*, a Descoberta da América é para Léry o signo de uma consumação, que, à sua maneira, o fracasso colonial da França Antártica confirma. Novo Mundo, decididamente, rima com fim do mundo.[43]

A *História de uma viagem* perseguiria, nesse sentido, um objetivo não muito menos ambicioso que o de *Em busca do tempo perdido*. Pois a empresa literária de Léry é, em última instância, de ordem metafísica. Ela desejaria reter o escoamento geral do tempo; ambiciona uma vitória sobre a piora irremediável da história universal. O recurso tão freqüente ao procedimento da *ekphrasis* — esses quadros pintados encravados na narração — para representar os índios de corpo inteiro e nas mais variadas posturas, do desfile de moda à gesticulação guerreira, tende a imobilizar esse resvalamento do Novo Mundo e de seus habitantes para o abismo. Mais durável que o bronze, a escrita é precisamente o que pode dar a ilusão de um eterno presente. Ela dá a ver e a tocar com o dedo o que, sem dúvida, para além dos mares, está em via de desaparecer para sempre.

Ainda assim, essa empresa nem sempre é coroada de sucesso. Certamente, por uma espécie de alucinação contínua, os índios, grandes e pequenos, continuam a representar-se, em carne e osso, e em suas menores atitudes, ao entendimento do viajante. "Tenho a impressão", diz Léry, "de que os vejo sempre diante dos olhos." No entanto, por mais que prolongasse essa miragem nascida da vontade, por mais que alimentasse essa remanência visual com toda a sua nostalgia e com todas as decepções presentes, ele é forçado a reconhecer que "por causa de seus gestos e atitudes, de todo dessemelhantes dos nossos, é difícil representá-los bem, por escrito ou mesmo por pintura".[44] A despeito dos esforços do escritor, a perda do outro, essa perda amorosa agravada pela distância, é irremediável. Cabe à autobiografia cumprir o lento trabalho do luto e juntar a esse rito literário as razões da teologia.

Entretanto, Léry não nega o processo histórico, bem ao contrário. Como o mostrou Michel de Certeau,[45] o elogio da escritura — no duplo sentido de técnica de transmissão da linguagem e de livros sagrados — permite a Léry dividir a humanidade em dois. Os "povos sem escrita", como diziam ainda recentemente os antropólogos, são, em conseqüência, privados não apenas de história, mas também de salvação. Pois não têm por si mesmos acesso às verdades contidas na Bíblia. Ora, para o calvinista rigoroso que é Jean de Léry, a Santa Escritura é o único intermediário pelo qual a Palavra de Deus revela-se ao crente sincero.

Há um outro, sem dúvida: o Livro da Natureza, amplamente aberto aos olhos dos simples e das crianças. E Deus sabe se esse livro de plantas e de árvores, de animais e de pássaros exibe através das extensões do Novo Mundo suas páginas mais ricamente iluminadas. Lembrando-se da ação de graças do profeta no Salmo 104, Léry pode exclamar: "Felizes os povos que ali habitam, se conhecessem o autor e criador de todas essas coisas!".[46] Mas, assim como não sabem ouvir a voz das missivas que os cristãos dirigem uns aos outros, os brasileiros não são capazes de decifrar os caracteres inscritos na paisagem imensa de suas florestas e de suas montanhas. É uma humanidade cega e nômade que caminha sem conhecimento, muito afastada da verdade que, no entanto, enuncia-se sob seus passos, a cada momento de sua vagueação interminável. Ora, Calvino o afirmara no primeiro capítulo da *Institution de la religion chrétienne* [Instituição da religião cristã]:

> para qualquer lado que os olhos se voltem, não há nenhuma tão pequena porção do mundo na qual não reluza pelo menos alguma centelha da glória [de Deus]. Particularmente, não se pode com um olhar contemplar essa bela obra-prima do mundo universal em sua extensão e amplidão sem ficar, por assim dizer, todo ofuscado de abundância infinita de luz... Há infinitos argumentos, tanto no céu como na terra, que atestam sua maravilhosa sapiência.

O que torna os habitantes do Brasil tanto mais imperdoáveis.

Da condenação moral pronunciada por cada página da *História de uma viagem* contra uma Europa abastardada e perseguidora, esquecida da lei divina, não resulta, portanto, nenhum benefício direto para os homens do Novo Mundo. Pois o fracasso espiritual é patente. Pela má vontade de índios que se recusam a abandonar o velho homem para abraçar o Evangelho, a missão está comprometida desde antes do abandono militar da França Antártica do Brasil, em março de 1560. É por essa razão que Léry aparece, em definitivo, como um anticolonialista: sendo o índio incorvertível, como o mostrou o malogro da colônia francesa do Brasil, os espanhóis e os portugueses não têm nenhum direito de ocupar suas terras sob o pretexto de evangelização. A exemplo de seus correligionários, Léry adere sem restrição à "*leyenda negra*" antiespanhola tirada pelo partido huguenote dos escritos do dominicano Bartolomé de Las Casas. Léry pode então denunciar os horrores cometidos em nome da Cruz. O outro é protegido em sua integridade física, no momento mesmo em que é afastado do resgate.

Daí a expulsão que atinge os índios, ao fim do capítulo XVI, "do que se pode chamar religião entre os selvagens americanos", e que sanciona *a contrario* a eleição dos justos. A admiração que Léry sente por eles coexiste, nele, com um pessimismo histórico fundamental, que exclui esses mesmos povos do plano divino da Redenção. Com efeito, ele vê neles, na sucessão do espanhol Lopez de Gomara, "um povo maldito e abandonado por Deus". É, sem nenhuma dúvida, a descendência de Cam, aquele de seus três filhos sobre o qual Noé, depois do Dilúvio, lançou uma maldição eterna. Diante do espetáculo dos brasileiros "visível e atualmente" atormentados pelo demônio, Léry é confirmado em sua fé, "tendo muito claramente conhecido em suas pessoas a diferença que há entre os que são iluminados pelo Espírito Santo e pela Santa Escritura e os que são abandonados a seu senso e deixados em sua cegueira".[48] Não se poderia pronunciar uma segregação mais nítida.

Desde então, o milagre operado pela escrita vale apenas para os poucos privilegiados que sabem ler e sabem entender. Daí em diante, só a eles cabe o proveito moral e espiritual que lhes proporciona a *História de uma viagem à terra do Brasil*; só a eles pertencerá o gozo do reino eterno. Nesse sentido, o relato de Léry é uma recitação. Ele reitera, de modo pessoal, o texto primeiro da Bíblia. A onipresença dos Salmos e do livro de Jó confere a essa odisséia no país dos canibais a dimensão mítica de uma repetição. Behemot e Leviatã espreitam os viajantes na passagem das solidões atlânticas. Uma remanência do Éden perdido colore as florestas ensolaradas do Brasil, com folhagens repletas de araras. O Dilúvio, cujo eco distante chegou até os índios, a despeito de sua lamentável ausência de memória, atualiza-se nas tempestades do interminável retorno à França e na obsessão do naufrágio que espreita os que escaparam sãos e salvos.

A *História de uma viagem* descreve-nos, em definitivo, a caminhada de uma redenção. A vagueação distante, com perigo do corpo e da alma, orienta-se, além da prova da morte, para relato de vocação: em seu retorno à França, o jovem sapateiro curioso por novidades, apaixonado por exotismo, tornar-se-á pastor da Igreja reformada. A aventura encerra-se por uma ação de graças, tirada do cântico de Ana no livro de Samuel: "O Eterno é aquele que faz morrer e faz viver, que faz descer ao fosso e faz sair dele".[49] Mas essa ressurreição vale aqui apenas para a pequena comunidade dos refugiados, reunida em torno da claridade que sobe do livro, no recolhimento da prece. Abandonado às trevas exteriores, repelido para as profundezas de um continente devastado por uma Conquista brutal, o índio, decididamente, representa a parte sacrificada.

Com ele a tentação do impossível retorno ao Éden manifestou-se uma última vez à consciência moderna, que se inventa e se descobre nesse texto fundador, marcado pelo trabalho do luto. O homem das origens, esse eterno fantasma do qual a *História de uma viagem* diagnostica o estado de morte paradoxal, não deixou por isso de obsedar o discurso do Ocidente. As figuras bíblicas do filho de Caim e do filho de Cam logo vão ser substituídas por um avatar destinado a um belo futuro, o do Bom Selvagem dos filósofos. Jean de Léry será muito lido no século das Luzes: Bayle, Locke e, mais tarde, Rousseau, Diderot e Raynal farão dele, bem antes de Claude Lévy-Strauss, seu "breviário".[50] Em uma época em que o pretenso ateísmo dos povos primitivos deixou de causar medo, em que seu exemplo pode, ao contrário, servir de aliado ocasional na luta contra o obscurantismo e a intolerância, a pintura do homem da Natureza, uma vez laicizada e desembaraçada de toda conotação pejorativa, torna-se plenamente favorável. Reinventada por um século XVIII que já não crê muito no pecado original, a imagem do índio livre e nu brilha com uma nova juventude. Ela abandona então a América pelas ilhas, e as margens do Brasil pelas solidões insulares do Pacífico. O taitiano de Bougainville e de Diderot substitui o tupinambá de Léry e de Montaigne. Como ele, pratica uma hospitalidade generosa, a ponto de oferecer suas filhas ao estrangeiro de passagem. Ignorando os tabus perniciosos de uma civilização cruel e intolerante, e conservando intactas as virtudes originais, ele se torna o duplo ideal e sonhado do europeu. Na aurora da Revolução, ele cristaliza essa aspiração à renascença do velho homem que vai subverter o antigo mundo.

Tradução de Maria Lúcia Machado

NOTAS:

(1) Ver Frank LESTRINGANT, *Le huguenot et le sauvage. L'Amérique et la controverse coloniale, en France, au temps des guerres de Religion*, Paris, Klincksieck, 1990; *L'expérience huguenote au Nouveau Monde (XVIe-XVIIe siècles)*, Genebra, Droz, 1996.

(2) Resumo aqui uma reflexão desenvolvida em meu livro *Une sainte horreur, ou le voyage en Eucharistie (XVIe-XVIIe siècles)*, Paris, Presses Universitaires de France, 1996, cap. IV, pp. 85-111.

(3) Jean de LÉRY, *Histoire d'un voyage faict en la terre du Bresil (1580)*, F. Lestringant (ed.), Paris, 1994, "Bibliothèque classique", 1994, cap. VI, p. 166.

(4) Idem, ibidem, p. 167.

(5) Pierre CHAUNU, *Église, culture et société*, Paris, Sedes, 1981, pp. 31-3.

(6) Richard VERSTEGAN, *Typus Ecclesiae Catholicae et signa quibus ea cognoscitur/ Typus Hereticae Synagogae et eiusdem proprietates*, epístola dedicatória dirigida a Henri de Lorraine, duque de Guise, e datada de 3 de janeiro de 1585. Um talho-doce de 338 × 495 mm. BNF, Estampas: Qb 1585 (Qb 4). Ver, na face direita, o primeiro quadro no alto, à esquerda, intitulado *Novitas*.

(7) Ver Bernard ROUSSEL, "Faire la Cène dans les Églises réformées du royaume de France au XVIe siècle (c. 1555-1575)", *Archives de sciences sociales des Religions*, jan.-mar. 1994, nº 85, pp. 99-119, e especialmente pp. 99-100. Ver do mesmo autor, "Comment faire la Cène? Rite et retour aux écritures dans les Églises réformées du royaume de France au XVIe siècle", em Évelyne PATLAGEAN e Alain LE BOULLUEC (eds.), *Les retours aux écritures. Fondamentalismes présents et passés*, Louvain-Paris, Peeters Press, 1993, Bibliothèque de l'École des Hautes Études, Section des sciences religieuses, vol. XCIX, 1993, pp. 195-216.

(8) J. de Léry, *Histoire d'un voyage faict en la terre du Bresil*, cap. VI, p. 175.

(9) A expressão é de J. de LÉRY, ibidem.

(10) Idem, ibidem, cap. VI, p. 177: "[...] mas o que era pior, à maneira dos selvagens chamados uetacás de que falei acima, eles a queriam mastigar e engolir crua". Ver cap. V, p. 153.

(11) Idem, ibidem, cap. VI, p. 194.

(12) Segundo Jean CRESPIN, *Histoire des martyrs* (Genebra, 1564), citado por Émile G. LÉONARD, "La confession de foi brésilienne de 1557", *Archiv für Reformationsgeschichte*, 1958, Jahrgang 49, p. 205.

(13) Geneviève GUILLEMINOT, *Religion et politique à la veille des guerres civiles: recherches sur les impressions françaises de l'année 1561*, tese, Paris, École des Chartes, 1977, datilogr.

(14) Henri ESTIENNE, *Introduction au traité de la conformité des merveilles anciennes avec les modernes, ou Apologie pour Herodote*, Genebra, 1566, "Ao leitor", f. a 6 r: "Consideremos portanto, sem paixão, o que diríamos se Heródoto ou algum outro historiador antigo nos contasse que, em algum país, os homens seriam teófagos (isto é, comedores de deuses), assim como contam de alguns antropófagos, elefantófagos, acridófagos, ftirófagos e outros: diríamos que essa teofagia é inacreditável [...]".

(15) Para essa concepção, ver Michel de CERTEAU, *La fable mystique*, Paris, Gallimard, 1980, p. 111. Ver também Henri de LUBAC, *Corpus mysticum*, Paris, Aubier, 1949.

(16) Sobre esse caso de repercussão considerável, ver Irena BACKUS, *Le miracle de Laon. Le déraisonnable, le raisonnable, l'apocalyptique et le politique dans les récits du miracle de Laon (1566-1578)*, Paris, J. Vrin, 1994. Os principais elementos do dossiê foram reunidos por Irena Backus em sua edição crítica de Guillaume POSTEL e Jean BOULAESE, *De Summopere* (1566) e *Le miracle de Laon* (1566), Genebra, Droz, 1995. Ver Thierry WANEGFFELEN, *La France et les français XVIe-milieu XVIIe siècle. La vie religieuse*, Gap; Paris, Ophrys, 1994, pp. 71-7, onde é comentado um trecho da apologia de Jean Boulaese. Ver ainda François SECRET, *L'ésotérisme de Guy Le Fèvre de La Boderie*, Genebra, Droz, 1969, pp. 17-8.

(17) Guillaume POSTEL, *De Summopere* (1566), edição crítica e tradução de Irena BACKUS, Genebra, Droz, 1995, pp. 37-8.

(18) Idem, ibidem: "sacrosanctum illud cadaver, sive *stoma* aut, ut syriace Christus dixit, *pagro* corpusve cui semper divinitas adhaeret habitando ibi corporaliter".

(19) J. de LÉRY, *Histoire d'un voyage faict en la terre du Bresil*, cap. VI: "De nostre descente au fort de Coligny en la terre du Bresil. Du recueil que nous y fit Villegagnon, et de ses comportemens, tant au fait de la Religion, qu'autres parties de son gouvernement en ce pays-là", pp. 161-96.

(20) Idem, ibidem, p. 176.

(21) Idem, ibidem, cap. I, p. 106.

(22) Pierre DU MOULIN, *De la vocation des pasteurs*, Sedan, 1618, liv. I, cap. IX, p. 44. Devo essa referência a meu amigo Bernard Cottret, que a empregou em uma comunicação recente, "Amitié et fidélité au XVIe siècle: la correspondance de Calvin et de Louis du Tillet (janvier-décembre 1538)", Universidade de Paris 7 — Denis Diderot, UFR d'études anglophones, dez. 1995.

(23) J. de LÉRY, *Histoire d'un voyage faict en la terre du Bresil*, cap. VI, p. 195. Ver *Le huguenot et le sauvage*, p. 35.

(24) Ver sobre esse ponto Alain DUFOUR, "Un avis de Calvin à ses disciples qui étaient chez les topinambous", *Bibliothèque d'Humanisme et Renaissance*, 1977, t. 39, pp. 151-2.

(25) Jean-Didier URBAIN, *Sur la plage. Moeurs et coutumes balnéaires*, Paris, Payot, 1994, pp. 296-7.

(26) Jean de LÉRY, *Histoire memorable de la ville de Sancerre* (1574), G. NAKAM (ed.), Paris, Anthropos, 1975, cap. X, p. 285.

(27) J. de LÉRY, *Histoire d'un voyage faict en la terre du Bresil*, cap. VIII, p. 234.

(28) Claude D'ABBEVILLE, *Histoire de la Mission des peres capucins en l'isle de Maragnan*, Paris, François Huby, 1614, f. 217 r.

(29) J. de LÉRY, *Histoire d'un voyage faict en la terre du Bresil*, cap VI, p. 181.

(30) Idem, ibidem, cap. XIII, pp. 451-3.

(31) Idem, ibidem, cap. XVII, p. 538.

(32) MONTAIGNE, *Essais*, I, 31, Pierre VILLEY (ed.), Paris, Presses Universitaires de France, p. 209.

(33) Ver Alfred MÉTRAUX, "L'anthropophagie rituelle des tupinamba", capítulo retomado em *Religions et magies indiennes d'Amérique du Sud*, Paris, Gallimard, 1967, pp. 43-78. Esse estudo foi renovado em data recente por Isabelle COMÈS, *La tragédie cannibale chez les anciens tupi-guarani*, Paris, PUF, 1992.

(34) J. de LÉRY, *Histoire d'un voyage faict en la terre du Bresil*, cap. XV: "Comment les Ameriquains traitent leurs prisonniers prins en guerre, et les ceremonies qu'ils observent tant à les tuer qu'à les manger". A partir de 1599-1600, esse capítulo é desdobrado em XV e XVI.

(35) J.-B. TRENTO, *Histoire de la mappemonde papistique*, Genebra, 1566, p. 134.

(36) Citado por Bernard COTTRET, *1598. L'edit de Nantes. Pour en finir avec les guerres de religion*, Paris, Perrin, 1997, p. 164.

(37) Ibidem.

(38) Para esse conceito de antropoemia, ver Claude-Lévi STRAUSS, *Tristes tropiques*, Paris, Plon, 1955, cap. XXXVIII, pp. 447-8.

(39) André THEVET, *Le Brésil d'André Thevet. Les singularités de la France Antarctique (1557)*, Paris, Chandeigne, 1997.

(40) J. de LÉRY, *Histoire d'un voyage faict en la terre du Bresil*, cap. XXI, p. 508.

(41) Idem, ibidem, cap. XV, pp. 354-77 e 571-95.

(42) Idem, ibidem, cap. XVI.

(43) Ver sobre esse ponto meu estudo: "O conquistador e o fim dos tempos", em Adauto Novaes (ed.), *Tempo e história*, São Paulo, Companhia das Letras, 1992, pp. 411-22.

(44) J. de LÉRY, *Histoire d'un voyage faict en la terre du Bresil*, cap. VIII, p. 234.

(45) Michel de CERTEAU, *L'écriture de l'histoire*, Paris, Gallimard, 1975, cap. V, pp. 215-48.

(46) J. de LÉRY, *Histoire d'un voyage, faict em la terre du Brasil*, cap. XIII, p. 335.

(47) Jean CALVIN, *Institution de la religion chrétienne*, cap. I: "De la congnoissance de Dieu", texto estabelecido e apresentado por Jacques PANNIER, Paris, Les Belles Lettres, t. I, 1961, p. 52.

(48) J. de LÉRY, *Histoire d'un voyage faict en la terre du Bresil*, cap. XVI, pp. 422-3.

(49) Idem, Ibidem, cap. XXII, p. 550.

(50) Claude-Lévi STRAUSS, *Tristes tropiques*, cap. IX, p. 89: "Piso a avenida Rio Branco onde se erguiam outrora as aldeias tupinambás, mas tenho no bolso Jean de Léry, breviário do etnólogo".

UMA TRAVESSIA DO MILENARISMO OCIDENTAL

Jean Delumeau

Eu publicara em 1992 o primeiro tomo de *Une histoire du paradis* [Uma história do paraíso], sob o título de *Le jardin des délices* [O jardim das delícias]. Ela tentava fazer reviver a nostalgia do paraíso perdido, tal como se exprimiu em nossa civilização ocidental. Era lógico que eu compusesse em seguida uma segunda obra — que intitulei *Mille ans de bonheur* [Mil anos de felicidade] — sobre a duradoura esperança de reencontrar no futuro o paraíso terrestre das origens. Essa esperança pode ser qualificada de "nostalgia do futuro". Ao redigir esse novo livro, permaneci no interior de um mesmo projeto global no qual trabalho há vinte anos e que visou explorar sucessivamente no passado os medos e a necessidade de segurança de nossa civilização, depois fazer reviver-lhe os sonhos de felicidade. A historiadora americana Marjorie Reeves teve razão de escrever: "Os sonhos dos homens constituem uma parte de sua história e explicam muitos de seus atos".

Em minha última investigação tentei, portanto, uma travessia do milenarismo ocidental. Mas é preciso, antes de tudo, esclarecer o sentido do termo "milenarismo". Não se trata da espera de catástrofes destinadas a marcar o ano mil ou o ano 2 mil, mas da esperança de mil anos de felicidade terrestre, tendo a cifra mil sido entendida no curso das eras ora estritamente, ora de maneira simbólica. Essa pesquisa conduziu-me das profecias do Antigo Testamento à *New Age* e me levou a reconstruir as passarelas, mais importantes do que se pensa comumente, que historicamente ligaram o milenarismo às utopias e à ideologia do progresso. A nostalgia de um país "sem mal nem desventura" existiu em muitas culturas, por exemplo, a dos guaranis. Mas me atenho aqui apenas à civilização ocidental.

No Antigo Testamento, numerosas foram as profecias que anunciaram ao povo judeu, em perigo, perseguido, deportado ou humilhado, um futuro radioso. As mais exaltantes foram atribuídas a Isaías:

> Então o lobo habitará com o cordeiro, o leopardo se deitará junto do cabrito. O bezerro e o leãozinho serão alimentados juntos, um menino os conduzirá. A vaca e o urso terão o mesmo pasto, seus filhotes a mesma toca. O leão, como o boi, comerá forragem. O bebê brincará no ninho da cobra. A criancinha estenderá a mão sobre a cova da víbora [...] O Senhor enxugará as lágrimas de todos os rostos e, por toda a terra, apagará a humilhação de seu povo. Foi ele quem o prometeu. [Isaías, 11, 1-9; 25, 6-9]

Entre os textos do Antigo Testamento que marcaram profundamente o milenarismo cristão é preciso mencionar também o célebre sonho que Daniel explicou a Nabucodonosor. Uma estátua composta de quatro materiais de valor descrescente era derrubada por uma pedra desprendida da montanha. A estátua simbolizava, segundo Daniel, quatro reinos que se arruinariam sucessivamente e seriam substituídos por um quinto que não teria fim. No século XVI, o revolucionário Thomas Müntzer comentou esse texto e, no século XVII, milenaristas ingleses denominaram-se os "Homens da Quinta Monarquia".

Mas foi o Apocalipse atribuído a são João que constituiu a base principal do milenarismo cristão, sendo a expressão "mil anos" explicitamente mencionada ali. De fato, o autor vê um anjo descer do céu e acorrentar o Dragão, isto é, o mal, "por mil anos". Então os mártires e todos os que se recusaram a adorar a Besta e sua imagem "reviveram e reinaram com o Cristo mil anos. É a primeira ressurreição [...] Passados os mil anos, Satã, solto de sua prisão, irá seduzir as nações". Então intervirão a última batalha de Deus contra o mal, depois a ressurreição geral — pois, durante o reino dos mil anos, apenas os justos eram ressuscitados — e, enfim, o Juízo Final. Portanto, o que constitui fundamentalmente a crença milenarista é a convicção de que, entre o tempo em que vivemos, com suas desgraças e seus crimes, e a eternidade posterior ao Juízo Final, situar-se-á um período intermediário de paz e de felicidade na terra. Cristo reinará então sobre ela com os "justos" ressuscitados. Esse reino será precedido e seguido por seqüências de cataclismos e de guerras, a segunda, de resto, mais breve que a primeira.

Os cristãos dos primeiros séculos me parecem ter adotado muito amplamente o milenarismo. O que era normal em um tempo marcado por perseguições. Os mártires eram levados a crer, referindo-se especialmente ao Apocalipse, que sua morte seria rapidamente seguida de uma ressurreição, graças à qual, por uma reviravolta completa de situação, reinariam com Cristo na terra de seu suplício. O Apocalipse foi composto — e não por acaso — por volta de 90, no tempo das perseguições de Domiciano.

Entre os milenaristas cristãos dos primeiros séculos encontram-se, notadamente, Papias, bispo de Hierápolis, na Ásia Menor, que fora um ouvinte de são João; são Justino, palestino martirizado em Roma por volta de 165; santo Ireneu, bispo de Lyon morto em 208; Tertuliano, morto em 222 e, depois da "paz da Igreja", o grande escritor Lactâncio.

Eis, segundo Ireneu, como Papias evocava o milênio:

> Virão dias em que crescerão vinhas que terão cada uma mil cepas e, em cada cepa, 10 mil ramos e, em cada ramo, 10 mil brotos e, em cada broto, 10 mil cachos e, em cada cacho, 10 mil bagos e cada bago espremido dará vinte medidas de vinho. O mesmo se dará com os grãos, os frutos e todas as sementes. Todos os animais, servindo-se desse alimento que receberão da terra, viverão em paz e em harmonia uns com os outros e estarão plenamente submetidos aos homens.

Notemos os aspectos materiais e concretos da evocação feita por Papias. Quanto a Justino, afirmou que, na Jerusalém gloriosa do milênio, "não se ouvirá mais a voz do gemido nem a voz do lamento; não haverá mais criança nascida prematura, nem velho que não cumpra seu tempo [...] Construir-se-ão casas e se morará nelas; plantar-se-ão vinhas e se comerão seus produtos". A procriação continuará a existir, mas dela sairá uma raça abençoada.

Esta outra declaração de Justino nos revela que o milenarismo foi então uma doutrina quase oficial:

> Quanto a mim e a todos os cristãos de ortodoxia integral, sabemos que uma ressurreição da carne acontecerá durante mil anos na Jerusalém reconstruída, ornamentada e engrandecida, como os profetas Ezequiel, Isaías e os outros o afirmam.

Para santo Ireneu, a Jerusalém renovada do milênio preparará a Jerusalém definitiva do céu, mas não se confundirá com ela. "Esses acontecimentos", assegura o bispo de Lyon, "não poderiam situar-se em lugares supracelestes [...] mas se produzirão no tempo do reino, tendo a terra sido renovada pelo Senhor e Jerusalém, reconstruída à imagem da Jerusalém celeste." Assim, a primeira preparará a segunda.

Enfim, Lactâncio, retórico pagão convertido ao cristianismo e preceptor do filho de Constantino, esclareceu, por seu lado:

> Depois da ressurreição, o filho de Deus reinará durante mil anos entre os homens e os governará por um governo muito justo. Os que viverem então não morrerão, mas, durante mil anos, gerarão uma multidão inumerável.

Então o sol se tornará sete vezes mais quente do que agora. A terra manifestará sua fecundidade e produzirá espontaneamente colheitas abundantes. O mel escorrerá das montanhas. O vinho correrá nos riachos. O mundo, enfim, estará na alegria, liberto do império do mal. Os animais não se alimentarão mais de sangue.

Santo Agostinho foi quem mais contribuiu para fazer recuar a crença milenarista, à qual, no entanto, aderira inicialmente. Recusou-se a afiançar perspectivas de futuro que lhe pareceram mais carnais que espirituais. Propôs então uma leitura simbólica do Apocalipse e ensinou que a encarnação de Cristo fez começar os mil anos de seu reino terrestre, que será diretamente seguido do Juízo Final e do advento da cidade celeste. Não há que esperar um período intermediário. As instâncias oficiais da Igreja ratificaram daí em diante a interpretação do Apocalipse apresentada por santo Agostinho. O milenarismo foi marginalizado. O que não quer dizer que não teve importância histórica. Meu livro esforça-se em provar o contrário.

No século XII o milenarismo voltou à tona com o monge calabrês Joaquim de Fiori que, sem empregar a palavra *milênio*, anunciou a vinda de um tempo do Espírito no qual a humanidade viveria em uma santa pobreza, na piedade e na paz. Para ele, a história em sua totalidade dividia-se em três períodos: o tempo "de antes da graça", o "da graça" e, enfim, "o que esperamos, que está próximo" e será o de uma "graça maior". Traduzamos: o tempo da lei mosaica antes de Cristo — a era do Pai; o tempo marcado pela vinda de Cristo "sob a letra do Evangelho" — a era do Filho; enfim, o tempo, doravante próximo, em que triunfará a "inteligência espiritual" — a era do Espírito e do "evangelho eterno".

Em sua obra mais conhecida, *Concordia Novi et Veteris Testamenti*, Joaquim escrevia:

> O primeiro estado foi o da ciência (isto é, aquele em que se é obrigado a aprender); o segundo é o da sabedoria; o terceiro será o da plenitude da inteligência. O primeiro foi o da servidão; o segundo é o da dependência filial; o terceiro será o da liberdade. O primeiro transcorreu sob o chicote; o segundo está sob o signo da ação; o terceiro será o da contemplação. O temor caracterizou o primeiro; a fé, o segundo. A caridade marcará o terceiro. O primeiro era o tempo dos escravos; o segundo é o dos homens livres; o terceiro será o dos amigos. O primeiro era o tempo dos velhos; o segundo é o dos jovens; o terceiro será o das crianças. O primeiro estava sob a luz das estrelas; o segundo é o momento da aurora; o terceiro será o do dia pleno. O primeiro foi o inverno; o segundo, a primavera; o terceiro será o verão. O primeiro trouxe urtigas; o segundo traz rosas; o terceiro trará lírios. O primei-

ro produziu ervas; o segundo, espigas; o terceiro fornecerá fermento. O primeiro é comparável à água; o segundo, ao vinho; o terceiro o será ao óleo.

Joaquim, morto em 1202, estimava que um período crítico ia começar muito em breve e duraria até por volta de 1260 e que, depois desse tempo de turbulências, a "religião monástica" faria reinar a paz no mundo. Ele evocou apenas em termos sóbrios essa futura felicidade espiritual e, não obstante, terrestre. O importante é que, rompendo com a interpretação agostiniana da Igreja oficial, ele volta à escatologia das primeiras gerações cristãs — a que intercalava um período de repouso na terra entre nossa história atormentada e o Juízo Final. Caracterizou-se sua mensagem como "um ressurgimento do recalcado escatológico".

Para compreender como um monge pacífico pôde suscitar por vezes uma posteridade revolucionária, sublinhemos dois elementos de seu pensamento. Em primeiro lugar, ele anunciava que, à Igreja dos clérigos, ia suceder a dos contemplativos — dos monges, todos pobres. Era desferir involuntariamente um golpe na instituição eclesiástica. Em seguida, utilizou com freqüência a fórmula evangélica "os últimos serão os primeiros", que completou pela afirmação de que o tempo dos velhos e dos adultos seria seguido pelo das crianças: os *parvuli* reinarão no mundo e confundirão os soberbos e os poderosos. Essas fórmulas explicam o papel desempenhado pelos franciscanos, apaixonados pela pobreza, na difusão das idéias de Joaquim. Elas explicam também que espíritos menos irenistas que Joaquim tenham transformado seu pensamento em um milenarismo radical e violento.

Mas sua influência ultrapassou os meios extremistas. Dante o qualificou de "profeta". Cristóvão Colombo e Campanella citaram-no várias vezes. No século XIX, Hegel e Auguste Comte retomam sua divisão da história em três períodos. George Sand o coloca no centro de seu romance, *Spiridion*, que prevê o advento de uma religião da humanidade. Michelet vê nele o anunciador da "idade do livre espírito e da ciência". Ainda em 1921 o marxista alemão Ernst Bloch o classifica entre os que fizeram "brilhar a ardente centelha que não se extinguirá".

Um fato histórico importante a sublinhar é que a mensagem de Joaquim de Fiori, mais ou menos bem compreendida, combinou-se, desde o século XIII e, em seguida, durante muito tempo, com uma outra tradição escatológica que é preciso evocar agora, voltando atrás. No século IV, depois novamente no século VII, foram redigidos textos proféticos designados sob o nome de "sibilinas cristãs". Eles anunciavam que, durante cerca de uma centena de anos — mas cem anos, para as pessoas de antigamente, eram muito mais longos que para nós —, um rei ou um imperador cristão — o soberano dos "últimos dias" —, instalado em Jerusalém, unificaria sob seu cetro a terra habitada, lhe traria a paz e converteria toda a humanidade à religião de Cristo. No fim de seu reinado, deporia sua coroa no Gólgota. Seguir-se-iam a última ofensiva do Anticristo e o fim do mundo.

As "sibilinas cristãs" circularam durante toda a Idade Média e foram impressas no fim do século XV. Veiculavam, como o milenarismo tradicional, o anúncio de que antes do Juízo Final teria lugar uma idade de ouro cristã. Daí o amálgama que se produziu entre essas duas perspectivas escatológicas.

A esperança de ver o soberano dos "últimos dias" reinar em Jerusalém sustentou a empresa das cruzadas. Em seguida, os reis da França, os imperadores da Alemanha, os soberanos espanhóis e os de Portugal tentaram simultânea ou sucessivamente fazê-la atuar em seu favor. Ela estava presente no círculo de Carlos VIII da França e explica, ao menos em parte, sua expedição de 1494 na Itália, que deveria ser seguida pela reconquista de Jerusalém. Ela foi uma das idéias fundamentais de Cristóvão Colombo, que esperou financiar a retomada de Jerusalém, pelos soberanos da Espanha, graças às riquezas dos países que descobrira.

Milenarismo e violência foram freqüentemente associados. Daí o livro, aliás notável, de Normann Cohn, publicado em francês sob o título de *Les fanatiques de l'Apocalypse* [Os fanáticos do Apocalipse]. As mais fortes explosões desse milenarismo revolucionário foram o movimento dos radicais tchecos nos anos 1420; a revolta dos "camponeses" da Turíngia, da qual Thomas Müntzer tomou a frente em 1525; a ocupação de Münster, em 1534-35, por anabatistas exaltados que acreditaram que Cristo ia descer ali para fazer dela a nova Jerusalém — episódio evocado notadamente por Marguerite Yourcenar em *L'oeuvre au noir* —; enfim, os complôs urdidos na Inglaterra, na metade do século XVII, pelos "Homens da Quinta Monarquia". Relembrei todos esses fatos em meu livro, fornecendo notadamente sobre os extremistas tchecos do século XV documentos desconhecidos até então fora da Boêmia. Também pude fornecer uma análise detalhada de uma obra estranha, o *Livro dos cem capítulos*, redigido por volta de 1500 por um exaltado alsaciano anônimo que se costuma chamar de "o revolucionário do Alto Reno". No entanto, quis mostrar sobretudo a importância e a variedade do milenarismo bem além dos movimentos sediciosos igualitaristas.

Não se sabe bastante, fora dos países lusitanos, que Portugal foi atravessado, do século XV até o XVII inclusive, por profundas correntes milenaristas, sem o conhecimento das quais a história desse país permanece incompreensível. Pôde-se escrever que, em Portugal, "a persistência do messianismo animando a mentalidade de um povo, durante um tempo tão longo e conservando-lhe a mesma expressão, é um fenômeno que, com exceção da raça judia, não tem equivalente na história".

A pesquisa recente mostrou que era preciso dar uma significação escatológica aos projetos e às expedições além-mar de Manuel, o Venturoso. Ele pensava em uma espécie de realeza universal e messiânica, o quinto império de Daniel, que veria Portugal trazer para a religião de Cristo todas as nações não cristãs.

Fato particular em Portugal: as *Trovas*, especialmente as do inspirado sapateiro Bandarra, compostas entre 1530 e 1546, anunciavam o próximo aparecimento de um rei ainda oculto — o Encoberto — que seria o salvador do mundo. A esperança do reaparecimento do rei Sebastião, desaparecido em 1578 por ocasião de uma batalha contra os "mouros" no Marrocos, inscreve-se nessa tradição. O sebastianismo, no século XVII, transformou-se em um autêntico milenarismo, e isso graças especialmente a Antônio Vieira.

O jesuíta Antônio Vieira (1608-97), o mais célebre pregador português de seu tempo e que se incluiu em seu país entre os grandes nomes da literatura barroca, era de fato um autêntico milenarista. Nascido no Brasil, ali passou uma parte de sua vida e ali morreu. Foi um infatigável defensor dos índios. Partidário da independência de Portugal em relação à Espanha, saudou em João IV de Bragança o restaurador da pátria e viu nele o "rei oculto" anunciado pelas *Trovas* de Bandarra.

Independentemente dos sermões de caráter escatológico, Vieira exprimiu suas concepções milenaristas em três principais escritos: as *Esperanças de Portugal* (1659); a *História do futuro*, começada provavelmente em 1649 e nunca terminada; enfim, a *Chave das profecias* (em latim), da qual ele falou pela primeira vez em 1663, obra também interrompida e da qual restam apenas fragmentos. Vieira, em seus livros, passou muito tempo a provar que as profecias de Davi, Isaías e Daniel anunciavam o quinto império do mundo e viu nas viagens de descobertas até os extremos da terra o início de seu advento.

Vieira, depois de ter demonstrado que haverá um quinto império, faz a pergunta: será neste mundo ou no outro? Ele responde categoricamente: "É sentimento comum dos santos, aceito e seguido por todos os comentadores, que esse reino e império de Cristo, profetizado por Daniel, é um império da terra e na terra". Na concepção de Vieira, Cristo não reinará diretamente sobre o mundo regenerado, mas exercerá sua soberania por seus dois representantes, o papa e o rei de Portugal, tendo a Igreja atingido então seu último estado de perfeição. Jerusalém será restaurada em toda a sua glória. O pecado desaparecerá pela conversão dos infiéis e pela morte antecipada dos pecadores que recusam converter-se. Nessa quinta monarquia a vida continuará como hoje, com agricultura, indústria e comércio, mas sem guerra. Esse estado de perfeição durará mil anos, antes do retorno do Anticristo e do fim do mundo. Lisboa estará no centro desse império de Cristo na terra, pois é, dizia ele,

> o sítio mais harmonioso e mais apto à destinação que escolheu para ela o Supremo Arquiteto [...] Ela espera entre seus dois promontórios, que são como dois braços abertos [...] a voluntária obediência de todas as nações que descobrirão sua solidariedade, mesmo com as populações das terras ainda desconhecidas hoje e que terão perdido a injúria desse nome.

Enquanto o papa será o único pastor espiritual da humanidade, o rei de Portugal, tornado imperador do mundo, será o árbitro universal. Porá fim a todos os conflitos pelos quais hoje as nações destroem umas às outras e "manterá o mundo inteiro na paz de Cristo cantada pelos profetas".

Deixemos Portugal. Na França muitos ignoram, mesmo em meio protestante, que Jurieu, o grande adversário reformado de Bossuet e o animador, desde Roterdã, da resistência a Luís XIV, era milenarista. Quanto à história inglesa do século XVII, é ininteligível se não se dá às expectativas escatológicas todo o seu lugar. O milenarismo desempenhou um papel importante além-Mancha, na época de Cromwell. De uma maneira mais geral, o nascimento e o desenvolvimento do protestantismo permitiram às correntes milenaristas manifestar-se mais aberta e mais amplamente do que antes, embora seja verdade que os grandes reformadores, notadamente Lutero e Calvino, permaneceram fiéis à interpretação agostiniana do Apocalipse. Existiu globalmente um elo certo entre milenarismo e "heresia".

Por outro lado, a entrada em cena da América deu um novo impulso à esperança milenarista. Marcel Bataillon e Georges Baudot mostraram bem que os primeiros franciscanos que chegaram ao México em 1524 estavam impregnados das idéias de Joaquim de Fiori e acreditavam estar próxima a "última era do mundo", isto é, um período de paz, de reconciliação e de conversão geral ao cristianismo, que precederia o fim da história. Os dois franciscanos mais conhecidos da "conquista espiritual" do México no século XVI, Motolonia e Mendieta, tiveram em comum a convicção de que iam poder reconstituir a idade de ouro da Igreja primitiva além-Atlântico, longe da cristandade européia pervertida, entre os índios pobres e simples. Mendieta sonhou fazer os indígenas da Nova Espanha viver "na virtude e na paz; a serviço de Deus, como em um paraíso terrestre" — fórmula à qual é preciso conferir todo o seu sentido escatológico. Essa era também a esperança dos jesuítas quando criaram as "reduções" do Paraguai em favor dos guaranis.

A convicção de que a América é o lugar a partir do qual ia estender-se o reino universal de Cristo habitou igualmente — o que não é bem conhecido — os primeiros puritanos que foram estabelecer-se além-Atlântico. Na Inglaterra, em 1628, a um grupo que partia e que se tentava dissuadir de pôr-se ao mar, um dos iniciadores da aventura declarou: "Não retardeis vossa partida... Sabei que lá o Senhor criará um novo céu e uma nova terra, novas Igrejas e uma nova república [*Commonwealth*]". Para o teólogo John Cotton, emigrado para a América no século XVII, a Nova Inglaterra ocupava "uma situação sem precedente na história". Seus habitantes constituíam "uma sociedade liberta da Besta". Para ele a América era "legível nas promessas". Em 1652, John Eliot, o primeiro missionário protestante dos índios, afirmava que o reino de Cristo estava agora "em via de erguer-se nas partes ocidentais do mundo".

Contudo, é na obra de Jonathan Edwards, iniciador do "grande despertar" — protestante, evidentemente — dos anos 1740-44, que se encontra a expressão mais brilhante de um milenarismo ligado à América do Norte. Ele declarou, notadamente:

> Esse novo mundo provavelmente foi descoberto em nossos dias para que o novo e mais glorioso estado da Igreja de Deus na terra possa ter início aqui e para que Deus aqui faça começar um novo mundo espiritual, criando os novos céus e a nova terra. Deus já concedeu ao novo continente a honra de ali ter feito nascer Cristo, no sentido literal do termo, e de ali ter proprorcionado a Redenção. Ora, como a Providência observa uma espécie de igualdade na distribuição das coisas, não é desarrazoado pensar que o grande nascimento espiritual de Cristo e a mais gloriosa aplicação da Redenção devam começar aqui...
>
> O outro continente matou Cristo e, de era em era, derramou o sangue dos santos e dos mártires de Jesus. Ele foi como que inundado pelo sangue da Igreja. Deus então provavelmente reservou a honra de edificar o glorioso templo à filha [=América] que não derramou tanto sangue, no momento em que vai começar esse tempo de paz, de prosperidade e do glória significado outrora pelo reino de Salomão [...] Vários fatos me parecem indicar [...] que o sol se levantará no Oeste.

Mais tarde o milenarismo americano laicizou-se um pouco. Mas tem-se sérias razões de pensar que constituiu um dos componentes da identidade da nova nação em via de se formar. Em 1785, o neto de Jonathan Edwards, Timothy Dwight, milenarista como ele, publicou um poema de título significativo, *The Conquest of Canaan* [A conquista de Canaã]. Os soldados mortos na guerra da Independência eram aí comparados aos hebreus conduzidos por Josué. Um novo Éden, o quinto império anunciado por Daniel, ia surgir — império "de paz, de justiça e de liberdade". A nova república seria o agente e o motor do milênio. Um pregador assegurou em 1795 que os habitantes dos novos Estados Unidos podiam "dizer uns aos outros com rostos alegres: 'Somos um povo particularmente favorecido pelo céu [...] Os Estados Unidos são agora a vinha do Senhor' ". Para um outro milenarista do começo do século XIX, David Austin, a pedra que, segundo a profecia de Daniel, desprende-se da montanha para encher toda a terra anunciava, com toda a evidência, a Declaração da Independência de julho de 1776, o acontecimento a partir do qual os mil anos de felicidade iam poder começar.

Neste momento de nosso percurso entrevêem-se já os laços que existiram entre o milenarismo, de um lado, e as utopias e a ideologia do progresso, do outro lado. As utopias constituíram um setor importante da literatura européia a partir da publicada por Thomas More em 1516, e floresceram particularmente no século XVII. De início os autores imaginaram ilhas distantes cujos habitantes viviam felizes sob sábios governos e leis justas. Ali a igualdade ou a comunidade dos bens eram no mais das vezes apresentadas como a regra de ouro. Cada vez mais, porém, as utopias visaram, enquanto situavam suas descrições fantásticas em um alhures irreal, sugerir mudanças para um futuro acessível. Portanto, o desejo de promover melhorias radicais na terra foi comum aos milenaristas e aos autores de utopias.

O elo entre os dois tipos de discurso aparece com clareza na obra do dominicano italiano Campanella (1568-1639). Contudo, o aspecto milenarista dos escritos de Campanella fora até aqui pouco ou nada observado, talvez porque as obras em que se exprime foram publicadas apenas na segunda metade de nosso século. Ora, em *La profezia di Cristo* [A profecia de Cristo], obra redigida em 1623 portanto uns vinte anos depois de *A cidade do sol*, Campanella anuncia, apoiando-se a uma só vez em Lactâncio e Joaquim de Fiori:

> Então os bons serão separados dos maus e haverá um céu novo e uma terra nova. O brilho do sol será multiplicado por sete e a lua será como o sol hoje: e isso durante mil anos [...] Essa primeira renovação das criaturas não será a que as tornará imortais, já que continuarão a procriação e a alimentação a partir das produções da terra: o que só pode ocorrer através da corrupção dos elementos. Nesse tempo, as estrelas e os elementos sofrerão uma purificação parcial e verão impor-se a eles a ordem e a disposição que convêm ao século de ouro, durante o qual os santos possuirão o mundo humano.

Como todos os milenaristas, Campanella se comprazeu em especulações aritméticas complicadas sobre os prazos escatológicos. Digamos, simplificando, que os acreditava muito próximos.

Para os milenaristas de todas as épocas, a passagem aos mil anos de felicidade terrestre deve operar-se, de acordo com as previsões do Apocalipse, através de um período de catástrofes. Ao contrário, quando, no fim do século XVII, sob a pena de pensadores como Fontenelle e Leibnitz, apareceu no Ocidente a noção de "progresso", ela foi antes ligada à idéia de uma caminhada gradual e relativamente regular da humanidade rumo ao aperfeiçoamento de sua condição moral e material. No entanto, um ponto importante foi comum ao milenarismo e à ideologia do progresso: a saber, a certeza de que a humanidade ia em direção a uma melhora terrestre e de que um futuro radioso estava no horizonte. Daí o convite a investigar se passarelas não ligaram as duas prospectivas. Estou convencido, após averiguação, de que elas existiram.

O caso de Priestley permite esclarecer de maneira quase pedagógica os laços que uniram, no século XVIII, o milenarismo e a crença no progresso. Como cientista, ele demonstrou que a lei de ação entre cargas elétricas é a mesma que para a gravitação. Descobriu o oxigênio e isolou um grande número de gases. Por outro lado, teólogo unitário, não aderia ao dogma da Trindade. No que se refere ao tema de que tratamos, estava persuadido de que Deus quer o homem feliz desde esta terra, e via na ciência o grande instrumento do progresso. É por ela que íamos nos encaminhar para o milênio. Graças a ela

> os homens se tornarão pouco a pouco mais felizes, cada um por si mesmo, mas também todos mais capazes de comunicar a felicidade aos outros e, estou convencido disso, mais dispostos a fazê-lo. Assim, qualquer que tenha sido o começo deste mundo, o fim será glorioso e paradisíaco, além de tudo o que nossas imaginações podem agora conceber.

Favorável à Revolução Francesa, viu nela o tremor de terra previsto pela Escritura, que devia acelerar a passagem à situação edênica. Em 1799, ele escreveu uma moção aos judeus em que, baseando-se, como tantos outros milenaristas, nas revelações de Daniel e do Apocalipse, anunciava-lhes um próximo retorno à Palestina, a reunião de todas as religiões, o aniquilamento do papado, dos turcos e dos reinos da Europa e, enfim, o estabelecimento do reino de Deus na terra.

A esperança de realizar a felicidade terrestre da humanidade constituiu uma das idéias-força do século XIX e foi expressa pelos espíritos mais diversos. Victor Hugo, por exemplo, dirigindo-se à juventude, exclamava em 1830: "Oh, o futuro é magnífico!/ [...] Um século puro e pacífico/ Abre-se para vossos passos mais firmes;/ [...] Veremos com majestade,/ Como um mar nas suas margens,/ Subir de etapa em etapa a irresistível liberdade". A crença no progresso inspirou a uma só vez os positivistas e os socialistas. Pierre Leroux, inventor, ao que parece, da palavra "socialismo", afirmou: "o paraíso deve vir na terra". E não é excessivo afirmar que a esperança milenarista laicizada foi então reinvestida no socialismo. Marx assegurou que a ação do proletariado ia suprimir a exploração do homem pelo homem e o comunismo ia resolver "o enigma da história". Para Jaurès, graças ao socialismo, "pela primeira vez, a humanidade dominará as coisas" e a arte estará liberta. Ainda em 1921, o marxista Ernst Bloch — em seguida ele iria tornar-se um dissidente do marxismo — escrevia, apoiando-se em toda a tradição milenarista que relembrava explicitamente: "É impossível que não advenha o tempo do Reino".

Ao mesmo tempo, o milenarismo tradicional continuava sua carreira, particularmente nos Estados Unidos — o que não é um acaso. Ele constituiu — e constitui sempre — um dos elementos importantes da doutrina dos mórmons, dos "adventistas do sétimo dia" e das "testemunhas de Jeová". No credo mórmon, por exemplo, lê-se esta afirmação: "Cremos que Sion será edificada neste continente [a América]; que Jesus reinará em pessoa na terra, que a terra será renovada e receberá uma glória paradisíaca". Enfim, um milenarismo bastante afastado do cristianismo acha-se atualmente à espera da *New Age*. Para os que vivem nessa esperança, a era paradisíaca de 2160 anos (que deve começar logo), dominada pelo signo de Aquário, concentrará todas as aspirações "positivas" com que os humanos sonham desde tempos imemoriais.

Quanto a mim, não compartilho nem o otimismo sem dúvida um pouco ingênuo dos milenaristas nem o extremo pessimismo de muitos de nossos contemporâneos. Defendo um otimismo lúcido, porque creio que a vida — individual e coletiva — tem um sentido e faço meu o programa proposto por Teillard de Chardin: "Fazer avançar num passo igual o domínio do mundo e o reino de Deus".

Tradução de Maria Lúcia Machado

PROFECIAS E TEMPO DO FIM

Marilena Chaui

A geografia das Utopias situa-se na América. É um nauta português que descreve para Morus a gente, os costumes descobertos do outro lado da terra. Um século depois, Càmpanella, na Cidade do sol, *se reportaria a um armador genovês, lembrando Cristóvão Colombo. E mesmo Francisco Bacon (possivelmente Shakespeare), que escreveu a* Nova Atlântida *em pleno século XVII, faz partir sua expedição do Peru.*

Oswald de Andrade,
Do pau-brasil à antropofagia e às utopias

O wonder!
How many goodly creatures are there here!
How beauteous mankind is! O brave new World
That has such people in it!

Shakespeare, *The tempest*

[...] *maravillas de la lindeza de la tierra y de los arboles* [...] *la más hermosa cosa del mundo y salem pôr ella muchas riberas de aguas que descendian d'estas montañas* [...] *y certifico a Vuestras Altezas que debaxo del sol no me parece que las pueda aver mejores en fertilidad, en temperancia de frio y calor, en abundancia de aguas buenas y sanas* [...] *era toda la gente más hermosa y de mejor condición que ninguna outra* [...] *quanto a la hermosura, no avia comparación, asi en los hombres como en las mugeres.*

Colombo,
Diário del primer viaje

Outono do mundo. Primavera do mundo. Estas expressões são freqüentes durante toda a Renascença: assinalam o sentimento de declínio e decrepitude de um mundo perpassado por guerras, peste, fome, cismas e heresias; mas também o sentimento de uma renascença, de um *instauratio* ou restauração da origem, de uma *restitutio in integro*, como dirão os protestantes.

Não são expressões contrárias, mas complementares, se considerarmos o modo como, por exemplo, são lidas as *Metamorfoses* de Ovídio. Aqui, o tempo é *tempus edax* do lamento de Helena: "Ó tempo insaciável, e tu, invejosa velhice, tudo destruís e tudo o que foi afetado pelo passar dos anos, consumis, pouco a pouco, pela morte". Tempo da decadência, da passagem da Idade de Ouro, quando "a terra, mesmo não arada, ostentava searas", "corriam rios de néctar", o "mel escorria da verdejante azinheira" e "a primavera era perene, os zéfiros suaves acariciavam flores nascidas sem sementes", à Idade do Belicoso Ferro, quando "irromperam todos os males", desapareceram vergonha, lealdade e boa-fé, "substituídas pela fraude, pelo dolo e pela insídia, pela violência e pela voracidade criminosa". Mas é também o tempo benfazejo, cantado por Pitágoras para a instrução de Numa, tempo que não poupa sequer os elementos, mas que os faz ressurgir sob outras formas e cujo símbolo é a Fênix: "ave que se regenera e reproduz por si mesma", que "não se alimenta de grãos ou ervas, mas das lágrimas do incenso e do amono", que, a cada cinco séculos, prepara-se para morrer "num ninho de folhas de canela, nardo e mirra" e "termina a vida rodeada de perfumes" para que de seu corpo "renasça uma pequena Fênix". Este outro tempo é aquele que Francis Bacon louva como pai da verdade: "a verdade é filha do tempo" (*veritas filia temporis*) e cunha a expressão *Partus Temporis Masculus*, o parto másculo do tempo.

O tempo das Grandes Navegações é promessa da nova primavera do mundo. Por isso não causará espanto que os tempos modernos — em filosofia — se abram, com o último dos renascentistas, Francis Bacon, e se encerrem, com o último dos clássicos, Isaac Newton, sob a esperança do *tempo do fim*, quando, no dizer do profeta Daniel, "será aberto o livro dos segredos do Mundo" (Dn 12,4) e, no dizer de João Evangelista, serão vistos "um novo céu e uma nova terra, pois o primeiro céu e a primeira terra já passaram, e o mar já não existe" (Ap 21,1) e o Senhor dirá: "Tudo está feito. Eu sou o Alfa e o Ômega, o princípio e o fim" (Ap 21,6), momento final da abertura do Livro "escrito por dentro e por fora, de todo selado com sete selos" (Ap 5,1).

* * *

"Nesse dia, vi içarem-se os estandartes reais sobre as torres da Alhambra, e o rei mouro sair pela porta da cidade e beijar as mãos de Vossas Altezas", assim se dirige Cristóvão Colombo aos Reis Católicos, na abertura do *Diário del primer viaje.*

No dia 6 de janeiro de 1492, Fernando e Isabel entram em Granada e recebem das mãos do califa as chaves de Alhambra. Fazem hastear o estandarte real e erguer o crucifixo nos parapeitos mais altos do que fora o Reino de Granada. Está concluída a Reconquista, depois de oito séculos de ocupação árabe.

Os embaixadores de Gênova, em Barcelona, enviam uma carta de louvor às majestades católicas: "Não é indigno nem sem razão que vos asseveramos, reis grandíssimos, que lemos o que predisse o abade Joaquim Calabrês, que a restauração da Arca Sião seria feita pela Espanha".

Em seus escritos, entre os séculos XII e XIII, o franciscano, depois "fiorello", Joaquim de Fiori, criador da mais longa e persistente concepção cristã do milênio, determinara que o Reino de Deus na Terra — a era do Espírito Santo — começaria com a vitória de Cristo contra o anticristo, identificado por ele com Saladino, que acabara de invadir a Espanha. Assim, os embaixadores genoveses saúdam menos a expulsão dos mouros e mais o primeiro sinal do milênio, o tempo do tempo do fim, aberto pela vitória de Castela. No mesmo espírito, profecias de Jean de Roquetaille e do mago Merlim, associadas às de Joaquim de Fiori, já se haviam difundido pela Espanha, com a subida ao trono de Fernando de Aragão e Castela, pois um rei "filho da águia" estava destinado a subjugar os mouros de Granada e recuperar a Cidade Santa para a cristandade. Colombo, que no *Livro das profecias*, apresenta-se como "mensageiro do novo céu e da nova terra", escreve aos Reis, em 1501, repetindo o que dissera e dirá inúmeras vezes: "[...] o abade Joaquim disse que deve vir da Espanha aquele que reconstruirá a Santa Casa de Sião".[1] Ao encontrar a primeira mina de ouro, registrou em seu diário de bordo: "[...] daqui a três anos, Suas Altezas poderão preparar-se para partir à conquista da Casa Santa".[2]

Em abril de 1492, morre em Florença Lourenço de Médici, o Magnífico, para quem Marcílio Ficino traduzira a primeira parte do *Corpus Hermeticus*, obra heteróclita e anônima do século II d. C., mas, durante séculos, julgada egípcia, antiqüíssima, fundamento da Bíblia, da filosofia pitagórica e do platonismo. Com ela, a magia natural, a astrologia e matemática mística penetram no pensamento e na imaginação da *intelligenzia* renascentista, afirmando que o homem, senhor e governante da Natureza, nascido e feito para dominar os elementos e os animais, é também astrólogo e astrônomo, capaz de compreender os movimentos das esferas celestes e, na qualidade de geômetra e mago, de construir pequenos céus e outros mundos, conformes ao modelo divino, pois é dotado de inteligência semelhante à divina e do poder da *mimesis* para criar deuses e novos mundos, tornando-se plenamente divino também. *Novo* Mundo, como veremos, é uma expressão polissêmica e um de seus sentidos é o hermético, de criação de um mundo novo pela arte e engenho humanos.

No outono de 1492, Pico della Mirandola é absolvido do crime de heresia pela publicação de *De Dignitate Homini Oratio*, baseada num dos livros do *Corpus Hermeticus*, o *Ascelepius*, onde o homem é designado como Grande Milagre. Qual a dignidade do homem? Terminada a obra da criação, Deus desejou uma inteligência que com ele compartilhasse a obra realizada. Fez o homem. Todos os dons, porém, já estavam distribuídos entre as criaturas e nada restava para a última. Por isso, o Criador deu a ela uma parte de cada um dos dons distribuídos a todas as outras, fazendo o homem um microcosmo, nem mortal nem imortal, nem terrestre nem celeste, nem material nem espiritual, mas capaz de ser tudo por força de sua vontade. Possuindo em si mesmo todas as potencialidades, o homem pode tornar-se planta, animal, anjo ou unificar-se com Deus. Sua dignidade é sua liberdade para passar das formas inferiores de vida às superiores, até identificar-se com a divindade. Há três mundos — o elementar, o celestial e o invisível — e o homem, *Magnum Mysterium*, é a junção, mediação e conexão de todos eles. Combina, vincula, entrelaça e une todas as coisas, não só em pensamento, mas em realidade, por meio da magia natural. Compartilha esse poder com Deus e difere da divindade apenas porque esta contém em si todas as coisas por ser a causa delas, enquanto o homem combina e vincula todas as coisas por ser o centro delas.

No dia 2 de agosto de 1492, findo o prazo de quatro meses, estipulado pelo decreto régio de 31 de março, os judeus são expulsos da Espanha. A diáspora sefardim, cujas causas são econômicas e políticas (ligadas à reorganização da riqueza monárquica e à centralização das cortes), aparece, porém, como um fato teológico-político, sinal de tempos proféticos, simbolizados na expressão de Isaías, "o resto de Israel". Para os expulsos, que não se fizeram "conversos", não se submeteram à "limpeza de sangue" e permaneceram fiéis à "lei de Moisés", a nova dispersão indica a proximidade da redenção prometida, quando "o Senhor tiver lavado a imundície das filhas de Sião e o sangue de Jerusalém no meio delas" (Is 4,4), pois são eles o "resto de Israel" a quem o profeta garante o fim das provações quando "o resto de Sião e o remanescente de Jerusalém serão chamados de santos" (Is 4,3). Aos expulsos está prometido o "descanso do teu sofrimento, da tua inquietude e dura sujeição" porque Iahweh "quebra a vara dos ímpios, o cetro dos dominadores, daquele que feria o povo com furor" (Is 14,5). Quando isso acontecer, e está próximo o dia, "Iahweh será uma coroa de esplendor e uma grinalda magnífica para o resto do seu povo" (Is 28,5). No entanto, se esta é a esperança dos expulsos, não é a visão dos que expulsam. Para estes, o apóstolo Paulo deu a certeza de que são eles "o resto de Israel" quando escreveu aos Romanos: "Não teria Deus, porventura, rejeitado seu povo? De modo algum [...] Reservei para mim sete mil homens que não dobram o joelho a Baal. Assim também, no tempo de hoje, constitui-se um resto segundo a eleição e a graça [...] Aquilo a que tanto aspira, Israel não conseguiu; conseguiram-no, porém, os escolhidos. E os demais ficaram endurecidos" (Rm 11, 1-7).

Colombo, que entrará para a Ordem Terceira dos Franciscanos e com ela compartilhará o joaquimismo da Era do Intelecto ou do Espírito o terceiro tempo e último tempo da Trindade, reino do Espírito Santo, aprova a expulsão, louvando os reis por terem "destruído aqueles que não queriam confessar o Pai, o Filho e o Espírito Santo",[3] pois o Tempo do Espírito será o da conversão integral de todos os pagãos e todos os judeus e da tomada de Jerusalém pelos cristãos.

Será neste mesmo mês de agosto de 1492, no dia 3, que Colombo, após sete anos de espera, partirá de Palos. Era chegado o tempo. O *Diário da primeira viagem* abre-se com a exposição dos motivos: os reis o enviaram ao Oriente pelo Ocidente para combater "a seita de Maomé e todas as idolatrias e heresias" e para que, nas regiões da Índia, Catai e Cipango, visse príncipes, povos e "a disposição deles" para serem convertidos "à nossa fé". Conversão profeticamente anunciada como necessária, pois, na Epístola aos Romanos, Paulo também escrevera: "[...] o endurecimento atingiu uma parte de Israel até que chegue a plenitude dos gentios [isto é, a conversão de todos] e assim todo Israel será salvo, conforme está escrito" (Rm 11, 25-26). O tempo do fim exige, antes da conversão de todo Israel, o retorno à Palestina e é este que Colombo prevê como resultado da expulsão espanhola, por obra dos reis, cabendo ao futuro almirante a tarefa da conversão de todos os gentios do Oriente.

Ainda em agosto de 1492, Rodrigo Borrai, pai de Lucrécia e César, ramo espanhol da família Borrai (os de Borja), compra, com o apoio financeiro de Fernando e Isabel, o cargo pelo qual se fará Sumo Pontífice, Vigário de Cristo, papa Alexandre VI. Sua ação belicosa e corrupta iria apressar a Reforma e, juntamente com os desastres políticos de Piero de Médici, em Florença, suscitar, em novembro de 1492, o início da pregação profético-messiânica de Savonarola. Este, invocando, ele também, Joaquim de Fiori, prega a primeira exigência do abade calabrês: a restauração moral da cidade, o combate ao anticristo (encarnado, agora, no papa) e o fortalecimento dos "homens espirituais, responsáveis pelo Reino de Mil Anos de felicidade, preparação para a batalha final entre o Cordeiro e a Besta, antes do Juízo Final. Dirigindo-se notadamente aos jovens florentinos, Savonarola desencadeia a rebelião profética e a agitação milenarista cujo resultado esperado (mas fracassado) encontra-se representado numa das obras-primas de Botticelli, a *Natividade mística*. O conteúdo joaquimita do quadro, evidente para os contemporâneos, é enfatizado pelo pintor que, acima das figuras, escreveu:

> Este quadro foi pintado por mim, Alessandro, durante as perturbações na Itália, na metade do tempo depois do tempo, quando se verificou o capítulo XI de são João, na segunda infelicidade do Apocalipse, quando o diabo foi liberado por três anos e meio, em seguida será encadeado, segundo o capítulo XII e nós o veremos pisoteado como se vê neste quadro.

O quadro foi pintado por Botticelli em 1500. Neste mesmo ano de 1500, no mês de novembro, Colombo escreve a Juana de la Torre, governanta do príncipe herdeiro d. Juan:

> Fiz-me o mensageiro do novo céu e da nova terra, de que fala Nosso Senhor Jesus Cristo pela boca de são João, após tê-lo feito pela de Isaías; e eu os fiz conhecer! Todos me escutaram com incredulidade. Meu Deus deu à rainha, minha soberana, o espírito de inteligência e de resolução. Ele a fez herdeira de tudo como a uma filha bem-amada.[4]

Que dissera são João, no Apocalipse? Terminada a luta entre Cristo e o anticristo, abertos os sete selos, ouvidas as sete trombetas, cumprido o Juízo Final, o Senhor dá ao seu profeta a visão do "novo céu" e da "nova terra"; completando a tarefa. Aquele que é o Alfa e o Ômega proclama: "O vencedor herdará estas coisas e eu lhe serei Deus e ele me será filho" (Ap 21,7).

Que dissera Isaías? "Ai da terra dos grilos alados, que fica além dos rios da Etiópia. Que envia mensageiros pelo mar em barcos de papiro sobre as águas. Ide, mensageiros velozes, a uma nação de gente de alta estatura e pele bronzeada" (Is 18, 1-2). Se Isabel é a herdeira, filha de Deus, Colombo é o mensageiro divino profetizado no Antigo e no Novo Testamento.

É desta maneira que, na carta de 1501, aos reis, o Almirante do Mar Oceano, d. Cristóbal Colón, declara:

> A Sagrada Escritura testemunha no Velho Testamento, pela boca dos profetas, e no Novo, por nosso Redentor Jesus Cristo, que este mundo há de ter fim [...] não faltam mais do que 155 anos para o cumprimento dos 7 mil anos, quando haverá de fenecer este mundo. Nosso Redentor disse que antes da

> consumação deste mundo se haverá de cumprir tudo quanto estava profetizado [...] de Isaías se diz que foi mais do que profeta, foi evangelista, e colocou toda sua diligência para escrever sobre o porvir e chamar gente para nossa fé católica [...] Grande parte das profecias e das Sagradas Escrituras está acabada [...] muito resta a cumprir das profecias e são coisas grandes no mundo e há sinais de que Nosso Senhor tem pressa delas [...] O cardeal Pedro de Ailíaco escreve muito sobre o fim da seita de Maomé e do advento do anticristo [...] O abade Joaquim Calabrês disse que haveria de sair da Espanha quem iria reedificar a casa do Monte Sião [...] *Para a execução da empresa das Índias não me aproveitou razão nem matemática nem mapa-múndi; plenamente cumpriu-se o que disse Isaías.*[5]

O que disse Isaías que faz Colombo tão confiante do fim dos tempos, de que este mundo, já no outono, fenecerá em 155 anos? Por que a missão salvífica espanhola, prevista por Joaquim de Fiori, encontraria em Isaías a confirmação plena? A força persuasiva deste profeta sobre a imaginação dos navegantes e conquistadores, de um lado, e sobre a dos missionários franciscanos e jesuítas, de outro, não se deve apenas à interpretação paulina do "resto de Israel" que, convertendo a plenitude dos gentios, converterá, a seguir, os endurecidos de Israel para que tenha lugar o Segundo Advento de Cristo e findo este mundo. Se Isaías veio a tornar-se o profeta do Novo Mundo é porque nele Colombo, e os outros que se seguiram, encontraram o anúncio explícito das novas terras e gentes:

> Assim, tu chamarás por uma nação que não conheces, sim, uma nação que não te conhece acorrerá a ti. [Is 55,6]
>
> Eu virei, a fim de reunir todas as nações e línguas; elas virão e verão minha glória. Porei um sinal no meio deles e enviarei os sobreviventes dentre eles às nações: a Társis, a Fud, a Lud, a Masoc, a Tubal e a Javã, às ilhas distantes que nunca ouviram falar a meu respeito, nem viram a minha glória. Estes proclamarão a minha glória entre as nações e todas as nações trarão todos os vossos irmãos como uma oferenda a IAHWEH, conduzindo-os ao meu santo monte [...] Sim, da mesma maneira que os novos céus e a nova terra que estou para criar subsistirão na minha presença, assim subsistirá a vossa descendência e o vosso nome. [Is 36, 13-20; 66, 22]

Milenarismo joaquimita, filosofia hermética, messianismo judaico, profetismo, guerras santas internas e externas para a vitória sobre o anticristo, poderio onipresente da Inquisição, intrigas universitárias e palacianas: eis o mundo onde habita Cristóvão Colombo, cujas cartas, diários de viagem, anotações e documentos exprimem as contradições de uma sociedade freqüentemente assolada pela peste, pela fome, pela guerra, tentada pelos objetos técnicos e pela imaginação mágico-hermética de divinização do humano, arrogante e degradada no movimento da conquista e da evangelização que, inseparáveis, formarão o império ibérico de ultramar.

Escrevendo sobre a condição do homem moderno, Lewis Munford[6] observa que, a partir do século XV, "o espaço impelia os homens ao movimento e o movimento devorava o espaço", cada um e todos arrastados por "uma descoberta prática e um constructo ideológico": o Novo Mundo, simultaneamente, "um lugar e um *idolum*". A épica da expansão e o drama da conquista, cujo enredo era simples, mas cujo cenário era magnificente, aliados à bússola, ao navio de três mastros, à pólvora e ao astrolábio, deram ao capitalismo ultramarino a possibilidade de fazer mudar os conceitos medievais de espaço e tempo, puseram em operação a crença de que, na busca das riquezas, os exploradores não seriam detidos por nenhum obstáculo. À pergunta: "Podes fisgar o Leviatã?", responderiam em uníssono: "Sim". O Novo Mundo não foi um conceito meramente geográfico. A descoberta de outras terras, outros mares, outros céus e outras gentes, pondo em questão a idéia mesma de humanidade, foi a descoberta de novas técnicas, novas ciências, nova educação, nova ordem social e política e de um "novo hemisfério da mente".

Na mesma linha de argumentação, escreve Sérgio Buarque de Holanda, em *A visão do paraíso*:

> Colombo, sem dissuadir-se de que atingira pelo Ocidente as partes do Oriente, julgou-se em outro mundo ao avistar a costa o Pária, onde tudo lhe dizia estar o caminho do verdadeiro Paraíso Terreal. Ganha com isso o seu significado pleno aquela expressão "Novo Mundo", que o próprio descobridor esteve na iminência de empregar e que o humanista Anghiera cunharia, antes mesmo de Vespúcio, para designar as terras descobertas. *Novo*, não só porque, ignorado, até então, das gentes da Europa e ausente da geografia de Ptolomeu, fora "novamente" encontrado, mas porque parecia o mundo *renovar-se ali*, e regenerar-se vestido de verde imutável, banhado numa perene primavera, alheio à variedade e aos rigores das estações, como se estivesse verdadeiramente *restituído* à glória dos dias da Criação. Assim pensariam os primeiros viajantes ou cronistas da Índias Ocidentais. Assim dirá, passado quase meio século depois do descobrimento, certo discípulo espanhol de Tomás Moro, advogado, por sua vez, de uma espécie de utopia indígena... Nessa mesma idéia, embora não passasse, em geral, de vago pressentimento, e mal formulado, irá articular-se o misto de cobiça, piedosa devoção e imaginação desvairada, que domina quase sempre o ânimo dos conquistadores, mormente dos conquistadores das Índias de Castela. Não deveria, então, realçar-se tão vivamente como hoje o que pudesse haver de estranhamente contraditório nessa mescla de motivos sagrados e profanos, já que confundiam, então, mais facilmente, e não raro se deixavam permutar entre si, os alvos constantes da ambição e os da religião, tingindo-se uns e outros,

muitas vezes, das cores da fantasia. Já sabemos, de fato, como o mesmo precioso metal de que se enfeita a vaidade mundana, não deixava de traduzir para os homens, em termos terrestres, um resplendor quase divino, e que, servindo para adornar altares e dourar templos inteiros, havia no seu brilho como que a sagrada auréola da Fé.

Novo mundo, mundo novo: para além da descoberta do que permanecera oculto, mas adivinhado nas obras de Mandeville, Marco Polo, Pierre d'Ailly, era também a promessa pitagórico-ovidiana da Idade de Ouro — a eterna primavera do mundo — e a de Sêneca quando, na *Médea*, escrevera:

> Virá um tempo, nos últimos anos do mundo, em que o Oceano desfará os laços das coisas. Uma terra imensa se revelará, pois sobrevirá um navegador, tal como aquele que teve o nome de Tífis e foi guia de Jasão; e ele descobrirá um novo mundo. E Thule não será mais o fim das terras.

Podemos imaginar, num mundo em que o comércio marítimo domina e organiza o mercado e as cortes, anunciando o mercantilismo e o monopólio dos reis, mas também num mundo onde a cobiça dos reis alimenta e é alimentada pela esperança de divinização do homem, *Magnum Mysterium*, o que a idéia de um mundo novo significou. Para alguns, sobretudo aqueles que haviam sido alimentados pelo neoplatonismo, pelo hermetismo e pela afirmação da dignidade do homem pelo intelecto e pela vontade, emergiu à superfície o continente perdido da Atlântida, a utopia da sociedade humana perfeita que as obras de Thomas More, Campanella e Francis Bacon iriam imortalizar. Para outros, alimentados em Ovídio, Sêneca, Plínio, Pierre d'Ailly, nos viajantes reais ou imaginários (Marco Polo e Mandeville), em Joaquim de Fiori e nas Sagradas Escrituras, finalmente fora localizado o Paraíso Terrestre, descrito tanto nas Idades das *Metamorfoses* quanto no livro do Gênesis: jardim das delícias onde o ar é perenemente temperado (nem quente nem frio), a terra é abundante e fértil sem necessidade de cultivo, dor e pena, os rios têm seus leitos revestidos de ouro e prata, as montanhas guardam segredos de esmeraldas e rubis, as florestas abrigam feras dóceis e amigas e as gentes, em estado de inocência, vivem sem rei, sem lei e sem fé, no vigor de seus corpos destemidos, bronzeados e para sempre juvenis. O Novo Mundo é um *topos do pensamento, da imaginação e do discurso.*

Se Isaías projeta sua sombra sobre os primeiros navegantes, será sobretudo o profeta Daniel quem projetará a sua sobre os homens pensantes. De Bacon, último dos renascentistas, a Newton, último dos clássicos, perdura a esperança do tempo do fim, quando, no dizer de Daniel, "muitos esquadrinharão e o saber se multiplicará" (Dn 12,4).

A verdade é filha do tempo, repete Bacon em suas obras. O tempo presente, graças à navegação e à imprensa, tornou legível o livro da obra de Deus — céus, terras e mares, isto é, a Natureza — e o livro da palavra de Deus — a Sagrada Escritura. Neste "outono do mundo", escreve o filósofo, cumpre-se a palavra de Daniel e assim deve ser, pois seríamos desgraçados se, "agora que foram abertos e explorados largos espaços do globo material" tivéssemos que suportar que "os limites do globo intelectual ficassem atados às estreitas descobertas dos antigos".

No entanto, observa Bataillon,[8] a esperança dos primeiros missionários é frustrada. Embora batizem em massa (5 a 10 mil batismos por dia), a graça do Espírito Santo não parece eficaz, nenhum milagre acontece e as almas continuavam carentes de educação. Mais do que o *Compellere intrare*, é preciso conhecer a duplicidade e moleza dos índios, a ferocidade oculta, o misto de inocência e barbarismo. Será esta a imagem dos nativos e será esta a tarefa redentora dos missionários jesuítas, dos quais, sem dúvida, a figura-chave é o padre Vieira que, como os primeiros franciscanos e os primeiros homens da Companhia de Jesus, está imbuído do espírito profético e completa a construção da América como cumprimento das profecias das quais, agora, é Portugal e não mais a Espanha o portador da vitória final contra o anticristo.

No *Advancement of Learning*, lemos:

> [...] pois deve ser dito, em honra destes tempos e numa virtuosa emulação da antigüidade, que este grande edifício do mundo nunca havia manifestado as luzes de que é feito, até nossa era. Na era dos nossos pais, ainda que tivessem conhecimento dos antípodes, só o sabiam por demonstrações e não por fatos, o que exigiu a viagem pela metade do globo. Mas circundar a terra como fazem os corpos celestes não foi dado empreender senão nos últimos tempos e, portanto, estes tempos podem trazer como insígnia o *plus ultra* dos tempos passados, e *imitabile flumen* em lugar do *non imitabile flumen* dos tempos passados, e *imitabile coelum*, com respeito às muitas memoráveis viagens à volta do globo à maneira dos astros. E esta proficiência pode enraizar esperanças de proficiência posterior e maior e o aumento de todas as ciências porque foram ordenadas por Deus para serem todas contemporâneas. Pois assim falou o profeta Daniel, referindo-se aos últimos tempos: "Quanto a ti, Daniel, guarda em segredo estas palavras e mantém lacrado o livro até o tempo do fim. Muitos esquadrinharão e o saber se multiplicará", como se abertura e a travessia do mundo e o aumento dos conhecimentos estivessem designados para acontecer na mesma época.[9]

A estas palavras que, lembrando Ficino e Pico, abrem a modernidade, respondem ao fim e ao cabo, as *Observations upon the prophecies of the Holy Writ particularly the prophecies of Daniel and the Apocalypse of St.*

John, de Isaac Newton. No entanto, o tom não será o mesmo. Entre os dois filósofos, a Inglaterra passa por duas revoluções, a de 1642-60 e a "revolução" Gloriosa de 1688. A primeira ampla e minuciosamente estudada por Hill[10] sob a perspectiva dos revolucionários radicais, é marcada pelo sentimento milenarista, inspirado particularmente pelas profecias de Daniel sobre a Quinta Monarquia, reino de Deus na terra com os justos e bons, depois da destruição do anticristo, agora figurado pelo rei e pelo papa.

A cartografia política nos séculos XVI e XVII traça um mapa inesperado, mas não surpreendente. As idéias populares radicais atravessam o mar do Norte, indo primeiro do continente para a Inglaterra, partindo das lutas daqueles que Kolakowski[11] denominou "cristãos sem igreja" para chegar aos levellers, diggers, ranters e quakers, vindo, com estes últimos aportar na América, quando o *Mayflower* navegar com os rebeldes de William Penn. Da Inglaterra, porém, antes de transpor o Atlântico, as idéias radicais retornam, pelo mar do Norte, ao continente: os Países Baixos, protestantes, livram-se do jugo espanhol e garantem à burguesia holandesa meios para competir com os ibéricos no comércio ultramarino. A "navegação" radical, assustando reis, nobrezas, Igreja, sínodos e burguesias, tem seus navios levados pelas velas e pelos ventos do entusiasmo profético-milenarista, cruzando o Atlântico e avançando pelas terras americanas: franciscanos e jesuítas, do México ao Paraguai; quakers, na Nova Inglaterra; huguenotes, na França Antártica; judeus luso-holandeses, em Pernambuco.

Simultaneamente, porém, a conquista, destruindo o Paraíso Descoberto, a instalação das monarquias constitucionais na Inglaterra e na Holanda, restaurando no trono reis popularmente destronados, o fortalecimento da monarquia absoluta na França, a queda do poderio das cidades italianas e de seu ideal republicano, o estreitamento dos laços entre Inquisição e monarquias ibéricas, no combate da Contra-Reforma contra os "alumbrados" místicos, os milenaristas "judaizantes" e os protestantes são as respostas do poder político para abafar e sufocar o entusiasmo profético-messiânico do século precedente, alumiado pela estrela dos primeiros navegantes. Tudo isso, talvez, explique o tom prudente e moderado de Newton, quando comparado ao de Bacon.

Que pretende Newton? O mesmo que Bacon, isto é, oferecer um sentido racional às profecias. O que os distingue é um século de revoluções políticas e de consolidações científicas, as primeiras contrabalançando o entusiasmo pelas segundas, de tal maneira que Newton, retirando das profecias todos os acréscimos interpretativos que haviam recebido nos últimos tempos, procura restaurá-las ou restituí-las em sua simplicidade bíblica originária. São meios para compreender o passado, não para prever o futuro, oferecidas por Deus para que conheçamos sua Providência.

Simultaneamente, porém, Newton não pode escapar à idéia, presente em Daniel e João, da abertura do livro dos segredos do mundo como um sinal do fim dos tempos. Os séculos XVI e XVII deram à idéia do livro tanto o das obras quanto o das palavras de Deus, Natureza e Bíblia — uma significação diversa (a Renascença decifra o texto; os Modernos o deduzem e demonstram), mas não saíram de seu recinto e Newton não pode deixar de ver seu próprio trabalho como parte dessa empresa gigantesca de abertura. Quanto mais não fosse, a peculiaridade de sua descoberta e as polêmicas teológicas por ela suscitadas o encaminhariam nessa direção. Com efeito, a idéia de uma força (invisível) de atração e repulsão universais, imersa na matéria e explicando igualmente os movimentos terrestres e celestes, torna homogêneos o céu e a terra (não era o que havia prometido Pico?). Além disso, por sua invisibilidade e universalidade, coloca a teoria filosófico-científica no limiar de um novo misticismo, próxima da imagem de forças secretas que regem o universo. Não por acaso, a teoria universal da gravitação vem exposta fora do corpo demonstrativo dos *Principia*, no grande Escólio Geral que conclui a obra, como se o conceito-chave da física moderna não pudesse entrar explicitamente no campo científico que acabara de descobrir e abrir.

Em 1501, Colombo, escrevendo aos reis, apresentara uma seqüência de datas, cálculos, santos, teólogos que lhe permitem afirmar a vinda do milênio em 155 anos e colocar suas viagens no único campo em que parecem ganhar sentido: as profecias de Isaías e João. Na altura de 1690, Newton afirma que a autoridade de imperadores, reis, príncipes, concílios, sínodos e bispos é humana, enquanto a dos profetas é divina e que, de todos os profetas, "Daniel é o mais claro na ordem do tempo e o mais compreensível sobre as últimas coisas", sendo por isso chave de todo o restante. Calcula as eras e tempos danielinos, interpreta as figuras e imagens das cinco monarquias, mas o faz de tal modo que o tempo do fim seja empurrado para um futuro longínquo "quando o povo de Deus habitará um reino para sempre duradouro" embora perceba que o padrão temporal está em desenvolvimento e que, nele, sua obra tem um lugar:

> Entre os intérpretes da última era, raros são os que não fizeram alguma descoberta valiosa e por isso podemos supor que Deus está a ponto de abrir esses mistérios. O sucesso de outros faz-me considerar que, se fiz algo que possa ser útil aos próximos escritores, terei cumprido o meu propósito.[12]

Navegadores e pensadores fizeram, assim, do Livro da Palavra de Deus a chave para abrir o Livro da Obra de Deus — alfa e ômega do empreendimento marítimo e do empreendimento do saber. Mencionamos a interpretação profética dada por Colombo (e, depois dele, por Vespúcio) às suas viagens. Mencionamos a interpretação milenarista dada por Bacon e Newton à empresa do conhecimento, das ciências e das artes, sob os efeitos das descobertas marítimas. Além dos navegantes e dos pensadores, resta mencionar o último volante do tríptico: os missionários e a interpretação da empresa da evangelização. Próximos de Colombo, Bartolomeu de Las Casas e Mendieta são os primeiros nomes obrigatórios na longa lista dos que acreditaram firmemente na dimensão profética das descobertas e, numa concepção salvífica da história, elaboram a "visão do paraíso". Deixemos, porém, a palavra a Vieira, que completa o ciclo da construção da América como cumprimento das profecias.

Entre 1660 e 1667, Vieira é submetido ao tribunal do Santo Ofício, sendo condenado em 1667. O objeto da condenação é um escrito — *Esperanças de Portugal* — possivelmente parte de um inédito, a *Clavis Prophetarum*, e preparatório do livro, escrito entre 1653 e 1661, *História do futuro ou do Quinto Império de Portugal*. O conjunto dos textos elabora o tema profético-milenarista de Daniel: Portugal está destinado a ser o quinto império ou a quinta monarquia do tempo do fim. As *Esperanças* foram consideradas um texto estranho, escandaloso, temerário, ofensivo, herético e injurioso para a Igreja católica.

De que é acusado e por que é condenado Vieira? Sendo a sentença proferida é acusado de "judaizar" e condenado por considerar Bandarra um profeta, e suas trovas, profecias; por prever o retorno de d. Sebastião, o Encoberto e o Encantado, como imperador do mundo, vencedor do anticristo e fundador do Quinto Império. Após a queda do Quarto Império (no caso, o Império Romano, identificado com o Império Austríaco). A instauração do quinto império danielino exige que se cumpram, primeiro, as profecias de Isaías sobre o "resto de Israel", a conversão de gentios e dos judeus, e a existência de "um só rebanho, um só pastor". Esse cumprimento tem, portanto, como precondição a atividade missionária nas Índias Orientais e Ocidentais. Vieira é condenado por milenarismo e, mais grave, milenarismo judaizante, uma vez que "promete este reino [de Deus] nesta vida e muito cedo", à maneira dos judeus que "o esperam também nesta vida presente do seu Messias e perpétuo para sempre na terra".[13] Em face do messianismo católico que, desde santo Agostinho, considera terminada a missão do Messias e que o Reino de Deus (visível através da Igreja) é invisível e individual, o messianismo judaico possui um caráter público — o Reino é na terra —, coletivo — o Reino é do Povo Eleito — e imediato — o Reino deve vir aqui e agora. Eis por que a Inquisição acusará Vieira de "judaizante". Além disso, o título da obra, *Esperanças de Portugal*, também trai o "judaísmo" de Vieira, pois *esperança* é um termo usado preponderantemente pelos judeus da Península

Ibérica para referir-se ao Messias, ao término da diáspora, à liberação da Palestina e ao Reino de Israel. Esperança significa, simplesmente, crença na vinda do Messias. Por isso, na Península Ibérica, os judeus eram pejorativamente alcunhados de "o povo da esperança".

De fato, Vieira não está só e a acusação de "judaizar" não é descabida, pois eram conhecidas suas relações amistosas com a comunidade judaico-portuguesa de Amsterdam e seus esforços para que a reintegração dos judeus a Portugal fosse feita em breve. Em 1647, Vieira encontra-se com um dos principais rabinos e humanistas de Amsterdam: Menasseh ben Israel. Se considerarmos a data provável de *História do futuro* (1653-61) e a obra que Menasseh publica em 1650 — *Esto es la espereranza de Israel* — podemos imaginar o assunto que teria sido objeto das conversas entre o jesuíta e o rabino. Enquanto Vieira prepara as *Esperanças de Portugal*, Menasseh redige as de Israel, inspirado, pelo relato, feito em 1644, por Antonio de Montezinos, judeu que estivera na América e chegara a Amsterdam com a notícia extraordinária: encontrara, na região de Cartagena, uma das tribos perdidas de Israel, a tribo de Ruben, e tivera notícia de que as outras nove, das dez perdidas, também se encontravam espalhadas pelo território americano, à espera dos sábios que as viriam resgatar e preparar a vinda do Messias para a reconstrução do Reino.[14] Assim, para Menasseh, também está em via de cumprir-se a profecia de Isaías sobre o "resto de Israel" e a comprovação de que fora cumprida sua primeira condição, "a dispersão do povo na direção dos quatro ventos".

No entanto, um ponto separa Menasseh de Vieira. Podemos supor que foram as conversas com este último, assim como duas cartas que o rabino recebera do milenarista inglês, John Drury, sobre o relato de Montezinos, que levaram Menasseh a escrever seu livro. Vieira acredita, como é o caso de Drury, que as dez tribos perdidas de Israel estão na origem dos índios da América. Por outro lado, a referência contínua dos textos dos séculos XVI e XVII à tese, atribuída a Árias Montano, de que os índios descendem de Ofir, filho de Noé, reafirma de modo mais originário a fundação judaica da América e seu destino messiânico. Não é esta a posição de Menasseh. Pelo relato de Montezinos, os remanescentes das dez tribos se conservaram em sua pureza original; no entanto, aos índios, massacrados pela colonização, foi dito que os descendentes de Israel seriam liberados do cativeiro pelo Messias e que se se reunissem a eles, seriam salvos também. Esta é a tese de Menasseh. De todo modo, um ponto é comum ao rabino e ao jesuíta: a chave da interpretação messiânica da América encontra-se em Isaías. Por isso, se, nas *Esperanças de Portugal*, Vieira se demorara em Daniel, na *História do futuro* sua atenção volta-se predominantemente para Isaías, citado em latim da Vulgata e assim interpretado, palavra a palavra, pelo jesuíta. Alguns exemplos da hermenêutica de Vieira podem auxiliar-nos aqui:

Isaías:

> Ei-los que vêm, muitos de terras distantes, uns do norte [*terra australi*] e do ocidente, outros das Terras do Sini [...] Ó céus dai gritos de alegria, ó terra, regozija-te, os montes rompam em alegres cantos, pois Deus consolou seu povo, Ele se compadece de seus aflitos. [Is 49, 12-13]

Vieira:

> O qual entendem Cornélio a Lápide e Árias Montano da conversão da China e o provam do original hebreu, o qual lê *de terra Senin*, como verte São Jerônimo [...] e todos, e é o mesmo que *de terra Sinarum*, por ser este o modo de falar da língua hebréia, na qual os galileus se chamam de *Celilim*, e os judeus de *Jehudim*, e os assírios de *Assurim*, e assim também os chinas ou sinas *Sinim*. E se replicamos que a China não é terra austral, senão oriental, e que se não pode verificar dela o termo de *terra australi*, respondem os mesmos autores que aludiu o Espírito Santo, que governava a pena de São Jerônimo, aos Portugueses, os quais, quando vão para o oriente, fazem sua viagem direta ao Austro [...] De maneira que como os Portugueses haviam de ser os que haviam de levar a fé à China, navegando do Austro ao Sual, por isso chamo o Espírito Santo Austral à China, não pelo sítio da terra, mas pelo rumo da navegação.[15]

Novamente Isaías:

> Quem são estes que vêm deslizando como nuvens, como pombas de volta aos seus pombais? Em mim esperam as ilhas, os navios de Társis vêm à frente, trazendo seus filhos de longe, com sua prata, seu ouro, por causa do nome de Deus, por causa do Santo de Israel. [Is 60, 8-9]

Interpreta Vieira:

> Nestas palavras está profetizada admiravelmente a conversão das Índias Ocidentais; assim se explicam o mesmo Cornélio, Bózio, Aldrovando e outros. Com bem notáveis propriedades chama o profeta às Índias Ocidentais, *ilhas*: "em mim esperam ilhas", porque todas aquelas vastíssimas terras, enquanto se tem descoberto, estão rodeadas de mar, e bastava, para se chamarem assim, a imensidade de mares que as dividem do Mundo Antigo; além do que essas terras no princípio eram chamadas de Antilhas, como se lê na história de seu descobrimento. As nuvens que voam a estas terras para as fertilizar são os Portugueses pregadores do Evangelho, levados do vento como nuvens; e chamam-se também pombas porque levam estas nuvens a água do batismo sobre que desceu o Espírito Santo em figura de pomba, que são dois termos que sempre andaram juntos na significação do batismo, desde o princípio do mundo.[16]

Ainda uma vez, Isaías:

Ai da terra dos grilos alados, que fica além dos rios da Etiópia. Que envia mensageiros pelo mar em barcos de papiro, sobre as águas! Ide mensageiros velozes, a uma nação de gente de alta estatura e de pele bronzeada, a um povo temido por toda parte, a uma nação poderosa e dominadora cuja terra é sulcada de rios. [Is 18, 1-2]

Donde conclui Vieira:

Trabalharam muito os intérpretes antigos por acharem a verdadeira explicação deste texto; mas não atinaram nem podiam atinar com ela porque não tiveram notícia nem da terra, nem das gentes de que falava o profeta [...] *que falou Isaías da América e do Novo Mundo, se prova fácil e claramente.* Pois esta terra que descreve o profeta que está além da Etiópia e é terra depois da qual não há outra. Estes dois sinais tão manifestos só se podem verificar da América, que é a terra que fica da outra banda da Etiópia e que não tem depois de si outra terra senão o vastíssimo mar do Sul. Mas porque Isaías nesta descrição põe tantos sinais particulares e tantas diferenças individuantes, que claramente estão mostrando que não fala de toda a América ou Mundo Novo em comum, senão de alguma província particular dele; e os autores alegados nos não dizem que província esta seja, será necessário que nós o digamos [...] *Digo, primeiramente, que o texto de Isaías se entende do Brasil,* porque o Brasil é a terra que direitamente está além e da outra banda da Etiópia [...]. Diz mais o profeta que a gente desta terra é terrível e não pode haver gente mais terrível entre todas as que tem figura humana, que aquela (quais são os brasis) que não só matam seus inimigos, mas depois de mortos os despedaçam e os comem e assam, e os cozem com este fim [...][17]

Vieira prossegue mostrando que o profeta foi mais particularista: terras sulcadas de rios não são todo o Brasil, mas o Maranhão. E os maranhães, por serem gente criada no meio das águas, são um povo náutico, criador da arte de navegar e inventor de uma embarcação, a "iguaruana", canoa feita com casca de árvore que corresponde exatamente ao "papiro" da profecia. Diz o profeta que tais embarcações vão rumo ao mar. Explica Vieira que, novamente, se trata dos maranhães porque a região conhecida como Maranhão ou Grão-Pará tem estes nomes porque Pará significa mar, Grão ou Maranhão por ser de grandes proporções. Essencial também é o "ide mensageiros", referência segura aos missionários portugueses, pregadores do Evangelho. E conclui nosso jesuíta:

Muito largos temos sido na exposição deste texto, mas foi assim necessário por sua dificuldade e por não estar até hoje entendido. Deixo muitos outros lugares do profeta Isaías, o qual verdadeiramente se pode contar entre os cronistas de Portugal, segundo fala muitas vezes nas espirituais conquistas dos Portugueses e nas gentes e nações que por seus pregadores se convertem à fé.[18]

Assim, latinizando Isaías e adaptando-o às necessidades de sua própria tese teológico-política, Vieira, no final do século XVII, torna mais evidente para nós por que, no início do século XVI, escrevendo aos reis, suplicando-lhes que lhe concedessem recursos para uma nova (e última) viagem, Colombo lhes dissesse que "para a empresa das Índias não me aproveitou razão nem matemática nem mapas-mundo; plenamente cumpriu-se o que disse Isaías".

O EXEGETA DO MUNDO NOVO

Estranho Colombo.

Entre seus escritos, encontramos papéis com o título *Livro das profecias*, no qual calcula as idades do mundo segundo o calendário judaico e o cristão, o que lhe permitirá afirmar aos reis que, a *este* mundo restam apenas 155 anos. Como o tempo do fim é antecedido pela batalha final entre Cristo e o demônio, preparada pelos combates iniciais entre o Imperador dos Últimos Dias e o anticristo, pela localização do Paraíso Terrestre, onde a Nova Jerusalém será edificada, e pela ação da ordem dos monges ativos que precedem a dos monges contemplativos, compreendemos por que o almirante no relato da primeira viagem tem tanta pressa em que os reis enviem sábios e missionários às Índias, no relato da quarta viagem recebam grandes quantias de ouro para a reconquista de Jerusalém e fique estabelecido no relato da terceira viagem que chegou aos "confins do Oriente", onde os sagrados teólogos e filósofos, os santos e a Sagrada Escritura situaram no Paraíso.

Estranho Colombo.

Não sabemos seu verdadeiro nome. Cristóforo, Cristóvam, Cristóbal, Cristóvão? Colón, Collunus, Colonon, Columbo, Colombo? Depois da primeira viagem, o Almirante do Mar Oceano assina com as inicias gregas de Cristo e acrescenta, em latim, *ferens* — *Christo ferens*, o que transporta ou carrega Cristo, são Cristóvão. Ou seria o que leva Cristo a novas terras pela travessia de novas águas? Ou emissário-mensageiro de Cristo para o Segundo Advento e o tempo do fim, como sugerem, de um lado, as cartas a Juana de la Torre e aos reis e o relato da terceira viagem, e, de outro lado a colocação de "Christo" no caso dativo e, portanto, significando: o que leva ou transporta *para* Cristo? Mas, é isto um nome? Não seria mais apropriado chamá-lo símbolo? Depois da primeira viagem, o vice-rei e governador das Índias assina Colón. Para um joaquimita, não teria sido mais sugestivo manter Columbus, signo da pomba do Espírito Santo? Teria preferido, porém, indicar colono-colonizador, à maneira dos romanos? Ou, como querem alguns, foi esta a maneira disfarçada de fingir nobreza, associando seu nome ao de Coullen, almirante francês, justificando a enigmática afirmação que repetirá várias vezes: "não sou o único nem o primeiro da família"? Que tenha tentado enobrecer-se, um outro sinal o revela: sua assinatura completa, até hoje indecifrável (embora haja bibliotecas inteiras buscando a interpretação), forma um brasão, como se fosse membro de uma linhagem:

.S.
.S. AS.
X M Y
Xpo FERENS

Sob muitos aspectos, não é surpreendente que inventasse um novo nome depois da proeza do novo mundo, novos céus, novos mares, novas terras, novas gentes. Os relatos dos anos de peregrinação às cortes ibéricas, de súplicas e humilhações, de dependência junto aos tesoureiros e teólogos régios e de submissão à boa vontade de mercadores como Pinzón, tornam compreensível que o vice-rei, numa sociedade hierárquica e estamental, desse a si mesmo um nome compatível com seu título e que pudesse, como aspirava todo homem da Renascença, imortalizar-se pela glória, isto é, os feitos memoráveis e exemplares. Mas que inventasse um brasão indecifrável, eis mais um enigma por ele deixado.

Estranho Colombo.

Desconhecemos a data precisa de seu nascimento. Até 1990, numerosos estudos propunham, no total, cerca de 235 lugares prováveis de nascimento até que, finalmente, durante o Quinto Centenário da América (1992), Gênova ficou definitivamente estabelecida[19] como local de origem do descobridor. Genovês, de uma família de cardadores e tecelões de lã, autodidata, marinheiro e, com o irmão Bartolomeu, cartógrafo, Colombo participou de viagens portuguesas à costa da Guiné (nome da costa africana, na época), à Islândia, a Gallway e às várias ilhas de domínio lusitano e espanhol. Vivendo no bairro dos italianos de Lisboa, primeiro, e no dos genoveses de Sevilha, depois, conheceu as narrativas dos marujos sobre as regiões mais afastadas da Europa; teria trocado correspondência com Toscanelli (que afirmava a possibilidade da viagem ao poente pelo nascente) e, a crermos em Las Casas, na primeira viagem teria levado o célebre mapa italiano, no qual Cipango e Catai (Japão e China) localizavam-se onde, realmente, situa-se o México. Toscanelli e outros cosmógrafos e navegantes, inspirados em Aristóteles e Sêneca, negavam a existência da "zona tórrida" inabitada e intransponível e afirmavam a existência dos "antípodas", contrariando, nos dois casos, a tradição apoiada em santo Agostinho que ainda fazia de Thule o fim do mundo, mesmo que ninguém soubesse onde Thule ficava. Segundo os especialistas nossos contemporâneos, estudiosos das "viagens à estima" (isto é, sem os instrumentos técnicos necessários, senão astrolábio e bússola), seus diários de bordo revelam um navegador exímio.

Isto, porém, é quase nada para quem deseje conhecer Cristóvão Colombo. Afora a biografia romanceada e providencialista, escrita por seu filho Fernando e por Las Casas, por ocasião do litígio com a Coroa espanhola, pouco podemos saber da personagem, não só porque, segundo depoimentos contraditórios das testemunhas durante o litígio e cartas-relatórios de seus adversários, sua figura não possui contornos nítidos, como também porque nada deixou sobre sua vida nos anos que antecederam à primeira viagem. Desse período, oferece escassas informações, salvo quando narra seus anos de peregrinação e súplica junto aos reis portugueses e espanhóis, ou quando apresenta suas credenciais de navegante e cartógrafo nas disputas com Sagres e Salamanca, ou, enfim, após 1500, quando deixa transparecer de modo explícito o tom do profetismo milenarista joaquimita. Os vários documentos — cartas aos reis, ao papa, a religiosos, a administradores, ao filho; o testamento; disputas econômicas e legais; trechos dos diários de bordo; anotações em livros de cabeceira — revelam uma personagem enigmática: ora é o cientista e técnico, ora o místico iluminado, ora o administrador incompreendido (ou incompetente), ora o calculador ávido e mesquinho, ora o ambicioso, ora o bárbaro que pretende escravizar os índios, ora o primeiro "teórico" do bom selvagem.

Mesmo os diários de bordo são estranhos. Na primeira viagem, marca erradamente as distâncias, afirmando que o faz para não causar temor e pânico numa tripulação que esperaria um percurso mais curto e breve. Como escreve Las Casas, "descreveu essa viagem de duas maneiras: a menor foi a falsa e a maior, a verdadeira", de sorte que, até hoje, não sabemos o dia em que efetivamente a terra foi vista, nem o lugar exato onde aportaram as caravelas. Receio dos marinheiros e de Pinzón, como as relações foram ruins desde o começo? Medição diferenciada para diferentes destinatários, o rei de Portugal devendo receber a verdadeira e Isabel, a falsa? Ou, simplesmente, dois mapas (o de Toscanelli e o seu próprio) marcando diferentemente os graus de distância entre as latitudes e as longitudes? Quando a bússola, na terceira viagem, passa a marcar noroeste, em vez do norte apontado pela estrela polar, afirma (e isto, antes da obra de Copérnico!) que é a estrela que se move no céu e que a bússola continua exata. Capaz de tal discernimento, no entanto, quando atravessa o mar dos Sargaços (que ainda não recebera tal designação), anota nomes de plantas e de pássaros terrestres que ali não existem, afirmando que a terra está próxima, quando, em verdade, ainda está distante. Chegado a terra, sua descrição do local é tão imprecisa que ninguém, até hoje, consegue saber aonde teria chegado nesse primeiro dia. Ao prosseguir no reconhecimento das terras e das gentes, tanto na primeira quanto nas viagens seguintes, sua conduta é das mais esquisitas: a descrição da fauna, da flora, da geografia, do terreno nos parece fantástica e não menos fantástica a descrição dos "índios" e de seus primeiros contatos com eles, num entendimento perfeito.

A descrição dos nativos — belos, altos, destemidos, bronzeados, robustos, de indescritível formosura — bem como a narrativa dos diálogos que com eles entabula em toda parte (pois, a não ser nos primeiros dias, a linguagem não é a dos gestos, mas de complicado protocolo e longas explicações sobre os reis de Espanha e a cristandade) parecem implausíveis, tal a quantidade de informações detalhadas e precisas que deles recebe sobre os canibais, as minas de ouro, os rios de pérolas, os costumes dos reis locais. Desses primeiros contatos, ficarão, porém, os dois traços que, durante cinco séculos, regerão as relações complicadas e contraditórias entre o etnocentrismo europeu e os nativos da América: de um lado, a descrição positiva pelo negativo (*sem* lei, *sem* rei, *sem* fé, *sem* armas mortíferas, *sem* cobiça e *sem* mercado), de outro lado, a avaliação do mercador de escravos (mão-de-obra farta, barata, dócil, inteligente para as coisas manuais, mas sem verdadeiro espírito, adaptável às condições européias e braço forte para a colonização). Entre ambas, o momento fugaz em que o encontro poderia ter sido possível e se perdeu: o relato em que os "índios" chamam os recém-chegados de "habitantes do céu", na verdade (como a etnologia do século XX mostraria, tarde demais), de "filhos do sol", isto é, o duplo, a outra metade que todo ser humano possui e que chegara até eles como o *seu* outro há muito esperado. Porque a fala e o gesto foram interpretados à maneira cristã, os que "vieram do céu" julgaram-se reconhecidos tais como se viam a si mesmos, isto é, como superiores.

As obsessões contidas nos relatos das viagens chegam a exasperar: Colombo mede obsessivamente os céus e os mares, indica, sem cessar, que navega do austro para o poente; incessantemente, busca rios e prova suas águas, descrevendo-as sempre como suaves, doces, salubres, mesmo quando julga estar no mar. Fala ininterruptamente em ouro, pedras preciosas, pérolas; refere-se sem cessar a Társis, Ofir, Setim. As terras ora são propensas ao cultivo de tudo quanto se queira nelas plantar, ora são espontaneamente férteis, oferecendo frutos e flores semelhantes aos mais belos lugares da Espanha na primavera. A temperatura, embora em certos momentos descrita como intoleravelmente quente, é sempre apresentada como amena e perfeita; "nem fria nem calor". Ouve rouxinóis e pardais. Percebe, ao longe, dragões e sereias. Vê canibais. Navega num dos quatro rios do Éden. Pesca peixes "iguais aos de Castela".

Porém, mais estranho de tudo é o ato que realiza a cada vez que aporta em terra nova. De fato, tendo partido da Espanha para levar mensagens dos Reis Católicos ao grão-cã de Catai e de Cipango e para fazer os primeiros contatos político-econômicos com os governadores das Índias, no entanto, ao aportar nas ilhas, Colombo finca o estandarte dos reis espanhóis no solo e, em nome deles, toma posse das terras descobertas. Ora, jamais poderia ele fazer isso, uma vez que, se chegara aonde imaginara haver chegado, aportara em reinos governados e possuídos. Mesmo que aceitasse a teoria medieval do rei como imperador de seu reino (*rex in regno suo imperator*), não poderia fincar estandartes e tomar posse de terras, pois a teoria aplicava-se apenas aos reis do mundo cristão. Assim, parece estranho que os reis, nas Capitulações, lhe outorgassem, já antes de partir, o título de vice-rei e governador-geral das terras "que descobrisse, como se não fossem impérios governados e com os quais manteria relações diplomáticas e econômicas. Sob esta perspectiva, a descrição dos "índios" como "sem rei, sem lei e sem fé" torna-se ainda mais incompreensível, pois, sendo *índios*, estavam sob a lei e a fé de seus reis, com os quais o almirante, supostamente, deveria firmar tratados.

Essas obscuridades e estranhezas da vida e do comportamento de Colombo levaram muitos a julgá-lo charlatão, louco e ambicioso além do permitido. Suas rixas com Pinzón, primeiro, e com Bobadilla, depois, levaram a tomá-lo por um homem sedento de poder e, ao mesmo tempo, irresponsável. Suas descrições fantásticas das novas terras acabaram, nos séculos XIX e XX, por torná-lo um homem anacrônico, um medieval com cabeça de Marco Polo em plena Renascença. Suas cartas aos reis e ao papa, ora aconselhando a vinda de sábios para estudar as novas terras e evangelizadores para cuidar das novas almas, ora propondo sem rebuços a escravização pura e simples e a exploração predatória da terra, fizeram supor que se tratava de um homem de má-fé, hipócrita e mesquinho. Esquecido e olvidado nos anos seguintes à descoberta, suplantado na memória pela figura de Américo Vespúcio que lhe roubaria até o direito de deixar o nome à posteridade do novo continente, Colombo ressurgiu, no período das guerras de libertação e independência da América, como referencial mítico de unidade continental, para sucumbir, hoje, às mais impiedosas críticas que o responsabilizam pela conquista e suas violências.

Seria preciso, no entanto, decifrá-lo com as contradições do mundo católico em crise, às vésperas da Reforma e da Contra-Reforma: do nascimento dos impérios marítimos e do mercantilismo; da economia extrativista e escravista, já praticada por portugueses e espanhóis na África e nas ilhas atlânticas. Seria preciso, sobretudo, não ler seus textos com olhos anacrônicos. Se lêssemos suas cartas e relatos de viagem — preferencialmente indo dos últimos para os primeiros e centrando a atenção no relato da terceira viagem — talvez pudéssemos perceber, por meio das convenções literárias, das figuras e tropos de linguagem, das contradições perante a nova terra e as novas gentes, das obsessões com as medidas dos céus e mares, das fantasiosas descrições do novo mundo, dos pedidos feitos aos reis e ao papa, aquilo que para seu contemporâneo, Las Casas, aparecia como óbvio: o almirante havia, como ele próprio dissera, cumprido a profecia de Isaías e encontrado o Paraíso Terrestre. Lidos desta perspectiva, os textos colombinos revelam que, do primeiro ao último, Joaquim de Fiori ali se.encontra: no relato da primeira viagem, pela referência aos mouros e a luta contra o Islã e na afirmação de que a viagem é feita em nome da Santíssima Trindade; na segunda, ainda uma vez pela referência à Santíssima Trindade e aos recursos que as novas terras trarão para a reconquista de Jerusalém; na terceira, pela afirmação de haver chegado ao Paraíso Terrestre e pela menção explícita ao "abade Joaquim"; na quarta, pela referência, ainda uma vez, à Santíssima Trindade e, explicitamente, a Joaquim de Fiori sobre a missão da Espanha. Nas cartas — ao papa, aos reis de Espanha e Portugal, a amigos, ao filho — Colombo é explícito sobre o significado de sua missão e de sua condição de mensageiro, sobre o cálculo do tempo até o final dos tempos e sobre o lugar especial de Isabel em sua empresa e em sua vida (real ou imaginária).

Assim, o que muitos chamaram de cosmografia fantástica e geografia quimérica do último dos medievais, pode receber uma outra interpretação, se lidas de um outro lugar, isto é, da perspectiva do milenarismo joaquimita, de um lado, e da organização do cosmos desenvolvida pela filosofia hermética da Renascença, de outro.

Dos medievais, Colombo recebe, além da influência dos espirituais franciscanos, a *Ymago Mundi* de Piere d'Ailly, a *Historia Rerum*, de Plínio, o *Livro das maravilhas* e a *Descrição do mundo*, de Marco Polo, as *Viagens maravilhosas*, de Mandeville. Dos renascentistas, recebe a esfera de Sacrobosco, os mapas de Toscanelli, a releitura dos animais, das plantas e da experiência, do pseudo-Teofrasto, o mito da Idade de Ouro, de Ovídio e a crença da filosofia hermética no Eldorado.

Como cristão católico romano, recebe, dos padres da Igreja, a geografia e astronomia de Ptolomeu, Beda, Sêneca e Aristóteles. Dos navegantes, relatos de viagens, técnicas de navegação, instrumentos novos. A mescla de textos de Joaquim de Fiori e de Pierre d'Ailly explica a preocupação com a contagem do tempo e a figura do mensageiro, de um lado, e a certeza de haver encontrado a ilha de Társis (a que deu o nome de Hispaniola), de outro.[20]

Milenarismo: um gênero teológico-literário

Mescla de tradições lendárias judaicas, iranianas, helênicas, romanas, celtas e germânicas, o milenarismo — crença de que o tempo ou o século findará ao término dos mil anos de felicidade que antecedem ao Juízo Final — é um gênero literário e teológico que, quando articulado à idéia do Messias, pertence ao universo judaico-cristão. Deste podemos indicar fontes, símbolos principais e traços distintos, em face de outros gêneros quiliásticos.

Se considerarmos como sua formulação mais acabada a elaborada no século XII por Joaquim de Fiori, a partir de Raul Glauber e Anselmo de Havelberg, suas principais fontes são:

- do Velho Testamento: o Livro das Revelações de Daniel (particularmente as cinco monarquias ou os cinco reinos, a contagem do tempo, a elaboração da figura do Messias como Filho do Homem e a abertura do livro dos segredos do mundo); as profecias de Ezequiel (particularmente, a visão do carro de Deus, a construção da Nova Jerusalém e a batalha entre Gog e Magog); as de Isaías (particularmente, sobre o resto de Israel, a dispersão e reunião do povo, a descoberta de novas terras e nações e a elaboração da grande imagem do Messias como Servo Sofredor) e as de Joel (sobre a ruína do mundo);
- do Novo Testamento: as Epístolas de Paulo aos Romanos (sobretudo no capítulo 11) e aos Tessalônicos (sobretudo os capítulos 4 e 5, referentes ao Segundo Advento); nos Evangelhos Sinóticos, os pequenos apocalipses ou revelações finais em Marcos (capítulo 13), Mateus (capítulos 14 e 25), Lucas (capítulo 21); e o Grande Apocalipse de João de Patmos (que, além das revelações de Daniel, Isaías e Ezequiel, inclui as mitologias babilônicas, o combate final entre o Cordeiro e a Besta, a figura da Mulher, prostituta da Babilônia e Esposa do Cordeiro, que vence a Serpente, e a cerimônia completa do Juízo Final, desde a abertura dos Sete Selos e o soar das Sete Trombetas);
- a partir da Idade Média, do lado judaico, é introduzida a Kaballah, em suas duas grandes versões, a popular messiânica do reino de Deus na terra e a intelectualizada, para a qual a salvação é individual, uma ascese através do conhecimento que prepara a vinda final do Messias cuja mis-

são é reunir as centelhas de luz dispersas e restaurar o vaso do universo, restituindo-o à unidade inefável do *Ein-Sof*;

• a partir da Idade Média, do lado cristão, há absorção da figura latina da Sibila de Eritréia (vinda *Eneida* de Vírgilio e que profetiza o salvador nascido de uma virgem), da figura celta do mago Merlim (do qual provém a imagem da primavera do mundo pelo casamento do Messias com a Terra, o Messias imaginado como rei cavaleiro, portador de uma espada encantada e do cálice contendo o sangue de Cristo, recolhido por José de Arimatéia, forma pela qual os cristãos incorporam em sua mitologia o antigo Graal dos celtas); a astrologia árabe (que inventa o astrolábio e afirma que Deus fala aos homens por dois meios: pela palavra profética e pelo curso dos astros, o que permitirá aos cristãos a interpretação astrológica dos sinais oferecidos sobretudo por Ezequiel e João).

O milenarismo pertence ao gênero apocalíptico,[21] isto é, das revelações dos segredos divinos feitas pela própria divindade, gênero que é literário porque a divindade ordena sempre que aquele que recebe a revelação registre num livro cuja abertura será fixada pelo próprio Deus. Eis por que os profetas do Velho Testamento e João afirmam, no momento em que se apresentam, que receberam a ordem de escrever, ou que receberam um livro que lhes foi ordenado devorar, ou que viram livros nas mãos de Deus ou dos anjos e arcanjos. Quais as características desse gênero literário? Em primeiro lugar, é uma escatologia,* uma soteriologia* e possui forte conteúdo profético. Em segundo lugar é esotérico e a revelação se dá por meio de um anjo, de uma visão ou de uma viagem do visionário aos céus. Em terceiro lugar, possui uma estrutura dramática ternária: crise, julgamento e salvação, sendo marcado por uma divisão ou por um dualismo profundo que separa de modo absoluto o bem e o mal, o puro e o impuro, o justo e o injusto, tendo como fonte da divisão a dicotomia luz e treva. Sobretudo, em quarto lugar, é dominado pelo sentimento da iminência do fim dos tempos que tanto pode ser imanente, isto é, interno ao desenvolvimento dramático, quanto transcendente e impendente, isto é, uma ruptura súbita na ordem das coisas, percebida por meio de sinais (fome, guerra, peste, cataclismas, corrupção dos costumes) e com a chegada repentina do salvador. Seja num caso como noutro, o tempo do fim é a batalha cósmica entre Cristo e o anticristo que será vencido para sempre. O milenarismo expressa, assim, o sentimento do caráter unitário do tempo e seu desenlace final, pondo uma con-

(*) *Eschâton* +, do grego, os acontecimentos finais ou tempos finais; *ta eschata*: as coisas finais. *Soter*, em grego, salvador.

clusão ao mal e à treva e efetivando o término da temporalidade. Esotérico por seu caráter, dramático por seu conteúdo, literário pela forma, o gênero milenarista é simbólico por seu conteúdo.

Há símbolos da ordem histórica, isto é, da separação entre *saeculum* (tempo profano) e *aeternum* (tempo divino), expressa na contagem dos dias e noites, das semanas, das gerações, das horas (tempo da metade do tempo, sete noites e sete manhãs, setenta semanas, 1360 dias de sofrimento do povo etc.) ou pelo curso dos astros e o Zodíaco, operando, aqui, as imagens de conjunção e disjunção astral a partir dos sete planetas (entre os quais, o Sol e a Lua). Há símbolos do conflito ou o bestiário fantástico (dragões, serpentes aladas, leões alados, basilisco, grifos, gárgulas, animais mistos, cordeiros de onze chifres, a Besta, cujo número é 666 etc.); símbolos do horror presente ou os "dias de abominação, de desolação" (peste, fome, guerra, cativeiro, tirania, sofrimentos a que os escolhidos são submetidos, erupções vulcânicas, tufões, furacões, terremotos, incêndios). E há os símbolos do triunfo (o Cordeiro e a Esposa, o Papa Angélico, o Imperador dos Últimos Dias, o Rei Encantado ou Encoberto, a paz entre homens e feras, a descrição da Jerusalém Celeste-Terrestre, o Paraíso Terreal).

Embora, hoje, considere-se o milenarismo a expressão política das classes populares, pois elas o incorporaram em seu ideário de catástrofes e esperanças, o gênero milenarista origina-se nas camadas da *intelligenzia* judaica e cristã, sendo extremamente sofisticado e complexo em sua elaboração. Sua absorção por parte das classes populares não é inexplicável. Além de oferecer uma interpretação imagética e simbólica para um mundo que aparece como sem sentido, as promessas da esperança milenarista possuem ressonância imediata para os sofredores do século:

- perspectiva salvífica, referida não ao indivíduo, mas à coletividade constituída como comunidade dos justos e santos;
- perspectiva terrena, pois a Nova Jerusalém e o Reino de Deus devem realizar-se neste mundo e não noutro;
- a salvação total, uma vez que o tempo do fim será a transformação completa de toda a vida na terra, a nova realidade não sendo aperfeiçoamento do existente, mas sua derrubada para que, das ruínas, qual Fênix renascida, haja nova criação;
- messiânica, visto que a criação do Reino dos Justos e Santos exige a vinda do Messias (para os judeus) ou a Segunda Vinda de Cristo em "glória e majestade" para "vingar os vivos e os mortos";
- cósmica: a mudança não diz respeito a este ou àquele aspecto do mundo humano ou do mundo em geral, mas envolve a transformação radical e absoluta de toda a Terra e de todos os Céus, da realidade por intei-

ro. O reinado do anticristo é visto como conflagração universal, luta final entre a treva e a luz, e o Reino dos Mil Anos, que precederá o Juízo Final, só poderá ser um reino de perfeição, pois instala-se após o combate último entre as forças do bem e do mal;

- o milênio é anunciado por sinais dos tempos (os símbolos da catástrofe e do conflito), e exige profetas que preparem a vinda do Messias. O primeiro sinal é a presença do anticristo e da chegada de seu primeiro adversário (Papa Angélico, Rei Encoberto, profetas e mensageiros) cuja tarefa é dupla: por um lado, formar a comunidade dos justos que antecipa, em sua organização, o Reino dos Mil Anos (a reunião dos pobres, fracos, oprimidos, separados dos ricos, fortes e opressores); de outro lado, iniciar o combate, enquanto aguarda a vinda do Messias, preparando-se para lutar ao seu lado e receber o trono do Reino dos Mil Anos, até o dia do Juízo.

Este último aspecto é decisivo, pois revela que o milenarismo não é esperança passiva, mas combativa e ativa, exigindo a oposição entre o novo século e o velho século opressor. Eis por que as comunidades milenaristas tendem a tornar-se antinomianistas ou anarquistas em face do "velho século", criando outras leis e valores que antecipam a boa cidade do "novo século". Donde as utopias milenaristas serem sempre ou a de cidades perfeitas ou a de jardins paradisíacos, arrastadas em dois sentidos contrários e complementares: a restituição do passado perfeito — o Paraíso Perdido — e a construção do porvir de felicidade — a Nova Jerusalém, ou Nova Atlântida, ou Cidade do Sol, ou, simplesmente, Utopia. Com isso, o elemento utópico organiza-se em seus dois grandes eixos, quais sejam, o do tempo perfeito (o reino de Deus) e o do espaço perfeito (a cidade de Deus). Em ambos, Deus se torna para sempre manifesto, orientando o saber e seu avanço, a justiça, a paz e a felicidade. A barreira entre o sagrado e o profano se dissolve tanto pela sacralização da vida quanto pela laicização do conhecimento. Essa dissolução significa o que a modernidade propunha no final da Renascença — o encantamento do mundo — e aquilo de que se despediu à medida que a ciência avança, trazendo o desencantamento do mundo. Colombo, Las Casas, frei Martin de Valência, Menasseh ben Israel, Vieira são homens do encantamento do mundo. E beiram perigosamente a heresia.

A ortodoxia antimilenarista: a história teológica

O pensamento grego tomava o tempo sob duas grandes perspectivas: como "número do movimento", no dizer de Aristóteles, isto é, como movimento incessante de geração e corrupção dos seres, transformação e alteração na qualidade e na quantidade de coisas, sucessão linear de instantes e conflitos dos contrários (o *devir*, em que o tempo é a linha reta, começo e fim dos seres imperfeitos); e o tempo pensado como ciclo, círculo e repetição periódica, imagem da eternidade, para uns, a própria eternidade, para outros. Fundamentalmente, o tempo grego é o tempo da Natureza da qual o homem participa, contado pela sucessão dos dias e das noites, das estações do ano, dos ciclos reprodutivos dos animais e das plantas, pela mudança dos ventos e, sobretudo, pelos acontecimentos da cidade (guerra e paz, jogos e torneios dramáticos, subida ou queda de governantes bons ou de tiranos, decadência de uma forma política e sua passagem para outra). Esse tempo é animado pelo não-tempo, isto é, pela origem ou pelo *telos* último. Também naturalizado, o tempo dos romanos introduz na concepção grega um novo elemento, qual seja, a idéia de uma ligação interna entre o passado e o presente dos humanos (isto é, dos romanos). A idéia, essencialmente romana, do tempo político como *fundação* (situada no passado da cidade) e *religião* (vínculo interno entre o presente da cidade e seu passado fundacional), introduz o humano no tempo, pois a origem de Roma, a partir do ato da vontade heróica do fundador, separa dois momentos da temporalidade e levará Virgílio, na época clássica, à idéia de Roma como *Cidade Eterna*, porque seu presente e seu futuro estão em seu passado, em sua fundação, em sua *antigüidade*.[22] Companheira inseparável do tempo, a Fortuna, com sua roda de repetição e vontade caprichosa, introduz a contingência como *páthos* da ética, da política e da história, mas também força o médico e o político a associarem-se ao tempo como ocasião ou tempo oportuno, *kairós*, e o historiador a pensar nos grandes acontecimentos como movimento de equilíbrio ou de compensação (*isa pros isa*) no qual a Fortuna, ora girando a roda num sentido, ora noutro, garante a todos seu quinhão de glória e opróbrio. O tempo é memória e peripécia.

O judaísmo, porém, introduz uma concepção do tempo como algo dramático e humano[23] contado por genealogias e portador de três caracteres principais: é expressão da vontade de Deus e submete-se ao plano divino; é realização da vontade de Deus cujos instrumentos são os homens, de sorte que os acontecimentos narram a história do mundo como relação entre os homens e a divindade; pode ser decifrado porque Deus oferece a alguns homens o dom de interpretar os decretos e planos divinos e, por este motivo, o tempo é sempre profético, o futuro só ganhando relevância como cumprimento ou finalização do passado. Por ser um tempo humanamente referenciado — criação, queda e redenção —, o tempo é tecido pela promessa e por isso é sempre messiânico ou salvífico.

O cristianismo conservará a concepção judaica do tempo, a ela acrescentando, porém, elementos provenientes de duas concepções filosófico-teológicas do helenismo, o neoplatonismo e o gnosticismo. Para ambos, o tempo será a linha reta descendente, no que se refere ao mundo, signo de queda, declínio, aumento crescente da imperfeição cuja sede é a matéria. Todavia, os neoplatônicos acrescentam à via descendente da *processão*, a linha reta ascendente da *conversão*, retorno à unidade perfeita e inefável do absoluto por meio do conhecimento e do êxtase. Por seu turno, os gnósticos afirmam a vinda de uma conflagração final em que o tempo se suprimirá a si mesmo e perdurará a perfeição da eternidade imaterial. Essa dupla concepção, aliás, não atinge apenas o cristianismo, mas também uma das expressões intelectuais mais altas do judaísmo, a Kabballah.[24]

O tempo como queda e ascensão ocupa santo Agostinho que, desde as *Confissões*, o interroga como enigma, pois é tempo pessoal — dramático e mutável — e tempo da ação providencial de Deus predeterminado e imóvel. Eis por que Agostinho, que será responsável pela ortodoxia da temporalidade cristã, separa o tempo como linha descendente do pecado e do homem sem Deus, e o tempo como linha ascensional de bondade e perfeição, tempo do mundo com Deus, isto é, tempo da Igreja. Por isso "só há salvação na *ecclesia*", onde o tempo, através da liturgia, repete as eras do mundo e se faz circular, sempiterno.

Afastadas heresias e heterodoxias, a Igreja, partindo de Agostinho, traça os sinais da história. Internamente finalizada para realização do plano divino, a história é teologia:

- é profética, possuindo dois sentidos simultâneos e tensos: de um lado, a profecia é rememoração (recorda a lei, oferece os sinais da transgressão e da cólera de Deus), mas, por outro lado, é promessa, "história do futuro"; tem uma face voltada para o que já foi e outra para o que será, e o cumprido se interpreta pelo prometido, enquanto o prometido é decifrado pelo que foi cumprido;
- é providencial, unitária e contínua e, portanto, predeterminada, embora o plano da Providência só se deixe apanhar fragmentadamente pela interpretação de seus sinais secretos ou pelas revelações de Deus; os homens são suportes ou instrumentos da ação providencial transcendente;
- porque profética, providencial e revelada, é uma teofania — revelação de Deus no tempo — e uma epifania — revelação da verdade no tempo; porque o tempo é constitutivo do plano e do saber deste plano, é uma teologia;
- por ser providencial e drama da queda e da redenção, é soteriológica, promessa de salvação;

• é apocalíptica, pois depende da revelação divina dos segredos finais do mundo;

• é otimista, a linha ascensional da salvação significando progresso do espírito humano nos conhecimentos cuja totalização se dará no tempo do fim, quando "muitos esquadrinharão e o saber se multiplicará", isto é, no dia do Juízo Final.

Aparentemente, portanto, tudo na concepção cristã da história convida ao milenarismo. Por que, no entanto, é ele transformado em heresia?

A oposição entre ortodoxia e heresia milenarista não é repentina nem se origina por um simples confronto na interpretação dos textos bíblicos, mas resulta de um processo longo, de natureza política, que se desdobra desde os antagonismos judeus e cristãos, de um lado, e entre os cristãos e o Império Romano, de outro. De modo grosseiro, podemos falar em três momentos principais da elaboração do tempo que, no caso dos heterodoxos, culmina no milenarismo joaquimita:

• Período da disputa inicial do cristianismo com o judaísmo e com o helenismo romano, quando surgem os principais textos apocalípticos cristãos, sob os efeitos da certeza da iminência da Segunda Vinda do Messias. Na Primeira Vinda, Jesus teria cumprido a profecia do Servo Sofredor e do Filho do Homem, enquanto na Segunda cumprirá a do Rei da Glória, instalando seu Reino na terra, como previram Daniel (7, 13-14), os Atos dos Apóstolos (1,6) e o Grande Apocalipse de João (19 a 22). Esse período, marcado pelas perseguições e pelas crônicas sobre os mártires, pelo apostolado exigido por Pentecostes para a preparação do dia final; pelas polêmicas em torno da Santíssima Trindade, estende-se até o século III.

• Período de institucionalização da Igreja no interior do Império Romano, consolidada tanto pela força adquirida da Igreja de Bizâncio quanto pela de Roma e, posteriormente, pela conversão de Constantino e a oficialização do cristianismo como religião de Estado, fazendo esmorecer a esperança milenarista (que começa, então, a ser julgada como heresia) ao mesmo tempo em que surge uma forma propriamente cristã de historiografia, a história eclesiástica de cunho apologético — a Igreja é uma nação e sua história, a única verdadeira, porque história da Providência Divina que vinga seus mártires, e a única e una história universal. A historiografia eclesiástica, que substitui a biografia dos heróis e estadistas pelas vidas dos santos, institui uma nova cronologia, na qual a sucessão de bispos e bispados é acrescentada às listas de reis e magistrados pagãos, apresentando, no dizer de Momigliano, "o quadro da administração divina no mundo". Com Lactâncio e Eusébio, surge a diferença entre boa e má história (a primeira, é cronologia e crônica dos santos; a segunda, dos hereges e gentios). Santo Agostinho, distinguindo entre a má e a boa Cidade (a

Roma injusta e a Igreja, *Civita Dei*), fará com que história, igreja e nação ou cidade dos santos exprimam a luta entre Deus e o diabo. Porque a história é universal e apologética, sua tarefa é a defesa dos cristãos contra o paganismo, o judaísmo e as heresias. Com isto, o cristianismo dá mais um passo: a história é uma *doutrina*. Finalmente, porque a história é salvífica, inaugura-se a prática da cronologia universal para determinar a data do Juízo Final. Neste quadro, o milenarismo aparecerá como perigoso para a institucionalização e para o poder da Igreja, passando à condição de heresia judaizante, oficialmente condenada no Concílio de Éfeso de 431. Aqui, o ponto mais combatido foi o caráter público e coletivo do milênio, dirigido ao corpo e ao espírito, salvação de um povo todo, aqui e agora. A esperança, codificada pela ortodoxia, torna-se virtude (como a fé e a caridade), desliga-se do messianismo profético, afasta-se das ações que deveriam engendrar mudanças na vida presente, esvazia-se de conteúdo político e desloca-se para o futuro celeste e individual.

• Período medieval, quando as lutas contra a instituição eclesiástica e a imperial, as crises, a corrupção da Igreja e do Império, a perda dos ensinamentos do cristianismo primitivo (particularmente a pobreza, a eqüidade e o amor ao próximo) levarão ao ressurgimento do milenarismo. Agora, a elaboração salvífica do tempo já recebeu as contribuições de outras culturas cristianizadas (magos e sibilas), da astrologia e da alquimia árabes e da Kabballah judaica. Os símbolos do tempo presente e do tempo futuro se enriquecem: pedras preciosas, animais, cores, plantas, astros, lugares, horas, números, figuras geométricas introduzem um aspecto novo na elaboração milenarista, qual seja, a previsão do tempo do fim pelo deciframento de uma pluralidade imensa de sinais do presente. Metais (como o ouro), minerais (como o diamante, o rubi e a esmeralda), ervas, conjunções astrais, números (como o 3, o 4, o 5, o 7, o 10 e o 12), eclipses e cometas, cores (como o branco, o azul, o vermelho, o verde, o cinza-chumbo e o negro), formas geométricas (como o triângulo, o quadrado, o pentágono e o círculo), proporções de harmonia sonora e luminosa, calamidades meteorológicas e políticas, peste, fome, seca passam a integrar o imaginário profético e visionário na previsão do milênio. O mundo se torna um livro de mistérios a ser decifrado com a ajuda do Livro e dos livros.

Do lado da ortodoxia cristã, dois postulados fundamentais expulsam a visão milenarista. De acordo com o primeiro, o milênio já se realizou com a Encarnação, Paixão, Morte e Ressurreição de Jesus. De acordo com o segundo, a Jerusalém Celeste já existe na terra: é a Igreja como congregação dos bons e justos, não havendo salvação fora dela. O centro da história é a Encarnação e a Ressurreição, de sorte que a expressão "mil anos de felicidade" deve ser entendida no sentido metafórico e não literal. A cronologia apresenta duas grandes divisões. A primeira visa manter a continuidade entre os dois Testamentos, isto é, trata-se da semana cósmica, que acompanha os sete dias da criação, exposta no livro do Gênesis, as eras do povo hebraico, culminando na sexta era, Encarnação e Ressurreição de Jesus (ponto de intersecção entre o Velho e Novo Testamento) e fundação da Igreja, ponto de separação com os judeus "endurecidos", enquanto a sétima era, ou o Dia do Jubileu, virá depois do Juízo Final e será o fim dos tempos porque passagem à eternidade. Os cristãos entram individualmente na sétima era, após a morte, e o milênio é, para eles, uma experiência puramente individual, o Juízo Final simplesmente reafirmando em público, o juízo que Deus já pronunciara, em privado, para cada um, encerrando o tempo terrestre. A segunda divisão do tempo, estabelecida desde os primeiros padres da Igreja, distingue três eras que, em lugar de unir continuadamente, separam o Antigo e o Novo Testamento: *ante legem* [antes da lei], o tempo do Pai, dos judeus, indo da criação do mundo à doação da lei a Moisés; *sub lege* [sob a lei], da lei de Moisés ao Advento, quando se inicia a nova lei, a de Cristo; e *sub gratia* [sob a graça], tempo do cristianismo, no qual a lei está escrita pelo Espírito Santo no coração de cada homem, que dela toma conhecimento pela graça divina (o batismo).

A esse fechamento do curso universal do tempo opõe-se, secreta e subterraneamente, o milenarismo que, no século XIII, é trazido à superfície pela obra erudita do abade beneditino cistercence da Calábria, fundador de uma nova ordem monástica, a das Flores, Joaquim de Fiori. Baseando-se no Apocalipse de são João, no livro das Revelações de Daniel, nas profecias de Isaías, nos oráculos sibilinos, na astrologia e nos visionários dos monastérios rurais da Itália, desenvolve uma visão pessimista do presente, cindido pelo cisma papal (um papa em Roma e outro na França), pela beligerância da Igreja nas cruzadas pela tomada de Jerusalém pelos mouros, pela invasão da Espanha por Saladino, pela corrupção dos costumes na Igreja e no Império, já contestados por são Bernardo e são Francisco de Assis. Joaquim de Fiori identifica Saladino como o anticristo, determina o ano de 1260 para o início do tempo do fim (que deve coincidir com o fim de Islã, cuja duração seria de seis séculos) e apresenta a primeira e duradoura *teologia trinitária da história*. Dividindo o tempo segundo a manifestação das três pessoas da Trindade, Joaquim de Fiori acredita que a natureza secreta de Deus tornar-se-á manifesta no desdobramento dos períodos temporais. No fim dos tempos, sob a ação do Espírito Santo, as formas exteriores e legais do Evangelho (a letra) cederão lugar ao sentido interior (o espírito) e o significado místico das Sagradas Escrituras se fará plenamente conhecido no Evangelho Eterno, decifrado por Joaquim. No tempo do fim, o Espírito se manifestará na plenitude aos espíritos.

O milenarismo joaquimita[25]

Joaquim de Fiori não é o primeiro nem será o último teólogo a formular uma concepção milenarista, mas é, sem dúvida, o mais elaborado, o mais completo e o que deixou as marcas mais profundas na tradição cristã e na visão ternária da história, desenvolvida pelo ocidente europeu. Alguns chegam mesmo a considerá-lo "o mais significativo teórico da história na tradição ocidental" e não por acaso, Dante faz dele o único profeta cristão a entrar no Paraíso, depois de haver lançado no Inferno todos os outros como falsos, enviados do demônio que, enquanto vivos, não conseguem ver um futuro distante e, depois de mortos, são incapazes de ver o presente. Enquanto alguns de seus predecessores, como Rupert de Deutz, Raul Glauber e Anselmo de Havelberg desenvolveram concepções milenaristas serenas, em que o milênio se encontrava muito distante e vinha como decorrência natural do desenvolvimento espiritual da Igreja, Joaquim de Fiori, elaborando sua concepção no quadro das grandes conturbações religiosas e sociopolíticas dos séculos XII e XIII, oferece uma concepção pessimista que, justamente por isso, será mais duradoura, pois a esperança milenarista tenderá sempre a aparecer em épocas de crise.

Três são as preocupações de Joaquim: a interpretação das Escrituras, o mistério da Trindade e o significado do tempo. Como observa Marjorie Reeves,[26] Joaquim de Fiori busca resolver o problema medieval por excelência, isto é, como ligar os momentos móveis do tempo e a estrutura eterna e imóvel da realidade que é fundamento da fé. Resolveu o problema por meio de um intrincado e complexo sistema de diagramas e de imagens (símbolos, figuras, números, árvores, padrões) e pela afirmação de que a Santíssima Trindade *é* a estrutura do mundo e do tempo.

Os padrões são formados a partir dos números, símbolos ou místicos: 2 (símbolo da autoridade, donde dois Testamentos; duas Igrejas, a de Pedro — ativa, representando o Filho — e a de João — contemplativa, representando o Espírito Santo); 3 (símbolo da espiritualidade, donde a Trindade, as três eras do mundo); 5 (símbolo da atividade, donde as cinco igrejas que saem do tronco da de Roma, os cinco sentidos); 7 (símbolo da contemplação, donde os sete dons do Espírito Santo, os sete selos e as sete aberturas do céu, os sete planetas, as sete Igrejas que saem do tronco da Ásia, a Semana Cósmica); 12 (símbolo da missão, donde doze Patriarcas, doze Apóstolos e, no tempo do fim, doze Abades, as doze Igrejas, cinco saídas de Pedro-Roma e sete saídas de João-Ásia).

No padrão do 3, Joaquim de Fiori distribui as três grandes eras, mantendo a terminologia agostiniana, mas mudando-lhe o sentido: *ante legem* [antes da lei] é o tempo do Pai, dos homens casados, dos reis e cavaleiros, isto é, dos doze Patriarcas; *sub lege* [sob a lei] é o tempo do Filho, do Evangelho, dos eclesiásticos, da ação da Igreja, isto é, dos doze Apóstolos; *sub gratia* [sob a graça] é o tempo do Espírito Santo, do Evangelho Eterno, da contemplação, dos contemplativos ou homens espirituais, isto é, os doze Abades do tempo do fim. O padrão do 5 simboliza a história em seus acontecimentos externos ou visíveis (são os cinco órgãos dos sentidos e a materialidade das coisas e dos eventos) enquanto o padrão do 7 simboliza a história em seus acontecimentos internos, invisíveis, espirituais (os sete dias da Semana Cósmica, os sete selos e as sete trombetas do Apocalipse, os sete dons do Espírito Santo). A soma de 5 e 7, isto é, o 12, representa a estrutura interna do tempo e este tempo é profético, pois o 12 significa missão (donde os doze pares de França, tão populares nos movimentos milenaristas brasileiros; os doze cavaleiros da Távola Redonda em busca do Graal; e os doze de frei Martin de Valência, na evangelização americana).

Cada padrão combina-se com os outros e juntos formam figuras (círculos, triângulos, quadrados, espirais) e árvores. Nestas, além de números e figuras, formam-se tríadas de idades, sentimentos e uma qualidade (uma cor, um metal, uma pedra, um vegetal, um perfume, uma hora do dia etc.). Esse conjunto qualitativo e quantitativo, referido à materialidade e à exterioridade, bem como referido à espiritualidade e à interioridade estabelece a estrutura total do tempo e o sentido da história como teofania e epifania que se encerra na terceira e última era, a do Espírito.

Joaquim de Fiori, nisto seguindo a tradição exegética rabínica, procura estabelecer as *Concordiae*, isto é, a concordância entre a letra e o espírito dos dois Testamentos (no caso dos rabinos, entre a lei escrita e a lei oral), entre eles a história eclesiástica oficial, entre esta e a história secular do presente e entre ambas e os conteúdos invisíveis do passado posto pela Bíblia. As *Concordiae* decifram o significado oculto dos textos e os reconciliam numa significação espiritual única. São elas o Quinto Evangelho ou o Evangelho Eterno, sabedoria suprema que se completará na plenitude do tempo, isto é, no tempo do fim. Assim, Deus possui os fios com que tece a história, fabricando estruturas e padrões internos, ou invisíveis para quem vê apenas a conexão casual externa.

Mais do que eras sucessivas, Joaquim de Fiori fala em *status* que se sobrepõem cumulativamente: o primeiro *status*, o do Pai e da Lei, é a *scientia*; o segundo *status*, do filho e da Graça, é a *sapientia*; o terceiro, do Espírito Santo e da Graça Plena, é o da *plenitudo intellectus*. A estrutura das eras e dos *status* é apresentada por duas *figurae*: a do alfa e a do ômega.[27] Na primeira, o Pai, uno, não é enviado, mas envia dois, o Filho e o Espírito; na segunda, o Pai e o Filho, dualidade indivisível, enviam a unidade do Espírito. A primeira exprime a criação — o princípio — enquanto a segunda exprime o Reino de Deus — o fim. No primeiro *status*, o povo de Deus é uma criança que precisa da lei; no segundo, embora mais livre do que antes, o povo de Deus ainda precisa do auxílio exterior da graça; no terceiro, adulto, maduro e livre, o povo de Deus, espiritualizado e sábio, torna-se plenamente livre e autônomo. Alcança a perfeição. Adão, Uzias e são Bento figuram estes três *status*. Os homens espirituais ou contemplativos do terceiro *status* sucedem aos homens ativos do segundo, "como Salomão sucedeu David, João Evangelista sucedeu Pedro, Cristo sucedeu João Batista". Assim, não sem motivo, no Diário da primeira viagem, Colombo escreverá aos reis que agradará a Deus que enviem às terras descobertas "homens doutos que verão a verdade de tudo", os contemplativos sucedendo ao navegante ativo. Pela mesma razão, Savonarola dedica-se aos jovens florentinos, incitando-os à reforma moral e espiritual, pois serão eles os sucessores da reforma política que pretende realizar e essa pregação, como vimos, encontra um de seus resultados no jovem Alessandro Botticelli e sua *Natividade mística*. Também não por acaso, serão joaquimistas os Irmãozinhos Espirituais, radicalizando a reforma de são Francisco de Assis e tendo contra si a fúria inquisitorial de Bernardo Gui, tão bem retratado em *O nome da rosa*.

Joaquim de Fiori previra que o Reino dos Mil Anos começaria em 1260, com a vinda do papa Angélico, a destruição do Islã, a retomada de Jerusalém pelos cristãos e a reconquista da Espanha das mãos de Saladino. A profecia não se cumpriu. Muitos acreditaram que tal sucedera porque duas profecias de Isaías ainda não haviam sido cumpridas: a dispersão de Israel na direção dos quatro ventos e a reunião de todas as nações sob a mesma fé, profecia retomada por são Marcos, quando fala na evangelização de todas as nações. Os homens ativos ainda não haviam terminado sua missão para que os homens espirituais ou contemplativos pudessem manifestar-se.

Não bastavam as cruzadas. Era preciso cristianizar as Índias e a China, isto é, o Oriente. Por isso os Irmãozinhos Espirituais defenderão com ardor as viagens ao Oriente. Por isso, sob os auspícios do papa, viaja Marco Polo com a missão de avaliar as condições dessa evangelização, suposta tanto mais fácil quanto mais se acreditava na existência dos cristãos nestorianos do Preste João e do grão-cã, resultado do trabalho do apóstolo Tomé em terras orientais, na Árvore Seca, mencionada por Daniel no sonho de Nabucodonosor e que Marco Polo julgou ter visto, na Maçã Vermelha da estátua de Justiniano, em Constantinopla (maçã que simboliza o poder imperial perdido e que só será recuperado com a expulsão do inimigo das terras santas). Marco Polo acreditara que a retomada de Jerusalém seria feita com auxílio dos chineses e mongóis que, por esse motivo, seriam convertidos e auxiliariam na conversão de todo o Oriente para que, então, pudesse iniciar-se a terceira era, o tempo pleno e eterno do Espírito.

Joaquim de Fiori dissera ser necessário criar duas novas ordens religiosas para que o terceiro tempo pudesse começar: a ordem dos contemplativos (inicialmente a dos beneditinos cistercenses e agostinianos, depois a das Flores e, de acordo com os franciscanos, a sua própria) e a dos homens ativos, evangelizadores do Oriente. Esta segunda ordem, descrita por Daniel (14,14) com a imagem dos homens "sentados numa nuvem entre o céu e a terra", feita de "justos que imitam perfeitamente a vida do Filho do Homem", é retomada por Joaquim de Fiori numa visão extática, transcrita por ele na *Exposição do Apocalipse*:

> pensamos naquele que estava sentado na nuvem branca e era como o Filho do Homem, significando uma ordem de homens justos aos quais será dado imitar perfeitamente a vida do Filho do Homem [...] e ter uma língua instruída pregando o Evangelho do Reino e colhendo a colheita final do celeiro do Senhor [...] Embora os que tivessem subido à nuvem branca da vida contemplativa fossem superiores aos que estavam envolvidos com os cuidados do mundo, os que subiram ao Templo que está no céu chegaram a uma forma de vida superior, pois a liberdade de ensinar e de pregar a doutrina espiritual na nuvem, é uma coisa, e a liberdade de amar a divina contemplação, outra [...] Uma ordem se levantará que parecerá nova, mas não é. Vestida em vestes negras e com um cinto por cima, aumentará e sua fama se espalhará por toda a parte [...] pregará a fé e a defenderá até a consumação do mundo. Haverá também uma ordem de eremitas imitando a vida dos anjos. Sua vida será como um fogo ardente em amor e zelo de Deus para consumir e extinguir a má vida dos homens maus para que não abusem da paciência de Deus. Penso que, nesse tempo, a vida dos monges será como chuva regando a face da terra em toda perfeição e justiça do amor fraterno [...] A primeira ordem [a dos contemplativos] será mais suave e agradável para recolher a colheita dos eleitos de Deus [...] mas a segunda [a dos ativos] será como um fogo de amor no zelo de Deus e será mais corajosa e belicosa para colher a safra do mal no espírito de Elias.[28]

Essa nova ordem, feita de zelo e fogo, corajosa, belicosa e ativa na colheita dos eleitos, nascida na sexta era para preparar a sétima e última, foi interpretada por Inácio de Loyola como ordem divina para concretizar a visão profética de Joaquim, fazendo-o criar a Companhia de Jesus. Não nos surpreendemos, pois, com o texto da *História do futuro*, quando Vieira julga evidente serem os jesuítas a nuvem de Isaías, que paira sobre os mares, na América e no Brasil.

E não nos surpreendemos mais quando, desde o primeiro relato da viagem, Colombo insiste em que foi enviado "em nome da Santíssima Trindade", embora somente na carta de 1501 mencione o abade Joaquim Calabrês, as eras do mundo e declare que sua empresa não careceu de "razão matemática e mapas-múndi" porque simplesmente "cumpriu-se a profecia de Isaías".

Exegeta do Mundo Novo

Por calor nin por frio non perdie su beltat
Siempre estava verde em su entegredat
Non perdie la verdura nulla tempestat

Berceo, *Milagros de Nuestra Señora*

Sem dúvida, interesses econômicos, militares, políticos determinaram a formação do império ibérico ultramarino e seria faltar ao rigor histórico ignorá-los. Todavia, sabemos que, se as idéias jamais determinam o curso da história, pois são por ele determinadas, também é verdade que cada empreendimento histórico pede aos seus sujeitos que formulem um ideário que justifique e legitime sua ação para si mesmos e perante seus contemporâneos. É disto que estamos tratando aqui, do modo como a imaginação de Colombo, e as dos que vieram logo depois dele, buscaram compreender e justificar para si e para os outros as viagens ao "oriente pelo ocidente". Se tivéssemos documentos do que pensava Martin Pinzón, por exemplo, talvez nossas considerações pudessem ser mais acuradas. Infelizmente, dele sabemos o que nos disse o almirante e nem sempre com boa vontade. Mesmo assim, teria sido difícil supor que a imaginação de Colombo tivesse sido contraditada por Pinzón e mesmo, por gente como Bobadilla ou Cortez, pois se Las Casas descreve a ação deste último como barbárie insuportável, o franciscano Mendieta não terá dúvida em considerá-lo novo Moisés, destinado a liberar os índios do "cativeiro asteca" para levá-los à Terra Prometida.

Nascido no mesmo ano que Lutero, escreve Mendieta, Cortez restauraria no Novo Mundo o que o reformador destruíra no Velho. A cidade do

México, construída sobre os templos indígenas para soterrá-los e apagá-los da história, foi edificada para ser a Nova Jerusalém.*

Já assinalamos que Colombo parece ser uma figura contraditória, para não dizermos irresponsável e de má-fé. Gostaríamos, porém, de sugerir que a contradição não é de Colombo, mas da missão que deu a si mesmo e que se concentra numa palavra-imagem símbolo: o Oriente.

Oriente significa, de um lado, o conjunto de nações a serem convertidas e evangelizadas para que se cumpra a profecia do Reino de Mil Anos e possa acontecer o Segundo Advento, profecia que se encontra não só em Isaías, mas também no pequeno apocalipse de são Marcos; "Mas é necessário que, primeiro, o evangelho seja pregado a todas as nações" (13,10). Todavia, simultaneamente, Oriente, desde a filosofia hermética, filosofia do sol, significa a pátria da perfeição e, na tradição judaico-cristã, o Paraíso Terreal, segundo sua localização no Gênesis.

> Iahweh Deus plantou um jardim em Éden, *no oriente*, e aí colocou o homem que modelara. Iahweh Deus fez crescer do solo toda espécie de árvores formosas de ver e boas de comer, e a árvore da vida no meio do jardim, e árvore do conhecimento do bem e do mal. Um rio saía do Éden para regar o jardim e de lá se dividia para formar quatro braços. O primeiro chama-se Fison; rodeia todo o país de Hévila, onde há ouro; é puro o ouro desse país no qual se encontram o obdélio e a pedra ônix. O segundo rio chama-se Geon; rodeia todo o país de Chuch. O terceiro rio chama-se Tigre; corre pelo oriente da Assíria. O quarto rio é o Eufrates. [2, 8-14]

Portador de dois significados excludentes — terra de comércio, habitada por gentios e infiéis, e paraíso terrestre feito de inocência, riqueza e abundância —, o Oriente impõe a Colombo uma dupla missão contraditória: chegar às Índias e à China, de um lado, localizar o Paraíso Terrestre, de outro. E é isto que o almirante não cessará de buscar. Sua ambigüidade com relação aos índios — ora descrevendo-os em estado de inocência e formosura, ora descrevendo-os como aptos à evangelização, ora propondo aos

(*) Valeria a pena ler as análises dos estudiosos mexicanos sobre a estrutura arquitetônica da Cidade do México de Cortez ou a de Sete Povos das Missões, mas, agora, sob a perspectiva profético-milenarista, isto é, o predomínio do quadrado (e do retângulo), em conformidade com a visão da Nova Jerusalém descrita por Ezequiel e que inspirou, juntamente com as descrições do *Corpus Hermeticus*, a organização do espaço nas utopias de Campanella e de Bacon, isto é, a *Cidade do sol* e a *Nova Atlântida*. Sobre Colombo, Campanella escreveu: "Mais viu Colombo, genovês, com os olhos e mais com o corpo correu, do que o fizeram os poetas, filósofos e teólogos, Agostinho e Lactâncio, com a mente, que negaram os antípodas". Cit. por Paolo Rossi, *Os filósofos e as máquinas*, São Paulo, Companhia das Letras, 1989, p. 90.

reis que sejam escravizados —, as obscuridades enigmáticas das medidas que pratica como cartógrafo e astrônomo, o aspecto fantástico de suas descrições dos lugares, da fauna, da flora e das gentes e o estilo de sua linguagem são sinais da dificuldade que o símbolo Oriente lhe impõe.

A suposição, levantada por muitos, de que o lado místico do almirante aparecera na velhice, quando carecia de fortes argumentos para convencer aos reis e ao papa a lhe concederem o direito de novas viagens às "Índias", não tem fundamento. No dia 21 de fevereiro de 1492, quando de regresso à Europa e enfrentando dificuldades com comandantes portugueses das ilhas dos Açores que lhe barram o caminho, forçando-o a buscar, sob tempestade, um porto e não encontrando qualquer um que lhe pareça conveniente, no Diário de Bordo registra:

> Estava assombrado como todo esse mau tempo que fazia nessas ilhas e paragens, porque nas Índias andou meses a fio sem necessidade de ancorar, e sempre encontrava tempo bom e que em nenhuma ocasião se deparou com um mar que não pudesse navegar, e que nessas ilhas havia passado por tão grave temporal, o mesmo tendo-lhe acontecido, durante a ida, até às ilhas Canárias; mas que, além delas, sempre encontrou clima e mar de grande temperança. Concluindo, diz o almirante que *bem disseram os sagrados teólogos e os sábios filósofos ao afirmar que o Paraíso terrestre está nos confins do Oriente, porque é um lugar temperadíssimo. De modo que as terras, agora descobertas, são os confins do Oriente.*[29]

A diferença entre o relato da primeira e da terceira viagem encontra-se apenas na cautela de Colombo. Na primeira, produz um curioso silogismo onde há premissas, mas não há conclusão aparente, pois, sem afirmar que encontrou o Paraíso Terrestre, afirma, todavia, ter descoberto as terras dos "confins do Oriente", temperadíssimas e, nas quais, os "sagrados teólogos e filósofos" acertaram em localizar o Paraíso. Na terceira, Colombo é explícito:

> [...] e eu afirmo que esse rio [o Orenoco] emana do Paraíso Terrestre e de terra infinita, pois do Austro até agora não se teve notícia, mas *a minha convicção é bem forte de que ali, onde indiquei, fica o Paraíso Terrestre*, e em meus ditos e afirmações me apóio nas razões e autoridades supracitadas.[30]

A maioria dos intérpretes dos documentos colombinos sente-se perplexa diante dos textos e costuma optar por uma entre duas alternativas: ou o almirante é uma cabeça cheia de fantasias medievais com mãos que usam técnicas modernas, ou o almirante é um visionário que inventa uma cosmografia e uma história natural fantásticas. Ora, não estamos diante de duas alternativas, pois as duas interpretações são corretas e não se excluem. A elas faltaria, apenas, acrescentar que estamos também diante de um homem da Renascença e que isto acarreta duas conseqüências.

Em primeiro lugar, a presença, em seus textos, de, pelo menos, três traços renascentistas: o desejo da glória pelos feitos memoráveis, como os dos Argonautas e os de Salomão, com os quais Colombo se compara; a busca da origem como perfeição e não como queda originária, isto é, o renascer como *restitutio* e *instauratio*, restituição e restauração da primavera do mundo e da dignidade do homem na Natureza, contra o envelhecimento e a caducidade do tempo presente, ânsia por um mundo novo onde o homem possa regenerar-se, à espera do Dia do Juízo (ânsia que transparece nos planos grandiosos de Colombo para a ocupação das novas terras); e a percepção do mundo segundo a organização da filosofia hermética, portanto, como mundo natural (onde o homem opera com a magia natural — donde a preocupação de Colombo em fazer vir ao novo mundo sábios que possam conhecê-lo e melhor aproveitá-lo), o mundo celeste (onde o homem opera com a matemática mística — donde os estranhos cálculos e medidas do almirante) e o mundo supraceleste (onde o homem opera em consonância com a inteligência e a vontade divinas — e que, no caso de Colombo, dependerá de que se cumpram as profecias para que o homem entre no *status* final da *plenitudo intellectus*.)

Em segundo lugar, sendo um medieval *e* um renascentista, Colombo usa os textos medievais à maneira da Renascença. Em outras palavras, Colombo decifra, interpreta, realiza a hermenêutica de um mundo que já é livro e já está contido em livros. *Colombo é o exegeta do novo mundo*, ou do "outro mundo", como ele próprio escreveu. O Mundo Novo já existe como texto e como livro *antes* da viagem que, justamente, apenas o *descobre*, retirando o véu do que estava encoberto. Antes que, no dia 3 de agosto de 1492, enfunadas as velas, Colombo parte de Palos e antes que, dobradas as velas, no imaginário dia 12 de outubro de 1492, alcance um porto, o Mundo Novo já está escrito. Usando a literatura disponível, Colombo não faz senão retomar seus *topói*, não faz senão comentá-la e interpretá-la pelos signos que sua experiência lhe vai mostrando. Em lugar de a experiência ensinar-lhe mais do que os livros ou invalidar os livros, é submetida a eles, pois somente eles podem torná-la inteligível. Isto não o faz um medieval. Quando Bacon, por exemplo, critica magos e alquimistas, seus contemporâneos, por deixarem-se guiar pelos livros, ídolos da tribo e do teatro, situa-se no ponto final da cadeia renascentista e no início da modernidade. Quando Kepler afirma, contra Fludd, que sua astronomia se faz *more mathematico* e não *more hermetico*, isso não lança Fludd no medievalismo, e sim empurra Kepler para a modernidade.

Para Colombo, o livro do mundo foi escrito duas vezes: por Deus, ao criá-lo, nomeando a criação; e pelas criaturas que interpretaram a obra divina. A Colombo resta a tarefa das *concordiae*, isto é, interpretá-lo, produzindo a conformidade entre os dois livros e seu olhar de navegante. Colombo olha, mas em lugar de ver, *lê*. Leitura que é comentário, deciframento e adequação entre as palavras e as coisas. No entanto, porque também deseja a glória imortal dos novos feitos, Colombo deixa que sua experiência tenha força e prestígio para negar e contestar os textos, dando-lhe o lugar almejado: o do descobrir que é conquistador, vencendo os preconceitos da tradição.

Qual é a biblioteca que guia o olhar de Colombo? De Plínio, sabe, por exemplo, que as plantas se classificam em ervas de vaso, ervas medicinais, cereais, legumes, flores, capim, ervas daninhas e árvores. É assim que seleciona e descreve a flora americana. Da mesma fonte sabe que os animais se dividem em comestíveis e não comestíveis, ferozes e mansos, úteis e inúteis, aquáticos, aéreos e terrestres, raros e comuns. É desta maneira que descreve a fauna americana. De Beda, Aristóteles, Sêneca, Ovídio e da Bíblia, possui informações sobre os seres mistos e por isso verá sereias, sílfides, dragões, serpentes com chifres, nas brumas distantes dos mares e montanhas. De Marco Polo, possui as descrições sobre o grão-cã, a Árvore Seca, o Preste João, a Maçã Vermelha e por isso procura signos de sua localização e tenta encontrá-los. Dos navegantes, possui a descrição e a narração sobre a história das Canárias e Cabo Verde, da Mina e dos cristianizados por são Tomé. Deles, sob a influência de Plínio, Beda e outros autores cristãos, possui a descrição das Ilhas Afortunadas, daquele Brasil de que falavam os mitos irlandeses, e as cosmografias cristãs que fazem delas o portal do Paraíso. De Pierre d'Ailly, recebe a certeza da existência dos antípodas, das riquezas incalculáveis das ilhas do mar das Índias, que as águas do mundo são mais escassas do que as terras e que por isso é muito fácil e rápido passar da Espanha às Índias. Eis por que Colombo insiste, já na primeira viagem, em haver encontrado muito ouro, pedras preciosas, prata, pérolas e sobretudo, ao realizar suas medidas, afinal, oferecia duas, das quais, como observou Las Casas, uma, a maior, era a verdadeira — sua experiência real — e a outra, menor, era a falsa — a teoria de D'Ailly e Aristóteles.

Por que insiste na temperatura amena, na terra fértil, nas águas doces e copiosas, nas gentes belas e saudáveis?

> Sempre os mesmos elementos se tinham apresentado como distintivos da paisagem do Éden ou que pareciam denunciar sua proximidade imediata: primavera perene ou temperatura sempre igual sem a variedade das estações que se encontra no clima europeu, bosques frondosos de saborosos frutos e

prados férteis, eternamente verdes ou salpicados de flores multicoloridas e olorosas, cortados de copiosas águas (usualmente quatro rios, segundo o padrão bíblico), ora em lugar elevado e íngreme, ora numa ilha encoberta em que mal se conhece a morte ou a enfermidade ou mal algum.

Desses elementos, sabemos que muitos viriam encontrá-los os navegantes quando aportassem nas terras mais chegadas à linha equinocial, em particular o das folhas sempre verdes. E não lhes pareceria de má filosofia concluir que, existindo nelas algumas dessas virtudes, não haveriam de faltar todas as mais, que pudessem completar o panorama edênico.[31]

Por que a obsessão do almirante em repetir *ad nauseam* que vai ao poente pelo austro, senão porque a cartografia teológica, inspirada num Isaías traduzido para o latim, situa o Paraíso na *terra australis*? Por que insiste em fazer da Hispaniola a redescoberta de Társis, Ofir e Setim, senão porque são ilhas bíblicas mencionadas na profecia da reunião das nações e porque são as Ilhas Afortunadas, limiar do Paraíso? Por que a certeza de haver chegado ao Paraíso ao encontrar a foz do Orenoco, senão porque o texto do Gênesis recorta o Éden com quatro rios que a tradição fará atravessar a terra inteira, enlaçando-a, e porque D'Ailly descreve os rios edênicos como rios de copiosa opulência que correm com ferocidade e estrondo (haveria estrondo maior do que a pororoca que Colombo presencia na foz do Orenoco)? Que outra razão haveria para que anotasse nos diários das várias viagens o gosto agradável das águas, mesmo quando sabe que está no mar, senão porque, em sua biblioteca cristã, os quatro rios do Paraíso correm por sob a terra e, portanto, onde quer que se vá, no Oriente, forçoso será encontrá-los?

Por que insiste Colombo na descrição das embarcações em que os índios vinham ao seu encontro, senão porque correspondiam aos "papiros" da profecia de Isaías? Por que, na terceira viagem, relata que os índios vinham cobertos de ouro e de pérolas e "mostravam como os colhiam", senão porque, segundo o próprio almirante:

> [...] se as pérolas, como diz Plínio, nascem do orvalho que cai nas ostras abertas, há muita razão para havê-las porque ali cai muito orvalho e há infinitíssimas ostras e muito grandes e porque ali não há tormenta, mas um mar sempre sossegado, sinal do que é haver árvores até entrar no mar que mostram nunca haver tormenta e cheias de infinitas ostras pregadas em seus ramos.[32]

Por que, no relato da terceira viagem, ao descrever a chegada aos confins do Oriente e a visão direta do local onde se situa o Paraíso, Colombo fala em "desconformidades nos céus", vê sereias e serpentes aladas, encontra um "calor tão forte e sol tão ardente que pensei que fosse me queimar, e por mais que chovesse e o céu estivesse muito nublado, sempre me sentia cansado",[33] senão porque está a oferecer todos os sinais com que a tradição cercara o fim do mundo para proteção do Paraíso, rodeado de montanhas intransponíveis e de muralhas de fogo?

No entanto, em honra ao descobridor, é preciso vê-lo ainda (o que também é um traço do homem renascentista) contestando a tradição. Não apenas aquela que impusera obstáculos para chegar às Índias navegando pelo Ocidente, mas também aquela, contraditória, que, por um lado, lhe impunha encontrar riquezas fabulosas, se houvesse chegado às ilhas das Índias e às dos mares que rodeiam o Paraíso, e, por outro lado, lhe impunha aceitar que o Paraíso era inatingível. Em outras palavras, a tradição que lhe impediria alcançar a glória do Descobrimento.

Assim, a ruptura com a primeira face da tradição — a que o força a descrever e prometer aos reis riquezas inexistentes — surge no relato da quarta e última viagem quando, finalmente, são descobertas as primeiras minas de ouro reais. Colombo pode, agora, escrever:

> Quando descobri as Índias, disse que era o maior repositário de riquezas do mundo. Falei de ouro, pérolas, pedras preciosas, especiarias, com os comércios e as feiras, e como tudo não apareceu com a rapidez esperada, fui alvo de insultos. Essa lição me ensinou a falar só no que ouço dos nativos da terra. Por isso, agora, ouso afirmar, porque há muitos testemunhos, que vi nesta terra de Verágua maiores indícios de ouro nos dois primeiros dias do que na Hispaniola em quatro anos [...] Jerusalém e o Monte Sião hão de ser reconstruídos por mãos cristãs. Quem há de ser, é Deus, pela boca do profeta do décimo quarto salmo, quem diz. O abade Joaquim achou que deveria sair da Espanha.[34]

Sintomaticamente, nessa quarta viagem, Colombo, enfim, declara ser uma pena que não pudesse conversar com os índios, mas a barreira da língua é considerada intransponível. A certeza de haver encontrado ouro permite-lhes, agora, submeter-se aos dados da experiência.

A ruptura com a segunda face da tradição surge no relato da terceira viagem, quando Colombo altera a forma e o lugar do Paraíso.

Que dizia a tradição?

> Indagou o frade itinerante sobre o Paraíso Terrestre, e lhe disseram os homens sábios que se achava ao alto de montanhas, tão elevadas que atingiam o círculo da lua. "E ninguém", acrescentaram, "pode vê-lo completamente, pois umas vinte pessoas que lá foram não chegaram a divisá-lo mais de três, e jamais se soube de alguma que tenha escalado as ditas montanhas. Afirmam uns que o viram do levante e outros do poente. Declararam também que, entrando o sol em Capricórnio, passam a vê-lo para o lado do leste e, quando entrou em Gemini, vêem-no para o sul."

Ajuntaram ainda que estão aquelas montanhas inteiramente circundadas de mares profundíssimos, e que da água desses mares saem quatro rios, os maiores do mundo. Chamam-nos Tigre, Eufrates, Gion e Ficxion, e regam a Núbia e a Etiópia. Tamanha bulha fazem as suas águas que podem ser ouvidas a uma distância de quatro dias de viagem. Todos aqueles que moram em suas proximidades são surdos, e não poderiam escutar uns aos outros por causa do barulho que fazem as torrentes. A todo tempo bate o sol nas montanhas e é dia ou noite em um ou outro lado. Isto porque metade deles fica aquém e a outra metade além do horizonte, de sorte que não há no topo jamais frio, nem trevas, nem calor, nem secura, nem umidade, mas reina constantemente uma temperatura igual.[35]

Que diz o almirante? Embora longo, seu texto merece ser citado quase integralmente:

> Quando naveguei da Espanha para as Índias logo verifiquei, ao passar cem léguas a Poente dos Açores, uma enorme diferença no céu e nas estrelas, e na temperatura do ar e nas águas do mar, e de muito me valeu a experiência [...]
>
> Sempre li que o mundo, formado por terra e água, era esférico, e as autoridades e experiência de Ptolomeu e tantos outros, que descreveram essa região, comprovavam isso, quer pelos eclipses da Lua e outras demonstrações que fazem de Oriente para Ocidente, como da elevação do pólo em Setentrião em Austro. Agora vi tanta desconformidade, como já disse, que passei a considerar o mundo de maneira diversa, achando que não é redondo do jeito que dizem, mas do feitio de uma pêra que fosse toda redonda, menos na parte do pedículo, que ali é mais alto, e que essa parte do pedículo seja mais elevada e como uma esfera muito redonda, como um seio de mulher e mais elevada ou próxima do céu, e se localize abaixo da linha equinocial, neste mar Oceano, nos confins do Oriente. Eu chamo de confins do Oriente o ponto onde acabam toda a terra e as ilhas, e para isso acrescento todas as razões já descritas sobre a linha que passa ao Ocidente das ilhas dos Açores a cem léguas de Setentrião em Austro, que, ao passar dali ao Poente, já vão os navios erguendo-se suavemente para o céu, e então se goza da temperatura mais branda e se muda a bússola de navegação por causa da brandura dessa quarte de vento; e quanto mais se avança e se ergue, mais noroesteia, e essa altura causa a alteração do círculo que a estrela do Norte descreve com a constelação da Ursa Menor; e quanto mais eu me aproximar da linha equinocial, mais alto subirão e maior será a diferença entre as referidas estrelas e seus respectivos círculos.
>
> A Sagrada Escritura atesta que Nosso Senhor criou o paraíso terrestre, nele colocando a árvore da vida, e de onde brota uma fonte de que resultam os quatro maiores rios deste mundo: o Ganges na Índia; o Tigre e o Eufrates, que separam a serra, dividem a Mesopotâmia e vão desembocar na Pérsia, e o Nilo, que nasce na Etiópia e acaba no mar, em Alexandria.

> E não encontro nem jamais encontrei nenhuma escritura de latinos ou gregos que indique, com segurança, o lugar em que se situa neste mundo o Paraíso terrestre; nem tampouco vi em nenhum mapa-múndi, a não ser localizado com autoridade de argumento. Alguns o colocavam ali onde ficam as fontes do Nilo, na Etiópia; mas outros percorreram todas essas terras e não encontraram nenhuma correspondência na temperatura do ar, na altura até o céu, pela qual se pudesse compreender que era ali, nem que as águas do dilúvio houvessem chegado até lá, as quais cobriram tudo, etc. Alguns infiéis tentaram provar, com argumentos que ficava nas ilhas Fortunatas, ou seja, as Canárias [...] Creio que, se eu passasse abaixo da linha equinocial, ao chegar lá, na parte mais alta, encontraria temperatura muito maior e diferença nas estrelas e nas águas; não porque creia que ali onde a altura seja máxima seja também navegável ou haja água, nem que se possa subir até lá, mas porque creio que ali é o Paraíso terrestre, aonde ninguém consegue chegar, a não ser pela vontade divina. E creio ainda que esta terra que Vossas Majestades agora mandaram descobrir seja imensa e tenha muitas outras no Austro, de que jamais se ouviu falar.
>
> Sei perfeitamente que as águas do mar levam seu curso do Oriente para o Ocidente, junto com os céus, e que ali, nessa região, quando passam, fazem rota mais rápida, e por isso devoraram tanta parte da terra. Porque por isso existem aqui tantas ilhas e elas mesmas prestam testemunho disso, porque todas, sem exceção, são largas de Poente a Levante e de Noroeste a Sudeste, que é um pouco mais alto e mais abaixo; e aqui, em todas elas, nascem coisas maravilhosas, por causa da amena temperatura que lhes emana do céu, por estar na parte mais alta do mundo [...]
>
> [...]do rio e do lago que ali encontrei, tão grande que seria mais justo considerá-lo mar, pois "lago" é lugar de água e, sendo grande, se diz "mar", como se chamou ao mar da Galiléia e ao mar Morto, e eu afirmo que esse rio emana do Paraíso terrestre e de terra infinita, pois do Austro até agora não se teve notícia, mas a minha convicção é bem forte de que ali, onde indiquei, fica o Paraíso terrestre.[36]

No entanto, se quiséssemos levar às últimas conseqüências os malentendidos da descoberta — não chegou aos "confins do Oriente", não foi descoberta, mas conquista — talvez devêssemos lembrar a ironia do tempo numerado. Mesmo que admitíssemos que a América teria sido descoberta no dia que Colombo registrou em seu diário de bordo, portanto, 12 de outubro de 1492, ainda assim, teríamos que afirmar que tal não aconteceu e que a data correta seria 23 de outubro de 1492, pois Colombo usara o calendário juliano e nós usamos o gregoriano. Sendo o cálculo do tempo decisivo na perspectiva profético-milenarista, por erro nas datas, o almirante, afinal, não aportou, de fato e deveras, no Paraíso Terreal.

O PARAÍSO DESTRUÍDO

Quién puede dudar que la pólvora
contra los infieles es incienso para el Señor?

Oviedo, *História general y natural de las Índias*

Primeiro Las Casas, depois Montaigne, a seguir Vieira e, às vésperas da Revolução Francesa, o abade Reynal, foram algumas vozes que, impotentes, ergueram-se contra o legado de Colombo: a conquista, o Paraíso destruído. Em 1975, uma mulher iroquesa afirmou:

> Agora, eles começam a se reunir para o desastre seguinte e para a destruição do homem branco por obra de suas próprias mãos [...] O tempo está próximo. E somente o índio conhece a cura para o mal. Somente o índio pode interromper esta praga. E, neste tempo, o invisível se fará visível, os surdos ouvirão e nós veremos e nos lembraremos.[37]

Para que avaliemos o que foi a obra da conquista, basta lermos alguns trechos de Oviedo, Las Casas e Sepúlveda, deixando de lado, por exemplo, o pavor de um Nóbrega diante da diferença religiosa, ou o sepultamento das cidades incas e astecas pelas edificações de Cortez ou Pizarro, sem mencionarmos o episódio de Potosí.

Comecemos com Oviedo:

> O almirante Colombo encontrou, quando descobriu esta ilha de Espanhola, um milhão de índios e índias [...] dos quais, e dos que nasceram então, não creio que estejam vivos, no presente ano de 1535, quinhentos, incluindo tanto crianças como adultos, que sejam naturais, legítimos e da raça dos primeiros índios [...] Alguns fizeram esses índios trabalhar excessivamente [...] Outros não lhes deram nada para comer, como bem lhes convinha. Além disso, as pessoas desta região são naturalmente tão inúteis, corruptas, de pouco trabalho, melancólicas, covardes, sujas, de má condição, mentirosas, sem constância e firmeza que vários índios, por prazer e passatempo, deixaram-se morrer com veneno para não trabalhar. Outros se enforcaram pelas próprias mãos. E quanto aos outros, tais doenças os atingiram que em pouco tempo morreram [...] Quanto a mim, eu acreditaria antes que Nosso Senhor permitiu, devido aos grandes, enormes e abomináveis pecados dessas pessoas selvagens, rústicas e animalescas que fossem eliminadas e banidas da superfície terrestre [...][38]

Quando a escravização e a taxa de assassinatos e suicídios dos índios assumem proporções de genocídio, Las Casas, que não admite culpar Colombo, recorda passagens do almirante sobre a beleza, coragem, simplicidade, pureza e cordialidade das gentes por ele encontradas. Retomando o esboço colombino do bom selvagem, Las Casas lança um grito de horror e de desespero contra a barbárie espanhola:

> Deus criou todas essas gentes infinitas, de todas as espécies, mui simples, sem finura, sem astúcia, sem malícia, mui obedientes e mui fiéis a seus Senhores naturais e aos espanhóis a que servem; mui humildes, mui pacientes, mui pacíficas e amantes da paz, sem contendas, sem perturbações, sem querelas, sem questões, sem ira, sem ódio e de forma alguma desejosos de vingança. São também umas gentes mui delicadas e ternas; sua compleição é pequena e não podem suportar trabalhos; e morrem logo de qualquer doença que seja [...] Têm o entendimento mui nítido e vivo; são dóceis e capazes de toda boa doutrina, são muito aptos a receber nossa santa Fé Católica e a serem instruídos em bons e virtuosos costumes, tendo para tanto menos empecilhos que qualquer outra gente do mundo. E tanto que começaram a apreciar as cousas da Fé são inflamados e ardentes, por sabê-las entender: e são assim também no exercício dos Sacramentos da Igreja e no serviço divino que verdadeiramente até os religiosos necessitam de singular paciência para suportar. E, para terminar, ouvi dizer a diversos espanhóis que não podiam negar a bondade natural que viam neles. Como essa gente seria feliz se tivesse o conhecimento do verdadeiro Deus!
>
> Sobre esses cordeiros tão dóceis, tão qualificados e dotados pelo seu Criador como se disse, os espanhóis se arremessaram no mesmo instante em que os conheceram; e como lobos, como leões e tigres cruéis, há muito tempo esfaimados, de quarenta anos para cá, e ainda hoje em dia, outra cousa não fazem ali senão despedaçar, matar, afligir, atormentar e destruir esse povo por estranhas crueldades (como vos farei ver depois); de tal sorte que de três milhões de almas que havia na ilha Espanhola e que nós vimos, não há hoje de seus naturais habitantes nem duzentas pessoas [....]
>
> Podemos dar conta boa e certa que em quarenta anos, pela tirania e diabólicas ações dos espanhóis, morreram injustamente mais de doze milhões de pessoas, homens, mulheres e crianças; e verdadeiramente eu creio, e penso não ser absolutamente exagerado, que morreram mais de quinze milhões.
>
> Aqueles que foram de Espanha para esses países (e se tem na conta de cristãos) usaram de duas maneiras gerais e principais para extirpar da face da terra aquelas míseras nações. Uma foi a guerra injusta, cruel, tirânica e sangrenta. Outra foi matar todos aqueles que podiam ainda respirar ou suspirar e pensar em recobrar a liberdade ou subtrair-se aos tormentos que suportam, como fazem todos os Senhores naturais e os homens valorosos e fortes.[39]

A denúncia de Las Casas chega, afinal, às Cortes e uma disputa acirrada se instala entre ele e Sepúlveda[40] que se encarrega de realizar a operação ideológica legitimadora, para os séculos vindouros, da escravização e mesmo do extermínio indígena. Sepúlveda lança mão de dois argumentos. O primeiro deles, tirado de Suárez, defende a tese da servidão voluntária: a liberdade é uma *facultas* da vontade humana, isto é, um poder escolher, um poder agir ou não agir, um poder fazer ou não fazer; sendo uma faculdade, é alienável, isto é, transferível voluntariamente para um outro, de sorte que a servidão, sendo voluntária, não é injusta, ilegal ou ilegítima. Parte dos índios, assegura Sepúlveda, se dispôs a essa servidão. O segundo argumento, muito mais forte e poderoso que o anterior, e que Sepúlveda mobiliza somente depois de vencido no primeiro por Las Casas, é retirado da teoria aristotélica do escravo natural ou por natureza:

> Constata-se essa mesma situação entre os homens; pois há os que, por natureza, são senhores e os que, por natureza, são servos. Os que ultrapassam os outros pela prudência e pela razão, mesmo que não os dominem pela força física, são, pela própria natureza, os senhores; por outro lado, os preguiçosos, os espíritos lentos, mesmo quando têm a força física para realizar todas as tarefas necessárias, são, por natureza, servos. E é justo e útil que sejam servos, e vemos que isso é sancionado pela própria lei divina. Pois está escrito no livro dos provérbios: "o tolo servirá ao sábio". Assim são as nações bárbaras e desumanas, estranhas à vida civil e aos costumes pacíficos. E sempre será justo e de acordo com o direito natural que essas pessoas sejam submetidas ao império de príncipes e de nações mais cultivadas e humanas, de modo que graças à virtude dos últimos e à prudência de suas leis, eles abandonam a barbárie e se adaptam a uma vida mais humana e ao culto da virtude. E se recusam esse império, é permissível impô-lo por meio das armas e tal guerra será justa, assim como o declara o direito natural [...] Concluindo: é justo, normal e de acordo com a lei natural que todos os homens probos, inteligentes, virtuosos e humanos dominem todos os que não possuem essas virtudes.[41]

A conquista, violência e barbárie que se transmite de geração a geração, numerando o tempo como história sangrenta da provação e da catástrofe, fazendo de todos os dias "dias de abominação e desolação", é a face sombria do milênio. Para Colombo, o mar Oceano abrira os portais do Paraíso. Para os índios, o mar cerrara as portas da felicidade, mal maléfico, não somente porque através dele vieram os conquistadores, mas sobretudo porque foi ele o obstáculo intransponível para a concreção de um outro milênio, o da Terra sem Males.

Como num eco à voz perdida e esquecida de Las Casas, Pierre Clastres resgata o milênio Guarani, retirando-o do contexto etnocêntrico que o descrevia como superstição, bruxaria, rebeldia e até mesmo como "macaquice", no dizer de Nóbrega, imitação da religião cristã:

Os Thévet, os Nóbrega, os Anchieta, os Montoya traem, sem o querer o silêncio censor, reconhecendo a capacidade sedutora da palavra dos feiticeiros, principal obstáculo, dizem eles, à evangelização dos selvagens. Com isto, malgrado eles mesmos, deixavam aparecer a confissão de que o cristianismo reencontrava no universo cultural dos Tupi-Guarani, isto é, dos homens "primitivos", algo fortemente articulado para opor-se com sucesso, e como que num plano de igualdade, à intenção missionária. Surpresos e amargos, os zelosos jesuítas descobrem sem o compreender, na dificuldade de sua pregação, a finitude de seu mundo e a irrisão de sua linguagem. Constatam com estupor que as superstições diabólicas dos índios podiam se elevar às regiões supremas daquilo que se chama religião.[42]

Mas, afinal, o que os missionários e visionários cristãos encontram no Novo Mundo? O que, no universo dos guarani, se interpunha à realização das profecias e do milênio? O milênio dos próprios guarani. A promessa e a esperança da Terra Sem Males.

Aquele que os jesuítas chamavam de feiticeiro, não o era. Era o *karai*, o profeta guarani, profeta errante que ia a toda parte estimulando os índios à purificação e preparação para a grande viagem que os levaria à Terra Sem Males. O *karai* é duplamente subversivo. Em primeiro lugar, por sua simples existência, pois a sociedade guarani é patrilinear e o profeta se apresentava como não tendo pai, nascido de mulher e da divindade. Enunciando a ausência do pai, afirmava não pertencer a linhagem alguma e, portanto, à própria sociedade. Mais do que isso, negava a ossatura da sociedade indígena, organizada pelos laços de sangue e parentesco. Em segundo lugar, pela enunciação de seu discurso profético, que rompia com o discurso interno a sociedade e com seus valores, proclamando o fim das suas normas.

O discurso dos *karai* pode-se resumir em uma constatação e uma promessa. Por um lado, afirmavam sem cessar o caráter intrinsecamente mau do mundo e, por outro lado, exprimiam a certeza de que era possível conquistar um mundo bom [...] O discurso profético dos *karai* não se apresentava aos índios como discurso doente, um delírio de demente, pois repercutia neles como a expressão de uma verdade à espera da qual se encontravam, como uma prosa nova que dizia o novo semblante, o semblante mau do mundo. Em suma, doente não era o discurso dos profetas, mas sim o mundo do qual falavam, a sociedade em que viviam [...] O discurso dos *karai*, muito anterior à invasão branca cristã, não era resposta aos conquistadores, nem contraponto de mitos indígenas cristianizados, mas discurso autóctone referido à experiência da própria sociedade Guarani. Qual o mal, qual a doença que os *karai* haviam percebido e sobre os quais alertavam os demais? Através do efeito conjugado de fatores demográficos (forte crescimento populacional), sociológicos (tendência à concentração em grandes

> aldeias, em vez da dispersão) e políticas (emergência de chefias poderosas) eclodia, nessa sociedade primitiva, a inovação mais mortal: a da divisão social, da desigualdade. Um mal-estar profundo, sinal de crise grave, agitava essas tribos e foi desse mal que os *karai* tomaram consciência e, para reconhecê-lo e enunciá-lo, falaram na maldade do mundo, na feiúra da vida e no cansaço da terra. Por isso os índios não os ouviam como se delirassem. Havia concordância profunda entre eles e o profeta que lhes dizia: é preciso mudar o mundo [...] Que remédio propunham os *karai*? Exortavam os índios a abandonar a terra má e dirigir-se à Terra Sem Males, lugar de repouso dos deuses, onde as flechas partem sozinhas à procura da caça, onde o milho cresce sem que ninguém cuide dele, território dos adivinhos, do qual toda alienação está ausente, território que foi, antes da destruição da primeira humanidade pelo dilúvio universal, o lugar comum aos humanos e aos divinos [...] A radicalidade da promessa não estava nela apenas, mas no fato de que com ela toda a norma e toda a regra eram abandonadas numa subversão da antiga ordem.[43]

Porque possuíam seu próprio milênio, que os fez migrar das zonas centrais do continente rumo ao litoral leste e oeste, os guarani conseguiram não sucumbir à promessa dos cristãos. Porque tinham a promessa de seus deuses, não precisavam das promessas do cristianismo. E porque a ida à Terra Sem Males encontrou um obstáculo imponderável, o mar, aprenderam, de um lado, a fazer "viagens interiores", uma especulação metafísica sobre a origem do mal e sobre seu fim pela destruição pelo fado e pela onça celeste. E, por outro lado, aprenderam também a fazer os preparativos purificadores para a grande viagem através do mar: a dança, que os tornará leves e os elevará sobre as águas até a Terra Sem Males, onde aguardarão a destruição da velha terra má e o renascimento da nova terra boa.

As viagens interiores, ou a metafísica guarani, e os ritos de purificação, ou a teologia guarani, exprimem-se no canto matinal e vespertino, na prece que cada guarani repete, à espera da Grande Palavra que virá resgatá-los:

> *Meu pai, Ñamandú,*
> *faze com que eu de novo me levante e me adorne,*
> [...]
> *E, no entanto, as palavras,*
> *Tu não as pronuncias,*
> *Karai Ru Ete: nem para mim, nem para teus filhos*
> *destinados à Terra Indestrutível,*
> *à terra eterna que pequeneza alguma altera.*
> [...]
> *Pois, em verdade, existo de maneira imperfeita.*

É de natureza imperfeita meu sangue; minha carne, desprovida de toda
[excelência.

[...]

Por isso me inclino, dobro os joelhos e me curvo,
Mas tu não pronuncias as palavras.

[...]

O mar maléfico, o mar maléfico!
Tu não o fizeste de modo a que eu pudesse atravessá-lo.
É por isso, em verdade, é por isso
que meus irmãos ficam cada vez em menor número,
cada vez menor o número de minhas irmãs.

[...]

Mas tu pronunciarás em abundância as palavras,
as palavras da alma excelente,
para aquele cuja face não está marcada por nenhum sinal.
Tu pronunciarás as palavras em abundância
para todos os destinados à Terra Indestrutível,
à terra eterna que pequeneza alguma altera.
Tu.
Vós.

NOTAS

(1) Cristóvão COLOMBO, "Carta a los reyes, 1501", *Cristóbal Colón textos y documentos completos*, Madri, Alianza Editorial, 1984, p. 281.

(2) Idem, "Relación del quarto viaje", op. cit., p. 326.

(3) Idem, "Relación del tercer viaje", op. cit., p. 203.

(4) Idem, "Carta a Juana de la Torre", em Marianne MAHAN-LOT, *Retrato histórico de Cristóvão Colombo*, Rio de Janeiro, Zahar, 1992, p. 137.

(5) Idem, "Carta a los reyes, 1501", op. cit., p. 279.

(6) Lewis MUNFORD, *The Condition of Man*, Nova York, Harcourt, Brace and Word Inc., 1944.

(7) Sérgio Buarque de HOLANDA, *A visão do paraíso*, 2ª ed., São Paulo, Nacional, 1969, p. 204 (grifos meus).

(8) Ver M. BATAILLON, "Novo Mundo e fim do mundo", *Revista de História*, ano V, vol. VIII, s. d.

(9) Francis BACON, *The Advancement of Learning*, Londres, J. M. Dent and Son, 1973, pp. 79-80. No mesmo espírito, Campanella escreve na introdução à *Cidade do sol*: "Há mais história nestes cem anos do que teve o mundo em quatro milênios; e se fizeram mais livros nestes cem anos que em cinco milênios".

(10) Ver Christopher HILL, *O mundo de ponta-cabeça*, São Paulo, Companhia das Letras, 1987.

(11) Ver L. KOLAKOWSKI, *Les chrétiens sans Eglise*, Paris, Gallimard, 1969.

(12) Isaac NEWTON, "Observations upon the Prophecies of the Holy Writ particularly of Daniel and St. John", em *Opera Omnia*, Londres, Horsley, 1779-85, t. 5, p. 450.

(13) Sentença do Santo Ofício contra o padre Vieira, citada por Maria Leonor BUESCU, "Introdução", em Antônio Vieira, *História do futuro — Do Quinto Império de Portugal*, Lisboa, Imprensa Nacional-Casa da Moeda, s. d., p. 13.

(14) Em 721 a. C., Sargon, rei da Assíria, invade a Samaria, desmantela o Reino de Israel (menos as tribos de Judá e Benjamin, que formam o Reino da Judéia), deportando e dispersando as outras dez tribos, que desaparecem da história. Durante séculos elas serão buscadas, não só porque os judeus (os da Judéia) imaginam que elas se conservaram com suas tradições e religião, como eles o haviam feito, mas também porque a profecia de Isaías sobre o Messias exige, primeiro, a dispersão de todo o povo nas quatro direções dos ventos, para depois haver a reunião do "resto de Israel", formando um só rebanho sob um só pastor. Para Menasseh ben Israel, o relato de Montezinos é decisivo, sobretudo quando, em 1656, chega a Amsterdam a notícia do aparecimento do Messias, Sabbatai Sevi, em Smirna. Sobre as relações entre Menasseh e Vieira, veja-se A. SARAIVA, "Antônio Vieira, Menasseh ben Israel et le Cinquième Empire", *Studia Rosenthaliana*, vol. VI, nº 1, jan. 1972; H. MECHOULAN, "Introduction", em Menasseh ben ISRAEL, *Espérance d'Israel*, Paris, Vrin, 1979. Sobre a tese de Menasseh veja-se *Esto es la esperança de Ysrael*, Amsterdam, 1650 (há um original na Biblothèque Nationale de Paris, no Britsh Museum, na Library of Congress, em Washington, e na Biblioteca Rosenthaliana de Amsterdam). Para o messianismo judaico do século XVII em Amsterdam, veja-se, entre outros, G. SCHOLEM, *Sabbatai Sevi the Mystical Messiah 1626-1676*, Princenton, Princenton University Press, 1973.

(15) A. VIEIRA, op. cit., p. 203. *Terra australi*: o Ocidente, as Índias Ocidentais na interpretação de Colombo e de Vieira, a partir de Isaías em latim, e do mapa de Toscanelli.

(16) Idem, ibidem, p. 204.

(17) Idem, ibidem, pp. 210-1 (grifos meus).

(18) Idem, ibidem, p. 219.

(19) M. MAHAN-LOT, op. cit.; Kirkpatrick Sale, *The Conquest of Paradise — Christopher Columbus and the Columbian Legacy*, Nova York, Alfred Knopf, 1990.

(20) Eis a descrição da Hispaniola (São Domingos): "Lançou âncora num rio não muito grande que banhava planícies e campos de maravilhosa beleza. Levou redes para pescar e, antes que chegasse à margem, uma liça saltou para dentro do barco, semelhante às que existem na Espanha. Até então, não haviam visto peixe algum parecido com os de Castela. Os marinheiros pescaram e mataram ostras, linguados e outros como os de lá. Caminhou um pouco pela terra, que é toda cultivada, e ouviu cantar o rouxinol e outros passarinhos como os de Castela. Encontrou murta e outras árvores iguais às de Castela, assim como são iguais a terra e as montanhas [...] A ilha é grande e muito bem cultivada. O Almirante acha que os povoados devem ser longe do mar, de onde enxergam a chegada das caravelas e por isso todos fugiam espavoridos [...] Em frente ao porto há várzeas, das mais lindas do mundo e quase semelhantes às terras de Castela, mas com mais vantagens do que elas e por isso chamou a ilha de Ilha Hispaniola". *Cristóbal Colón*, op. cit., pp. 76 e 77. Na carta de fevereiro de 1502, ao papa, escreve: "Esta ilha é Társis, Setim, Ofir, Ofaz e Cipango e a chamamos Hispaniola", op. cit., p. 311. Colombo unifica, assim, as ilhas bíblicas salomônicas (Társis, Ofir, Ofaz, Setim), a descrição de Marco Polo e a localização de Cipango no mapa de Toscanelli.

(21) A este respeito veja-se Bernard Mc GINS, *Visions of the End*, Nova York, Columbia University Press, 1979; Michel AVI-YONAH, *The Jews of Palestine: a Political History from Bar-Kohbkba to the Arab Conquest*, Nova York, Schonken, 1976; Michel BARKUN, *Disaster and the Millenium*, New Haven, Yale University Press, 1974; Norman COHN, *Na senda do milênio*, Lisboa, Presença, 1970; E. BLOCH, *Le principe Espérance*, Paris, Gallimard, 1969; E. R. CHAMBELIN, *AntiChristi and the Millenium*, Nova York, Dutton, 1975; G. DUBY, *O Ano*

Mil, Lisboa, Edições 70, 1980; Robert E. LERNER, "Medieval prophecy and Religious Dissent", *Past and Present*, nº 72, 1976; Henri de LUBAC, *Exégèse médiévale: les quatre sens l'Ecriture*, Paris, Aubier, 1959-64, 4 vols.; "Memória e História", *Enciclopédia Einaudi*, Lisboa, Imprensa Nacional-Casa da Moeda, 1984.

(22) A este respeito veja-se Georges HUPPERT, *L'idée d'histoire parfaite*, Paris, Gallimard, 1975; Claude LEFORT, *Le travail de l'oeuvre*, Paris, Gallimard, 1972; Hannah ARENDT, *Entre o passado e o futuro*, São Paulo, Perspectiva, 1972; Quentin SKINNER, *Foundations of the Modern Political Thougth*, Cambridge, Cambridge University Press, 1978; Victor GOLDSCHMIDT, *Le système stoicien et l'idée de temps*, Paris, Vrin, 1953; Pierre AUBENQUE, *Le problème de l'être chez Aristote*, Paris, Presses Universitaires de France, 1966; J. P. VERNANT, *Mythe et pensée chez les Grecs*, Paris, Maspéro, 1968; A. H. N. COCHRANE, *Christianity and Classical Culture*, Oxford, Oxford University Press, 1977; E. PANOSFSKI, *Essais d'iconologie*, Paris, Gallimard, 1967.

(23) A este respeito veja-se E. AUERBACH, "La cicatrice d'Ulysse", em *Mimésis*, Paris, Gallimard, 1968.

(24) Ver G. SCHOLEM, *The Messianic Idea in Judaism*, Nova York, Schonken, 1971; *Kaballah*, Nova York, Meridian Books, 1978.

(25) As principais obras de Joaquim de Fiori são *Concordia Novi et Veteris Testamenti* (ou, como é mais conhecido, *Liber Concordiae*), *Expositio in Apocalypsim* e *Psalterium Decem Chordarum*. A primeira impressão dos manuscristos foi feita em Veneza, no século XVI, e há cópia fotográfica desta edição, feita em 1964 pela editora Minerva G. M. B. H. de Frankfurt (existem exemplares disponíveis). Sobre Joaquim de Fiori veja-se Marjorie REEVES, *The Influence of Prophecy in late Middle Ages: a Study in Joachimism*, Oxford, Clarendon Press, 1969; *Joachim de Fiori and Prophetic Future*, Londres, S. P. C. K., 1976; Bernard Mc GINNS, "The Abbot and the Doctors: Scholastic reactions to the Radical Eschatology of Joachim of Fiore", *Church History*, nº 40, 1971; Francesco RUSSO, *Gioachino da Fiore e le Fondazioni Florensi in Calabria*, Nápoles, Fiorentino, 1959; Leone TONDELLI, *Il libro delle figure del'Abbate Gioachino da Fiore*, Turim, S. Editrice Internazionale, 1953.

(26) Marjorie Reeves, *The Influence of Prophecy*, op. cit.

(27) Estrutura do alfa

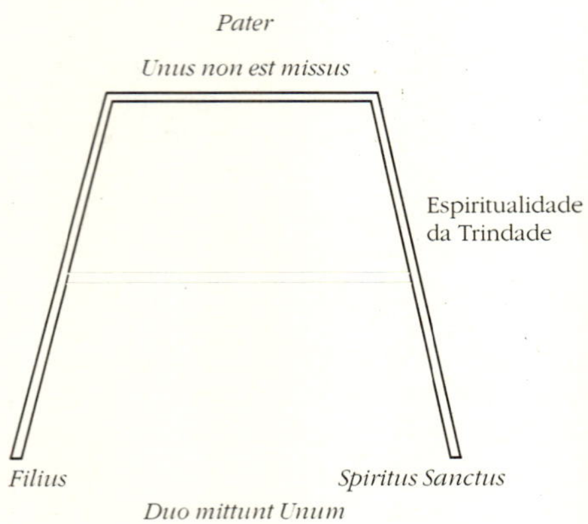

Pai: Uno não é enviado
Filho e Espírito Santo: Dois são enviados

Estrutura do ômega

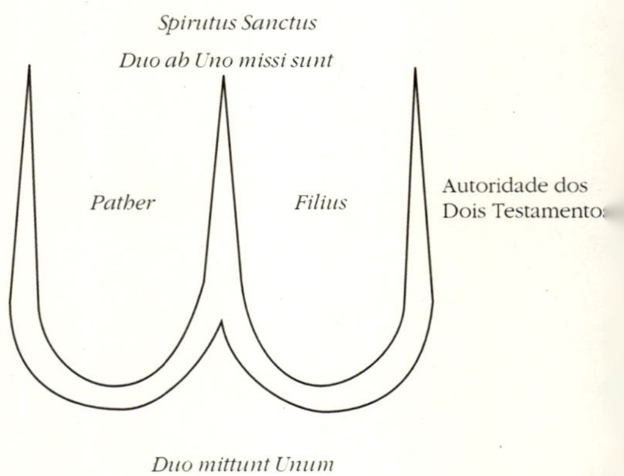

Espírito Santo: Uno enviado por Dois
Pai e Filho: Dois enviam Um

(28) Joaquim de FIORI, *Exposito in Apocalypsim* (edição de Frankfut, 1964), pp. 175-6.

(29) C. COLOMBO, "Relacion del primer viaje", op. cit., p. 132 (grifos meus).

(30) Idem, ibidem, p. 219 (grifos meus).

(31) S. B. de HOLANDA, op. cit., p. 170.

(32) C. COLOMBO, "Relación del tercer viaje", op. cit., p. 209.

(33) Idem, ibidem, p. 208.

(34) Idem, "Relación del quarto viaje", op. cit., p. 326.

(35) S. B. de HOLANDA, op. cit., p. 177.

(36) C. COLOMBO, "Relación del tercer viaje", op. cit., pp. 211, 213-6, 218.

(37) Cit. por Kirkpatrick SALE, op. cit., p. 369.

(38) G. F. Oviedo, *História geral e natural das Índias*, em *O Paraíso destruído*, Porto Alegre, L&PM, 1984, p. 22.

(39) Bartolomeu de LAS CASAS, *Brevíssimo relatório da destruição das Índias Ocidentais*, em *O Paraíso destruído*, op. cit., pp. 26-9.

(40) Sobre a disputa envolvendo Aristóteles veja-se Lewis HANKE, *Aristóteles e os índios*, São Paulo, Martins, s. d.

(41) SEPÚLVEDA, *Resposta ao Brevíssimo Relatório*, em *O Paraíso destruído*, op. cit., p. 23.

(42) Pierre CLASTRES, *La société contre l'Etat*, Paris, Seuil, p. 12.

(43) Idem, ibidem, p. 13.

QUADRO SINÓTICO

ANO	*ECONOMIA E POLÍTICA*	*ARTE E CULTURA*	*FILOSOFIA, CIÊNCIA E TÉCNICA*
1415	Portugueses em Ceuta Médicis ampliam atividades bancárias		
1418	Portugueses na Madeira		Primeiras impressões xilográficas nos Países Baixos
1420		Brunelleschi, Igreja São Lourenço em Florença	
1422		Fra Angelico: *A coroação da Virgem*	
1427			Fundação da Universidade de Louvain
1429	Portugueses dobram o cabo Bojador	Masaccio: *O tributo de são Pedro* Donatello: *O festim de Herodes*	
1430		François Villon	

ANO	*ECONOMIA E POLÍTICA*	*ARTE E CULTURA*	*FILOSOFIA, CIÊNCIA E TÉCNICA*
1431	Processo e suplício de Joana d'Arc Portugueses nos Açores		
1432		Jan Van Eyek: *O Cordeiro místico*	
1436	Ingleses abandonam Paris Portugueses no rio do Ouro	Van der Weyden: *Descida da cruz*	
1438		Impressão de textos com blocos de madeira em Haarlem	
1440		Começa a construção do Palácio Pitti em Florença	Nicolau de Cusa: *De docta ignorantia*
1444	Primeiras conquistas dos Incas	Fra Angelico: afrescos de Orvieto	
1450			Gutenberg abre ateliê de impressão em Mogúncia
1453	Tomada de Constantinopla pelos turcos otomanos segundo a tradição, fim da Idade Média Portugueses nas ilhas do cabo Verde		
1456	Portugueses no golfo da Guiné		
1462		Tríptico dos Reis Magos	

ANO	*ECONOMIA E POLÍTICA*	*ARTE E CULTURA*	*FILOSOFIA, CIÊNCIA E TÉCNICA*
1464			Regiomontanus, introdução à trigonometria
1469	Isabel de Castela casa-se com Fernando de Aragão, unificando a Espanha Lourenço de Médicis, senhor de Florença		
1470		Alberti: fachada de Santa Maria Novella, Florença	
1473	Os portugueses atravessam o Equador	Botticelli: *São Sebastião* Capela Sistina	
1477		Botticelli: *A primavera*	
1478		Bramante: *Igreja de São Satiro*	
1479		Hans Memling: *Casamento místico de santa Catarina*	Primeiros fuzis de cano raiado
1481	Inquisição na Espanha: Torquemada		
1482	Portugueses na foz do rio Congo		Primeira impressão da *Geometria* de Euclides
1485	Colônia portuguesa na Costa do Ouro	Construção do templo do México pelo astecas	

ANO	*ECONOMIA E POLÍTICA*	*ARTE E CULTURA*	*FILOSOFIA, CIÊNCIA E TÉCNICA*
1486	Portugueses chegam ao Índico por terra	Boticelli: *Nascimento de Vênus*	
1487	O banqueiro Jacob Fugger controla a produção e venda da prata no Tirol Papa condena Pico della Mirandola		
1488	Portugueses dobram o cabo da Boa Esperança		Hans Memling: Relicário *de santa Úrsula*
1489		Botticelli: *Anunciação*	
1490			Construção do Mosteiro da Batalha
1492	Os espanhóis tomam Granada e expulsam os árabes da Península Ibérica Cristóvão Colombo chega às Antilhas Primeira expedição francesa à Itália	Dürer: auto-retrato Ghirlandaio: *Nascimento da Virgem*	Leonardo da Vinci desenha uma máquina voadora
1494	Tratado de Tordesilhas		
1497		Leonardo da Vinci: *A Ceia*	
1498	Morte de Savonarola Vasco da Gama chega à Índia	Dürer: *O apocalipse* Leonardo da Vinci: *Sant'Ana e a Virgem*	
1500	Cabral no Brasil Espanhóis e franceses dividem a Itália com o Tratado de Granada	Convento dos Jerônimos em Lisboa Bosch: *Tentação de santo Antão*	

ANO	*ECONOMIA E POLÍTICA*	*ARTE E CULTURA*	*FILOSOFIA, CIÊNCIA E TÉCNICA*
1501	Primeiro envio de escravos negros para a América	Michelangelo: *Pietà*	
1502	Expulsos da Espanha os mouros não convertidos		
1503	Contrato entre Portugal e os Welser para o comércio das Índias Albuquerque na Índia Expedição normanda ao Brasil	Michelangelo: *A Sagrada Família* e *David*	
1504	Franceses expulsos de Nápoles	Bramante: *Claustro de Santa Maria Della Pace* Rafael: *O casamento da Virgem*	
1505	Portugueses em Moçambique	Grünewald: *A crucificação*	
1506		Michelangelo: *Virgem e menino* Bramante: *Construção da Igreja de São Pedro em Roma* Da Vinci: *La Gioconda* Lucas Cranach: *Martírio de santa Catarina*	
1507	Papa Júlio II vende as indulgências	Da Vinci: *A Virgem nos rochedos* Michelangelo pinta a Capela Sistina	Primeiro mapa em que figura o nome da América
1508	Os Fugger obtêm o contrato da moeda pontifícia		

ANO	*ECONOMIA E POLÍTICA*	*ARTE E CULTURA*	*FILOSOFIA, CIÊNCIA E TÉCNICA*
1509	Henrique VIII rei da Inglaterra		
1510	Albuquerque ocupa Goa	Jerônimo Bosch: *O inferno*	
1511	Portugueses em Malaca e nas Molucas		Erasmo: *Elogio da loucura*
1512	Os franceses perdem Milão	Michelangelo: *Moisés*	
1513	Os Fugger comercializam indulgências na Alemanha Inquisição na Sicília	Dürer: *O cavaleiro da morte* Ticiano: *O amor sagrado e o amor profundo*	Maquiavel: *O príncipe*
1514		Correggio: *A Virgem e são Francisco* Rafael: *Os atos dos apóstolos*	
1515		Grünewald: *Retábulo de Issenheim*	
1516	Café na Europa		Thomas Morus: *A utopia* Pomponazzi: *Tratado da imortalidade da alma* Erasmo: *Edição do Novo Testamento*
1517	Portugueses em Cantão, na China Espanhóis no Yucatán		Teses de Lutero sobre as indulgências Pregação de Zwiengli na Suíça Reuchlin: *Sobre a arte cabalística*

ANO	*ECONOMIA E POLÍTICA*	*ARTE E CULTURA*	*FILOSOFIA, CIÊNCIA E TÉCNICA*
1518		Holbein: *A fonte da vida*	
1519	Cortés no México Começa a viagem de Fernão de Magalhães		
1520	Insurreição no México contra Cortés Portugueses em Pequim Magalhães descobre o estreiro e entra no Pacífico	Ticiano: *As bacantes* Cranach: *Retrato de Lutero* Janela do Convento de Cristo em Tomar (arte manuelina)	Lutero: *Manifesto à nobreza alemã*
1521	Excomunhão de Lutero Tomada do México pelos espanhóis Morte de Fernão de Magalhães O bicho-da-seda na França	Dürer: *Desconhecido* Holbein: *Cristo morto* Morte de Josquin Des Près	Maquiavel: *Diálogos sobre a arte da guerra* Melanchton: *Apologia de Lutero*
1522	Ruptura entre Lutero e Müntzer Inquisição nos Países Baixos		
1523	Pizarro em Guayaquil Anabatismo na Alemanha	Holbein: *Retrato de Erasmo*	
1524	A guerra dos camponeses na Alemanha dirigida por Müntzer Primeira viagem de Pizarro ao Peru		Erasmo: *Sobre o livre arbítrio* Rudolf introduz o signo $\sqrt{\ }$ (raiz quadrada) Lutero: *Carta aos príncipes da Saxônia*
1525	Esmagado o levantamento camponês e e morte de Müntzer Os Welser fundam uma agência em São Domingos		Lutero: *Contra as ordens camponesas*; *Do servo arbítrio*

ANO	*ECONOMIA E POLÍTICA*	*ARTE E CULTURA*	*FILOSOFIA, CIÊNCIA E TÉCNICA*
1526	Organização da Igreja luterana Atividade dos dominicanos no Brasil		Inácio de Loyola: *Exercícios espirituais* Paracelso pesquisa medicamentos
1527	Dinamarca e Suécia adotam o luteranismo	Lucas de Leyde: *Juízo Final* Ticiano: *Vênus de Urbino*	
1528	Suíça adere à Reforma A conquista do Eldorado entregue aos Welser	Corregio: *A Virgem e são Jerônimo*	Castiglione: *O cortesão* Dürer: *Tratado das proporções do corpo humano*
1529	Anabatismo nos Países Baixos		Lutero: *Pequeno e grande catecismos*
1530	Coroação imperial de Carlos V Guerra Civil na Suíça: morte de Zwingli	Criação do Collège de France	Melanchton: *Dieta e confissão de Augsburgo*
1531	Bolsa de valores de Antuérpia e Amsterdam Henrique VIII se proclama chefe da Igreja anglicana	Michelangelo: *A noite e a aurora*	
1532	Pizarro prende Atahualpa	Rabelais: *Gargântua e Pantagruel* Correggio: *A Virgem e são Jorge*	
1533	Calvino adere à Reforma Pizarro toma Cuzco Henrique VIII casa-se com Ana Bolena	Ticiano: *Retrato de Carlos V* Holbein: *Os embaixadores*	
1534	Portugueses em Diu Peru se rebela contra Pizarro		

ANO	ECONOMIA E POLÍTICA	ARTE E CULTURA	FILOSOFIA, CIÊNCIA E TÉCNICA
1535	Tomada de Münster e matança dos anabatistas Execução de Thomas Morus na Inglaterra		
1536	Execução de Ana Bolena Supressão dos conventos na Inglaterra	Morte de Erasmo Michelangelo: *O Juízo Final*	Calvino: *Instituição da religião cristã*
1537	Tartaglia: *Estudos de balística*	Primeiro mapa de Mercator	
1538	Excomunhão de Henrique VIII Os espanhóis em Buenos Aires	Ticiano: *A Vênus de Urbino*	
1539	Greve de imprensa em Lyon e Paris Organização definitiva da Companhia de Jesus		
1540	Execução de Thomas Cromwell		Miguel Servet descobre a circulação do sangue
1541		Michelangelo: *O julgamento final*	
1542	Aliança de Carlos V e Henrique VIII Inquisição em Roma Os portugueses no Japão		Las Casas: *Breve narrativa sobre a ruína dos índios*

ANO	*ECONOMIA E POLÍTICA*	*ARTE E CULTURA*	*FILOSOFIA, CIÊNCIA E TÉCNICA*
1543			Copérnico: *De revolutionibus orbium coelestium* Vesálio: *De corporis humani fabrica*
1544	Fundação em Colônia do primeiro colégio jesuíta alemão		Münster: *Cosmographia universalis*
1545	Abertura do Concílio de Trento São Francisco Xavier na China Abertura das minas de Potosí	Tintoretto: *Assunção da Virgem*	Lutero: *Contra o papado* Calvino: *Contra a seita dos libertinos*
1546	Morte de Lutero Inquisição em Nápoles Criação de dois arcebispados na América Jesuítas no Brasil		
1547	Morte de Henrique VII Começa o reinado de Ivan, o Terrível	Michelangelo dirige as obras de São Pedro em Roma Ticiano: *Vênus e Adônis* Tintoretto: *Apresentação no templo*	
1548			La Boétie: *Discurso da servidão voluntária*
1549	Francisco Xavier no Japão	Palladio começa a Basílica de Vicenzenza	

ANO	*ECONOMIA E POLÍTICA*	*ARTE E CULTURA*	*FILOSOFIA, CIÊNCIA E TÉCNICA*
1551		Fundação da Universidade de Lima no Peru	
1553	Execução de Miguel Servet	Fundação da Universidade do México	Calvino: Defesa da fé ortodoxa
1555	Perseguição contra os protestantes na Inglaterra Franceses saqueiam Havana e tentam se estabelecer no Brasil		
1556	Abdicação de Carlos v Morte de Inácio de Loyola	Pomponazzi publica *De naturalium causis* Palestrina: *Missa do papa Marcelo*	
1557	Bancarrota espanhola Franceses insistem em se estabelecer no Brasil Portugueses se instalam em Macau		
1558	Bancarrota francesa Morte de Carlos v	Bruegel: *O alquimista*	
1559	Primeiro índice de livros proibidos pela Igreja Primeiro sínodo calvinista em Paris		
1560	Estabilização da libra esterlina na Inglaterra Jesuítas na Polônia Início das guerras de religião na França	Tintoretto: *Susana no banho*	

ANO	*ECONOMIA E POLÍTICA*	*ARTE E CULTURA*	*FILOSOFIA, CIÊNCIA E TÉCNICA*
1561	Ivan, o Terrível, destrói a Ordem Teutônica		Teresa de Ávila: *O livro da minha vida*
1562	Ingleses na América, franceses na Califórnia		
1563	Os banqueiros Fugger em apuros Fim do concílio de Trento	Construção do Escorial	
1564	Morte de Calvino		
1566	Fundação da bolsa de Londres		
1567	Destruição dos estabelecimentos franceses no Brasil	Surge a *commedia dell'arte*	
1568	São João da Cruz funda a Ordem dos Carmelitas	Bruegel: *Banquete de bodas* e *Baile dos camponeses*	
1569	Indústria têxtil proibida nas colônias espanholas	Projeção de Mercator (mapa-múndi)	
1570	Papa excomunga Elizabeth da Inglaterra	Veronese: *O Calvá-vário*	
1571	Vitória dos espanhóis sobre os turcos na batalha de Lepanto Greve de impressores em Paris e Lyon		Palladio: *Tratado de arquitetura*

ANO	*ECONOMIA E POLÍTICA*	*ARTE E CULTURA*	*FILOSOFIA, CIÊNCIA E TÉCNICA*
1572	A noite de São Bartolomeu Francis Drake captura frota espanhola das Índias Ocidentais O pirata Francis Drake no Panamá	Camões: *Os lusíadas*	
1573	Catarina de Médicis faz a paz com os protestantes		Teresa de Ávila: *Fundaciones*
1574	Novas guerras de religião	Ticiano: *Retrato de Filipe II*	
1575	Bancarrota espanhola	Tintoretto: *Júpiter dando o império do mundo a Veneza* Observatório de Tycho Brahe	
1576		Inauguração em Londres do primeiro teatro estável	Jean Bodin: *A república*
1577	Início da viagem do pirata inglês Francis Drake em torno do mundo Reforma monetária na França	El Greco: *La trinidad* Papa Gregório XIII: revisão do canto gregoriano	
1578	D. Sebastião de Portugal morre na batalha de Alcácer Quibir, no Marrocos	Tintoretto: *Vênus, Ariadne e Baco*	

ANO	*ECONOMIA E POLÍTICA*	*ARTE E CULTURA*	*FILOSOFIA, CIÊNCIA E TÉCNICA*
1579	Fundação em Londres da Eastland Company Formação das Províncias Unidas (Holanda)	El Greco: *O espólio*	
1580	Filipe II da Espanha conquista Portugal	Montaigne: *Ensaios* Tasso: *Jerusalém libertada* El Greco: *Adoração do nome de Jesus*	
1581	A Holanda proclama a deposição de Filipe II: Orange lidera Regresso de Francis Drake à Inglaterra		
1582	Reforma do calendário pelo papa Gregório XIII		Giordano Bruno: *De umbris idearum*
1584	Morre Ivan, o Terrível Assassinato de Guilherme de Orange	Redação do *Ratio studiorum* dos jesuítas	Giordano Bruno: *Sobre o infinito do universo e dos mundos*
1585			Giordano Bruno: *Os heróicos furores* Cervantes: *Galatea*
1586		El Greco: *enterro do conde de Orgaz*	
1587	Execução de Maria Stuart Pirata Francis Drake saqueia Cádiz	Criação da imprensa do Vaticano	

ANO	*ECONOMIA E POLÍTICA*	*ARTE E CULTURA*	*FILOSOFIA, CIÊNCIA E TÉCNICA*
1588	Derrota da Armada Invencible espanhola pelos ingleses Criação do Banco Dirrialto em Veneza	Tintoretto: *O paraíso*	
1589		Caravaggio: *Baco*	
1590		Shakespeare: *Henri-Hque VI*	Galileu: *De motu*
1591	Edito de Nantes: terror em Paris Primeira expedição inglesa à Índia		
1592		Shakespeare: *Ricardo III*	
1593	Banco de Sant'Ambrósio em Milão	Shakespeare: *A megera domada*	Molina: *Da justiça e do direito*
1594	O Parlamento de Paris expulsa os jesuítas		
1595	Ingleses na Venezuela e holandeses na Insulíndia	Publicação do Atlas de Mercator Shakespeare: *Ricardo II* e *Sonho de uma noite de verão* El Greco: *Vista de Toledo*	
1600	Execução pela Inquisição de Giordano Bruno		

CRÉDITOS DAS ILUSTRAÇÕES

1ª guarda. DESCELLIERS [Desceliers, Descalier], Pierre. *Parte americana do planisfério feito em Arques, França, 1546.* In ADONIAS, Isa (pesq., texto e sel. cart.), & FURRER, Bruno (org.). *Mapa — Imagens da formação territorial brasileira.* Rio de Janeiro, Fundação Emílio Odebrecht, 1993, p. 34.

2ª guarda. DESCELLIERS [Desceliers, Descalier], Pierre. *América do Sul no planisfério feito em Arques, França, 1550.* In ADONIAS, Isa (pesq., texto e sel. cart.), & FURRER, Bruno (org.). *Mapa — Imagens da formação territorial brasileira.* Rio de Janeiro, Fundação Emílio Odebrecht, 1993, p. 35.

1. *Mapa-múndi de Henricus Martellus,* c. 1489. In *Insularinus Illustratem.* Londres, British Library. In, PAULINO, Francisco Faria (coord.). *Portugal y los descubrimientos — El encuentro de civilizaciones.* Portugal, Comissariado de Portugal para a Exposição Universal de Sevilha, 1992, pp. 108 e 109.

2. *Ptolemaeus Auctus,* c. 1520. In *Geografia.* Nova York, The New York Public Library.

3. Mapa-múndi português, c. 1519, carta de Lopo Homem-Reineis, In *Portugaliae Monumenta Cartographica,* vol. 1. *Atlas Miller.* Paris, Biblioteca Nacional.

4. Planisfério anônimo, atribuído a Martin Waldseemüller, c. 1507. Casa Waldburg zu Wolfegg-Waldsee.

5. Carta *Marina Navigatoria Portugallen Navigationes,* c. 1516. Casa Waldburg zu Wolfegg-Waldsee.

6. Planisfério de Sebastião Cabot, c. 1544, gravado em Londres em 1553. Paris, Biblioteca Nacional.

7. *Monstros imaginários,* século XVI, gravura. In BARRETO, Luís Filipe, & GARCIA, José Manuel (orgs.). *Portugal na abertura do mundo.* Comissão Nacional para as Comemorações dos Descobrimentos Portugueses. Lisboa, fev. 1995, pp. 8 e 9.

8. Cena de cerimônia canibal, de Johan Froschauer, c. 1589, gravura.

9. *Theatrvm mvndi.* Planisfério. João Baptista Lavanha e Luís Teixeira, 1612; pergaminho, 38 × 53 cm. Turim, Biblioteca Reale. ADONIAS, Isa (pesq., texto e sel. cart.), & FURRER, Bruno (org.). *Mapa — Imagens da formação territorial brasileira.* Rio de Janeiro, Fundação Emílio Odebrecht, 1993, página de abertura.

10. *Planisfério.* In *Cosmographia* de Claúdio Ptolomeu. Ulma, 1482. In BARRETO, Luís Filipe, & GARCIA, José Manuel (orgs.). *Portugal na abertura do mundo.* Comissão Nacional para as Comemorações dos Descobrimentos Portugueses. Lisboa, fev. 1995, pp. 12 e 13.

11. *Barco*. Ilustração da *Bíblia hebréia* da Biblioteca Nacional de Lisboa, 1299. In PAULINO, Francisco Faria (org.). *Portugal — La formación de un país*. Portugal, Comissariado de Portugal para a Exposição Universal de Sevilha, 1992, p. 150.

12. *Pescadores*. Autoria desconhecida. In *Missal antigo do Lorvão*, século XIV. Lisboa, Arquivo Nacional da Torre do Tombo. In PAULINO, Francisco Faria (org.). *Portugal — La formación de un país*. Portugal, Comissariado de Portugal para a Exposição Universal de Sevilha, 1992, p. 138.

13. *Mapa-múndi*. In *Ethimologiarum Libri Viginti*, de Santo Isidoro de Sevilha, cópia do final do século XIII. Lisboa, Biblioteca Nacional. In BARRETO, Luís Filipe, & GARCIA, José Manuel (orgs.). *Portugal na abertura do mundo*. Comissão Nacional para as Comemorações dos Descobrimentos Portugueses. Lisboa, fev. 1995, p. 12.

14. *Mapa de Pedro Reinel*, c. 1485. Bourdeaux, Archives Départementales de Gironde.

15. *Esboço da Terra*, atlas anônimo, c. 1560. In *Livro de marinharia de João de Lisboa*. Lisboa, Arquivo Nacional da Torre do Tombo. In BARRETO, Luís Filipe, & GARCIA, José Manuel (orgs.). *Portugal na abertura do mundo*. Comissão Nacional para as Comemorações dos Descobrimentos Portugueses. Lisboa, fev. 1995, p. 46.

16. *Gênios soprando os ventos*, s.d. In BARRETO, Luís Filipe, & GARCIA, José Manuel (orgs.). Portugal na abertura do mundo. Comissão Nacional para as Comemorações dos Descobrimentos Portugueses. Lisboa, fev. 1995, pp. 80 e 81.

17. *Grandes viagens marítimas*. In BARRETO, Luís Filipe, & GARCIA, José Manuel (orgs.). *Portugal na abertura do mundo*. Comissão Nacional para as Comemorações dos Descobrimentos Portugueses. Lisboa, fev. 1995, pp. 20 e 21.

18. *Carta das linhas costeiras de parte da Europa, África e América*, de Sebastião Lopes, 1558. Londres, British Library. In BARRETO, Luís Filipe, & GARCIA, José Manuel (orgs.). *Portugal na abertura do mundo*. Comissão Nacional para as Comemorações dos Descobrimentos Portugueses. Lisboa, fev. 1995, p. 48.

19. *Armada da segunda de Vasco da Gama à Índia, 1502,* no livro de Lusiarte de Abreu, c. 1558-64. Nova York, Pierpont Morgan Library. In PAULINO, Francisco Faria (coord.). *Portugal y los descubrimientos — El encuentro de civilizaciones*. Portugal, Comissariado de Portugal para a Exposição Universal de Sevilha, 1992, pp. 34 e 35.

20. *Armada de Pedro Álvares Cabral*. In *Memórias das armadas*, c. 1568. Lisboa, Academia de Ciências de Lisboa. In PAULINO, Francisco Faria (coord.). *Portugal y los descubrimientos — El encuentro de civilizaciones*. Portugal, Comissariado de Portugal para a Exposição Universal de Sevilha, 1992, p. 194.

21. *Planisfério anônimo português, dito de Cantino*, 1502. Modena, Biblioteca Estense. In BARRETO, Luís Filipe, & GARCIA, José Manuel (orgs.). *Portugal na abertura do mundo*. Comissão Nacional para as Comemorações dos Descobrimentos Portugueses. Lisboa, fev. 1995, p. 57.

22. *Embarcação portuguesa da primeira metade do século XVI*, atribuída a Cornelis Antoniszoon. Greenwich, National Maritime Museum. In DELÍMEAU, Jean. *La civilización de un Renacimiento*. Trad. Dolores Sánchez de Aleu. Barcelona, Editorial Juventud, 1977, p. 73.

23. *Gravura representando observações com astrolábio naútico e balestilha*. In STADEN, Hans. *Warhaftig Historia...*. Madburgo, 1557. In BARRETO, Luís Filipe, & GARCIA, José Manuel (orgs.). *Portugal na abertura do mundo*. Comissão Nacional para as Comemorações dos Descobrimentos Portugueses. Lisboa, fev. 1995, p. 49.

24. *Vida e martírio de santa Auta* (det.). Atribuído a Cristóvão de Figueiredo e a Garcia Fernandes, conjuntamente, c. 1520, óleo sobre madeira. Lisboa, Museu Nacional de Arte Antiga. In PAULINO, Francisco Faria (coord.). *Portugal y los descubrimientos — El encuentro*

de civilizaciones. Portugal, Comissariado de Portugal para a Exposição Universal de Sevilha, 1992, p. 237.

25. *Rosa-dos-ventos.* In PAULINO, Francisco Faria (coord.). *Portugal y los descubrimientos — El encuentro de civilizaciones.* Portugal, Comissariado de Portugal para a Exposição Universal de Sevilha, 1992, última página.

26. *Modelos de galeão e patacho.* In *Livro de traças de carpintaria de Manuel Fernandes,* 1616. Lisboa, Biblioteca da Ajuda. In BARRETO, Luís Filipe, & GARCIA, José Manuel (orgs.). *Portugal na abertura do mundo.* Comissão Nacional para as Comemorações dos Descobrimentos Portugueses. Lisboa, fev. 1995, pp. 58 e 59.

27. Francis Bacon. *Novum Organum,* frontispício de *Multi pertransibunt & augebitur scientia.* Londres, 1620.

28. Jan Van der Straet [Stradamus] gravado por Théodor Galle, 1589. *Nova Reperta,* 1589.

29. Alegoria de *orbis christianus.* Gaspar de San Agustín. *La conquista de las Filipinas.* Madri, 1698. Frontispício.

30. *Ecce levabo ad gentes manum mean et ad populos exaltabo signum meum.* R. P. Claude d'Abbeville. *Histoire de la mission des peres capvcins en l'isle de Maragnan et terres circunvoycines.* Paris, 1614.

31. Théodore de Bry. Sem título. In *Historia Americae sive novi orbis, Pars Qvinta.* Frankfurt, 1590-1634.

32. *Erasmo censurado pela Congregação do Índex.* In DELUMEAU, Jean. *La civilización de un Renacimiento.* Trad. Dolores Sánchez de Aleu. Barcelona, Editorial Juventud, 1977, p. 160.

33. E. Lucas Velasquez. *Cena da Inquisição,* 1851. Paris, Louvre. In DELUMEAU, Jean. *Des religions et des hommes.* Paris, Desclée de Brouwer, 1997, p. 221.

34. Sandro Botticelli. *O nascimento místico,* c. 1500, têmpera sobre tela, 108,5 × 75 cm. Londres, The National Gallery. In *Botticelli.* Colônia, Benedikt Taschen Verlag, 1995, p. 78.

35. Victor Meirelles. *Primeira missa no Brasil,* Óleo sobre tela, 1861, 2,60 × 3,56 cm. Rio de Janeiro, Museu Nacional de Belas-Artes.

36. Horace Vernet. *Première misse en Kabilie,* 1855. Bélgica, Museu de Lausanne.

37. Jean-François de Troy (1679-1752). *Desembarque de Cristóvão Colombo na América.* Projeto para Sala do Senado no Palácio de Gênova.

38. Humberto Mauro. Fotograma do filme *O descobrimento do Brasil,* 1937. Rio de Janeiro, Funarte.

39. Cândido Portinari. *A primeira missa no Brasil,* têmpera sobre tela, 1948, 2,66 × 5,98 cm. São Paulo, Banco Boavista/Projeto Portinari.

40. Pedro Peres. *A elevação da cruz em Porto Seguro,* 1879. Rio de Janeiro, Museu Nacional de Belas-Artes.

SOBRE OS AUTORES

LUIS FELIPE DE ALENCASTRO Doutor em história pela Universidade de Paris X. Pesquisador no Centro Brasileiro de Análise e Planejamento (Cebrap) e professor no Instituto de Economia da Universidade Estadual de Campinas (Unicamp). Autor de artigos publicados no Brasil e no exterior. Organizou o volume 2 da Coleção História da Vida Privada no Brasil (dir. Fernando A. Novais), *Cotidiano e vida privada no Império* (1997), Companhia das Letras.

LUÍS FILIPE BARRETO Historiador, publicou, entre outros livros: *Descobrimentos e Renascimento — Formas de ser e de pensar nos séculos XV e XVI* (1982); *Caminhos do saber no Renascimento português — Estudos de história e teoria da cultura* (1986); *Os descobrimentos e a ordem do saber — Uma análise sociocultural* (1987); *Portugal mensageiro do mundo renascentista* (1989), e *Os navios dos descobrimentos* (1991).

BARTOMOLÉ BENNASSAR Professor emérito na Universidade de Toulouse e membro da Real Academia da História na Espanha. Publicou, entre outros livros: *L'Inquisition espagnole, XV-XIX siècles*, com colaboradores (1979); *Les chrétiens d'Allah*, com Lucile Bennassar (1989), e *1492 — Un monde nouveau?* (1991), além dos romances: *Le baptême du mort* (1962), que foi adaptado para o cinema com o título de *Le dernier saut* e selecionado para o Festival de Cannes em 1970, e *Les tribulations de Mustafa des Six-Fours* (1995).

NEWTON BIGNOTTO Doutor em filosofia pela École des Hautes Études en Sciences Sociales (Paris). Professor do Departamento de Filosofia da Universidade Federal de Minas Gerais (UFMG). Publicou *Maquiavel republicano*, Loyola, e ensaios em *Tempo e história*, *Ética* e *A crise da razão*, Companhia das Letras.

GERD BORNHEIM Professor de filosofia na Universidade Federal do Rio de Janeiro (UFRJ). Publicou: *Dialética — Teoria e práxis*, Globo; *O idiota e o espírito objetivo*, Globo; *Sartre*, Perspectiva, e *Brecht, a estética do teatro*, Graal, além de ensaios em *O olhar*, *O desejo*, *Ética*, *Rede imaginária — Televisão e democracia*, *Tempo e história*, *Artepensamento*, *Libertinos libertários* e *A crise da razão*, Companhia das Letras.

MARILENA CHAUI Professora de história da filosofia política na Universidade de São Paulo (USP). Secretária da Cultura do município de São Paulo na gestão da prefeita Luiza Erundina. Publicou, entre outros livros: *O que é ideologia*, *Da realidade sem mistérios ao mistério do mundo — Espinosa, Voltaire, Merleau-Ponty*, *Introdução à filosofia*, Brasiliense, e *Convite da filosofia*, Ática, além de ensaios em *Os sentidos da paixão*, *O olhar*, *O desejo*, *Ética*, *Artepensamento* e *A crise da razão*, Companhia das Letras.

ANTÓNIO BORGES COELHO Historiador, poeta e jornalista, formado em ciências histórico-filosóficas pela Universidade de Lisboa, em cuja Faculdade de Letras leciona história. Publicou, entre outras obras: *Raízes da expansão portuguesa* (1964); *Alexandre Herculano* (1965); *A revolução de 1383*; *Leibnitz — O homem, a teoria da ciência* (1970); *O 25 de Abril e o problema da independência nacional* (1975), e organizou e prefaciou *Crônica de Fernão Lopes*.

MARIA HELENA DA CRUZ COELHO Catedrática de história na Universidade de Coimbra, especialista em Idade Média européia e portuguesa. Publicou, entre outras obras: *O poder concelhio das origens às Cortes Constituintes*, co-autoria (1986); *O mosteiro de Arouca do século X ao XVIII* (1988); *De Coimbra a Roma — Uma viagem em meados de Quinhentos*, co-autoria (1990), e *Homens, espaços e poderes — Séculos XI-XVI* (1990).

JORGE COLI Professor de história da arte no Departamento de História da Universidade Estadual de Campinas (Unicamp), mestre pela Universidade de Provença e doutor pela Universidade de São Paulo (USP). Publicou: *O que é arte* (1981), Brasiliense, e *Van Gogh, a noite estrelada* (1985), Brasiliense, além de ensaios em *Artepensamento*, *Libertinos libertários* e *A crise da razão*, Companhia das Letras.

JEAN-FRANÇOIS COURTINE Doutor em letras. Professor na École Normale Supérieure. Publicou, entre outros trabalhos: *Suarez et le système de la métaphysique* (1990); *Heidegger et la phénoménologie* (1990); *Extase de la raison — Essais sur Schelling* (1990), e *Phénoménologie et théologie* (1992).

JEAN DELUMEAU Doutor em letras. Professor no Collège de France. Publicou, entre numerosos trabalhos: *La civilisation de la Renaissance* (1967); *Le catholicisme entre Luther et Voltaire* (1971); *Leçon inaugurale au Collège de France*

(1975); *Le christianisme va-t-il mourir?* (1977); *Vie économique et sociale de Rome dans la seconde moitié du XVIe siècle* (1979); *Le cas Luther* (1988), e *Naissance et affirmation de la Réforme* (1990).

FRANCISCO CONTENTE DOMINGUES Professor de história dos descobrimentos e da expansão portuguesa e história da Marinha portuguesa na Universidade de Lisboa. Publicou, entre outros livros: *Experiência e conhecimento na construção naval portuguesa do século XVI — Os tratados de Fernando Oliveira* (1985); *História dos descobrimentos e expansão portuguesa*, co-autoria (1990), e *Colombo e a política de sigilo na historiografia portuguesa* (1992). Coordenou o *Dicionário de história dos descobrimentos portugueses* (dir. Luís de Albuquerque) (1994).

VITORINO MAGALHÃES GODINHO Historiador, ensaísta e econimista português de renome internacional. Formado em letras, sob a influência de Antônio Sérgio, discípulo de Braudel e Lucien Febvre, doutourou-se na Sorbonne, sendo encarregado de pesquisas no Centre National de La Recherche Scientifique (1947). É diplomado em ciências econômicas e sociais pela École des Hautes Études de Paris. Foi ministro da Educação em Portugal depois da Revolução de 25 de abril de 1974. Suas principais obras são: *Razão e história* (1940); *Documentos sobre a expansão portuguesa* (1943-56); *As sociedades e economias do Noroestes africano — Marrocos — Séculos XI-XVI* (1947); *Prix et monnaies au Portugal 1750-1850* (1955); *A economia dos descobrimentos henriquinos* (1962); *Os descobrimentos e a economia mundial (1963-71); Ensaios* (1967-71); *A estrutura da antiga sociedade portuguesa* (1971).

JOÃO ADOLFO HANSEN Formado em letras anglo-germânicas pela Universidade Católica de Campinas (1964) e doutor em literatura brasileira pela Universidade de São Paulo (USP) (1988). Publicou: *Alegoria (construção e interpretação da metáfora)* (1986), Atual, e *A sátira e o engenho — Gregório de Matos e a Bahia do século XVII* (1989), Companhia das Letras, além de ensaios em *Libertinos libertários* e *A crise da razão*, Companhia das Letras.

LUÍS KRUS Professor de história na Universidade Nova de Lisboa e na Universidade Aberta de Lisboa, especialista em sociedades hispânicas medievais e em história cultural e das mentalidades. Publicou, entre outras obras: *O castelo e a feira — A terra de Santa Maria nos séculos XI a XIII* (1989); *Passado, memória e poder na sociedade medieval portuguesa* (1994), e *A concepção nobiliárquica do espaço ibérico (1280-1380)* (1995).

FRANK LESTRINGANT Professor na Universidade Charles de Gaulle — Lille III. Publicou, entre outros livros: *André Thevet, cosmographe des derniers Valois* (1991); *Jean de Léry, histoire d'un voyage fait en la terre du Brésil — 1557* (1992); *Écrire le monde à la Renaissance — Quinze études sur Rabelais, Pos-*

tel, Bondin et la littérature geógraphique (1993); *Mapping the Renaissance world* (1994), e *L'expérience huguenote au Nouveau Monde (XVIe sciècle)* (1996).

JOSÉ V. DE PINA MARTINS Professor catedrático jubilado na Universidade de Lisboa. Atual diretor do Serviço de Educação da Fundação Calouste Gulbenkian (desde 1983). Doutor de Estado pela Universidade de Paris (Sourbonne), 1974. Doutor honoris causa na Universidade de Lisboa (1991) e na Academia das Ciências da Rússia (1996). Autor de cerca de trezentos estudos sobre humanismo português e europeu, editados em várias línguas.

PAULO MICELI Graduado e licenciado em história pela Universidade de São Paulo (USP) (1975) e doutor em história pelo Instituto de Filosofia e Ciências Humanas da Universidade Estadual de Campinas (Unicamp). Publicou, entre outros trabalhos: *Era uma vez, em Sertãozinho — Certas histórias de uma história que é do trabalho: pessoas, fatos e feitos* (1984); *Além da fábrica — O projeto industrialista em São Paulo, 1928-1948* (1992), e *O ponto onde estamos — Viagens e viajantes na história da expansão e da conquista (Portugal, séculos XV-XVI)* (1997).

HUMBERTO BAQUERO MORENO Doutor em história pela Universidade de Lisboa (1973). Catedrático da Faculdade de Letras do Porto. Dirige o Centro de História da Universidade do Porto e o Arquivo Histórico da mesma cidade. Publicou: *Sobre a batalha de Alfarrobeira* (1973); *Itinerários de el-rei d. Duarte* (1976); *Marginalidade e conflitos sociais em Portugal nos séculos XIII a XVI* (1986), e *Itinerários de el-rei d. João I* (1988).

MARIA DAS GRAÇAS DO NASCIMENTO Professora de ética e filosofia política do Departamento de Filosofia da Universidade de São Paulo (USP). Publicou, entre outros livros, *Voltaire — A razão militante* (1994), Moderna.

ADAUTO NOVAES Coordenador do Núcleo de Estudos e Pesquisas da Fundação Nacional de Arte (Funarte). Concebeu e organizou as pesquisas e livros: *Anos 70* (1979), Europa; *O nacional e o popular na cultura brasileira* (1982), Brasiliense; *Cultura brasileira — Tradição/contradição* (1986), Zahar. Publicou ensaios em *Os sentidos da paixão, O olhar, O desejo, Rede imaginária — Televisão e democracia, Ética, Tempo e história, Artepensamento, Libertinos libertários* e *A crise da razão*, Companhia das Letras.

JOÃO MARINHO DOS SANTOS Professor na Faculdade de Letras da Universidade de Coimbra, especialista em história dos descobrimentos e da expansão portuguesa. Publicou, entre outros livros: *Os portugueses em viagem pelo mundo*; *A guerra e as guerras na expansão portuguesa*; *A expansão e a independên-*

cia nacional — A ação do infante d. Pedro; *Honra e primor na expansão portuguesa*, e *Notas para (re)conhecimento de Jaime Cortesão*.

EDUARDO SUBIRATS Professor do Departamento de Línguas e Literatura Românicas da Universidade de Princeton. Publicou: *Utopía y subversión* (1976); *El alma y la muerte* (1983); *Razón y nihilismo* (1990); *Vanguardia, mídia, metrópoles* (1993); *El continente vacío — El descubrimiento de América y la conciencia moderna* (1994); *América o la memoria histórica* (1994); *España — Miradas fin de siglo* (1994), e *Linterna mágica* (1997).

ÍNDICE ONOMÁSTICO

ESTA OBRA FOI COMPOSTA PELA HELVÉTICA EDITORIAL EM GARAMOND E IMPRESSA PELA HAMBURG GRÁFICA EDITORA EM OFF-SET SOBRE PAPEL PÓLEN SOFT DA COMPANHIA SUZANO PARA A EDITORA SCHWARCZ EM JULHO DE 1998.